RAMSÈS II
LE PHARAON TRIOMPHANT

K.A. KITCHEN

RAMSÈS II LE PHARAON TRIOMPHANT

Sa vie et son époque

traduit de l'anglais par
Paul Couturiau et Christel Rollinat

LES ÉDITIONS DE L'HOMME*
CANADA: 955, rue Amherst, Montréal H2L 3K4

*Division de Sogides Ltée

DU MÊME AUTEUR

Ramesside Inscriptions, Historical and Biographical (Blackwell, Oxford, à partir de 1968). L'édition complète comprendra sept volumes.

The Third Intermediate Period in Egypt (1100-650 BC), Aris and Phillips, Warminster, 1972.

Suppiluliuma and the Amarna Pharaohs: a Study in Relative Chronology, Liverpool University Press, Liverpool, 1962.

K.A. KITCHEN est également l'auteur de très nombreux articles scientifiques destinés à des revues spécialisées ou à des ouvrages de référence *(Lexikon der Ægyptologie, Orientalia, Journal of Egyptian Archeology, Journal of Near Eastern Studies, Bulletin de l'Institut Français d'Archéologie Orientale, Revue d'Égyptologie, Chronique d'Égypte,* etc.).

A mes collègues et amis égyptiens

wa neb hir ran-ef

« A chacun à titre individuel »

Couverture

- Conception graphique:
  GAÉTAN FORCILLO
- Photo:
  H. ARMSTRONG ROBERTS, INC./
  REFLEXION

DISTRIBUTEURS EXCLUSIFS:

- Pour le Canada:
  AGENCE DE DISTRIBUTION POPULAIRE INC.*
  955, rue Amherst, Montréal H2L 3K4 (tél.: 514-523-1182)
  *Filiale de Sogides Ltée

- Pour la France et l'Afrique:
  INTER-FORUM
  13, rue de la Glacière, 75013 Paris (tél.: 570-1180)

- Pour la Belgique et autres pays:
  S. A. VANDER
  Avenue des Volontaires, 321, 1150 Bruxelles (tél.: (32-2) 762.98.04)

ISBN de l'édition française: 2-268-00366-3

Ce livre a été publié et imprimé en anglais sous le titre:
Pharaoh Triumphant, The Life and Times of Ramses II, King of Egypt
par Aris and Philips ltd.

Bibliothèque nationale du Québec
Dépôt légal — 2e trimestre 1985

ISBN 2-7619-0544-X

SOMMAIRE

Préface et remerciements 11

Première partie

PRÉLUDE

Chapitre premier : L'ÉGYPTE DE RAMSÈS 15

Premières approches, 15. — Le pays natal de Ramsès, 17. — La terre du Sud, 18. — La province de Nubie, 20. — La toile de fond de l'histoire : l'Égypte avant Ramsès, 21. — Les débuts, 22. — L'arrivée des pharaons, 23. — Premier éclat de l'Ancien Empire, 24. — Renouveau et vitalité sous le Moyen Empire, 25. — Les gloires de l'Empire : le Nouvel Empire, 27. — Pinacle et splendeur : éclipse théologique, 29.

Chapitre II : L'ENFANCE DE RAMSÈS 34

Le monde politique à l'époque de Ramsès, 34. — Une vocation frustrée, 36. — L'espoir est permis, 37. — Héritier du pharaon, 38. — Le prince Séti et le petit Ramsès, 39.

Les nouveaux rois 40

Ramsès Ier, 40. — Séti Ier, 43. — Baptême du feu pour le jeune Ramsès 47. — Travaux en temps de paix, 49.

Chapitre III : LE PRINCE RÉGENT 52

Le couronnement de l'enfant-roi, 52. — La cour de Séti et le prince, 53. — Révolte dans le Grand Sud, 56. — Déserts et carrières, 57. — Le prince Ramsès : bâtisseur, 60. — La famille royale, 64. — Échauffourées au sud et au nord, 65. — Mort de Séti Ier, 66.

Deuxième partie

GUERRE ET PAIX

Chapitre IV : GUERRES ET RUMEURS DE GUERRE 69

Le calme avant la tempête 69

Ramsès II, pharaon unique, 69. — Conseil d'État à Thèbes, 71. — Promotions et restaurations à Abydos, 72. — Recherches théologiques, 75. — « L'or des collines lointaines », 77. — Guerre en Syrie, 79.

Kadesh : la victoire née du désastre 81

Voyage éclair, 81. — Un optimisme insouciant, 83. — L'illusion se brise, 84. — Le désastre, 86. — Victoire et reproches, 89. — La fin de la bataille, 90. — Retour au pays sous des nuages menaçants, 91.

Lutte pour la Syrie 94

Célébration, promotions, travaux à Abou Simbel, 94. — Récupération et révolte, 97. — Nouvelle offensive syrienne, 99. — Impasse syrienne, 100. — L'exode des Hébreux, 101.

Aventures africaines 104

La frontière du nord-ouest, 104. — De retour à Irem en Haute Nubie, 105.

Chapitre V : LA PAIX 107

Crise! Révolution de palais au royaume du Hatti, 107. — Crise! Nouvelle menace de guerre, 108. — Crise! Hanigalbat disparaît..., 109.

La paix enfin 111

Volte-face d'Hattousil, 111. — Le traité : la paix est acceptée, 112. — Félicitations mutuelles, 116. — La force de l'habitude et les tensions de l'après-traité, 118.

Mariage royal international 120

Marchandage pour une épouse, 120. — La marche nuptiale, 123. — La nouvelle reine, 126.

Visites royales internationales 127

Le prince héritier hittite en Égypte, 127. — Hattousil III a-t-il visité l'Égypte, 129.

Encore un mariage royal 131

Y a-t-il un médecin dans la maison? 131. — Une nouvelle princesse, 132. — Des échos à travers les siècles, 134.

Troisième partie

LE ROYAUME DU DIEU SOLEIL

Chapitre VI : LA FAMILLE ROYALE ET LES CAPITALES DU ROYAUME 137

Les beautés du palais 137

La grande dame : la reine-mère Touya, 137. — Les reines rivales : Nefertari et Istnofret, 139. — Carrière et monuments de la reine Nefertari, 140. — La reine Istnofret et sa fille, 143. — Les premiers fils, 144. — Les princes et l'armée, 144. — Changements de succession, 145.

Khaemwaset — le prince égyptologue 146

Début de carrière, 146. — Soin des taureaux sacrés, 147. — Des caves secrètes et un temple d'Apis, 148. — Khaemwaset l'égyptologue, 150. — Khaemwaset l'administrateur, 152. — Khaemwaset et les jubilés royaux, 153. — Tombe et enterrement de Khaemwaset, 154.

Les reines-princesses 155

Bint-Anath et Meryetamon, 155. — Au harem, 155. — Les autres reines, 157.

Mérenptah et les plus jeunes fils 158

Les jeunes fils de Ramsès II, 158. — Mérenptah, le dernier héritier, 159.

Les trois grandes cités 160

Memphis l'ancienne, 160. — Thèbes l'impériale, 163. — L'éblouissante Pi-Ramsès, 168.

Chapitre VII : LES COULISSES DU POUVOIR, LA VIE ET LES LETTRES 174

Les vizirs et la loi 174

Paser, le vizir modèle, 174. — La Loi en action : petit différend domestique, 176. — La Loi en action : la querelle de cent ans, 179.

Chefs du Trésor et escrocs financiers 182

Les racines de la prospérité, 182. — Paneshy et Souty, maîtres du Trésor, 183. — Impôts sur le revenu et scandales financiers, 186.

Vice-rois, or et séismes 189

Séisme à Abou Simbel, 189. — Le vice-roi Setau, arriviste et chercheur d'or, 191.

Les hommes du roi et les hommes d'armes 194

Les courtisans en actions, 194. — Les savants lettrés, 195. — L'armée : défense et terrain d'entraînement, 196.

La vie scolaire et estudiantine 197

Le bas de l'échelle, 197. — Vie estudiantine et lettres, 199. — Un mode de vie raffiné, 203. — Contes et tourisme dans l'Égypte ramesside, 206. — Héritage culturel, 208.

Chapitre VIII : TEMPLES ET FÊTES DES DIEUX 213

Les demeures des dieux, 213. — Le service des dieux, 218. — Les dieux chez eux, 221. — Rites Hymnes et Théologie, 226. — Les dieux et les grandes fêtes, 231. — Serviteurs des dieux, 235. — Culte du roi et les jubilés, 241. — « Maître des jubilés comme son père Ptah-Tatenen », 247.

Chapitre IX : LA VIE QUOTIDIENNE SOUS RAMSÈS LE GRAND 251

La vie aux champs, 252.

Les ouvriers du pharaon : la vie à Deir el-Medineh 254

Le village, 255. — Rencontrons les villageois, 257. — Travail dans la Vallée des Rois, 260. — Travail et jeu à Deir el-Médineh, 262. — Le travail, 263. — Divertissement, loi et religion, 270. — Vers l'Occident merveilleux, 275.

Quatrième partie

LE ROI EST MORT...
VIVE LE ROI!

Chapitre X : MORT ET SURVIVANCE ÉTERNELLE DE RAMSÈS II 279

Les dernières années, 279. — La mort de Ramsès II, 280. — Départ pour la vie après la vie, 281. — La tombe et la destinée éternelle de Ramsès II, 284. — L'adieu ultime, 290.

Chapitre XI : LES CONSÉQUENCES — L'ÉGYPTE APRÈS RAMSÈS II 291

Le déclin et la chute de l'empire 291

Mérenptah et la fin de la dynastie, 291. — Les derniers Ramessides : la XXe dynastie, 295.

Décadence, dissension, renaissance 297

Stagnation tanite, 297. — Des orages lybiens, 298. — Renaissance nubienne et saïte, 300.

Les perspectives ultimes 302

L'empire perse et les pharaons de l'indépendance, 302. — La Grèce, Rome et l'éclipse de la civilisation égyptienne, 303.

Chapitre XII : UN REGARD EN ARRIÈRE 305

Ramsès II en son temps, 305.

Ramsès II dans la tradition postérieure 309

L'idéal des derniers rois ramessides, 309. — La renaissance postimpériale, 310. — Les traditions égyptiennes ultérieures concernant Ramsès II et le prince Khaemwaset, 311. — Ramsès II dans d'autres traditions antiques, 313.

Ramsès II aujourd'hui 315

La résurrection des civilisations perdues, 315. — Ramsès II à ce jour, 317. — Ramsès II aujourd'hui, 321.

TABLEAU 1 : Survol de l'histoire égyptienne 325
TABLEAU 2 : Le règne de Ramsès II 328
TABLEAU 3 : Ramsès II, arbre généalogique simplifié 335

Abréviations utilisées dans les notes 336
Notes 338
Index 361

PRÉFACE ET REMERCIEMENTS

Voici une esquisse de la vie à l'époque ramesside. La scène est occupée par Ramsès II, pharaon d'Égypte, homme d'une énergie inépuisable, tour à tour obstiné, perspicace, bienveillant ou brutal. Il est entouré par sa remarquable famille. Des personnages plus ou moins importants gravitent autour de lui. Des hommes intègres et distingués côtoient des filous et des escrocs sur une toile de fond internationale où se succèdent les crises et les guerres, la romance et la paix.

C'est une invitation de M. A.J.V. Cheetham, en « l'année de Toutânkhamon », 1972, qui m'inspira ce livre. Ce dernier est destiné au grand public, il ne s'agit en aucun cas d'un ouvrage de référence.

L'auteur tient à exprimer ses remerciements à toutes les personnes et à toutes les institutions lui ayant apporté leur concours à quelque titre que ce soit.

PREMIÈRE PARTIE

PRÉLUDE

CHAPITRE PREMIER

L'ÉGYPTE DE RAMSÈS

Premières approches

Ces doigts osseux du sud-est de l'Europe que sont les montagnes accidentées de la Grèce, descendent de hauteurs arides à travers des terrains difficilement cultivables jusqu'aux rivages de sables d'or où ils plongent dans le bleu profond des flots méditerranéens.

Ces « doigts » noueux pointent vers le sud-est, au-delà de la Crète et des mers aussi sombres que le vin d'Homère, vers la côte septentrionale de l'Afrique où vont mourir les vagues dansantes : la côte du delta du Nil. Trois cent vingt kilomètres de bancs de sable et de hauts-fonds, de lagunes et de marais salants plats, arides et monotones sous un soleil brûlant. Trois cent vingt kilomètres que seules interrompent les bouches du Nil paresseux qui obscurcit la mer de son limon qui dérive ensuite vers l'est emporté par les courants marins.

De tout temps, l'Égypte a offert ce « profil plat » aux visiteurs venus du nord, que ce soit aux marchands et aux flibustiers dans leurs fragiles embarcations du XIIIe siècle avant J.-C. ou aux voyageurs modernes du XXe siècle. Que nul ne s'abuse, ceci n'est que le modeste levé de rideau s'ouvrant sur une scène offrant un contraste spectaculaire : le vaste delta et l'étroite vallée du Nil.

Notre premier « décor » est le large triangle du delta du Nil — la Basse Égypte, tapissée d'une végétation luxuriante, là où affleurent les eaux du fleuve. Le sommet de ce grand triangle se trouve à quelque cent soixante kilomètres au sud, près du Caire. Le fertile delta est flanqué de déserts rocailleux, de sables stériles et desséchés qui, près de cette ville moderne, cernent le fleuve et son bassin d'une vallée de moins de vingt kilomètres de largeur. C'est la porte menant vers le Sud, vers l'interminable vallée du Nil : la Haute Égypte, notre second « décor ». Il est difficile d'imaginer qu'un contraste plus saisissant puisse exister sur une même terre : le delta s'étend à perte de vue alors que la sinueuse vallée s'étire en un étroit ruban de verdure (de trois à dix-neuf kilomètres), prisonnier sur des kilomètres de déserts et de collines.

Ces « Deux Terres » ont toujours été gouvernées avec le plus d'efficacité de l'endroit où la vallée s'ouvre sur le delta, précisément de la région au centre de laquelle se trouve Le Caire. C'était en effet à quelque vingt kilomètres au sud du Caire, sur la rive gauche du fleuve que se trouvait jadis la populeuse cité de Memphis, qui fut pendant plus de trois millénaires la capitale de l'Égypte ancienne.

Au nord de Memphis sur la rive gauche, au-delà du Caire et d'Héliopolis sur la rive droite, le Nil se divise en bras principaux et en canaux qui irriguent les champs et les palmeraies, les villes et les villages du delta. Il ne reste aujourd'hui que deux branches importantes, l'une débouchant à Rosette à l'ouest, l'autre à Damiette à l'est. Mais en 1300 avant J.-C., le fleuve se divisait en trois bras principaux et deux à quatre canaux s'égaillaient jusqu'à la Méditerranée. Ainsi, le « Fleuve de l'Ouest » des pharaons reliait-il la rive gauche du delta le long du désert libyque, à la mer qu'il rejoignait près du site de la future Alexandrie (à Canope). C'est ici que se trouvaient autrefois nombre des fameuses vignes des pharaons, qui se délectaient du « bon vin du Fleuve de l'Ouest ». Le « Grand Fleuve » coulait entre le milieu du delta et *Tjeb-nuter* (aujourd'hui Samaoud). Son bras principal s'incurvait probablement à l'ouest puis au nord après l'ancienne Bouto, alors que le bras secondaire, les « Eaux d'Amon » (branche principale de nos jours), rejoignait la mer en remontant d'abord vers le nord puis vers l'est après Bedehet (une ville du dieu Amon).

Le pays natal de Ramsès

La branche la plus importante, en ce qui nous concerne, était la troisième : celle qui était située la plus à l'est et dont il ne subsiste que quelques canaux. Ces « Eaux de Rê » se séparaient du Nil principal en face d'Héliopolis, la cité du dieu soleil Rê, et se dirigeaient vers le nord-est. Aux abords de Boubastis, demeure de la déesse Bastet, le bras principal donnait naissance au Canal de l'Eau Douce qui se dirigeait droit vers l'est, le long de l'Ouadi Toumilat jusqu'aux Lacs Amers. Il était parallèle à l'ancienne route commerciale que les caravanes empruntaient pour se rendre au centre et au sud du Sinaï. Mais le bras principal, les « Eaux de Rê », dépassait la ville de Boubastis ; il constituait l'artère orientale du delta et irriguait une région de grande fertilité, y compris le biblique « pays de Goshen ». A quelque trente-deux kilomètres en aval de Boubastis, le fleuve contournait par l'ouest l'importante ville d'Avaris, demeure de l'indiscipliné Seth, le dieu qui aida Rê à triompher du serpent félon. Cette ville avait déjà un riche passé historique en 1300 avant J.-C. Cinq cents ans auparavant, elle était le carrefour principal des routes commerciales du sud-est (via Toumilat) et (ce qui nous paraît plus important) du nord-est ; cette dernière longeait la côte méditerranéenne depuis la terre de Canaan (Palestine). C'est bien évidemment à proximité de cette ville que les « Eaux de Rê » prennent le nom d' « Eaux d'Avaris ». Elles dépassent le poste-frontière de Silé (El-Kantara) près des Chemins d'Horus et deviennent les « Eaux d'Horus », le Shihar biblique, avant de se jeter dans la mer près de Sa'inu, le Pélusium des Grecs. Une étendue désertique de forme triangulaire orientée vers le Sinaï s'inscrit dans la région comprise entre le Nil, l'Ouadi Toumilat et les Lacs Amers.

Mais c'était la riche bande de terres fertiles, le « terrain de Rê », s'étendant entre Héliopolis et Avaris, qui formait l'accueillant fief cosmopolite de la famille du héros de notre récit : Ramsès, l'illustre fils d'une famille de militaires qui vivait et régnait à l'aube du XIIIe siècle avant notre ère. Les armées victorieuses de l'Égypte avaient foulé ce sol lors des expéditions vers Canaan et le nord de la Syrie. C'était là que s'embarquaient les marchands syriens qui remontaient le Nil à la voile jusqu'à Memphis. C'était là également qu'arrivaient les caravanes d'ânes du Sinaï. Sur les marchés, dans les rues et dans les bureaux d'Avaris, résonnait de longue date une foule de langues étrangères. Le dieu de la ville, qui personnifiait les éléments indisciplinés de la nature, fut aisément assimilé à Baal, à Hadad, à Teshoub ou à Tarkhuns, les dieux de la tempête et des éléments des visiteurs étrangers.

La terre du Sud

Au sud d'Avaris, la route et le fleuve conduisaient inévitablement à Memphis, l'ancienne capitale tapie au milieu des palmeraies, avec comme toile de fond, la ligne des anciennes pyramides s'élevant des sables jaunes et se détachant sur un ciel aussi bleu que lumineux. Maintes et maintes fois, en tant que prince et en tant que pharaon, Ramsès dut appareiller à Memphis ou dans le delta pour remonter le Nil le long de l'étroite vallée jusqu'à la capitale du Sud, Thèbes, ou pour parcourir les quelque neuf cent soixante kilomètres jusqu'à Assouan, où le fleuve se jetait sur les énormes blocs granitiques de la Première Cataracte. Ainsi que nombre de voyageurs l'ont constaté depuis Ramsès, un tel périple révèle un riche panorama de la vie en Égypte sur les berges du fleuve.

A quelque quatre-vingts kilomètres de Memphis, la vallée s'élargit à l'ouest en une riche plaine. Là se trouvait une ville prospère, Ninsu (l'Héracléopolis des Grecs). Elle gardait une percée dans les collines du désert à travers laquelle un ancien canal reliait le Nil à la province du Fayoum et à son lac, un « jardin d'Éden » où les pharaons d'antan effectuaient de brefs séjours, pêchaient et chassaient le gibier d'eau dans les marécages riches en faune sauvage. A l'entrée du Fayoum, se trouvait un palais-harem, un lieu de plaisir pour les parties de chasse du pharaon ou, selon les circonstances, un centre artisanal.

Mais les affaires poussaient le plus souvent Pharaon plus loin vers le sud, le long du fleuve chatoyant. Il dépassait Hermopolis (Khmunu, aujourd'hui Eshmunen), demeure de Thot, dieu de la sagesse et de l'écriture et l'enclave désertique où Akhenaton l' « hérétique » avait créé sa ville (aujourd'hui Tel el-Amarna) que Toutânkhamon, l'enfant-roi, rendra plus tard aux sables. Il passait ensuite Assiout et arrivait à Abydos-la-Sainte, la cité sacrée d'Osiris, dieu de l'après-vie, puis à Iunet (aujourd'hui Dendérah), résidence de la déesse Hathor, protectrice de la maternité, de l'amour et de la gaieté. Jusqu'à ce qu'enfin après une progression majestueuse d'une quinzaine de jours, la felouque du pharaon aborde aux quais de Thèbes l'impériale, qui était située à l'emplacement de l'actuelle Louxor. Dans cette gigantesque métropole du Sud, Amon ou Amon-Rê était alors le Roi des Dieux. Les vastes temples (Karnak et Louxor) qui lui étaient dédiés sur la rive droite, étaient les plus grands sanctuaires d'Égypte. Les temples funéraires des rois se trouvent sur la rive gauche, en bordure du désert, au-delà de la plaine luxuriante. Ils sont adossés aux falaises dans lesquelles étaient creusés les tombeaux des notables et qui masquaient les Vallées cachées des Rois et des Reines, où les pharaons et leurs épouses s'endormaient pour l'éternité, habillés d'or impérissable. Mais s'ils désiraient des statues de granit, le pharaon ou ses émissaires devaient voguer encore plus loin vers le sud, au-delà d'Edfou, l'aire d'Horus, le dieu-faucon, incarnation de la royauté, et franchir les étranglements de Khényt (aujourd'hui Silsilis), dont les carrières de grès fournissaient la pierre de presque tous les grands sanctuaires d'Égypte. Ils débarquaient enfin à Assouan et à l'île Éléphantine, au pied des gigantesques affleurements de granit, traversés par les rapides traîtres de la Première Cataracte. Ici, le Nil venu de Nubie, se précipitait en Égypte. Les eaux du fleuve, aux nuances sans cesse changeantes, reflétaient les contrastes des sables d'or, des rocs de granit d'un noir étincelant, des ciels bleus et des enclaves de verdure couronnées de palmes grisonnantes et aériennes : la dernière oasis avant les rigueurs de la Nubie.

La province de Nubie

Au sud des délices et des carrières animées d'Assouan et de ses îlots, l'empire des pharaons poursuivait son chemin en un long ruban de mille trois cents kilomètres. Il suivait le cours interminable du Nil, prisonnier des vastes étendues désertiques, jusqu'à un point situé à cinq cents kilomètres au nord de la moderne Khartoum (Soudan). Le Nil traversait la Nubie, région gouvernée au nom du pharaon par un vice-roi ; l'or de son sous-sol était son principal atout. Les quelque trois cents premiers kilomètres allant d'Assouan à la Seconde Cataracte (cinquante kilomètres de rapides non navigables) constituaient la sous-province de Ouaouat (Basse Nubie). Une minuscule bande de verdure, dont la largeur n'excédait pas un ou deux mètres en certains endroits, bordait le fleuve. A Baki (aujourd'hui Kouban), une plaine de dimensions modestes abritait un fort et deux temples — au-delà se trouve la sèche vallée de l'Ouadi Allaki, dont le cours orienté au sud-est mène à un désert aride et hurlant. C'était de cette région que provenait l' « Or de Ouaouat ». Après un double coude du Nil, le voyageur atteignait une plaine plus riche sur la rive opposée (rive gauche), ancien site de Miam (aujourd'hui Aniba), la capitale de la Basse Nubie et siège du vice-roi. Au pied de la Seconde Cataracte, le grand fort et la ville de Bouhen montaient la garde et d'autres avant-postes (aujourd'hui Semneh et Koumeh) marquaient la limite sud du Moyen Empire.

Le reste du long cours du Nil, sous contrôle des pharaons, traversait la sous-province de Koush (Haute Nubie). A mi-chemin de la Troisième Cataracte, l'île de Saï s'enorgueillissait de la forteresse de Shaat.

Capitale du Koush et résidence secondaire du vice-roi, cette île joua un rôle prépondérant jusqu'à ce que Ramsès II crée un nouveau complexe, « Ramsès la Ville », sur une autre île à quelques kilomètres en aval, à Amara-Ouest. Le choix de ces sites n'était dû qu'à l'intérêt pour l'or. Au-delà de la Troisième Cataracte, s'étendait la plus riche région agricole, celle de la Dongola moderne, voisine des puits de Irem, à l'Ouest. Le Nil dessine ensuite un majestueux double coude. Sur cette boucle colossale, se dressait Napata, coiffée de sa spectaculaire « Table Montagne », à la cime plate, la « Montagne Sainte » du dieu Amon. Cette ville constituait le dernier bastion égyptien important avant la Quatrième Cataracte. Quant à la zone frontalière de Karoy, nous supposons qu'elle se trouvait aux alentours de Abou Hamed, de Kenisa-Kourgous, en aval de la Cinquième Cataracte à proximité de terrains aurifères. Les produits exotiques de l'Afrique tropicale pénétraient dans l'Empire, via les terres mystérieuses du Sud lointain.

A cet immense royaume s'étirant le long du Nil, depuis les distantes cataractes jusqu'aux côtes méditerranéennes du delta, furent adjointes les provinces de Canaan et du sud de la Syrie. Cet ensemble représentait la Grande Égypte, gouvernée par la famille de Ramsès II. De Simyra à Beyrouth, de Memphis à Thèbes et tout le long du Nil nubien jusqu'à la limite sud de l'empire, les paroles de ce souverain avaient force de loi.

La toile de fond de l'histoire : l'Égypte avant Ramsès

Il y a trente-trois siècles, alors que le futur Ramsès II n'était qu'un adolescent turbulent, cette terre témoignait déjà d'une histoire grandiose. A ses yeux ainsi qu'aux nôtres d'ailleurs, la ligne des majestueuses pyramides au-delà de Memphis appartenait à l'Égypte *ancienne* et constituait d'ores et déjà une attraction touristique pour les scribes de la ville intéressés par l'histoire.

Les contemporains de Ramsès II avaient une conscience aiguë des gloires attachées à leur prestigieux passé, gloires qui avaient atteint une apogée tout aussi spectaculaire que vulnérable et auxquelles les prédécesseurs immédiats du jeune Ramsès avaient porté un coup fatidique en apparence. Les Égyptiens souhaitaient donc ardemment la restauration de la défunte splendeur de leur pays et dès que l'opportunité se présenta, ils la saisirent. Jetons un regard sur les siècles riches en rebondissements qui précédèrent Ramsès et sur les événements qui imprégnèrent sa conscience.

Les débuts

Un grand fleuve creusa la vallée du Nil à l'aube des temps préhistoriques, en se frayant un passage dans les grès et les calcaires du nord-est de l'Afrique. Il tailla de ses flots capricieux les falaises en terrasses. De ses limons et de ses boues, il emplit le sol de la vallée d'une terre riche, et la baie triangulaire dans laquelle cet ancien « super-Nil » coula un jour, devint l'immense et plat delta tapissé de limon.

Le débit du Nil diminua au fil du temps et le fleuve ressembla de plus en plus à celui que nous connaissons aujourd'hui. Les steppes du Sahara se desséchèrent en un désert ponctué de quelques rares oasis nourries d'eau souterraine. L'homme fut contraint, pour chasser, de remonter le long de la vallée, et avec le temps il en vint non seulement à récolter mais encore à cultiver les graminées nécessaires à la fabrication du pain, nourriture de base. Cette munificence dépendait alors (et depuis lors) du Nil. Chaque été, après que les pluies de la mousson étaient tombées sur les sommets de la lointaine Éthiopie, les eaux gonflées des Nil Blanc, Bleu et Atbara, charriant d'innombrables tonnes de terre et de limon vers le nord, inondaient de juin à septembre la vallée du Nil. Un nouveau et frais tapis de couche fertile s'y déposait. L'eau et le doux soleil favorisaient alors la croissance de plantes luxuriantes. Telle était l'inondation annuelle du Nil.

Les premiers Égyptiens apprirent à attendre cette générosité et à redouter l'absence de crue, synonyme de famine. Ils apprirent à canaliser l'eau précieuse, à la retenir dans les bassins et à la conserver en vue d'une utilisation ultérieure. Les communautés villageoises s'assemblèrent en « provinces » virtuelles sous l'autorité de souverains locaux, puis en « pays » jusqu'à ce que, vers le XXXIIe siècle avant J.-C., la longue vallée allant d'Assouan à l'entrée du Fayoum constitue presque un royaume unique soumis aux rois-faucons de la Haute Égypte, qui portaient la haute mitre connue sous le nom de *Couronne blanche*. Un royaume rival apparut dans le delta, à l'origine duquel se trouvaient les premiers peuplements de l'Ouest, à Saïs et à Bouto, l'ancienne ville aux deux quartiers. Ses princes portaient la *Couronne rouge,* une remarquable coiffure dont le sommet plat était orné d'une spirale frontale et dont l'arrière présentait une saillie élancée.

L'arrivée des pharaons

L'inévitable affrontement se produisit. Le roi-faucon du Sud, Narmer, triompha des princes du Nord vers 3100 avant J.-C. L'Égypte devint un royaume. Le règne des dieux et des « Compagnons d'Horus » était terminé, et la monarchie pharaonique naquit. Mais les deux royaumes de la vallée et du delta ne furent jamais oubliés. Le pharaon était « Seigneur des *Deux* Terres ». Narmer adopta semble-t-il un nouveau titre, « Protégé des Deux Dames » (Nekhebit et Ouadjit, vautour et cobra, Déesses Maîtresses des Deux Terres) auquel il ajouta le nom de Mena, « Celui qui persiste », dont est dérivé le plus tardif Ménès, fondateur selon la tradition de la monarchie pharaonique d'Égypte et de sa capitale Memphis, à la jonction des Deux Terres.

Cet événement capital influença le cours de l'histoire égyptienne. Narmer-Ménès fonda une première lignée ou « dynastie » de rois. Les Première et Seconde Dynasties, ainsi que les nommeront les textes ultérieurs, constituent la Période Protodynastique. C'était un âge pionnier, au cours duquel le royaume unifié atteignit sa maturité en divers domaines : une administration hiérarchisée, chargée de gouverner le pays, utilisa les hiéroglyphes récemment inventés pour constituer ses archives ; une splendide architecture royale se développa ainsi qu'en attestent les imposants tombeaux de briques d'argile crue de Memphis et d'Abydos ; des arts raffinés s'épanouirent : on ciselait des joyaux délicats, on taillait de merveilleux vases dans les gemmes les plus dures, on réalisait des travaux chryséléphantins pour le mobilier royal.

Premier éclat de l'Ancien Empire

Après des siècles de préoccupations expansionnistes, une nouvelle lignée de pharaons, la Troisième Dynastie, inaugura en Égypte l'ère de la réussite suprême : l'Ancien Empire ou l' « Age des Pyramides » qui dura de 2700 à 2200 ans avant J.-C., soit de la Troisième à la Sixième Dynastie. Vers 2700, le roi Djeser et son très compétent ministre, Imhotep, érigèrent les premières constructions monumentales de pierre du monde : la pyramide à degrés avec ses bâtiments satellites inscrits dans un vaste « péristyle », tombeau et palais éternels réalisés en une pierre blanche étincelante, témoins de la nouvelle technologie de l'époque. Le bon roi Snéfrou, fondateur de la Quatrième Dynastie, fit construire deux pyramides présentant des pentes continues, sans degrés. L'âme du pharaon s'élevait donc vers le ciel le long d'une rampe évoquant les rayons du soleil mais elle ne gravissait pas un escalier. Son fils Khéops fit construire la Grande Pyramide, la plus grande de toutes, à Gizeh au nord-ouest de Memphis. Hardjedef, l'un de ses fils, devint un sage de grande réputation à l'instar d'Imhotep et le roi Khéphren, qui érigea la Deuxième Pyramide de Gizeh, fit sculpter dans la roche près de son temple un colossal Sphinx doté d'une tête de roi et d'un corps de lion. Les autres arts de la civilisation rivalisèrent ensuite avec les pyramides. Les souverains ultérieurs recherchèrent la sécurité pour leurs pyramides ; la taille importait moins dorénavant que les rites magiques (Textes des Pyramides) gravés sur les parois des pièces les plus secrètes. L'hégémonie de l'Égypte s'étendait à cette époque jusqu'en Nubie, voire jusqu'aux abords de la Deuxième Cataracte et peut-être même au-delà. Des expéditions voguèrent vers Byblos sur la côte syrienne pour ramener des cèdres du Liban. Le sous-sol du Sinaï abritait des mines de cuivre et de turquoises. Au fil du temps, la hiérarchie du pouvoir royal gagna en complexité et les gouverneurs locaux des provinces de la Haute Égypte adoptèrent une attitude plus indépendante. L'État égyptien vacilla et s'écroula à la fin de la quatre-vingt-quatorzième année du règne de Pépi II (il était monté sur le trône à l'âge de six ans). Cette situation était due d'une part aux pressions inhérentes aux faiblesses royales et aux luttes intestines et, d'autre part, aux ambitions des prétendus colons de Palestine. A partir de cette époque, des rois falots (Septième et Huitième Dynasties) installés à Memphis régnèrent plus qu'ils ne gouvernèrent. Une famine, engendrée par le défaut de crue annuelle des eaux, permit aux Asiatiques de pénétrer dans le delta. Une nouvelle lignée de rois, venus de Ninsu près du Fayoum, réclamèrent le sceptre (Neuvième et Dixième Dynasties). Leur légitimité fut reconnue et ils reconquirent l'est du delta. Mais dans le Sud lointain, une lignée de princes se désolidarisa du royaume et fonda à Thèbes un petit État. C'est ainsi que la ville entra dans l'histoire.

Renouveau et vitalité sous le Moyen Empire

Deux Égyptes existaient donc vers 2100 avant J.-C., comme c'était le cas un millénaire auparavant. Les rois du Sud reconquirent le Nord ; c'est le roi thébain Mentouhotep II qui restaura l'unité du pays en éliminant le dernier souverain régnant de la Xe dynastie, vers 2030 avant J.-C. Les Thébains le considérèrent plus tard comme étant le second fondateur de l'Égypte. Il fit édifier à Thèbes, face aux falaises de la rive gauche, son tombeau et son temple funéraire, vers lequel l'image d'Amon était transportée par voie d'eau lors d'une procession annuelle qui marquait les débuts de la Fête de la Vallée, qui deviendra l'une des plus fastueuses (*cf.* chapitre VIII).

A la mort de Mentouhotep, de nouvelles périodes de sécheresse et des troubles de succession portèrent sur le trône le vizir Amenemhat Ier. Il fut le souverain qui ouvrit l'experte XIIe dynastie, celle qui pendant deux cents ans — de 1991 à 1786 avant J.-C. — restaura l'unité, la prospérité et la puissance de l'Égypte (jusqu'à la Seconde Cataracte). Thèbes n'était pas faite pour être la capitale de l'Égypte réunifiée, c'est pourquoi Amenemhat fonda un nouveau centre administratif, Itjet-Taowy (« Étreignant les Deux Terres »), au sud de Memphis. En utilisant comme arme une propagande littéraire, la nouvelle dynastie survécut à la dangereuse opposition initiale ; elle brisa la puissance des gouverneurs des provinces en les remplaçant par des fonctionnaires royaux, lesquels se prêtaient mieux à la manipulation. Sésostris Ier et Sésostris III occupèrent la Nubie ; Amenemhat III développa l'agriculture et mit en valeur le Fayoum. L'atmosphère était idyllique.

Jusqu'à ce que la cheville ouvrière casse... Les rois se succédèrent rapidement durant la XIIIe dynastie et le pouvoir exécutif échut à divers vizirs plus stables. Le pouvoir politique déclina. Certains dirigeants du Delta firent preuve de velléités d'indépendance. Les Asiatiques pénétrèrent à nouveau dans le delta. Un de leurs princes s'empara de l'Est et du centre vital qu'était Avaris. Qui plus est, il fomenta un coup d'État et se fit nommer pharaon à Memphis et à Itjet-Taowy. Les rois de la XIIIe dynastie furent relégués à Thèbes en tant que gouverneurs-vassaux vers les années 1650 avant J.-C. Cette lignée de six rois étrangers constitua la XVe dynastie ou Dynastie *Hyksos,* mot dérivé du terme égyptien désignant les « souverains des pays étrangers ». Ils révérèrent Seth, dieu d'Avaris, parce qu'il ressemblait aux dieux des éléments de l'Ouest de l'Asie. Il y avait vers 1650 avant J.-C. trois « Égyptes » : la première au nord avec les Hyksos, la seconde au sud avec les Thébains et la troisième constituée par les principautés nubiennes. Une fois encore, les tensions entre les États rivaux engendrèrent un conflit. Et pour la troisième fois, les princes du Sud passèrent à l'action. Sékenenrê-Tao II se battit contre le Nord puis son fils, Kamès, triompha du dirigeant hyksos, Apopi. Au cours d'une brève mais brillante campagne, il reprit la plus grande partie de l'Égypte s'étendant au sud de Memphis et lança peut-être un raid très bref jusqu'à Avaris avant de regagner Thèbes. Mais la mort faucha Kamès et c'est son fils, Ahmosis, qui acheva son entreprise : les princes thébains réunifièrent pour la seconde fois l'Égypte.

Les gloires de l'Empire : le Nouvel Empire

Ahmosis Ier fut le premier souverain de la XVIIIe dynastie et l'instigateur d'une nouvelle ère de l'histoire égyptienne. Ce fait nouveau n'était pas évident au début de son règne puisque les Hyksos contrôlaient toujours Avaris et le delta. Depuis l'Age des Pyramides, chaque pharaon en tant que roi de la Haute et de la Basse Égypte adoptait un « nom d'intronisation ». Ce nom était composé de celui du dieu soleil, Rê, et placé à l'intérieur d'un rectangle aux angles arrondis nommé « cartouche ». Le souverain ajoutait en préfixe à son prénom (également inclus dans un cartouche) le titre de Fils de Rê. Ainsi vers l'an 1550 avant J.-C., le jeune Ahmosis se nomma-t-il « *Neb-pehty-re* », « Seigneur tout-puissant est Rê », le Fils de Rê, Ahmosis.

Enfin, après dix années d'activité infructueuse, Ahmosis dévasta Avaris, repoussa les derniers Hyksos au-delà de la frontière de Canaan et unifia l'Égypte. La Basse Nubie restait à reconquérir et une ou deux révoltes devaient encore être réprimées. Le climat politique et l'administration étant stables, Ahmosis, qui était dans l'an 21 ou 22 de son règne (1530/1529 avant J.-C.), retourna se battre en Asie occidentale et assujettit la Palestine et le sud de la Phénicie. Ces conquêtes visaient à interdire un éventuel retour des Hyksos. C'est ce souci qui éleva l'Égypte au rang de puissance mondiale. Le fils d'Ahmosis, Aménophis Ier (1525-1504 avant J.-C.), lança probablement lui aussi des raids en Syrie (vers l'Euphrate ?) et en Nubie, mais il se consacra surtout à la restauration de la prospérité du pays et à la reconstruction des temples. Les rois étaient traditionnellement enterrés dans les pyramides, mais Aménophis Ier rompit avec cette coutume en plaçant son tombeau en retrait, dans les falaises de Thèbes-Ouest, loin de son temple funéraire. Pour accomplir ce travail, il fonda la Société des Ouvriers du Tombeau Royal, dont il fut le « patron » durant les règnes et les siècles suivants.

Enfin avec les infatigables pharaons guerriers, arriva le siècle de la conquête syrienne. Thoutmosis Ier (1504-1492) établit les limites les plus reculées du pouvoir impérial égyptien. Elles étaient marquées au nord par l'Euphrate et au sud par Kénisa-Kourgous, aux environs de la Cinquième Cataracte. Ses réalisations à l'intérieur du pays concernèrent l'agrandissement du site de Karnak, le temple d'Amon à Thèbes et il installa de façon permanente les ouvriers du Tombeau Royal sur la rive gauche (Deir el-Médineh). Il leur ordonna de tailler à son intention la première tombe de pierre de cet oued désolé, qui devint la Vallée des Rois. Son fils Thoutmosis II (1492-1479 avant J.-C.) mourut prématurément. Le trône revint à son fils, Thoumosis III, un prince-enfant. La vacance du pouvoir étant hors de question, sa belle-mère, la reine douairière Hatchepsout, se proclama « régente » et prit en mains les affaires de l'État. Elle commandita durant son règne nombre d'expéditions dont les objectifs étaient aussi mercantiles que pacifistes : en Phénicie pour le bois de construction, dans le Sinaï pour la turquoise, et jusqu'en mer Rouge vers le Pount lointain pour l'encens et d'autres produits exotiques. Elle se fit construire un superbe temple funéraire à Deir el-Bahari, proche de celui du vieil Mentouhotep II à Thèbes-Ouest. Cependant, à sa mort, les possessions égyptiennes en Syrie appartenaient au domaine du souvenir. Les unes avaient revendiqué leur indépendance, les autres avaient été annexées par une nouvelle puissance de l'Asie occidentale, le Mitanni, un royaume qui s'étendait au-delà de l'Euphrate. Mais à cette époque, le prince-enfant était devenu un jeune homme impétueux qui n'aspirait qu'à reconquérir les possessions de son grand-père en Syrie. C'est ainsi qu'à partir de 1457 avant J.-C., en tant que seul souverain, Thoutmosis III engagea ses armées dans dix-sept campagnes vigoureuses dans cette région, forçant les troupes du Mitanni à repasser l'Euphrate et élevant pour un temps l'Égypte au rang de plus grande puissance de l'ancien monde. Les rois de Babylone, d'Assyrie et les Hittites s'empressèrent de dépêcher des émissaires chargés de présents diplomatiques. L'heure de gloire de la politique étrangère de l'Égypte demeurerait à jamais liée au nom de *Men-Kheper-Re,* Fils de Rê, Thoutmosis III, prince de Thèbes. Ce roi dynamique maintenait en outre une saine émulation au sein de l'administration. Memphis était redevenue la capitale du pays ; Thèbes était, quant à elle, le centre du Sud et la résidence impériale de la dynastie où le pharaon résidait à l'occasion des grandes fêtes d'Amon. Deux vizirs gouvernaient le pays au sud et au nord, aidés par les chefs du trésor, du grenier et par leurs subordonnés. Les provinces étaient placées sous l'autorité des « maires » des villes principales, dans la vallée comme dans le delta. Le vice-roi de Nubie et ses fonctionnaires assuraient le passage de l'or. Les gouverneurs des Terres du Nord surveillaient les princes de Syrie, regroupés en trois provinces : Canaan (Palestine, centre à Gaza), Upi (région intérieure située au sud de la Syrie, centre à Koumidi, à l'ouest de Damas) et Amourrou (côte de Syrie, centre à Simyra au nord de la côte phénicienne) ainsi que les villes de Phénicie situées entre Tyr et Ougarit. Nul avant Thoutmosis III (1479-1425 avant J.-C.) n'avait construit autant de temples ; nul n'en avait bâti aussi loin que la Quatrième Cataracte, en Haute Nubie. Il fut le type même du pharaon d'empire : un conquérant du monde, un émissaire des dieux, un grand bâtisseur, un berger pour son peuple, auquel il octroya la justice, l'ordre et la prospérité. Le fils du vieux roi, Aménophis II (1427-1396 avant J.-C.), eut tout de la farouche énergie de son père, non seulement en tant que guerrier mais encore en tant que sportif qui surpassait ses contemporains. Un changement important intervint dans les affaires syriennes durant le règne plus court de Thoutmosis IV (1396-1386 avant J.-C.). L'Égypte et le Mitanni se disputaient de longue date le nord de la Syrie. Or aucune des deux puissances ne pouvait vraiment se retirer de cette région. Elles firent la paix et scellèrent cette alliance par l'union d'une princesse du Mitanni et d'un pharaon. Cette alliance « exemplaire » désamorça toutes les velléités d'ingérence des autres puissances.

Pinacle et splendeur : éclipse théologique

Lors de son accession au trône, le jeune Aménophis III (1386-1349 avant J.-C.), *Neb-ma-re*, « Seigneur de Droit est Rê », Fils de Rê, Aménophis III, Prince de Thèbes, était l'héritier de domaines très étendus soutenus par un puissant allié en Asie occidentale et gouvernés par la cour la plus fastueuse de l'ancien monde. Hormis une expédition en Haute Nubie, ses quarante années de règne furent marquées par la prospérité, la splendeur et la paix profonde. Des temples furent élevés près du Nil qui rivalisaient par leur élégance et par leurs dimensions. La réalisation la plus gigantesque fut cependant le nouveau temple dédié à Amon de Thèbes, Roi des Dieux, et sis à Louxor. Un grand pylône fut érigé pour servir de façade du temple de Karnak, face à l'entrée du vaste temple funéraire du roi, situé sur la rive gauche, là où veillaient les deux fameuses statues monolithes, les « Colosses de Memnon ». Le culte d'Amon devint prépondérant. Les théologiens reconnaissaient en ce dieu le vrai roi de l'Égypte et à leurs yeux, le pharaon n'était que son fils docile, l'exécuteur de ses volontés. Il était inconcevable que les pharaons adhèrent à cette vision. Ils refusèrent de jouer le rôle de simple « client » d'Amon. De leur fonction dépendaient la société et l'État égyptiens. Leur stabilité assurait donc un gouvernement effectif. Le pharaon était bien sûr le représentant des dieux sur terre, mais il n'était pas pour autant le simple instrument de l'un d'entre eux, encore moins celui de la prétention des prêtres et de leur puissance économique.

Des tensions s'installèrent ainsi derrière la brillante façade de la splendeur impériale de l'Égypte, au renom international. Les pharaons ne désiraient pas infliger ouvertement un affront à Amon ou à son clergé. Ils décidèrent donc d'assurer leur pouvoir en distribuant leurs faveurs de manière différente. Aménophis II, Thoutmosis IV et Aménophis III nommèrent de nombreux hommes grands prêtres d'Amon à Thèbes. Certains étaient d'anciens compagnons d'armes dignes de confiance, d'autres des êtres insignifiants qui leur étaient dévoués corps et âme, d'autres encore des hommes de Memphis, centre culturel et théologique antérieur à Thèbes. Aménophis III tenta de minimiser la puissance d'Amon. Il manifesta tout d'abord de l'intérêt pour d'autres grands dieux d'Égypte. Il honora Ptah, dieu créateur de Memphis, en nommant son fils aîné, Thoutmosis, grand prêtre dans cette ville et en lui conférant le titre prestigieux de « Supérieur du Clergé de tous les Dieux du Sud et du Nord » ou « Primat de toute l'Égypte ». Il patronna par ailleurs le dieu-soleil Rê d'Héliopolis en tant que suprême dieu royal. Il institua à la cour un rituel particulier d'adoration de ce dieu : le culte d'*Aton*. Il proclama la divinité du pharaon lui-même — non seulement celle de l'être humain qui se trouvait assis sur le trône d'or, mais encore celle de la royauté elle-même. Aménophis III dédia ainsi son grand temple de Soleb à « Nebma-re, Seigneur de Nubie » pour son aptitude naturelle et royale à régner sur la Nubie. Des statues monumentales représentant le pharaon furent baptisées formes divines du roi. Citons pour exemple, Aménophis III, « Souverain des Souverains », « Soleil des Souverains » ou « Montou des Souverains », Montou étant l'ancien dieu thébain de la guerre. Ces statues servirent donc de miroir à la dévotion populaire au roi et au culte royal. Aménophis III, tout en plaçant Amon sur un magnifique piédestal, tentait en même temps de juguler sa présomptueuse importance en accordant des honneurs à Rê et à Ptah, et en insistant sur le rôle pratique et idéologique du roi.

Le roi, devenu souffrant, nomma probablement son fils Aménophis IV corégent avant que son long règne ne s'achève. Avec sa physionomie longue et étroite, sa poitrine et ses hanches lourdes, le nouveau pharaon présentait un contraste saisissant par rapport à l'indicible beauté de sa femme, la reine Nefertiti. Le tact et la diplomatie de ses aïeux lui faisaient défaut tant en ce qui concerne la politique intérieure que la politique extérieure, à laquelle il ne s'intéressait guère de surcroît. Les conséquences de ce comportement apathique ne passèrent pas inaperçues. Le jeune roi et son épouse firent construire un grand temple à Thèbes, situé à l'est du temple d'Amon à Karnak. Ils le dédièrent au roi soleil, Aton. Le roi cessa de se déplacer entre Thèbes et Memphis vers la cinquième ou la sixième année de son règne ; il dédaigna la capitale du Sud et fonda une nouvelle capitale, Akhet-Aton, « Horizon du disque solaire », située en Moyenne Égypte à mi-chemin des villes impériales traditionnelles. C'est la raison pour laquelle d'Aménophis

(Amon-est-satisfait »), il devint Akhen*aton* (« Efficace-pour-Aton »). Il régnait comme partenaire et comme seul et unique représentant du dieu-soleil sur terre. Il renia ensuite Amon et les dieux du panthéon ; leurs temples furent fermés et le clergé congédié. Quant à leurs biens, ils furent confisqués au profit des nouveaux temples d'Aton. Les efforts d'Akhenaton et de Nefertiti visant à rehausser le prestige de la royauté firent d'eux le centre essentiel de l'adoration du peuple ; ils devinrent les serviteurs privilégiés d'Aton, lequel était d'une certaine manière incarné en la personne du souverain.

A l'étranger cependant, les crises internationales se multipliaient. Le Mitanni, l'allié d'un temps de l'Égypte, subissait deux révolutions de palais et un « gouvernement en exil » contestait la légitimité du nouveau roi. Le laxisme du pharaon encouragea certains dirigeants ambitieux et impatients des cités-États de Canaan et du sud de la Syrie à « oublier » de payer leur tribut à l'Égypte. Cette situation raviva une vieille lutte et chacun tenta à nouveau d'étendre ses possessions aux dépens de son voisin. Des lettres contradictoires appelant à l'aide contre l'ennemi affluèrent au ministère des Affaires étrangères égyptien ; chacune affirmait « défendre » le royaume et s'insurger contre ses « ennemis » (ceux de l'écrivain plutôt que ceux du roi). Une guerre éclata. En Asie Mineure (la Turquie actuelle), le royaume des Hittites s'éveillait à une ère nouvelle, avec le règne d'un nouveau roi énergique et ambitieux, Souppilouliouma Ier, qui prit le parti du prince exilé du Mitanni. Souppilouliouma mena une brillante campagne ; il repoussa les troupes du Mitanni et conquit la Syrie septentrionale jusqu'à Kadesh, la cité clé qui avait été le bastion égyptomitannien. Dushratta fut assassiné après cette défaite ; l'Assyrie annexa la moitié du royaume au nom du prétendant exilé. Le fils de Dushratta dut faire appel aux Hittites pour reconquérir ce qui subsistait de ses défuntes possessions. Le pays d'Amourrou était au centre de la Syrie, un royaume vassal de l'Égypte. Mais les dirigeants amourrhéens jouèrent un double jeu : d'une part, ils jurèrent fidélité au pharaon et d'autre part, ils firent preuve de soumission envers Souppilouliouma lors de sa grande campagne dans le nord. Les Amorrhéens annexèrent les villes de la côte phénicienne, de Byblos jusqu'à l'État d'Ougarit avec lequel ils conclurent une alliance alors que cet État était déjà soumis à l'empereur hittite. Une crise, d'une tout autre nature, se déclarait à ce moment précis en Égypte. Akhenaton n'avait que des filles. Il nomma donc son frère, Semenkharê, corégent. Mais celui-ci mourut moins d'un an après le décès d'Akhenaton, alors qu'il était âgé d'une vingtaine d'années. Le trône échut à son jeune frère, Toutânkhamon, un enfant joufflu de neuf ans. Les troubles syriens atteignirent leur paroxysme à la faveur de ces crises intérieures. Souppiloulioouma contraignit le royaume d'Amourrou et les terres qui lui étaient annexées à devenir vassaux des Hittites. Un scribe passionné écrivit en ses termes à l'Égypte : « Toutes les terres de Byblos à Ougarit » ont échappé à leur maître, le roi d'Égypte, et sont passées sous l'autorité de l'empereur hittite, qui dirige à présent la plus grande puissance du Proche Orient ancien. L'Égypte perdit en conséquence la province syrienne de son empire et elle ne devait plus jamais la reconquérir de façon permanente.

CHAPITRE II

L'ENFANCE DE RAMSÈS

Le monde politique à l'époque de Ramsès

L'enfant-roi Toutânkhamon régna mais ne gouverna pratiquement pas. Aÿ, le vieux serviteur de la famille et le général Horemheb exercèrent le pouvoir. (D'aucuns affirment que le premier était le beau-père de l'enfant.) Le culte des anciens dieux était désormais rétabli et Aton n'était plus qu'un dieu du panthéon. Tout-ankh-*aton*, « Agréable est la vie d'Aton », devint Tout-ankh-*amon*, « Agréable est la vie d'Amon » vers la troisième année de son règne. Un décret officiel restitua aux dieux Égyptiens leurs droits et leurs propriétés ; cette mesure visait en particulier Amon. Le roi régna pendant neuf ans ; c'était un jeune homme prometteur. Peut-être mènerait-il un jour les armées d'Égypte vers de nouvelles victoires sur la Syrie ?

Puis le malheur frappa... Toutânkhamon mourut. Le trône égyptien restait vacant puisqu'il ne laissait aucun héritier. Mais Ankhesenamon, sa veuve, n'était pas résolue à épouser un homme ordinaire avec lequel elle devrait partager le trône. Elle contacta l'empereur hittite, Souppilouliouma, et lui demanda un de ses fils. Elle s'engageait à l'épouser et à le nommer roi. Le vieil empereur rusé en fut stupéfait. « Rien de tel ne m'est jamais arrivé ! » déclara-t-il. Sa méfiance était éveillée. En fait de fils, il chargea un espion de vérifier la véracité des dires de la reine. Mais il était trop tard lorsqu'il apprit qu'elle était sincère et qu'il lui envoya un de ses fils... En Égypte, Aÿ avait pris en main les préparatifs des funérailles de Toutânkhamon et procédait à l'inhumation du roi dans une tombe de la Vallée des Rois, achevée en grande hâte. La tradition voulait que celui qui enterrait le pharaon lui succédât : Aÿ régna donc. Le prince hittite fut exécuté dès son arrivée. Aÿ commit là une terrible erreur. L'empereur hittite, furieux, jura de prendre une revanche mémorable sur les Égyptiens. Il lança ses troupes contre leurs possessions syriennes et fit de nombreux prisonniers qu'il envoya en esclavage dans la lointaine terre du Hatti. Ainsi naquirent une méfiance et une inimitié politique entre les Égyptiens et les Hittites, qui durèrent environ trois quarts de siècle, jusqu'à ce que Ramsès II y mette un terme.

Les personnages officiels changèrent en l'espace de quelques années. Aÿ ne régna que quatre ans, tandis que chez les Hittites les deux fils de Souppiloulioumа succédèrent à leur père. Il s'avéra très tôt que le plus jeune (Moursil II) était un soldat aguerri à l'instar de son père. La succession était moins nette en Égypte. L'homme fort du moment était le général Horemheb, que Aÿ avait déjà nommé Député du Roi. Horemheb était l'époux de Mutnodjmet. (On suppose qu'elle était la sœur de Nefertiti et la dernière héritière de la XVIIIe dynastie). Horemheb ayant enterré Aÿ, le trône lui échut. Son long règne fut surtout consacré à des réformes intérieures et à la consolidation de l'Égypte. Il recoura à de vigoureux décrets pour remédier à la corruption d'une administration devenue laxiste à la faveur de l'obsession religieuse d'Akhenaton. Son règne pacifique et sa fermeté octroyèrent à l'Égypte le calme nécessaire à la restauration de l'ordre intérieur, de la prospérité et de l'équilibre. Une révolte réprimée en Nubie contribua à l'épuration de l'armée. Il était inévitable que les regards d'Horemheb et de ses commandants se tournent vers la Syrie, une des possessions extérieures que l'Égypte avait perdue sous le règne d'Akhenaton. Horemheb ne s'engagea pas dans des campagnes successives et épuisantes, mais il profita peut-être d'un affaiblissement temporaire des Hittites pour lancer un raid le long de la côte jusqu'au nord de la Syrie. S'il en est ainsi, il frappa même jusqu'à Karkémish, contrée où aucun pharaon ne s'était rendu depuis Thoutmosis III, un siècle auparavant. Ougarit se rangea à ses côtés pour un temps, mais Horemheb ne tenta aucune occupation ; il lui suffisait que son étendard ait été vu. Cette attitude démontrait que l'Égypte ne considérait jamais comme définitives les pertes de ses possessions en Syrie septentrionale.

Restaurateur d'un gouvernement juste et efficace, grand bâtisseur de temples, vainqueur lors d'une campagne tout aussi brève que brillante, il semble qu'Horemheb ait été un pharaon comblé. Dire qu'il eut tout ce dont il rêvait, c'est oublier qu'il n'avait pas de fils pour lui succéder. Et, au fil des ans, les difficultés de succession se profilaient à nouveau comme une menace pour le pays.

Une vocation frustrée

Un jeune adolescent du nom de Séti grandissait pendant les dernières années du règne brillant d'Aménophis III et les années d'agonie du règne d'Akhenaton. Son nom de famille était dérivé de celui du dieu Seth d'Avaris, ville de la partie est du delta, située sur la route de Canaan dans le très prospère « terrain de Rê ». Le jeune Séti entra dans l'armée pour y faire carrière ; or il n'était pas possible de choisir vocation plus frustrante sous Akhenaton. Hormis l'éphémère « gloire » des conquêtes, la vie militaire constituait le moyen d'accéder à une prestigieuse carrière dans les affaires étrangères, comme Envoyé royal. Celui-ci voyageait et visitait les fascinantes cours en tant que représentant du roi. Cette charge enviée débouchait plus tard sur la nomination à un poste administratif civil élevé. Une perspective alléchante en d'autres temps, mais pas sous le règne d'Akhenaton. Aucune campagne pour prouver sa vaillance, seules quelques échauffourées peu glorieuses dirigées par des commandants locaux. Le roi ne se préoccupait pas des désordres en Syrie. Les Hittites et les Mitanniens s'affrontaient dans le Nord lointain, tandis que les armées égyptiennes oisives piétinaient. Les Hittites marchèrent vers le sud et annexèrent des territoires appartenant à l'Égypte et les forces du pharaon n'eurent pas l'autorisation de riposter. Akhenaton était trop absorbé par ses activités religieuses à quelque cinq cents kilomètres en amont du delta. Néanmoins, en dépit de ces frustrations et du manque d'opportunité, Séti s'éleva jusqu'à atteindre le rang respectable de Commandant des Troupes, mais il ne parvint ni à la charge convoitée d'Envoyé royal ni à un poste plus prestigieux.

L'espoir est permis

Séti fut ainsi le témoin impuissant de l'humiliation de l'Égypte lors de la perte de la province d'Amourrou (pour ne rien dire du riche État d'Ougarit) à l'époque des décès d'Akhenaton et de Semenkharê. Le nouveau roi, Toutânkhamon, était un enfant à peine plus âgé que son propre fils, Pramsès (« Rê l'a façonné »). Entre-temps, le contemporain de Séti, Horemheb, était devenu un personnage puissant dans le pays, d'abord sous Toutânkhamon puis en tant que Député du Roi sous Aÿ, à qui il succéda finalement. L'espoir était-il enfin permis à l'Égypte ?

Le fils de Séti, Pramsès, était un jeune homme d'une vingtaine d'années à cette époque, qui suivit l'exemple de son père en embrassant la carrière des armes ; celle-ci n'était plus une impasse puisque l'armée était devenue la principale puissance du pays sous Horemheb. La carrière de Pramsès dépassa les rêves les plus fous de son père. Il atteignit d'abord le rang de Commandant des Troupes (comme Séti) ; il devint ensuite Superintendant des Écuries, ce qui lui permit d'entrer dans le corps d'élite des Chars. En tant que Conducteur de Char du Roi, il devint alors aspirant à la charge des Envoyés royaux qui transmettaient les messages diplomatiques entre les cours et les capitales de l'époque. Ces derniers étaient en relation avec la cour de Memphis, avec les principaux ministres et avec le pharaon lui-même. Les hommes de la trempe de Pramsès ne passaient pas inaperçus. On favorisait leur promotion. Ses aptitudes lui valurent d'être nommé Général, puis Commandant de Forteresse (probablement au poste frontière de Silé) et Superintendant des Bouches du Nil. La sécurité des frontières de Canaan et celle des côtes du Delta reposaient donc sur ses épaules.

L'ascension de Pramsès ne s'arrêta pas là. Il devint Vizir, Premier ministre de l'État aux côtés du roi. Il y avait en principe deux vizirs, Pramsès était peut-être celui de Thèbes chargé de gérer les affaires de la cité d'Amon. Horemheb rétablit la politique d'Aménophis III, dans la mesure où il fit de splendides ajouts aux temples d'Amon, mais il honora également les autres grands dieux, Rê (sous sa forme orthodoxe) et Ptah. Ce fut en outre à son collègue venu du nord, le vizir Pramsès, qu'il accorda le titre prestigieux de « Primat de toute l'Égypte » et non pas à l'un des grands prêtres (et encore moins au grand prêtre d'Amon).

Héritier du pharaon

La charge de vizir était la position la plus élevée dont un homme qui n'était pas issu de la noblesse puisse rêver : être le bras droit du pharaon. Mais le destin de Pramsès lui réservait d'autres honneurs. Les années passaient et Horemheb, devenu sexagénaire, ressentait le besoin de déléguer ses pouvoirs royaux. L'avenir de l'Égypte préoccupait ce pharaon âgé et sans héritier. Il craignait que son pays n'eût à subir une nouvelle crise due à la vacance du trône. C'est la raison pour laquelle il souhaitait désigner officiellement son successeur.

Horemheb cherchait donc parmi son entourage un homme susceptible d'être son député de son vivant et son successeur par la suite. Il n'eut pas à s'interroger longtemps ; son choix se porta sur la personne de son fidèle vizir, Pramsès. Ce dernier fut ainsi proclamé « Député de Sa Majesté dans le Nord et dans le Sud » où il représentait le pharaon et « Prince héritier du pays entier ». Cette décision visait à préparer son futur rôle de successeur désigné, d'héritier présomptif du roi Horemheb.

Le prince Séti et le petit Ramsès

Ce furent sans aucun doute l'intégrité, les capacités et la loyauté de Pramsès qui lui valurent le titre de Député d'Horemheb. Pramsès installa deux statues à son effigie dans le temple d'Amon à Karnak ; elles lui avaient été offertes par le roi et attestaient de l'insigne honneur que lui accordait celui-ci : « don du roi » proclamaient avec fierté les dédicaces. Mais aux yeux d'Horemheb, Pramsès possédait une autre qualité qui faisait de lui un successeur idéal : une lignée d'héritiers. Pramsès avait un fils, Séti, connu pour sa grande probité ; il portait le même nom que son grand-père. Le jeune Séti avait grandi sans connaître d'autre régime que la règle ferme et pacifique d'Horemheb. Il était âgé d'une vingtaine d'années lorsque son père, Pramsès, fut nommé héritier présomptif. Instruit par son père et par son grand-père du glorieux passé de l'Égypte et des pertes subies durant le règne d'Akhenaton, le jeune homme brûlait de restaurer le prestige et la puissance de son pays. L'opportunité se présentait à lui puisque son père était l'héritier du trône. Comme ses aïeux, il avait été élevé dans la tradition militaire et il considérait que la voie des armes était le moyen qui permettrait d'enlever aux Hittites la partie de la Syrie qu'ils avaient volée à l'Égypte durant sa période de faiblesse.

Séti épousa une jeune fille issue du même milieu social que lui. Elle se nommait Touya, et était la fille de Raia, lieutenant des Chars, et de son épouse, Ruia. Le jeune couple fonda une famille. Leur premier-né, un fils, mourut probablement en bas âge. Vint ensuite une fille nommée Tjia. Séti et Touya eurent un second fils quelque temps plus tard. Cette fois, suivant la tradition familiale, le nouveau-né reçut le nom de son grand-père, Ramsès : notre futur Ramsès II. Une petite fille qui naquit beaucoup plus tard compléta la petite famille.

Le vieil Horemheb savait donc que l'avenir de l'Égypte était assuré quant à la succession au trône. Son successeur étant père et grand-père, une dynastie était déjà formée.

LES NOUVEAUX ROIS

Ramsès Ier (1295-1294 avant J.-C.)

Horemheb mourut très âgé et comblé d'honneurs. Il fut inhumé dans un magnifique tombeau, à l'abri des regards des curieux, dans la Vallée des Rois. Le maître officiant de ce rituel était selon ses vœux son fidèle député, Pramsès, un homme vigoureux âgé d'une cinquantaine d'années qui prit pour nom de règne Ramsès Ier.

Le nouveau pharaon était profondément conscient du fait que son accession au trône ouvrait une ère nouvelle. A l'encontre de son prédécesseur, aucun lien ne le liait à l'ancienne famille royale, la XVIIIe dynastie. Mais les immenses réalisations de cette famille en temps de guerre comme en temps de paix représentaient un modèle et donc un programme pour le nouveau roi. Il choisit pour modèle le fondateur de la dynastie précédente, Ahmosis Ier, celui qui avait chassé les Hyksos et qui avait instauré le Nouvel Empire. Les titres cérémonieux les plus importants de Ramsès Ier furent inspirés de ceux d'Ahmosis Ier puisque la dynastie du « nouvel » Ahmosis se devait d'être aussi glorieuse que la XVIIIe. Ahmosis avait pour nom d'intronisation *Neb-pehty-re,* « Maître de la Puissance est Rê », Ramsès Ier adopta donc celui de *Men-pehty-re,* « Soutien de la Puissance est Rê ». Ahmosis avait été Fils de Rê, en toute sobriété; Ramsès rejeta les épithètes sophistiquées et fit écrire son nom avec la même simplicité, dédaignant l'emphase des deux siècles précédents. A l'instar d'Ahmosis Ier, qui en tant qu'Horus ou roi Faucon, portait le titre de « Grand de Royauté », Ramsès ajouta au titre impérial officiel une épithète semblable, « S'épanouissant dans la Royauté ». En tant que protégé des Deux Déesses du Nord et du Sud, Ramsès s'identifia à l'ancienne forme du dieu solaire Rê, « apparaissant en roi comme Atoum », et en tant que faucon doré, il annonçait son idéal par « Installant le droit de par les Deux Terres ».

A Thèbes, le nouveau roi et son énergique fils tracèrent les plans d'un gigantesque monument attestant de leur considération pour Amon, celui qui octroie la victoire. Face au grand pylône qui précédait l'entrée du temple de Karnak sous Aménophis III, s'étendait une vaste cour qui donnait sur un nouveau pylône érigé à la gloire d'Amon par Horemheb. Ramsès Ier et son fils Séti décidèrent alors de transformer cette cour en une immense salle hypostyle en l'honneur d'Amon, la plus grande de toute l'Égypte. Il s'agissait d'une part de construire et de décorer la nouvelle salle, et d'autre part d'effacer les décorations de la face arrière du pylône d'Horemheb, puis de le redécorer afin qu'il convienne à l'espace délimité par le plafond de la salle. Les maçons se mirent à l'ouvrage, érigeant de gigantesques colonnes et des murs d'enceinte en maçonnerie brute, effaçant les délicates scènes d'Horemheb et remplissant de terre (celle-ci faisait office d'échafaudage) la salle pour construire le plafond. Les dessinateurs, les sculpteurs, les peintres couvrirent les murs et les colonnes de représentations du roi et des dieux. On retirait de la terre au fur et à mesure que leur travail avançait. De simples échafaudages en bois leur permettaient de parfaire les derniers détails. Le « changement de propriétaire » du pylône fut réalisé en gravant les noms de Ramsès Ier sur ceux d'Horemheb.

Pendant ce temps, le roi et le prince héritier firent voile vers le Nord jusqu'à Memphis. C'est à partir de là que Séti fit manœuvrer les troupes des camps du delta et qu'il « rallia toute l'armée en lui conférant un objectif unique ». Il était le fidèle assistant de son père dans la conduite des affaires et disait volontiers: « Tandis qu'il (Ramsès) était le Rê resplendissant, j'étais à ses côtés tel une étoile. » Au nombre de ses activités, on compte un raid dissuasif jusqu'à Canaan voire jusqu'au sud de la Phénicie; celui-ci représentait tant un entraînement et une mise à l'épreuve pour l'armée qu'une occasion d'exhiber l'étendard. Ainsi que Séti l'exprima plus tard:

> « J'ai soumis pour lui (Ramsès) les terres du Fenkhou et j'ai repoussé en son nom les traîtres des terres désertiques afin de protéger l'Égypte comme il le souhaitait. »

Des entreprises plus pacifiques étaient menées à l'autre extrémité de l'Empire, en lointaine Nubie. Au cours de l'hiver de l'an 2, alors que Ramsès Ier se trouvait à Memphis, il décréta de nouvelles donations au temple de Bouhen, au pied de la deuxième cataracte: miches de pain, gâteaux, bière et légumes pour Min-Amon et ses prêtres serviteurs, « emplissant les ateliers d'esclaves, hommes et femmes appartenant à Sa Majesté ». Il s'agissait sans aucun doute d'infortunés prisonniers capturés à Canaan par le prince héritier durant l'été.

Ce décret fut le dernier acte public de Ramsès Ier. Sa santé déclinant, il nomma son fils corégent, afin d'assurer son acceptation en tant que prochain roi. Le socle d'une statue de Ramsès Ier, destinée au temple de Montou à Madou (aujourd'hui Médamoud) au nord de Thèbes, présentait les titres des deux rois, Ramsès Ier, « le semblable de Rê » et Séti, « l'étoile de la terre ». L'association des deux hommes arrivait à point nommé. Car Ramsès Ier mourut peu de temps plus tard, laissant le trône à son fils qui devint « comme Rê à l'aube » sous le nom de Séti Ier. Sur le socle de la nouvelle statue de Madou, le nom du père fut rapidement remplacé par celui du fils ; elle devait représenter le nouveau roi devant le dieu du temple.

Au cours des soixante-dix jours traditionnellement consacrés à l'embaumement du pharaon défunt, l'activité atteignit son paroxysme dans la Vallée des Rois à Thèbes-Ouest. Ramsès Ier avait ordonné juste après son accession au trône l'excavation d'une tombe profondément enfoncée dans la roche. Mais lors de son décès prématuré survenu après seize mois de règne, ce tombeau ne consistait qu'en deux escaliers escarpés et en un vestibule menant à une antichambre inachevée. Les travaux prévus furent arrêtés. L'antichambre devint la salle funéraire et des chambres annexes destinées à recevoir les provisions funéraires furent ouvertes de part et d'autre en grande hâte. On égalisa et on enduisit les murs avant d'y peindre des scènes représentant le roi et les dieux et des détails du voyage du défunt dans l'au-delà. Le temps manquait pour effectuer des bas-reliefs. Les inscriptions du cercueil extérieur ou sarcophage taillé dans du granit rouge furent exécutées dès que possible à la peinture jaune (elles ne furent pas gravées). Le sarcophage fut installé, prêt à recevoir la dépouille du défunt, dans la chambre funéraire récemment aménagée.

Le fondateur de la nouvelle lignée vint ainsi reposer en temps voulu au cœur de la montagne thébaine, à quelques centaines de mètres de son ancien chef et ami, Horemheb. Le nouveau maître de l'Égypte était donc un jeune homme ardent, à l'aube de la trentaine, père d'un petit garçon âgé alors de huit ou neuf ans, Ramsès. Après l'enterrement de son père et avant de quitter Thèbes, Séti Ier choisit probablement l'emplacement de sa propre tombe dans la Vallée des Rois. Il ordonna également la poursuite des grands travaux du temple de Karnak. Seuls quelques bas-reliefs avaient été taillés dans la grande salle hypostyle ; le reste était vierge et demeurait à la disposition de Séti. C'est la raison pour laquelle ce temple fut nommé « Efficace est Séti Ier dans le domaine d'Amon ».

Séti Ier (1294-1279 avant J.-C.)

Maître de l'Égypte, Séti Ier pouvait maintenant s'abandonner à sa double ambition : être à la fois le nouveau Thoutmosis III (le plus grand conquérant) et le nouvel Aménophis III (le plus brillant bâtisseur). En tant que roi de la Haute et de la Basse Égypte, il choisit le nom de *Men-ma-re,* « Soutien de droit est Rê » qui s'inspirait du nom de règne de son père (*Men*-pehty-*re*), mais constituait également une forme hybride dérivée de ceux de Thoutmosis III (*Men*-Kheper-*re*) et d'Aménophis III (Neb-*ma*-rê). Il y ajouta selon son bon plaisir les épithètes déjà chères à Aménophis III, mais à aucun roi depuis : « Héritier de Rê », « Image de Rê ». A son nom Séti ou Séthi, il adjoignit l'épithète Mérenptah, « Aimé de Ptah », montrant ainsi que sa préférence allait aux dieux de Memphis plutôt qu'à ceux de Thèbes. A l'instar d'Horus le Faucon, Séti fut le « Taureau Puissant apparaissant à Thèbes », imitant encore Thoutmosis III ; il s'octroya en outre la mention « Celui qui nourrit les Deux Terres ». En tant que protégé des Deux Déesses du Nord et du Sud, il se proclama « Celui qui apporte la Renaissance, celui qui est armé, celui qui soumet l'ennemi », et en tant qu'Horus doré, « Apparences répétées, Maître des Arcs sur toutes les Terres ». Ainsi son programme, qui se réclamait des plus grands rois de la XVIIIe dynastie, visait à la renaissance de l'Égypte, par les faits d'armes si nécessaire.

Les obsèques de son père terminées, Séti se hâta d'accomplir la première partie de sa double ambition : reconquérir les possessions syriennes de l'Égypte. Il entendait montrer à ses vassaux infidèles qu'il était vain de badiner avec lui. Les dirigeants de Canaan se sentaient encore libres d'« ignorer les lois du Palais », poursuivant leurs luttes intestines sans prendre en considération les désirs du pharaon. Séti était résolu à leur infliger une défaite qu'ils ne seraient pas prêts d'oublier. Les commentaires qu'il fit des scènes guerrières sculptées par la suite sur les murs de Karnak à Thèbes attestent d'une effroyable férocité :

« An 1, la " Renaissance ", du roi Men-ma-rê (Séti Ier), doté de la vie. Sa Majesté a été informée que...

> « Les ennemis bédouins Shosu fomentent une révolte. Leurs chefs de tribu sont unis et ont installé leurs campements sur les collines de Khourrou (Palestine). Ils (y) ont semé la confusion et le tumulte, s'entretuant les uns les autres, ils ignorent les lois du Palais.
>
> « Sa Majesté s'en réjouit. Ce beau dieu (le roi) exulte à l'idée d'engager le combat ; son cœur est satisfait à la vue du sang. Il tranche les têtes des félons. Il aime le moment où il terrasse l'ennemi plus que le jour des réjouissances. Sa Majesté les massacre tous avec allégresse : elle ne leur laisse aucun héritier et qui(conque) échappe à sa main est capturé et réduit en esclavage en Égypte. »

Les Shosu avaient très mal choisi leur moment pour se révolter contre un roi qui ne brûlait que du désir d'étaler sa puissance et n'en cherchait que le prétexte.

Ainsi, en l'an 1, pendant l'été 1294 avant J.-C., Séti conduisit ses troupes hors du poste frontière fortifié de Silé, et balaya toute la route côtière allant du Sinaï à Canaan. Il rasa les puits et les petites installations de la résistance locale qui se trouvaient sur son passage. Il poursuivit jusqu'à Gaza, centre administratif de la province égyptienne de Canaan, triomphant des Shosu. L'enfant qu'était Ramsès avait sans doute été laissé en sécurité chez lui. Le pharaon commandait une armée déployée en trois divisions principales, qui portaient chacune le nom d'un dieu de l'Empire. D'autres rapports de renseignements lui parvinrent alors qu'il se déplaçait vers le nord, s'emparant de Canaan et faisant vraisemblablement route vers Megiddo. Voici son commentaire personnel :

> « Ce jour, Sa Majesté a été informée de ce qui suit : " Le méprisable ennemi, venant de la ville de Hamath, a rassemblé une grande force. Il a pris la ville de Beth Shân. Ligué au peuple de Pahil, il a empêché les chefs de Rehob de sortir. " »

Ainsi, un chef hostile s'était emparé d'un avant-poste égyptien et en avait assiégé un autre.

La réaction du roi ne tarda pas :

> « Alors Sa Majesté lança la première division d'Amon, " Maîtresse des Arcs ", contre la ville d'Hamath ; la première Division de Rê, « Abondante en Valeur », contre la ville (capturée) de Beth Shân et la première Division de Seth, « Puissance des Arcs », contre la ville de Yenoam. En l'espace d'un seul jour, toutes tombèrent aux mains de Sa Majesté ! »

Les villes de la plaine d'Esdraelon étaient assujetties, ainsi que la vallée nord du Jourdain. L'attaque préventive de Yenoam visait à interdire toute interférence venant du sud de la Galilée. Une stèle portant une inscription commémorative fut érigée à Beth Shân. Rien n'interdit de supposer qu'à l'issue de ces opérations décisives, Séti ait occupé la Galilée et l'extrémité sud de la côte phénicienne (peut-être jusqu'à Tyr) avant de rentrer fièrement en Égypte puisque la pacification de Canaan semblait chose faite.

De retour au poste frontière fortifié de Silé, le roi traversa triomphalement le pont du canal pour être congratulé par les grands officiers du royaume. Et ce n'était qu'un commencement. Les deux ou trois années suivantes virent Séti retourner à Canaan, frappant plus haut vers le nord, le long de la côte phénicienne ainsi qu'à l'intérieur des terres. Au nord de Canaan, la ville de Yenoam fut entièrement détruite et une seconde inscription fut gravée à Beth Shân, qui raconte la manière dont il réprima les troubles en Galilée. En voici la teneur :

> « Sa Majesté a été informée que les Apirou du mont Yarmutu et que la (tribu) des Tayarou s'étaient soulevés et avaient attaqué les Asiatiques de Ruhma. Sa Majesté dit : " Qui croient-ils être, ces méprisables asiatiques ? "... Sa Majesté ordonna alors qu'un détachement d'hommes de son impressionnante infanterie et de son armée de chars marchent vers Djahy. Deux jours plus tard, ils revinrent paisiblement du district de Yarmutu, ramenant le butin... et les prisonniers... »

Mission accomplie.

A l'intérieur, plus au nord, Séti Ier annexa la province d'Upi au sud de la Syrie et il réaffirma l'emprise égyptienne tant à Kumidi, le centre administratif, qu'à Damas à l'est des monts de l'Anti-Liban. Il laissa une autre stèle à Tell es-Shihab, au sud-ouest de l'ancien Ashteroth-Qarnaïm. Il était libre ensuite de remonter le long de la côte phénicienne : Tyr, Sidon, Byblos, Simyra, tous les vieux ports de mer qui avaient longtemps été la chasse gardée de l'Égypte. Ainsi, il put à nouveau faire abattre les grands cèdres libanais et les expédier en Égypte, « pour la grande barque d'Amon » et pour les « grandes hampes d'Amon », ainsi qu'en attestent les inscriptions de Karnak. Une fois encore, en repassant par Tyr, il laissa une inscription commémorative de la victoire, qui faisait état de la soumission des rebelles et du butin prélevé.

Séti Ier avait réaffirmé avec véhémence au cours de ces deux ou trois campagnes tout aussi brèves que dures la mainmise de l'Égypte sur les provinces de Canaan et d'Upi, et ses prétentions de longue date sur la partie sud de la côte phénicienne. En reconquérant cette dernière région, il avait coupé l'État d'Amourrou contrôlé par les Hittites de l'accès à la côte (si ce n'est par le nord lointain) et les territoires de Séti jouxtaient désormais les territoires dominés par les Hittites. L'accrochage était inévitable. Séti Ier combattit les Hittites lors de sa troisième ou quatrième campagne pour la possession du nord de la Phénicie ou pour celle d'Amourrou. Cette fois, la partie était coriace. Séti avait jusqu'à présent appliqué à la lettre la stratégie de Thoutmosis III : tenir Canaan, puis contrôler les principaux ports phéniciens, à partir desquels il convenait le moment venu de lancer une attaque vers le nord et vers le centre de la Syrie. Toutefois, l'empire hittite, qui possédait les régions situées au nord à cette époque, était encore plus redoutable que le vaillant Mitanni à l'époque de Thoutmosis III. Mais une interruption advint sur une autre scène avant que les hostilités ne soient déclarées entre le peuple du Hatti et l'Égypte.

Baptême du feu pour le jeune Ramsès

Le prince enfant que l'on nommait le « Fils aîné du Roi » était âgé d'une dizaine d'années lorsqu'on lui octroya le titre de Commandant en Chef de l'Armée. Il ne disposait évidemment d'aucun pouvoir réel, mais il se montra toujours fier de cette distinction. Plus tard, les courtisans obséquieux veillèrent à ne pas l'oublier. Le jeune Ramsès, qui demeura au palais durant l'ardente reconquête de Canaan et de la Phénicie, fut étroitement surveillé. Séti ne souhaitait nullement que son fils succombe à quelque maladie étrangère ou à toute autre mésaventure. Ses craintes s'évanouirent au fur et à mesure que l'enfant grandissait. On le reconnut officiellement héritier présomptif en lui décernant le titre de « Fils Aîné du Roi et Délégué au trône de Geb ».

Vers l'an 4 ou 5, le combat contre la Syrie fut interrompu. Des nouvelles parvinrent au palais annonçant de l'agitation en Libye, aux limites ouest du delta du Nil. L'Égypte n'avait pas eu à se soucier de la sécurité dans cette région depuis des générations. A l'insu de Séti, de nouvelles pressions troublaient ses voisins et la défense du delta, territoire national, devint soudain une nécessité impérieuse. Cette région étant relativement peu éloignée et le prince Ramsès atteignant l'âge de quatorze ans ou quinze ans, il fut autorisé à recevoir le baptême du feu et de la victoire. On lui interdit sans doute de monter « en première ligne » durant cette brève campagne, mais c'était un début. Le rôle du jeune Ramsès avait en fait été si insignifiant qu'il fut oublié sur le dessin original des grandes scènes de bataille gravées à Karnak. Mais des consignes ordonnèrent bientôt qu'on y insère sa modeste personne en tant que pseudo-combattant aux côtés de son père contre un chef libyen.

Libéré de la menace de l'ouest, Séti Ier retourna l'année suivante (la cinquième ou la sixième de son règne) combattre le peuple du Hatti en Syrie. La cité de Kadesh avait été soumise au pharaon plus d'un siècle auparavant. Il convenait qu'on s'en souvienne. Séti était déterminé à regagner les terres de Kadesh et d'Amourrou. Nous ne possédons aucune certitude quant au déroulement de cette campagne, mais rien n'interdit de supposer que dans le plus pur style de Thoutmosis III, Séti fit voile vers la Phénicie, soumit au moins temporairement Amourrou pour frapper à l'intérieur du pays, où il prit d'assaut Kadesh. Séti fit élever à l'intérieur de la ville une stèle relatant la victoire afin de marquer cet événement historique.

Le prince Ramsès avait accompagné son père et avait participé à ces événements enivrants. Ce furent des jours valeureux au cours desquels l'empire égyptien semblait sur le point de reconquérir toutes ses anciennes possessions extérieures. Cependant, le nouvel empereur hittite, Moutawalli, tout aussi jeune et vigoureux que ses adversaires, n'entendait pas céder des territoires que possédaient déjà son père et son grand-père. La manière dont ils avaient été conquis lui importait peu. Kadesh et Amourrou retombèrent donc sous la domination hittite et il est probable que les deux monarques parvinrent à un *statu quo*: le Hatti reconnaissait la légitimité des intérêts égyptiens, en particulier en ce qui concernait les ports du sud de la Phénicie, tandis que l'Égypte renonçait à toute tentative pour reconquérir Kadesh et Amourrou. Un accord officiel fut sans doute signé (selon l'usage chez les Hittites), mais on lui donna très peu de publicité en Égypte.

Ainsi, vers la sixième année de son règne, Séti Ier s'était couvert de gloire à l'étranger, avait restauré une partie des anciennes possessions levantines et prouvé ses talents. L'honneur étant sauf, il était inutile d'engager d'autres conflits avec le puissant pouvoir hittite. Le fait de devoir renoncer à Kadesh et à Amourrou ne souriait peut-être pas au jeune Ramsès, lui qui avait participé à leur reconquête, partageant avec son père la joie éphémère d'avoir reconstitué l'empire de Thoutmosis III, mutilé par la négligence d'Ahkenaton. Peut-être un jour ferait-il mieux ?

Travaux en temps de paix

Les campagnes d'été qui se déroulaient presque tous les ans n'occupaient toutefois que quelques semaines, tout au plus deux ou trois mois. Le reste du temps, Séti demeurait au palais et s'occupait de l'administration routinière du pays ainsi que de la célébration des principales fêtes des grands dieux, tel que la magnifique fête d'Opet d'Amon, à Thèbes, qui avait lieu en hiver. Il se consacrait également à satisfaire la seconde partie de sa double ambition : égaler les réalisations architecturales grandioses d'Aménophis III. La décoration de la partie nord de la grande salle hypostyle du temple de Karnak à Thèbes progressait régulièrement. A l'intérieur, de magnifiques bas-reliefs représentaient les rituels des temples et les grandes barques des fêtes d'Amon tandis que les murs extérieurs au nord accueillaient six séries de reliefs illustrant les victoires de Canaan, de Syrie et de Libye, surmontés d'autres reliefs monumentaux montrant Séti devant Amon. De l'autre côté du fleuve sur la rive gauche, son temple funéraire, sculpté dans le même style raffiné, prenait forme alors que les ouvriers de Deir el-Médineh travaillaient dans la Vallée des Rois et perçaient un tunnel toujours plus profond dans les entrailles de la montagne désertique, creusant ainsi sa grande tombe. A Abydos la sainte, Séti fit également ériger à la mémoire d'Osiris et des dieux de l'Empire le plus noble de tous les sanctuaires, en pur calcaire blanc : un vaste et splendide temple, orné de scènes délicates par les meilleurs artistes. D'éclatantes couleurs conféraient vie à ces représentations. Ce temple surpassait en magnificence la plupart des splendides ouvrages réalisés à Thèbes, grâce à la qualité de la pierre. De retour dans le Nord, Séti entama de nouveaux travaux dans les anciens temples du dieu solaire Rê à Héliopolis et dans ceux de Ptah près de Memphis. Enfin, chez lui, à l'est du delta, il se fit construire un palais d'été scintillant, aux salles peintes en blanc dont les lambris et les encadrements de porte étaient recouverts de carreaux vernissés bleu et blanc. En temps de paix comme en temps de guerre, Séti Ier, ne faisant rien à moitié, promettait de rivaliser voire de surpasser les plus grands pharaons de l'Empire.

Le roi faisait montre de gratitude envers ceux qui le servaient habilement. N'étant pas de souche noble, devenu pharaon, il n'oublia jamais le peuple. En l'an 6, les travaux d'exploitation des carrières pour les grands bâtiments royaux avançaient régulièrement, mais Séti n'hésitait pas à prodiguer des encouragements à ses adjoints et à ses ouvriers. Une inscription sur une pierre de la carrière de Silsilis raconte comment il procédait :

> « Sa Majesté était dans la ville du sud (Thèbes) pour le plaisir de son père Amon-Rê. Demeurant éveillée, elle inventait des profits pour tous les dieux de l'Égypte. Le jour suivant, Sa Majesté rassembla : un messager du roi, un corps d'armée de mille hommes et des bateaux avec leurs équipages, pour livrer des monuments de beau grès dur à son père Amon-Rê ainsi qu'à Osiris et à son conclave de dieux.
>
> « Alors Sa Majesté augmenta la ration en onguent, en bœuf, en poisson et en légumes allouée à la force armée. Chacun des hommes reçut cinq livres de pain par jour, et une botte de légumes, une portion de viande rôtie et deux sacs de grains par mois.
>
> « Ils travaillèrent pour Sa Majesté d'un cœur plein d'amour, ses idées étaient agréables aux personnes qui se trouvaient avec le Messager du roi. Il avait : le meilleur pain, du bœuf, du vin, des huiles, du vin de grenade, du miel, des figues, du raisin, du poisson et des légumes chaque jour ainsi que le grand bouquet de Sa Majesté que lui fournissait le temple de Sobek, Maître de Silsilis, prélevé (à son intention) chaque jour, et six sacs de grains provenant du grenier pour les porte-étendards de sa force armée. »

Approvisionnés de manière princière, les ouvriers des carrières et les hommes chargés du transport travaillèrent avec ardeur. L'achèvement des grands temples de Thèbes était en bonne voie tandis que l'incessant défilé des barges venant des carrières déversait les blocs de grès près des chantiers de construction.

CHAPITRE III

LE PRINCE RÉGENT

Le couronnement de l'enfant-roi

Vers l'an 7 du règne de Séti Ier, son fils et héritier, le prince Ramsès, jeune adolescent d'une quinzaine d'années, se familiarisait avec ses obligations royales : guerres à l'extérieur, tournées d'inspection en amont et en aval du Nil. Il convenait de surveiller les faits et gestes de l'administration et la bonne marche des travaux architecturaux dans les temples. Cet apprentissage exigeait simplement qu'il accompagne son père afin de se rendre compte de ce qui était fait (et de quelle manière).

Séti Ier considérait que Ramsès devait à présent être formé avec plus de rigueur à la fonction de roi. Une « jeune » dynastie est toujours vulnérable. La succession ne devait donc faire aucun doute. Ainsi, un jour lors d'une audience publique et en présence des grands du royaume, le roi octroya-t-il solennellement à son fils le titre de Prince Régent. Il lui conféra également un train de vie digne de celui d'un souverain. A défaut d'une corégence officielle, il s'agissait somme toute de la reconnaissance de l'autorité du jeune prince. Quelques années plus tard, s'adressant à la cour en tant que monarque absolu, Ramsès se souvint de cet événement heureux :

> « Je n'étais qu'un jeune homme à l'aube de sa carrière lorsque mon père s'adressa au peuple et dit : " Qu'il devienne roi afin que je puisse voir sa beauté de mon vivant ! "

« Il manda alors les chambellans afin qu'ils ceignent mon front des couronnes. " Placez la grande couronne sur sa tête ! " Voici les paroles qu'il prononça à mon sujet : " Il dirigera cette terre, il veillera sur ses affaires, il commandera au peuple. " Il parla ainsi... car immense était l'amour qu'il me portait.

« Il me fournit toute une maisonnée issue du harem royal, comparable aux " beautés " du palais : il choisit pour moi des épouses... et des concubines élevées dans le harem. »

Ramsès fut ainsi nommé roi et disposa d'une maison à part entière, telle qu'on l'entendait dans l'ancien Orient. S'inspirant des titres de son père, *Men-ma-re* et « Séti aimé de Ptah », on lui attribua le nom de *Usi-ma-re,* « Juste est Rê » et « Ramsès (II), aimé d'Amon ». Il ne fait aucun doute que les applaudissements de la cour et du peuple saluèrent comme il se devait la proclamation et la cérémonie du couronnement. La nouvelle maison engendra de nombreux enfants pour assurer la succession.

La cour de Séti et le prince

La seconde moitié du règne de Séti Ier et la régence du prince Ramsès virent apparaître diverses personnalités à la cour. Aux côtés de Séti siégeait son épouse, la reine Touya, une femme tranquille et mûre, âgée à cette époque d'une quarantaine d'années. Elle n'intervenait guère dans les affaires de l'État, mais elle était profondément chérie de son fils. La sœur aînée du jeune Ramsès, Tija, avait épousé un jeune homme, Tia, fils d'Amen-wah-su, peu de temps avant que son frère n'accède au trône. Ces proches parents bénéficièrent du lien les unissant à la famille royale. Tia devint scribe royal (une position élevée) dans l'administration, tandis que son père Amen-wah-su, était Scribe de Table du Maître des Deux Terres, et donc en partie responsable de l'approvisionnement en nourriture du palais. Le harem du palais de Memphis fut confié aux soins habiles du très capable Hori-Min. On l'honora, alors qu'il était déjà âgé, d'une audience royale au cours de laquelle :

> « Le roi dit aux fonctionnaires présents : “ Donnez beaucoup d'or au Favori, le superintendant du harem royal ! Souhaitons-lui une longue vie, une vieillesse heureuse au-dessus de tout reproche et sans aucun méfait dans le Palais royal. Puisse sa bouche prospérer et ses pas (continuer) leur route vers une bonne vieillesse, avec (en définitive) un enterrement heureux ! ”

Chargé de colliers d'honneurs en or, Hori-Min remercia :

> « Ô Souverain adoré tel Amon ! Tu demeures ici à jamais comme ton père Rê atteignant son zénith ; ô Souverain qui crée la prospérité parmi les hommes et dont la générosité m'a “ fait ” ! »

Le vizir Nebamon et le loyal et efficace vice-roi de Nubie, Amen-em-ope, responsable devant le pharaon de l'approvisionnement en or provenant de son immense domaine du sud, étaient des personnages encore plus éminents pour la bonne marche du pays. Des hommes plus jeunes, à l'instar du prince Ramsès, se distinguèrent dans cette cour, qui séjournait souvent à Memphis, la capitale traditionnelle. L'un d'entre eux garda certainement un souvenir vivace du couronnement du prince régent. Fils du grand prêtre d'Amon, Nebneteru, et de Merytre, Paser entra au palais pour y servir, et il y devint l'un des chambellans de Séti Ier. Son efficacité et son dynamisme lui valurent d'être promu grand chambellan à la cour alors qu'il était âgé d'une vingtaine d'années. Il acquit ainsi les titres pittoresques de « Grand Prêtre de la Déesse Experte en Magie », « Chef des Secrets des Deux Déesses » : il était donc le gardien des couronnes royales, c'est-à-dire de la Grande Couronne Double des Deux Égyptes et des couronnes individuelles des Deux Terres qui la composaient. Ce furent selon toute vraisemblance ses mains qui déposèrent la couronne sur le front du jeune Ramsès II.

Amen-em-inet, compagnon du prince, avait sensiblement son âge. Il devint le serviteur personnel de Ramsès lorsque celui-ci fut nommé héritier et régent : cette fonction l'assurait d'une promotion ultérieure. Certains proches parents de ce jeune homme occupaient déjà des positions élevées, tels ces oncles dont l'un était grand prêtre de Min et d'Isis à Coptos (nord de Thèbes) et l'autre commandant des troupes en Nubie et bras droit du vice-roi de la région. Nous reparlerons d'un autre jeune homme, Bakenkhons, employé dans les écuries de course de Séti Ier et qui poursuivit sa carrière en entrant dans le clergé régulier d'Amon à Thèbes.

Asha-hebsed, un des contemporains de Paser, se trouvait de par son service proche de Séti Ier et du prince Ramsès. Ce jeune homme dynamique, qui avait été nommé commandant des troupes très jeune, fut rapidement promu au sein du corps d'élite des « envoyés royaux vers toutes les terres étrangères ». Ses maîtres appréciaient tant son travail au palais que son esprit d'initiative à l'extérieur du royaume. C'est pourquoi il fut également nommé « Échanson du Roi », ce qui signifiait dans ce cas précis qu'il était le maître des serviteurs du roi et du prince. Ses devoirs le conduisirent au Sinaï en l'an 8 ; il y retourna plus tard, vraisemblablement pour y surveiller la production des mines de turquoise. Il laissa ses « cartes de visite » dans l'ancien temple de la déesse Hathor, « Dame de Turquoise », sous forme d'inscriptions.

> « Sois béni, ô Souverain riche en troupes et en chars, *Men-ma-re,* Séti Ier et son fils royal, *Usi-ma-re...* aimé d'Hathor, Ramsès II ! »,

s'exclamait le fidèle Asha-hebsed sur l'une d'entre elles, honorant dans le même élan le roi et le prince régent. Le nom « loyaliste » de Asha-hebsed, « Riche en jubilés » — ce souhait bienveillant à l'égard du roi — dissimulait peut-être une origine non égyptienne. Plus d'un jeune étranger intelligent, originaire de Canaan ou de Syrie, réussirent dans la société cosmopolite du Nouvel Empire, et il était de bon ton pour eux d'adopter des noms loyaux envers la Couronne. L'un de ces hommes, Ourhiya, qui servit comme général sous Séti Ier, conserva son nom barbare. Dans la langue hourrite du nord de la Syrie, son nom signifiait « *Vrai* », forme abrégée de Ourhi-Teshoub,

« Vrai est le dieu de l'orage » ; son fils aîné, Yupa, portait un nom cananéen. Mais la fidélité d'Ourhiya allait à son pays d'adoption plutôt qu'à sa terre natale, lointaine et instable, ainsi qu'en attestent ses monuments personnels dont le style et le goût étaient rigoureusement égyptiens.

Révolte dans le Grand Sud

En l'an 8, au cours de l'hiver 1287 avant J.-C., l'annonce d'une révolte imminente en amont du Nil, dans le lointain pays de Koush, atteignit Séti Ier, qui jouissait à ce moment-là du climat doux et chaud de Thèbes. Le territoire concerné se trouvait au-delà de la Troisième Cataracte, à l'ouest du fleuve, en terre d'Irem. Cette partie de la Vallée du Nil était mieux irriguée, mieux cultivée et plus peuplée que le reste de la Nubie (elle se distingue encore de nos jours par les villes de Kerma et de Dongola). Au-delà des collines du désert, vers l'ouest, des puits permanents ou saisonniers soulageaient la steppe aride. La population nomade d'Irem enviait cette prospérité et projetait de s'emparer de la terre, du peuple ou du bétail, et des récoltes de la riche vallée.

Toutefois, « quelqu'un parla », les agents du vice-roi l'entendirent et le complot parvint aux oreilles du pharaon. Son récit, tel qu'il fut rapporté plus tard dans les capitales du Sud du vice-roi, relate ainsi l'histoire :

> « An 8, Saison de l'hiver... (sous) le Souverain des Deux Terres, *Men-ma-re,* Souverain de Thèbes, Fils de Rê, Séti Ier, Aimé de Ptah...
>
> « Or, Sa majesté était dans la cité de Thèbes et faisait ce qui plaisait à son père, Amon-Rê, lorsqu'elle fut informée que :
>
> « Les ennemis de la terre d'Irem fomentent une révolte ! »
>
> « Sa Majesté attendit de connaître leurs plans en détail. Puis elle dit aux hauts fonctionnaires, aux courtisans et à sa suite : " Qui sont ces gens pour oser abuser du temps de Ma Majesté ? Mon père Amon-Rê provoquera leur chute sous mon épée. Et (cette) terre comme les autres avant elle reculera devant Ma Majesté ! "

« Alors Sa Majesté dressa des plans de bataille et ordonna le massacre des révoltés et de leurs chefs où qu'ils se trouvent. Sa Majesté dépêcha ensuite l'infanterie et de nombreux chars. L'armée arriva à la forteresse nommée "Pacificatrice des Deux Terres" le treizième jour du troisième mois d'hiver (fin janvier 1287 avant J.-C.). Elle monta (vers le désert) contre l'ennemi. Le bras puissant de Pharaon la précédait tel un souffle de feu piétinant les montagnes.

« A l'aube, sept jours (plus tard), le bras puissant de *Men-ma-re* décima (l'ennemi), nul ne réchappa. En une victoire, il ravagea six puits ; voici leurs noms : Tipaw, Tabnuta, Tairosu, un Puits, Kurokasa, Tusarsu. La population, qui vivait près des puits, fut ramenée captive sur la berge du fleuve précédée de son bétail, le butin du bras puissant de Pharaon ».

La liste du butin jointe en annexe mentionnait à l'origine plus de six cents captifs.

Ainsi, un raid intensif d'une semaine à travers les puits (ou les petites oasis), situés au-delà du Nil, suffit à étouffer dans l'œuf la tentative de l'Irem de se séparer du pouvoir égyptien et à anéantir toute visée sur la vallée du fleuve. Menée au nom du Roi par le Commandant des troupes et par le vice-roi de Nubie, ce fut la dernière des guerres de Séti Ier, une affaire très modeste rapidement terminée. Le vice-roi, Amen-em-ope, fit élever deux stèles commémoratives, l'une à Shaat sur l'île de Saï et l'autre, dans le centre qu'il construisait sur une île un peu plus au nord (aujourd'hui Amara, reliée à la rive gauche), qui deviendra sa nouvelle capitale du Sud. A Thèbes, la vanité royale se contenta de remplacer quelques noms cananéens par quelques noms nubiens sur les listes des grandes scènes guerrières de Karnak, sans même reprendre ceux des puits concernés, jugés insignifiants.

Déserts et carrières

Peu après l'incident d'Irem, Séti Ier et le prince Ramsès accordèrent leur attention à des entreprises plus pacifiques. Les déserts arides et inhospitaliers, qui s'étendaient entre la mer Rouge et le Nil, possédaient un attrait irrésistible aux yeux des pharaons : l'or. Quelque cent dix kilomètres en amont de Thèbes, à l'opposé d'Edfou, commençait le « pays de l'or », qui s'étalait très au Sud jusqu'en Nubie. En l'an 9, l'infatigable Séti décida d'améliorer l'approvisionnement en or provenant de cette région. Il s'enfonça donc en 1286 avant J.-C. dans la chaleur de juin à l'intérieur de l'étendue sauvage, brûlée par le soleil, afin de se forger une opinion personnelle de la situation. Séti, poussiéreux et assoiffé, constata que la construction d'un lieu de repos et que l'excavation d'un puits s'imposaient. Il ordonna donc ces travaux et fit élever un petit temple et un complexe attenant pour répondre aux besoins de ses mineurs. Sur les murs du temple fut gravé le récit des explorations royales :

> « An 9, le vingtième jour du troisième mois de l'été (début juin 1286 avant J.-C.)... Ce jour-là, Sa Majesté traversa les déserts jusqu'aux montagnes. Elle souhaitait voir les mines d'où l'or était extrait. Sa Majesté fit une halte pour se reposer et réfléchir, après avoir parcouru une longue distance. Puis elle dit : " Comme cette route est pénible sans eau ! Qu'advient-il des voyageurs désireux de soulager leurs gorges asséchées ? La terre (irriguée) est loin et le désert est si vaste — pauvre est l'homme assoiffé dans cette étendue sauvage ! Comment puis-je les aider afin de leur permettre de faire souche ?... "
>
> « Sa majesté partit en reconnaissance dans le désert. Elle chercha un emplacement où creuser un puits. Dieu les guida afin qu'elle puisse concrétiser les espoirs de ceux qu'elle aimait. Des terrassiers furent chargés de creuser un puits dans les montagnes pour établir les affaiblis et rafraîchir les cœurs de ceux qui souffraient de la chaleur de l'été. Cette installation fut construite au grand nom *Men-ma-re* (Séti Ier) ; l'eau y abonda comme lors des crues du Nil à Assouan... Sa Majesté donna ensuite ses consignes au Directeur des Travaux Royaux. Ainsi fut construit dans ces montagnes le temple des dieux : Amon, Rê, Ptah, Osiris... Sa Majesté revint louer ses pères, tous les dieux, lorsque le monument fut achevé et que les inscriptions y furent gravées ».

Il est évident que la préoccupation essentielle de Séti concernait l'or destiné au trésor de son superbe temple d'Abydos, la plus belle œuvre de son règne. Une autre inscription avertissait les générations futures de ne pas entraver le travail des mineurs ni celui de l'approvisionnement en or de son grand temple, appelant la bénédiction sur ceux qui respecteraient ses dispositions et la malédiction sur ceux qui oseraient y déroger :

> « Quant à tous les rois futurs qui confirmeront mes dispositions... Amon, Rê-Harakhte, Ptah-Tatenen, Osiris (et les autres dieux) veilleront à leur prospérité et ils dirigeront ainsi leurs terres dans la joie...
>
> « Tous les rois futurs qui transgresseront mes plans..., déplairont aux dieux et seront mis en accusation à Héliopolis ; le Tribunal Divin sera rouge comme des tisons pour brûler quiconque aura ignoré mes volontés. Ils (les dieux) détruiront quiconque bouleversera mes plans et l'abattront sur le billot de l'Enfer. Tout fonctionnaire, qui encouragera son maître à déplacer mon personnel... sera condamné au feu qui brûlera son corps et dévorera ses membres !...
>
> « Celui qui restera sourd à ce décret, Osiris, le poursuivra, Isis pourchassera sa femme et Horus, ses enfants : tous les grands dieux de la Nécropole exécuteront le jugement contre lui ! »

Nous nous trouvons de toute évidence en présence d'une véritable « malédiction des pharaons », mais elle est dirigée contre ceux qui, il y a des siècles, risquaient de léser les intérêts économiques du roi. Elle ne s'adresse en aucun cas aux archéologues et aux touristes actuels désireux d'en préserver ou d'en admirer les vestiges.

En voilà assez pour le père, intéressons-nous à présent au fils. Le prince Ramsès se trouvait également aux confins de l'Égypte durant les aventures de son père dans le désert. L'an 9 les vit parcourir les carrières d'Assouan à la recherche du granit convenant pour de grandes statues et pour d'autres monolithes. Deux inscriptions dans la roche attestent de leurs recherches. Voici la plus courte :

> « An 9... Sa Majesté fit fabriquer de grandes statues en granit noir. Elle découvrit ensuite une nouvelle carrière qui permettrait de réaliser des statues en granit noir dont les couronnes (seraient) en quartz rouge provenant de la Montagne Rouge. Nul n'avait vu de semblables statues depuis l'époque du Rê. Cette carrière découverte par Sa Majesté se nomme la " Carrière de *Men-ma-re,* Souverain des Deux Terres ". »

La plus longue des inscriptions révèle que le prince Ramsès était chargé de la surveillance générale des grands travaux d'Assouan (secondé sans doute par des individus expérimentés), tandis que son père partait à la recherche de mines d'or :

> « An 9... Sa Majesté commanda une multitude de travaux ; il fit ériger de très grands obélisques et de grandes et merveilleuses statues à son nom. Il conçut de grandes barges pour leur transport sur lesquelles embarquèrent des fonctionnaires et des hommes chargés d'accélérer (le travail). Et son Fils Aîné (c'est-à-dire Ramsès) les précédait servant (vraiment) Sa Majesté ».

Le prince Ramsès : bâtisseur

Les six années suivantes furent calmes mais certes pas oisives. Séti était alors âgé d'une quarantaine d'années, son dynamisme déclinait (surtout depuis son voyage éreintant dans le désert torride). Il se complaisait à diriger l'administration du pays depuis son palais confortable de l'ancienne Memphis. Il séjournait l'été dans son palais d'Avaris dans le delta oriental (recevant le tribut des Asiatiques) et l'hiver à Thèbes, ville au climat plus doux, pour assister à la grande fête d'Opet en l'honneur d'Amon.

Il s'était entouré au fil des ans d'hommes capables de diriger les affaires de l'État. Ce fut à peu près à ce moment (vers l'an 10) que le poste le plus important de l'État se trouva vacant, celui de vizir du Sud ou vizir thébain. Séti Ier prononça alors une nomination qui, même à cette époque, provoqua quelques sourcillements et suscita une discrète vague de commentaires à la cour. Son Grand Chambellan, Paser, serait le prochain vizir. Paser était jeune, à peine âgé de trente ans, et en tant que Gardien des Couronnes, il représentait un curieux élu. Séti Ier n'en avait pas moins confiance en ses capacités et les événements ultérieurs lui donnèrent raison.

Paser était fier de son ascension vertigineuse, mais également très conscient de ses responsabilités. Il l'écrivit d'ailleurs par la suite dans sa splendide chapelle-tombeau (no 106) à Thèbes-Ouest :

> « Mon Maître ordonna que cet humble serviteur soit promu au poste de Premier Compagnon du Palais et il me nomma Grand Chambellan... Puis, il me fit Vizir, chargé de percevoir pour le Trésor du Roi Victorieux les revenus des terres étrangères du sud et du nord. Ma compétence me valut d'être envoyé pour calculer les revenus des Deux Terres à travers les provinces d'Égypte, au sud et au nord ».

A la même époque, Nebneteru, son vieux père, fut nommé Grand Prêtre d'Amon à Thèbes, un insigne honneur; il occupa ce poste presque jusqu'à la fin du règne.

Les grands projets de constructions progressaient régulièrement. A Abydos, l'ossature du grand temple approchait de son achèvement : deux grandes avant-cours à ciel ouvert, deux vastes salles hypostyles, sept sanctuaires pour les dieux de l'État, pour Osiris et sa famille, et pour le roi, puis la propre suite d'Osiris et diverses salles annexes. Mais les délicates sculptures des scènes gravées sur les murs du temple furent exécutées plus lentement en commençant par les parties les plus sacrées du Temple situées vers l'arrière. Séti fit construire derrière le grand temple une structure souterraine particulière, l'Osireion, une sorte de cénotaphe pour Osiris et pour lui-même.

Le prince Ramsès surveillait de temps à autres ce travail. Depuis qu'il avait été nommé prince régent — « durant la première année de mon apparition », disait-il — il avait été occupé en ce lieu. « (J'ai) façonné mon père sous une forme nouvelle en or » ; il supervisait en fait la facture d'une nouvelle statue en or de Séti Ier, destinée aux sanctuaires du temple. Ramsès obtint par la suite la permission de son père d'édifier son propre temple d'Osiris, à Abydos. La préséance exigeait que celui-ci fut plus petit que l'immense édifice paternel. Il fut cependant exécuté dans le même splendide calcaire crémeux, par les mêmes corps d'artisans talentueux et dans le style raffiné. Il convient toutefois de remarquer que les bas-reliefs chers à Séti Ier sont absents de la décoration. Ramsès était moins patient, il fit donc sculpter les scènes de son temple plus rapidement et se contenta de personnages et d'inscriptions gravés dans la pierre.

A Thèbes, la structure de la grande salle hypostyle du temple d'Amon à Karnak était achevée. La décoration de la moitié nord de la salle était presque terminée. Il n'en allait pas de même en ce qui concernait la moitié sud. La salle abritait une vaste forêt de colonnes, ses proportions étaient immenses : environ cinquante mètres de longueur sur cent mètres de largeur. La nef centrale et ses douze colonnes soutenait un plafond situé à vingt-cinq mètres environ au-dessus de la tête du visiteur. De chaque côté, un bosquet de soixante et une colonne de douze mètres de hauteur conféraient à la salle une belle profondeur latérale qui, dans la faible luminosité, semblait s'étirer en d'infinies ténèbres dans les perspectives des colonnes peintes. Comme dans une cathédrale, la lumière s'infiltrait à travers les hautes ouvertures qui faisaient la jonction entre les niveaux supérieur et inférieur du toit de chaque côté de la nef centrale, illuminant les reliefs colorés des murs et des colonnes scintillant tels des joyaux dans une pénombre qui s'évanouissait dans l'obscurité mystérieuse des ailes de la salle.

De l'autre côté du Nil, sur la rive gauche, le temple funéraire de Séti Ier comportait maintenant une chapelle particulière dédiée à Ramsès Ier, tandis que d'autres reliefs commémoraient le couronnement du jeune Ramsès II. C'était donc en quelque sorte la chapelle royale de la nouvelle dynastie. Ici comme à Abydos, le travail de construction dura moins longtemps que le patient travail de décoration des bas-reliefs. Plus loin, vers l'ouest, dans la solitaire Vallée des Rois, les ouvriers de la Tombe Royale avaient à présent creusé une magnifique tombe pour le roi, vestibule sur vestibule, salle après salle, sur plus de quatre-vingt-douze mètres, toujours plus profondément au cœur de la montagne occidentale. Tandis que les contremaîtres vétérans, Baki et Neferhotep l'Ancien, supervisaient les travaux en général, les dessinateurs Pay et Pashedu jetaient d'une main incroyablement sûre les esquisses des textes et des scènes, ils peignirent ensuite le travail que Piay et ses collègues avaient entre-temps si délicatement sculpté. Il est rare de connaître le nom des hommes ayant réalisé des monuments qui forcent toujours l'émerveillement et l'admiration, des millénaires après (et ce à juste titre), mais les archives de cette communauté le permettent.

Ce tombeau massif n'était d'ailleurs pas leur seule préoccupation. En effet, Ramsès avait probablement été autorisé à ordonner le début des travaux de sa tombe dans la Vallée des Rois du vivant même de son père, celle de Séti étant pratiquement terminée.

Tandis que Ramsès visitait les divers sites en construction, que ce soit à Assouan, à Abydos, à Thèbes ou ailleurs, le vizir du Sud, Paser, supervisait les ouvriers de la Tombe Royale, qui dépendaient de lui par l'entremise des contremaîtres et des scribes. Rien n'interdit de supposer que certains d'entre eux aient même travaillé à sa délicate chapelle funéraire, située parmi les tombes des nobles à Thèbes-Ouest.

A Karnak, sur la rive droite du fleuve, les préoccupations de Paser concernaient moins les bâtiments d'Amon que son mobilier. Dans les ateliers du temple, le vizir contrôlait minutieusement la qualité des sphinx, des vases délicats, des statues du roi, en or ou en pierres précieuses, que façonnaient les mains habiles des artisans. Paser se fit représenter dans sa chapelle effectuant une telle inspection, au cours de laquelle il avait fait la remarque suivante à un sculpteur : « Puisse Ptah t'accorder une faveur, Sculpteur ! Cette statue de mon maître est très belle. " Qu'elle soit donc façonnée selon l'ancien modèle ", dit alors le pharaon. » Paser avait des raisons de se louer du travail de ses artistes, car quelque temps après, lors d'une audience, le roi pour le récompenser lui remit des colliers en or : un autre événement commémoré dans sa chapelle funéraire.

Parmi les artistes qui servaient Paser et le prince Ramsès à Thèbes, se trouvait Dedia, Chef des Artisans Peintres de Karnak, formé par une longue tradition familiale. Six générations de ses aïeux avaient servi Amon, le premier ayant été Pethu-Baal ; ils étaient originaires de Canaan ou de Syrie et s'étaient installés en Égypte, où le jeu des alliances avait permit leur intégration rapide dans la société. C'est à des hommes tels que Dedia et ses collègues que Séti Ier doit d'avoir presque satisfait son ambition : celle de rivaliser avec Aménophis III en ce qui concerne la magnificence de ses constructions.

La famille royale

Ramsès ne s'intéressait pas uniquement aux temples et aux tombes. Une fois couronné, il avait reçu une maison à part entière. Le jeune « roi » commença à fonder une véritable famille alors qu'il était régent. Il avait deux épouses officielles : Nefertari et Istnofret. L'histoire a jusqu'à présent gardé un silence discret quant aux antécédents familiaux de ces deux jeunes filles. Quoi qu'il en soit, Nefertari était certainement une jeune femme bien faite, « qui supportait d'être comparée aux beautés du Palais », pour reprendre l'expression de Ramsès. Mais Istnofret demeure une personne vague, ainsi que nous le verrons.

Elles donnèrent à leur époux ce nombreux enfants — au moins cinq fils et deux filles — durant les dix années qui précédèrent la mort de Séti Ier. Les femmes du harem (discrètement voilées à notre regard) mirent au monde, quant à elle, cinq à dix fils et autant de filles. Ainsi, au cours de la dernière décennie du règne de Séti Ier, les pouponnières du Palais durent retentir des gazouillements, des cris et des pleurs des bébés royaux, pleins de vie et de santé, sans compter ceux qui moururent probablement en bas âge. Séti fut donc grand-père de nombreuses fois.

Nefertari donna le jour au premier fils de Ramsès, Amenhir-wonmef, « Amon est à sa droite », et Istnofret au second, nommé Ramsès comme ses père et grand-père. Nefertari mit ensuite au monde Pre-hir-wonmef, et Istnofret, Khaemwaset, « Apparaissant à Thèbes », le quatrième fils, puis l'aînée des filles, à qui on donna un nom cananéen, Bint-Anath, « Fille d'Anath ». Il y eut maintes autres naissances. Ainsi, Nefertari donna-t-elle naissance à la quatrième fille, Meryetamon et à d'autres fils jusqu'au seizième, Mery-Atoum. La progéniture d'Istnofret comprenait le treizième fils, Mérenptah. Tous ces enfants joueront un rôle par la suite.

Echauffourées au sud et au nord

Vers la treizième année du règne de son père, on jugea que le prince Ramsès, âgé de vingt-deux, était suffisam-

Vue par satellite du vaste delta du Nil.

Les falaises de Gebel Hardidi surplombant la vallée du Nil en Haute Egypte.

Séti Ier et le prince Ramsès devant les cartouches de leurs ancêtres royaux. (Temple d'Abydos.)

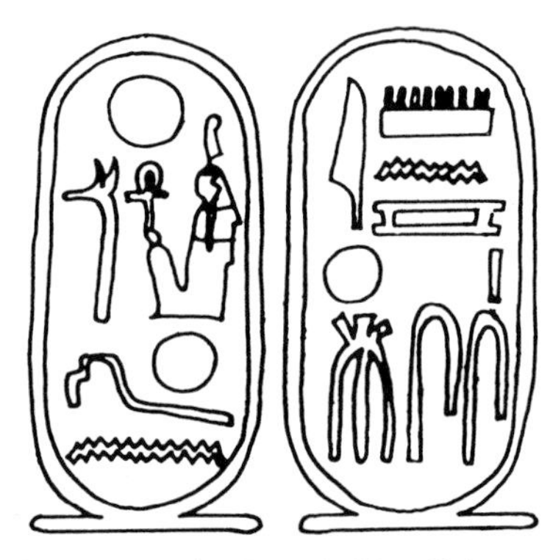

Cartouches de Ramsès II : *Usimare-Setepenre,* Ramsès II, Aimé d'Amon.

◀ Seth en habits étrangers.

Bas-relief représentant Séti Ier. (Abydos.)

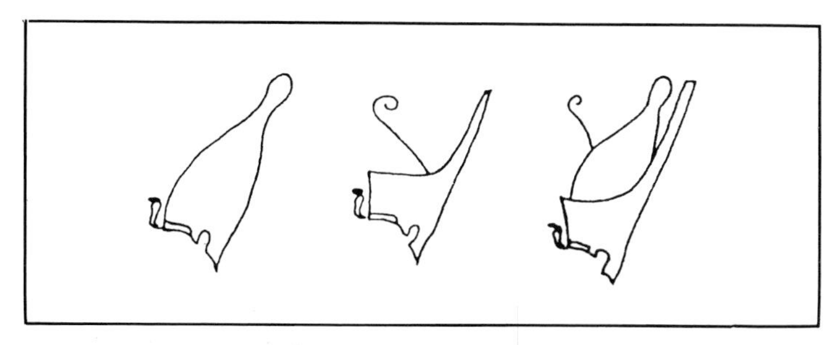

Les couronnes blanche, rouge et double de la Haute, de la Basse et des deux Egyptes.

Raia et Ruia, les parents de Touya, mère de Ramsès II et épouse de Séti Ier.

Séti Ier en guerre à Canaan (Mur N-E, Salle hypostyle, Karnak).

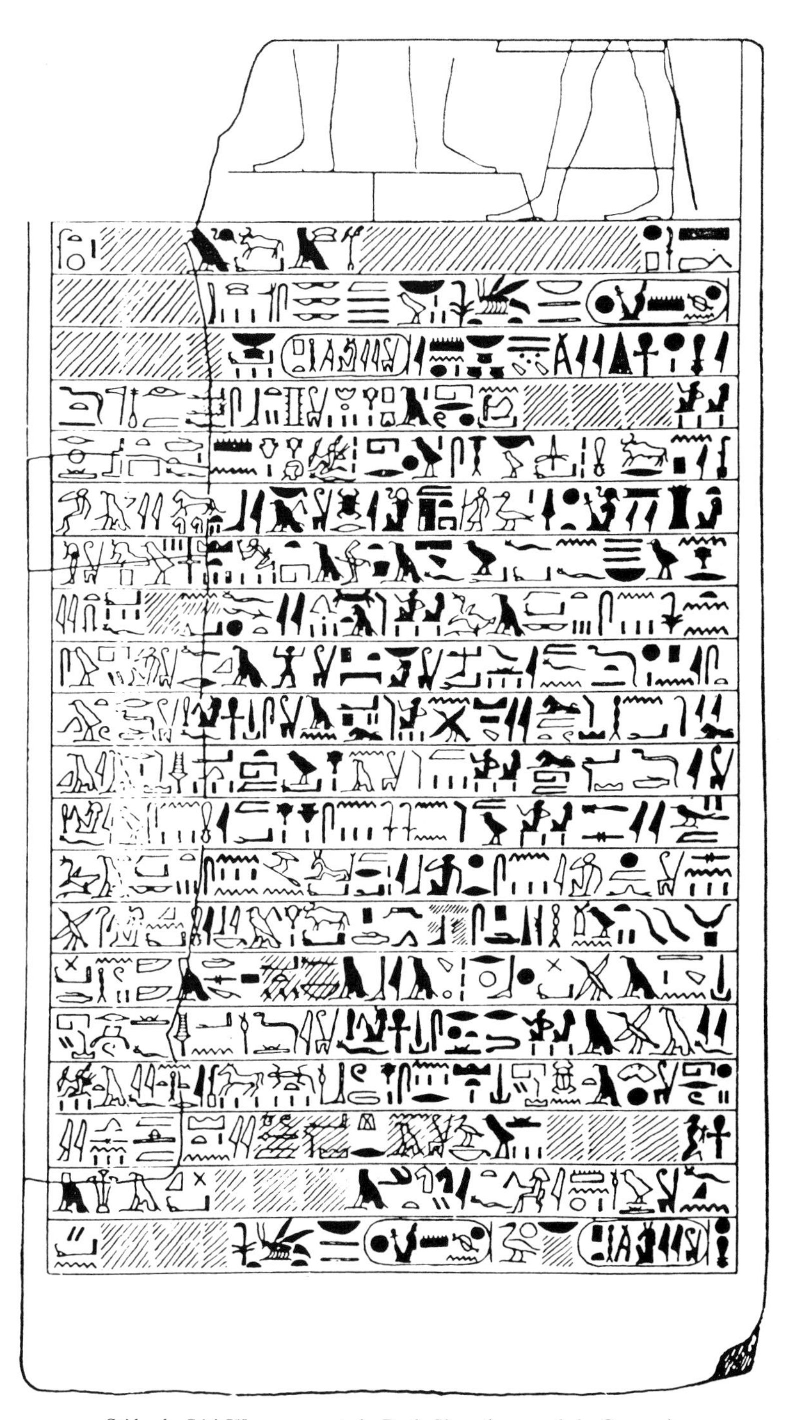

Stèle de Séti Ier provenant de Beth-Shan (au nord de Canaan).

Relief représentant Ramsès II
et son fils.

Drawing by Coleman

Ci-dessous : Ramsès II (suivi par les princes Amen-hir-wonmef et Khaemwaset) poursuit les rebelles nubiens. A gauche : un homme blessé est ramené chez lui tandis qu'un garçon court annoncer l'attaque égyptienne à une femme qui cuisine.

En bas : Ramsès II assis sur le trône reçoit le butin de guerre et le tribut des Nubiens. Celui-ci inclut des anneaux d'or, des sacs de poussière d'or, des arcs, des peaux d'animaux, des boucliers, des chaises, des éventails, des œufs et des plumes d'autruche ainsi que des animaux domestiques et sauvages. Au centre et en haut, le vice-roi de Nubie reçoit en récompense des colliers pectoraux en or. (Temple de Beit-el-Wali, salle extérieure.)

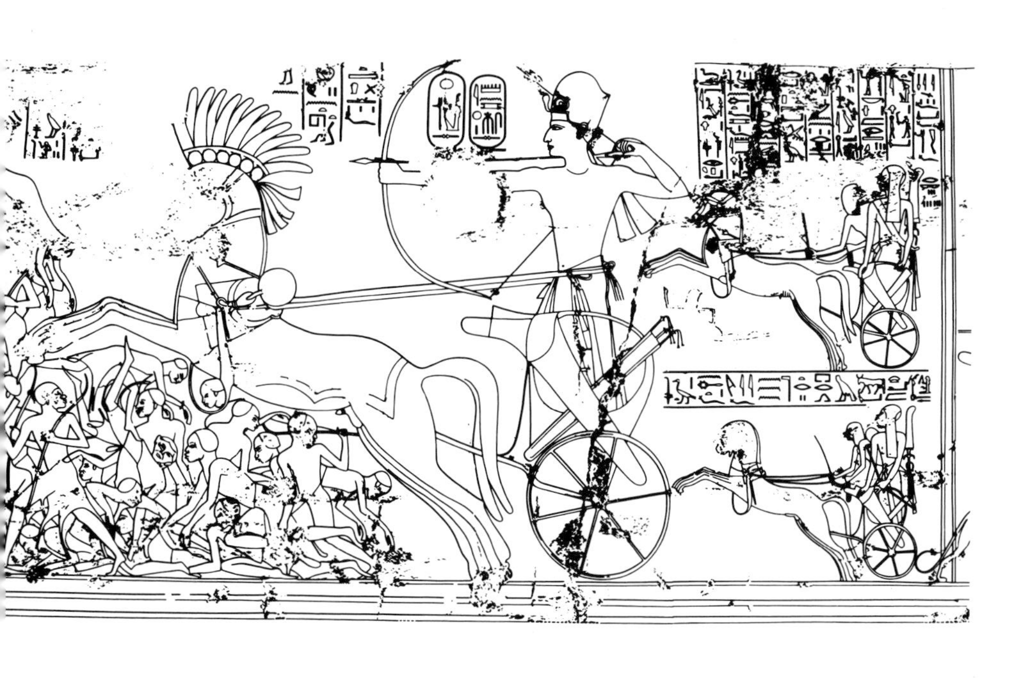

La grande salle hypostyle de Karnak - coupe.

Façade du temple funéraire de Séti Ier. (Gourna.)

Statue du jeune pharaon Ramsès II. (Turin.)

Scène de la bataille de Kadesh. Au centre, les chars hittites attaquent le camp égyptien (en haut) alors qu'on annonce au roi (à gauche) la présence des Hittites (les espions hittites capturés sont battus au-dessous de lui). A l'extrême droite, l'arrivée soudaine des renforts égyptiens. (Temple de Louxor.)

Scène de la bataille de Kadesh. A droite, Ramsès II charge les chars hittites, les repousse dans le fleuve qui (à gauche) entoure Kadesh. Au-dessus de la ville et de la rivière, les Hittites retirent des eaux leurs compagnons. Au camp (sur la rive opposée du fleuve), le roi hittite et l'infanterie observent la débâcle. (Temple de Louxor.)

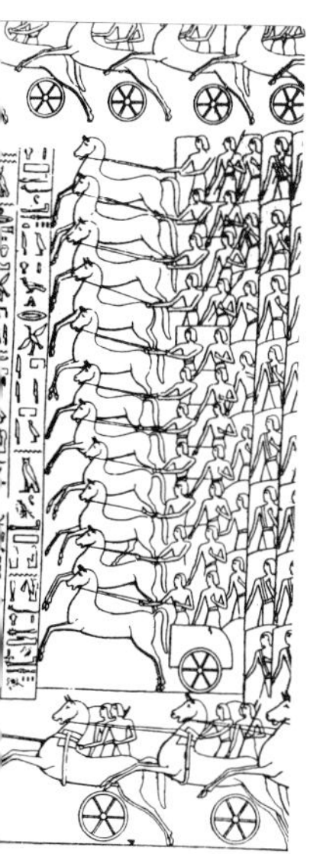

Cité de Kadesh, cernée par le fleuve et les canaux. (Abou Simbel.)

Ramsès II apprend l'attaque hittite. (Pylône du Ramesseum.)

Contre-attaque égyptienne de l'autre côté de l'Oronte à Kadesh. (Ramesseum.)

Bataille de Kadesh : des hommes tiennent le prince d'Alep la tête en bas afin qu'il rejette toute l'eau qu'il a avalée en traversant l'Oronte ! (Ramesseum.)

Traité de paix égypto-hittite. La version égyptienne figure sur une stèle murale gigantesque dans le temple de Karnak. Les scènes du sommet représentent Ramsès II adorant les dieux.

Abou Simbel : façade du Grand Temple de Ramsès II avec ses quatre colosses taillés dans la roche de la falaise.

Abou Simbel : façade du temple de la reine Nefertari avec les statues du roi et de la reine taillées dans la roche.

Abou Simbel, tête du colosse sud de Ramsès II.

Abou Simbel. Scène de la stèle du Mariage. Ramsès II, entouré des dieux Seth et Ptah-Tatenen, accueille la princesse hittite escortée par son père le roi Hattousil III.

Le bureau des Affaires étrangères du pharaon. Au-dessus et au centre, Tjay, le secrétaire du pharaon, fait des offrandes à Thot (dieu des scribes et de la connaissance) dont les images-babouins gardent et occupent un autel à droite. Dans la salle extérieure, Tjay signe des documents, installé dans son fauteuil ministériel. Des clercs travaillent dans les ailes annexes. Au-dessous : plan reconstitué du bâtiment.

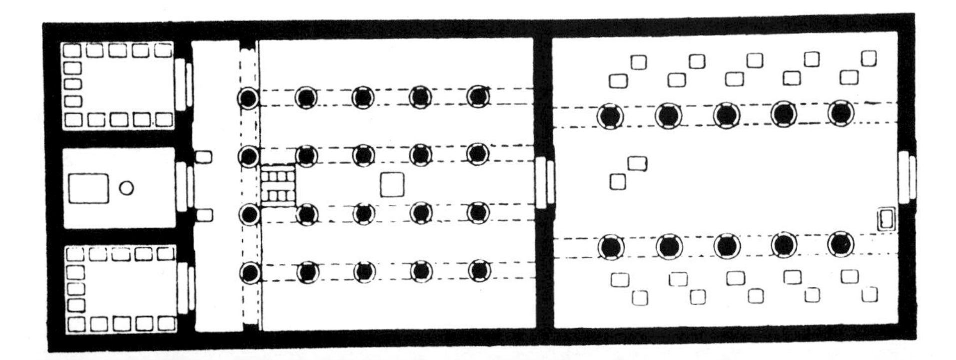

ment mûr pour mener des guerres modestes. En Basse Nubie, une petite révolte vit Ramsès se diriger droit vers le sud, accompagné de deux de ses fils, Amen-hir-wonmef l'aîné (cinq ans) et Khaemwaset (quatre ans). La « campagne » était une bagatelle sur le plan stratégique : une charge de chars et les rangs nubiens furent dispersés ; les hommes s'enfuirent vers leurs villages et répandirent la nouvelle de la violente poursuite égyptienne. Tout fut terminé en une heure ou deux. Ramsès mena la charge : chacun de ses fils fut confié à un conducteur de char ; ses enfants « chargèrent » également, probablement à bonne distance ! Selon la tradition militaire des aïeux de Ramsès, ils vivaient là leur initiation à la guerre. Ramsès ordonna de tailler un petit temple de pierre (Beit el-Wali) pour célébrer la victoire ; il était situé près de Kalabchah qui constituait un point stratégique gardant un étroit passage du fleuve. Dans la première salle, le mur nord accueillait simplement des reliefs symboliques de la victoire contre Canaan et la Libye où Ramsès avait « guerroyé » aux côtés de son père. Mais sur le mur sud, on représenta des scènes de sa propre victoire sur les Nubiens : la poursuite, la remise du butin et du tribut présentés par les deux princes et par le vice-roi, Amen-en-ope. Peu après, alors que le petit temple était presque achevé, le vice-roi disparut de la scène — était-il mort à la « tâche » ou s'était-il retiré en raison de son grand âge ? Quoi qu'il en soit, Séti et Ramsès choisirent un nouvel homme pour ce poste : Iouny, originaire de Ninsu près du Fayoum. Celui-ci (lors d'un premier voyage dans le désert d'Edfou) avait laissé une scène témoignant de son respect pour Séti Ier, près du temple des chercheurs d'or.

La brève guerre de Nubie avait été un « jeu d'enfant », même pour le jeune Ramsès. Une menace plus inquiétante se développait sur les côtes au nord du delta : celle des pirates méditerranéens. En mer Égée et en Méditerranée orientale, l'agitation augmentait et des groupes de marins pillards représentaient depuis longtemps un fléau pour les Hittites et pour les autres États de l'Asie Mineure occidentale. Au début du XIIIe siècle avant J.-C., ces pirates avaient commencé à mettre à sac le delta, lançant des raids vers les embouchures du Nil, pillant et détruisant probablement les villages et les petites bourgades enlevées par surprise.

Il était impensable que des hommes tels que Séti Ier et Ramsès, qui avaient triomphé en Asie et en Nubie, laissent le champ libre au pillage et au terrorisme à leurs portes. Le prince Ramsès envoya donc des troupes par voie de terre et par voie d'eau vers les embouchures du fleuve. Le piège se referma sur les pirates Shardanes. Ils furent écrasés, capturés en bon nombre et enrôlés dans l'armée égyptienne. S'ils désiraient se battre, mieux valait que ce soit avec le pharaon et pour l'Égypte, plutôt que contre ceux-ci. Ramsès II tira fierté de son opération de « nettoyage » ainsi qu'en attestent des stèles ultérieures :

> « (Lui) qui vainquit les guerriers de la mer, grâce à qui le delta est désormais paisible (et sauf) » - et « dont la renommée traversa la mer... Les Shardanes sans loi que personne n'avait jamais su combattre arrivèrent intrépides, (naviguant) sur leurs vaisseaux de guerre, venant des brumes des mers, eux à qui personne ne résistait. (Mais il les défit par la force de son bras vaillant, les ramenant en Égypte) : Ramsès II. »

Mort de Séti Ier

Les affaires en étaient donc à ce stade vers la seizième année du règne de Séti Ier. Gouvernée avec fermeté, l'Égypte, prospère et respectée, se trouvait à la tête d'un immense empire. Des troubles mineurs avaient été vite réprimés. De nouvelles constructions merveilleuses d'une envergure inégalée depuis Aménophis III avaient été édifiées pour les grands dieux et décorées dans un style raffiné (quoique manquant parfois de vigueur) digne de celui des magnifique travaux de la XVIIIe Dynastie.

Séti Ier devait être âgé d'une cinquantaine d'années. Il espérait peut-être encore jouir d'une nouvelle décennie de vie et de règne. Mais il n'en fut pas ainsi. Le roi mourut soudainement au cours de l'été 1279 avant J.-C. vraisemblablement dans son nouveau palais près d'Avaris, laissant le trône et l'empire à Ramsès II, qui d'« apprenti-roi » devint monarque absolu.

DEUXIÈME PARTIE

GUERRE ET PAIX

CHAPITRE IV

GUERRES ET RUMEURS DE GUERRE

LE CALME AVANT LA TEMPÊTE

Ramsès II, pharaon unique

Au début du mois de juin de l'été 1279 avant J.-C., le vingt-septième jour du troisième mois d'été selon la terminologie officielle, on prononça solennellement l'accession au trône (sans doute au palais d'été d'Avaris) du :

> « *Roi Faucon,* Taureau Puissant, Aimé de la Rectitude et de la Vérité. *Protégé des Deux Déesses,* Protecteur de l'Égypte qui soumit les terres étrangères.
>
> « *Horus d'Or,* Riche en années, Grand en Victoires. *Roi de la Haute et de la Basse Égypte, Usi-ma-re,* " Puissant en Rectitude est Rê ", (à qui *Setepenre,* " Élu de Rê ", fut ajouté plus tard). *Fils de Rê,* Ramsès II, Aimé d'Amon. »

Agé d'environ vingt-cinq ans, déjà formé au métier de roi, et bouillant d'énergie et d'optimisme, Ramsès II reprit alors les rênes de l'Empire. A la tête d'un domaine vaste, pacifique et prospère, les perspectives du moment durent lui paraître illimitées.

La préoccupation immédiate du jeune roi concerna toutefois l'inhumation de son père selon les règles. Les soixante-dix jours traditionnels pour la momification commencèrent tandis que des messagers transmettaient rapidement la nouvelle à Thèbes, afin que la grande

Tombe Royale fût prête pour la cérémonie, et que le mobilier funéraire fût achevé. Ramsès fit savoir à cette époque que le palais d'été d'Avaris, ses bâtiments satellites et ses installations militaires constitueraient le noyau d'une nouvelle cité que l'on nommerait dorénavant *Pi-Ramsès Anakhtu,* ou « Domaine de Ramsès-Grand-en-Victoires ». Mais il dut attendre que les funérailles de son père soient achevées pour réaliser ses projets grandioses.

Enfin, vers la mi-août 1279 avant J.-C. (au début du 2e mois de l'Inondation), le grand cortège des barges fit voile au sud, transportant la momie de Séti Ier vers sa sépulture. Une brève étape à Héliopolis, une autre à Memphis où se déroulèrent les cérémonies de reconnaissance du nouveau roi, puis la progression vers le sud se poursuivit. Avec les vents favorables (et un halage pénible lorsque ceux-ci venaient à faiblir), la flotille accosta probablement à Thèbes quinze jours plus tard. Après de nouvelles cérémonies dans le temple mémorial de Séti, Ramsès II et sa proche famille escortèrent le cercueil d'or du roi défunt le long de la route désertique menant à la Vallée des Rois. Ils étaient suivis des prêtres du rituel précédant la longue procession des hommes portant le mobilier. Il est possible qu'une fois les derniers rites achevés et l'immense tombe fermée et scellée, Ramsès ait inspecté les travaux de son propre mausolée souterrain dans la vallée, avant de retourner vers la Thèbes des vivants. Ayant enterré son père comme le fit le dieu Horus pour son père Osiris, Ramsès II devint roi à part entière, au même titre que tous les rois qui l'avaient précédé. En tant que Pharaon, il conduisait à présent la célébration de la Grande Fête d'Opet pour Amon en septembre. Il accompagnait la barque d'or du dieu qui remontait le fleuve sur trois kilomètres de Karnak au temple de Louxor sous les applaudissements du peuple. Il effectuait ensuite le voyage inverse, vingt-trois jours plus tard, à la fin de la fête. Un récit ultérieur fait correspondre cette « première progression royale vers Thèbes à sa première année de règne ».

Conseil d'État à Thèbes

D'importantes décisions politiques étaient prises durant cette fête d'Opet ; elles bénéficiaient ainsi d'une mise en scène particulièrement favorable et impressionnante. A cette occasion, le nouveau pharaon dut nommer un nouveau Grand Prêtre d'Amon, et accorder des promotions au sein des rangs du clergé d'Amon à Karnak.

Le trône pontifical du grand clergé d'Amon était resté vacant depuis le décès récent du vieux Nebneteru, le père du vizir Paser. Ramsès, ses conseillers et l'image du dieu Amon se réunirent alors en conclave afin de nommer son successeur, sûrement après les traditionnelles délibérations préliminaires d'usage. Divers noms furent proposés au dieu. Après plusieurs refus, son oracle approuva finalement le nom de Nebwenenef, grand prêtre à Thinis et à Dendérah. Mais l'heureux élu ne devait l'apprendre que lorsque Ramsès atteignit Abydos. D'autres nominations furent promulguées à des niveaux inférieurs de la hiérarchie thébaine. Près du bas de l'échelle, Bakenkhons (un jeune prêtre) rejoignit le collège des Divins Pères d'Amon, première étape vers l'apogée. Le compagnon d'enfance de Ramsès, Amen-em-inet, fut quant à lui nommé « Écuyer Royal » et « Superintendant des Écuries ».

D'autres personnages importants furent confirmés dans leur poste. Paser restait vizir thébain. Iouny demeurait vice-roi de Nubie ; son emploi se rapportait surtout aux constructions. Iouny inversa l'orientation du temple — du sud au nord — dans le nouveau siège de la vice-royauté (Amara Ouest) inauguré par Amenemope ; la nouvelle installation devint « Ramsès la Ville ». A Akcha, près de la Deuxième Cataracte, les plans du nouveau temple étaient prêts, et l'édification de l'enceinte avait déjà été entamée sous Séti Ier. Mais, la déité principale du temple tel qu'il était construit à présent, ne pouvait être qu'une forme de Ramsès II lui-même, « *Usi-ma-re...*, le grand dieu, Maître de Nubie », à l'instar d'Aménophis III à Soleb, et de Toutânkhamon à Faras. C'est ainsi que commençait de façon modeste une réaffirmation de l'importance de la royauté, selon une optique déjà définie par la dynastie précédente.

Promotions et restaurations à Abydos

Le nouveau roi fut très occupé durant ces jours de fête. Il ordonna de poursuivre la construction de la grande salle hypostyle du temple de Karnak, qui s'appellerait dorénavant « Efficace est Ramsès II dans le Domaine d'Amon », et de compléter le temple funéraire de son père sur la rive gauche. Plus importante encore fut la cérémonie au cours de laquelle Ramsès II « posa la première pierre » de son immense temple mémorial personnel : le Ramesseum, un ensemble de cours et de salles devant mesurer quelque cent quatre-vingts mètres de long inscrit dans une grande enceinte. Retournons au temple de Louxor sur la rive droite. Les plans d'un nouveau grand pylône et d'une avant-cour avaient été dessinés auparavant ; ces constructions devaient être précédées d'obélisques et de statues. Ramsès II ordonna qu'on fasse diligence pour achever ces travaux.

Mais, au milieu du mois d'octobre de l'an 1, le vingt-troisième jour du troisième mois de l'Inondation, l'aube se leva sur le jour du départ. Les grandes barques dorées du roi et de la famille royale se détachaient sur la rivière escortées d'une flotille de vaisseaux plus petits dont les flancs scintillants jetaient des reflets sur les rides des eaux illuminées par le soleil. Se détachant sur le fond des terres noires des rives couronnées d'une luxuriante végétation et au-delà desquelles s'élevait la montagne thébaine de l'ouest, rose vif sur un ciel matinal bleu perle, la grande flotte vira au nord, descendant le fleuve au rythme des rames commes les pattes des grands diptères dorés sur les flots verts et bleutés. La flotte se dirigeait à des centaines de kilomètres au nord, vers la Résidence du Delta ; mais à Abydos, située à environ une journée de son point de départ, Ramsès eut un autre problème à résoudre.

> « An 1 du Règne... Commençant le voyage, toutes voiles tendues, les navires royaux illuminaient les eaux, se dirigeant au nord vers le siège de Vaillance, le Domaine de Ramsès II Grand-de-Victoires. Sa Majesté se tourna pour saluer son père (Osiris), traversant les eaux du canal d'Abydos pour faire offrande à Wennufer (Osiris) de toutes les bonnes choses que son esprit aime. »

Le roi constata que les tombes et les temples étaient dans un état insatisfaisant dès qu'il eut accosté :

> « Il trouva les édifices du cimetière appartenant aux rois précédents, leurs tombes à Abydos, tombant petit à petit en ruine, et certaines parties encore en construction... Des murs étaient (inachevés). Ce qui était à peine commencé était déjà réduit en poussière. Personne ne poursuivait la construction... après que les propriétaires furent partis au ciel. Aucun fils ne remplaçait le monument de son père dans la Nécropole.
>
> « L'avant et l'arrière du temple de *Men-ma-re* (Séti Ier) étaient encore en construction lorsqu'il monta aux cieux. Ses monuments étaient inachevés, ses piliers n'étaient toujours pas dressés sur les terrasses, ses statues reposaient à même le sol sans avoir été façonnées selon les règles de l'Atelier Sacré. Les offrandes divines, comme le service des prêtres, avaient été interrompus. Leurs frontières n'étant pas délimitées sur la terre, les produits de ses champs avaient été emportés ailleurs. »

Ramsès ne supportait pas un abandon aussi indécent du travail et du service du temple de son père, survenant si tôt après sa disparition. Aucune allusion n'a jamais été faite quant à une négligence de son propre temple, tout proche. Se pourrait-il que les fonctionnaires locaux responsables des travaux dans les deux temples (et du site en général) aient fait accélérer le travail dans le temple du fils au point de négliger indûment l'édifice du père ? Séti n'avait peut-être pas visité le Sud depuis quelques années, et Ramsès, en tant que régent, s'était surtout occupé de Thèbes jusqu'alors.

Il convoqua la cour, et après avoir reçu serments d'allégeance et louanges, il annonça ses intentions :

> « Voyez, j'ai dû vous convoquer au sujet de ce que j'ai vu... J'ai toujours considéré qu'il était estimable de faire du bien aux trépassés. La compassion est une bénédiction ; il est bon qu'un fils se préoccupe de son père. J'ai décidé d'octroyer des avantages à Mérenptah (Séti Ier) afin qu'on dise à jamais : C'est son fils qui perpétua son nom ! Alors, puisse mon père Osiris m'accorder la faveur de la longue durée de vie de son fils Horus, puisque je suis celui qui agit comme il le fit... »

Ayant énoncé cette réflexion, ainsi que d'autres que nous avons déjà citées concernant sa régence passée, le roi poursuivit :

> « Sa Majesté décréta que des ordres seraient donnés aux chefs des travaux. Il ordonna aux soldats, aux ouvriers, aux sculpteurs... à tous les artisans de construire le temple de son père et de restaurer ce qui était en ruine dans le cimetière. »

Un haut régisseur de la fondation fut chargé de veiller à ce que les offrandes et les services reprennent, à ce que les statues soient sculptées, à ce que les biens du temple et les donations soient consignés par écrit et à ce que l'administration soit remise en ordre.

Ramsès ne négligea pas pour autant la nomination du nouveau grand prêtre d'Amon décidée à Thèbes. Nebwenenef de Thinis et de Dendérah fut convoqué et dûment investi dans sa nouvelle dignité par le roi, en présence de la reine Nefertari et de la cour. Il fit graver des années plus tard la scène dans sa spacieuse chapelle-tombeau (n° 157) dans Thèbes-Ouest :

> « An 1, troisième mois de l'Inondation — lorsque Sa Majesté vogua vers le nord en quittant Thèbes, ayant fait le plaisir d'Amon-Rê,... Mout,... et Khons, ... à la belle Fête d'Opet. Sur le chemin du retour... il accosta à Abydos.
>
> « Le (futur) grand prêtre d'Amon, Nebwenenef, fut introduit auprès de Sa Majesté. Il était (alors) grand prêtre d'Onouris et d'Hathor la déesse de Dendérah, et Primat local de tous les dieux dans le sud, du nord de Thèbes à Thinis au nord (près d'Abydos).
>
> « Alors Sa majesté lui dit : " Tu es maintenant grand prêtre d'Amon ! Son trésor et son grenier sont sous ton sceau. Tu es chef de son domaine, toutes ses institutions sont placées sous ton autorité. Le domaine d'Hathor, Déesse de Dendérah, sera maintenant sous l'autorité de ton fils qui héritera des fonctions de tes ancêtres, la position que tu as occupée (jusqu'à présent). (Je jure) puisque Rê vit pour moi et m'aime et que mon Père Amon me favorise, (que) j'ai placé devant (Amon) les (noms de) tout l' " Effectif "... (et des) prêtres du dieu, les grands hommes du domaine d'Amon qui étaient en sa présence. *Il* n'était satisfait d'aucun d'entre eux, jusqu'à ce que je mentionne ton nom devant lui. Alors, sers-le bien, puisqu'il t'a désiré !

Je sais que tu en est capable ; fais encore mieux et alors son esprit te favorisera et le mien aussi. Il fera en sorte que tu restes à la tête de ses domaines, il t'accordera une longue vie et il t'accompagnera dans le sol sacré de sa Cité (à ta mort)... "

« Puis Sa Majesté lui donna ses deux chevalières en or, et son bâton de commandement en électrum puisqu'il était promu grand prêtre d'Amon, et superintendant de (son) trésor, de son grenier, de ses ouvriers, et de tous les artisans de Thèbes. Un Envoyé Royal partit annoncer dans tout le pays que les domaines d'Amon, toutes ses propriétés et tout son personnel étaient placés sous l'autorité (de Nebwenenef), de par la volonté du souverain d'Amon (Ramsès II) ! »

Le nouveau pontife partit pour le Sud, vers son nouveau diocèse, tandis que le roi réorganisait les affaires à Abydos, puis faisait voile au Nord, pour décider des plans de sa nouvelle résidence du Delta, laquelle devait rivaliser en magnificence avec Memphis et Thèbes.

Recherches théologiques

L'an 2 passa calmement et rapidement. Ramsès décida à cette époque de modifier quelque peu son style royal. En tant que Roi de Haute et de Basse Égypte, la tournure simple de *Usi-ma-re* (assortie d'épithètes éventuels) inspirée de celle tout aussi simple de son père, *Men-ma-re,* ne le satisfaisait plus. Il ajouta à *Usi-ma-re* l'épithète *Setepenre,* « Élu de Rê », ce qui donna la forme finale *Usi-Ma-Re Setepenre,* « Fort en Rectitude est Rê ; (roi) Élu par Rê ». Cette décision indiquait une tendance que le temps confirmerait — l'évolution de la « relation particulière » entre Ramsès II et le dieu-soleil Rê d'Héliopolis : il serait d'abord son « fils », puis son représentant spécial, et enfin l'incarnation terrestre de ce dieu.

A Assouan, une stèle fastueuse reflète la poursuite des travaux des carrières et commémore les succès de l'ancien régent en Nubie, et dans le delta contre les pirates.

La grande avant-cour, le pylône et les obélisques précédant le temple de Louxor avaient été achevés en l'an 3, en

1277 avant J.-C. et leur décoration — un travail plus lent — était déjà bien avancée. Ramsès prétendait, dans son texte de dédicace, avoir « fait son devoir » en recherchant dans les archives sacrées la mystérieuse théologie d'Amon, déité essentielle, afin d'édifier en son nom, en toute dignité. A l'instar de son père, il veilla en outre au bien-être des ouvriers.

> « Quand à ce beau dieu (le roi), il est un scribe de talent maîtrisant l'étude et la connaissance, comme Thot (dieu de la sagesse) : celui qui connaît les procédures correctes et qui est habile en préceptes... Alors Sa Majesté fit des recherches dans le bureau des archives et il ouvrit les écrits de la Maison-de-Vie. Il apprit ainsi les secrets du ciel et tous les mystères de la terre. Il découvrit que Thèbes, l'Œil même de Rê, était la parcelle originale de terre qui s'éleva au commencement, depuis que cette terre existe, et qu'Amon-Rê exerçait la fonction de Roi : il illumina le ciel et brilla sur la course du soleil, en observant les endroits que les rayons de son Œil éclairaient. Son Œil Droit, dans les provinces de Thèbes (et) dans sa Cité, est l' " Héliopolis du Sud " (Thèbes) ; et son Œil Gauche, dans la province d'Héliopolis, est l' "Héliopolis du Nord ", (Héliopolis) — le Roi de la Haute et de la Basse Égypte, *Amon-Rê* : l'Éternité est son nom, Éternelle est sa nature et sa substance est la création. »

Le stade de l'application succéda à la recherche théologique.

> « Le roi *Usi-ma-re,* Élu de Rê (Ramsès II) dit aux nobles qui le servaient : " Je suis celui qui déclare des actes efficaces... Voyez, mon esprit est à présent résolu à exécuter des travaux pour Amon... en élevant des constructions dans son temple à l'intérieur d'Opet Sud (Louxor) ". Le roi parla, donnant ses instructions pour la conduite des travaux... l'activité des navires aussi nombreux que les équipages, faisant voile tant vers le nord que vers le sud... apportant... leurs dons en grains, et satisfaisant tous les besoins de leurs membres, et personne ne dit : " Oh si j'avais (ceci ou cela) ! " Le travail fut achevé le dixième jour du quatrième mois de l'Inondation, de l'an 3... L'ensemble de cet ouvrage résultant des meilleures techniques artisanales était en granit, en pierres blanches dures et en toutes sortes de pierres précieuses et merveilleuses... »

Ainsi, apparurent la nouvelle avant-cour, son pylône, ses monuments et ses colonnades, qui jetèrent un éclat vif et clair sous le soleil implacable.

« L'or des collines lointaines »

Pendant ce temps, au nord, à Memphis, les pensées de l'infatigable jeune pharaon se tournaient vers des visions d'or. D'abondantes quantités de métal jaune étaient nécessaires pour concrétiser tous ses projets splendides. Il songeait aux déserts orientaux de Nubie. De riches dépôts y étaient signalés ; or dans cette région affligée d'une sécheresse perpétuelle les prospecteurs étaient rapidement décimés. Ramsès n'eut de cesse de pourvoir à l'alimentation en eau de cette région, ainsi qu'en attestent ces inscriptions commémoratives :

> « Quatrième jour du premier mois d'hiver de l'an 3 (décembre 1277 avant J.-C.)... sous le règne de Ramsès II... Il advint ceci alors que Sa Majesté était assise sur le trône en électrum, portant le bandeau et les hautes plumes. (Il) songeait aux terres désertiques, riches en or, et tirait des plans pour creuser des puits le long des routes rendues si difficiles par le (manque) d'eau. Sa réflexion se fondait sur le rapport qui suit : " Il y a beaucoup d'or dans le désert d'Akuyati, mais la route qui y mène est des plus épuisantes en raison du (problème) de l'eau. Seule la moitié des chercheurs d'or qui s'y rendent y parviennent jamais, car les autres meurent de soif ainsi que les ânes qui les précèdent. Ils ne trouvent ni à l'aller ni au retour de quoi remplir leur outre. Le manque d'eau interdit l'exploitation des gisements aurifères de cette région. "
>
> « Sa Majesté dit alors au messager qui se tenait à ses côtés : " Convoque les grands de la Cour afin que Ma Majesté puisse délibérer avec eux au sujet de cette terre. Je m'occupe de cette affaire ! " Ils furent immédiatement introduits auprès de ce beau dieu... joyeux et lui rendant hommage... Le roi leur parla de la nature de ce pays, en discuta avec eux, ainsi que de la manière dont on pourrait creuser un puits sur cette route.
>
> « Ils dirent alors à Sa Majesté : " Vous êtes comme Rê dans tout ce que vous avez fait — tous vos souhaits deviennent réalité. Si pendant la nuit vous désirez quelque

chose, l'aube se lève et ce que vous souhaitiez se produit immédiatement ! Si vous dites à l'eau : " Descends de la montagne ! ", l'eau apparaîtra puisque vous êtes Rê, le soleil levant dans sa forme véritable... Voici ce qui a été dit au pays d'Akuyati. — *Rapport du Vice-Roi de Nubie à Votre Majesté :* Ce manque d'eau a existé de tout temps ; les gens meurent de soif là-bas. Chaque roi précédent a tenté d'y creuser un puit, mais aucun n'y est parvenu. Le Roi Séti Ier a essayé lui aussi. Il a fait creuser un puits de cent vingt coudées (cinquante-cinq mètres) de profondeur. Il n'a jamais été achevé car aucune eau n'y affleurait. Mais bien sûr, si *vous* disiez à votre père le dieu du Nil... " Fais que l'eau coule de la montagne ! ", il exaucerait votre désir comme il exauce tous vos désirs...

« Sa Majesté dit aux nobles : " Oui, tout ce que vous avez dit est la vérité, mes amis ! L'eau n'est jamais apparue dans ce territoire. Mais Moi, j'ouvrirai un puits là-bas ; il fournira chaque jour l'eau désirée (comme en Égypte) d'après l'ordre de Père Amon... et des dieux Faucon, les Maîtres de Nubie... " Alors les grands louèrent leur maître et lui rendirent hommage.

« Sa Majesté dit au Chef des Scribes Royaux : ... " Envoie une lettre au Vice-Roi de Nubie libellée comme suit : Vous enverrez un groupe de surveillance à mi-chemin d'Akuyati, et laisserez passer un mois entier, puis vous enverrez des (instructions) à ces ouvriers, en ces termes... " *(Ces instructions sont perdues de nos jours...)* Le Chef des Scribes envoya la lettre et le Vice-Roi agit selon les ordres.

« Or, lorsqu'il installa les hommes qui devaient creuser, les Nubiens et d'autres dirent : "Que signifie tout ce que fait le Vice-Roi ? L'eau est-elle (réellement là ?) Les paroles de Sa Majesté vont-elles se réaliser ? Suffit-il qu'il lui commande d'apparaître sur la route d'Akuyati ? Jamais pareille chose n'est advenue depuis les temps des premiers rois !"...

« Puis quelqu'un arriva avec une lettre du vice-roi de Nubie disant ce qui suit... : " Oh mon Maître et Souverain, tout s'est déroulé exactement comme Votre Majesté l'a dit de sa propre bouche ! L'eau est apparue à l'intérieur (du puits) à 12 coudées (5 mètres), il y avait là 4 coudées de profondeur (d'eau)... Elle (gicla) comme l'aurait fait un dieu satisfait de votre dévotion ! Jamais tel événement ne s'était produit (auparavant...). Le chef d'Akuyati se réjouit grandement. Ceux qui étaient très éloignés, émerveillés... vinrent voir le puits créé par le Maître : — les eaux même des Enfers le guidèrent lorsqu'*il* creusa pour trouver de l'eau dans la montagne !... " Le chef des scribes lut à haute voix le message du vice-roi.

« Alors les courtisans furent heureux... ils dirent, " Vous êtes Thot lui-même ; efficace pour instruire de bons plans ; tout ce que vous dites advient certainement !... "

« Le nom de ce puits sera, " Le Puits Ramsès II est vaillant en (actions) (?) ". »

Ainsi, d'un coup de pioche — voire d'un coup de chance — les agents de Ramsès trouvèrent l'eau dans les régions désertiques et incultes d'Ouadi Allaki ; et l'or précieux put être extrait. Quoi qu'il fît, le jeune pharaon possédait, semble-t-il, la main magique.

Guerre en Syrie

Ramsès était déjà bâtisseur, restaurateur triomphant, radiesthésiste, dispensateur de postes élevés pour tout aspirant compétent et briseur altier de révoltes mineures lorsqu'il résolut d'éprouver sa chance en s'attaquant à un domaine très disputé, qui sommeillait depuis une décennie : la Syrie. Le lecteur se souviendra que son père Séti Ier était parvenu à un accord avec les Hittites après la victoire de Kadesh. Kadesh et l'État voisin d'Amourrou avaient appartenu à l'Égypte depuis Thoutmosis III et ces territoires n'avaient été perdus que par la négligence d'Akhénaton — « ce criminel d'Akhet-Aton » — et de ses acolytes. Ramsès ressentait vivement le fait que Séti n'avait reconquis Kadesh que pour l'abandonner par traité à l'empereur hittite. Jeune et optimiste, il décida de reconquérir les unes après les autres toutes les anciennes possessions extérieures de l'Égypte. Assurer en premier lieu sa mainmise sur la côte, et reprendre Amourrou, puis Kadesh, puis l'intérieur de la Syrie septentrionale, jusqu'à Alep voire au-delà... Que les Hittites tentent de l'arrêter !

Ainsi, en l'an 4, sans doute au cours de l'été 1275 avant J.-C., Ramsès II se dirigea-t-il vers la Syrie. Canaan ne résista pas et il atteignit rapidement les terres côtières du sud de la Phénicie, rejoignant les possessions égyptiennes de Tyr et de Byblos. Il est possible qu'il ait assiégé et pris à cette époque Irqata, située plus haut sur la côte ; il était pratiquement maître de la Phénicie. A partir de cette base, il frappa alors à l'intérieur et vers l'est par les montagnes, pour attaquer Amourrou. Nous ne possédons aucune information quant à la suite des événements, mais deux mois plus tard environ, Ramsès était maître d'Amourrou et se trouvait en mesure de menacer Kadesh, située plus à l'intérieur. Benteshina, roi d'Amourrou, fut pris au dépourvu et, selon toute vraisemblance, il capitula face à la soudaineté de l'attaque égyptienne qui lui interdit de requérir l'aide de son suzerain, l'empereur hittite vivant dans la lointaine Asie Mineure. Benteshina n'eut d'autre choix que de se rendre et d'accepter de devenir un vassal de l'Égypte, soumis au paiement du tribut. N'ayant toutefois aucune intention de permettre aux Hittites de le destituer et de le condamner pour rébellion et perfidie, il adressa un message à son ex-suzerain lui apprenant qu'il n'était plus en mesure d'être son vassal.

La « première campagne victorieuse » du nouveau règne étant apparemment un succès, Ramsès II s'en retourna tranquillement vers le sud en passant par la Phénicie. Divers souvenirs marquèrent son passage : une stèle à Byblos datant de l'an 4 ; une autre de la même année au promontoire du fleuve du Chien (Nahr el-Kalb), et une autre fut peut-être érigée dans Tyr par la suite. Le royaume d'Amourrou était à nouveau sous la domination égyptienne et nul doute que, durant son retour triomphal à Pi-Ramsès, le roi songeait : « Kadesh l'année prochaine ! » Le grand Empire serait enfin reconstitué.

Mais très loin au nord, du haut du palais d'Hattousa sur le plateau anatolien, la situation était tout autre. L'empereur hittite Mouwatalli reçut l'annonce officielle de Benteshina l'informant de son changement d'allégeance involontaire et il n'y fut pas indifférent. Un plan en trois étapes germa dans l'esprit de Mouwatalli : reprendre Amourrou, éviter la perte de Kadesh (ou de toute autre possession) et porter un coup fatal au jeune et brutal pharaon afin que les forces égyptiennes ne reviennent jamais plus menacer les territoires hittites en Syrie.

Mouwatalli, respectueux des usages, s'adressa en premier lieu aux dieux du Hatti. Il fit un vœu et leur promit de riches présents, s'ils lui permettaient de reconquérir Amourrou :

« Ma Majesté partira en campagne et si vous, Ô Dieux, me soutenez et que je reconquière la terre d'Amourrou — que je triomphe d'elle par la force des armes ou que nous fassions la paix — et que je m'empare de la personne du roi d'Amourrou, alors... Je vous remercierai richement, Ô Dieux... ! »

Une fois ses vœux présentés, Mouwatalli considéra les moyens pratiques qui lui permettraient de les concrétiser. Durant cet hiver et le début du printemps 1274 avant J.-C., il dirigea les préparatifs élaborés, convenant avec ses vassaux et ses alliés de tous les points cardinaux de rassembler une armée massive, peut-être la plus grande jamais levée dans l'histoire de l'empire hittite. Les rapports égyptiens ultérieurs reprennent la liste de ses forces, les troupes provenaient de seize provinces et pays alliés en plus de celles du Hatti. Les chiffres avancés parlent de 2500 chars et de deux groupes de soldats comptant respectivement 18000 et 19000 hommes. Que tout ceci soit exact ou exagéré, il est cependant indubitable qu'une force massive fut rassemblée afin de porter ce que Mouwatalli espérait être un coup fatal, entraînant une élimination totale de l'ennemi.

KADESH : LA VICTOIRE NÉE DU DÉSASTRE

Voyage éclair

Dans le doux soleil de printemps, à la fin du mois d'avril 1274 avant J.-C., la précipitation et le remue-ménage régnaient à Pi-Ramsès, dans le delta oriental. On formait les bataillons d'infanterie, les escouades de chars tournoyaient dans la poussière tandis que les capitaines testaient le courage de leurs fringants coursiers. Les arsenaux et les magasins se vidaient de leurs arcs, de leurs flèches, de leurs lances et de leurs épées sous la surveillance de scribes exténués qu'apostrophaient des commandants agités, résolus à obtenir pour *leur* groupe le maximum d'équipement.

Le roi et ses généraux mettaient au point leurs plans de campagne loin des campements, dans le palais royal en pleine extension. Le roi mènerait l'armée principale par voie de terre en traversant Canaan et le sud de la Syrie jusqu'à Kadesh, tandis qu'une force de soutien longerait la côte phénicienne, puis couperait par l'intérieur vers l'est, via la vallée de l'Éleuthéros, pour rejoindre Ramsès à Kadesh le jour de son arrivée. Enfin :

> « Lorsque Sa Majesté eut préparé ses troupes et ses chars, ainsi que les Shardanes qu'il avait capturés victorieusement, que tous furent équipés de leurs armes, et qu'ils eurent reçu les plans de bataille, Sa Majesté partit vers le Nord, avec ses forces. La marche commença le neuvième jour du deuxième mois de l'été de l'an 5. Sa Majesté passa la forteresse-frontière de Silé, puissant comme l'était Montou lorsqu'il apparut ; toutes les terres étrangères tremblaient devant lui, leurs chefs apportaient leur tribut, et tous les rebelles venaient lui rendre hommage craignant la puissance de Sa Majesté. »

Ramsès, dans son char étincelant, conduisait l'armée répartie en quatre divisions principales portant les noms des dieux Amon, Ptah, Rê et Seth. L'un des vizirs, certains de ses jeunes fils (ainsi que d'autres membres de la famille royale), le personnel de sa maison et son corps de garde l'accompagnaient. Traversant Gaza, la puissante force dépassa Canaan. Ils remontèrent par la Galilée, le lac Houlé et les sources du Jourdain, franchirent les passes de la haute et large dépression — la Bekaa — située entre les chaînes du Liban et de l'Anti-Liban. Les forces égyptiennes progressaient régulièrement :

> « Ses troupes traversaient les étroits défilés comme si elles se trouvaient sur les routes d'Égypte. »

Dans la plaine de la Bekaa, le roi atteignit la commune de « Ramsès la colonie de la Vallée des Cèdres », probablement Kumidi, le centre administratif égyptien de la province d'Upi, toute proche.

Ainsi, un mois jour pour jour après son départ d'Égypte, vers la fin du mois de mai 1274 avant J.-C. (neuvième jour, troisième mois d'été, an 5), lors de sa

« Seconde Campagne Victorieuse », le jeune Ramsès « s'éveilla frais et dispos dans la tente de Sa Majesté, installée sur la crête (Kemouat Hermil) au sud de Kadesh... Ayant revêtu la panoplie de Montou, il apparut splendide comme l'éclat du soleil ». Tout semblait aller pour le mieux en ce début de matinée, à quelques kilomètres seulement au sud de Kadesh même.

Le jeune roi se hâta donc d'atteindre Kadesh dès que possible. Accompagné de son état-major et de son corps de gardes, il se dirigea vers le nord, suivi par la première Division d'Amon. Derrière eux, venaient les trois autres divisions dont les rangs s'étiraient sur de nombreux kilomètres le long de la route. Lors de la traversée du bois de Labwi qui menait au gué de l'Oronte, deux hommes de la tribu Shosu venant des terres frontalières semi-désertiques, tombèrent entre les mains des Égyptiens. Ils prétendaient venir présenter à l'Égypte l'allégeance de leurs frères, chefs de tribus désireux de s'affranchir du joug hittite. Ramsès les fit immédiatement interroger : où ces chefs se trouvaient-ils ? Ils répondirent : « Ils sont là où est le souverain du Hatti, car l'ennemi hittite est en terre d'Alep au nord de Tunip. Sa crainte est si forte qu'il n'ose pas s'aventurer au sud depuis qu'il a entendu dire que le Pharaon marchait vers le nord ! »

Un optimisme insouciant

Que l'empereur hittite se terre en Syrie septentrionale à quelque deux cents kilomètres de là et refuse le combat semblait être une nouvelle trop bonne pour être vraie. Exalté par ce rapport flatteur, Ramsès et son service de renseignements cessèrent le contre-interrogatoire de ces témoins si coopérants, et pressèrent allègrement le pas. Ils traversèrent le gué du fleuve ainsi que la plaine menant à Kadesh, la Division d'Amon les talonnant. Une victoire facile l'année précédente, une progression rapide et aucun signe de trouble sérieux cette fois-ci... le roi égyptien et ses commandants s'enfoncèrent dans une allégresse frisant la négligence, tandis qu'ils poussaient vers le nord au-delà de la plaine, pour établir leur campement en un lieu approprié au nord-ouest de Kadesh. Cette cité se tenait sur une butte — vestige d'anciens campements — située sur une langue de terre entre l'Oronte coulant au nord de la partie orientale de la ville, et la rivière venant de l'ouest et se jetant dans l'Oronte au nord-ouest de la ville. En creusant un canal allant du fleuve à la rivière au sud de la ville, les habitants de Kadesh avaient fait de leur cité une véritable île, lui octroyant ainsi la sécurité en cas d'attaque.

L'illusion se brise

Après avoir traversé le fleuve à l'ouest, en début d'après-midi, Ramsès accompagné de son personnel et de l'armée d'Amon fit dresser le camp à l'opposé de la ville. Ils l'assiégeraient (pensaient-ils avec crédulité) dès le lendemain. Il se produisit toutefois un coup de théâtre alors que le pharaon s'installait sur son trône en attendant le reste de ses forces. Le service de renseignements avait envoyé des éclaireurs en reconnaissance et l'une des escouades était tombée sur deux espions hittites, les avait capturés et roués de coups jusqu'à ce qu'ils parlent. Elle les avait ensuite amenés en toute hâte à Ramsès stupéfait :

> « Alors Sa Majesté dit : “ Qu'êtes-vous ? ” Ils répondirent : “ Nous appartenons au souverain du Hatti ! Il nous a envoyés pour voir où se trouvait Votre Majesté. ” Sa Majesté dit : “ Où est-il, le souverain du Hatti ? Or, j'ai entendu dire qu'il était en terre d'Alep, au nord de Tunip. ” Ils répondirent : “ Voyez, le souverain du Hatti est (déjà) arrivé, accompagné de ses nombreux alliés... Voyez, ils sont prêts à combattre derrière Kadesh l'Ancienne ! ” »

Sidéré par la brutale révélation que son ennemi n'était qu'à trois kilomètres de lui et non à deux cents, furieux de la négligence de son service de renseignements. Ramsès convoqua son état-major, divulgua l'effroyable information et réprimanda vertement ses hommes :

> « Voyez dans quelle situation se trouvent mes gouverneurs de province et mes officiers supérieurs, eux qui ont

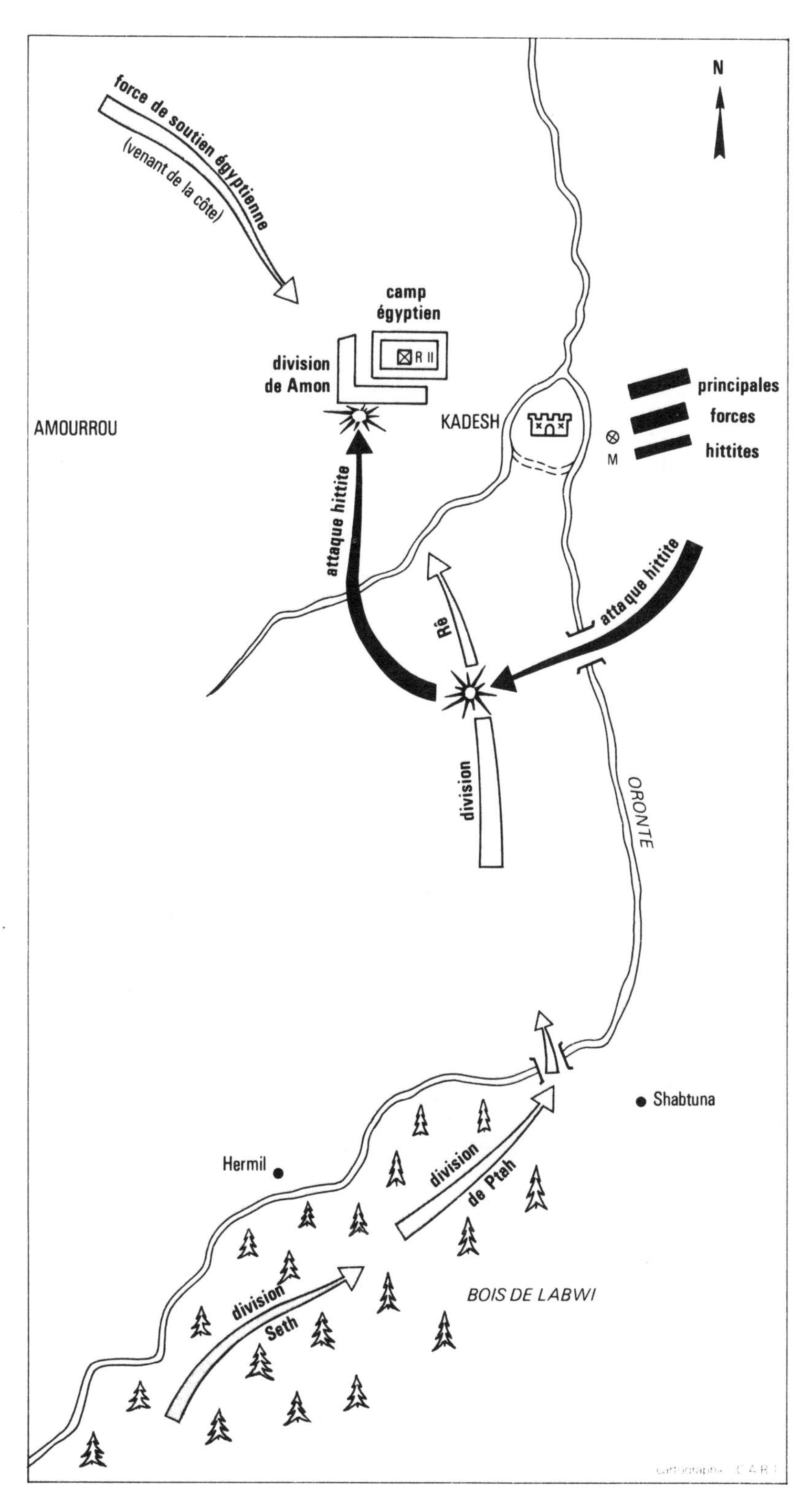

La Bataille de Kadesh : le moment décisif.

répété chaque jour : " Oh, le maître hittite est à Alep loin au nord de Tunip ! "... Mais, à l'heure qu'il est, je viens d'apprendre de ces espions hittites que leur souverain est (déjà) arrivé avec ses alliés et qu'il dispose de troupes innombrables. A l'instant même, ils sont prêts, cachés derrière Kadesh l'Ancienne — et les généraux et les officiers responsables de mes territoires étaient incapables de me dire qu'ils étaient arrivés. »

Ramsès prit alors des mesures énergiques afin de prévenir une attaque soudaine. La Division de Rê traversait déjà la plaine en direction du camp, mais les autres divisions devaient encore franchir l'Oronte. Le vizir, suivi d'un échanson et d'un éclaireur, fut immédiatement envoyé pour faire accélérer la Division de Ptah qui se trouvait encore dans les bois de Labwi, porteur de l'urgent message suivant : « Avancez plus vite ! Le pharaon votre souverain se prépare seul à la bataille ! » La famille royale se replia vers l'ouest à l'abri de tout danger immédiat, menée par le prince Pre-hir-wonmef. C'est alors que le coup s'abattit.

Les espions capturés avaient dit la vérité. Ayant rassemblé ses énormes forces — deux fois plus nombreuses que celles des Égyptiens — Mouwatalli les avait fait progresser prudemment à l'intérieur du sud de la Syrie. Ses hommes se dissimulaient derrière les bosquets d'arbres ou autres particularités topographiques de la rive gauche de l'Oronte, face à Kadesh. Ses éclaireurs avaient observé l'avance égyptienne, les Shosu avaient été envoyés comme appât pour leurrer le roi vaniteux et pendant ce temps, la massive force de frappe des chars menée par plusieurs princes hittites s'était préparée, attendant le moment crucial pour s'élancer par les gués inférieurs de l'Oronte, situés au sud de la ville.

Le désastre

L'attaque fut déclenchée alors que Ramsès et ses généraux discutaient encore des tactiques d'urgence à adopter. Soudain, rang après rang, les chars hittites apparurent au débouché du fleuve et chargèrent à l'ouest à travers la plaine de Kadesh, écrasant les colonnes de la Division de Rê prises au dépourvu pendant leur marche, les coupant en deux, puis revenant vraisemblablement à la charge pour les annihiler. Les rangs de Rê se disloquèrent et, pourchassés par les chars hittites, fuirent au nord vers le camp, toujours occupé par la Division d'Amon et par le roi. Les hommes de la Division d'Amon cédèrent à la panique à la vue des fugitifs éperdus et du nuage de poussière que soulevaient les chars ennemis qui fonçaient sur eux. Les chars hittites dévastèrent le camp sans rencontrer la moindre résistance : le vacarme et la confusion régnaient. Un torrent de soldats, de chevaux et de chars s'engouffra par la palissade de protection sur le côté ouest du camp. Tout semblait perdu : le pharaon et sa suite seraient écrasés dans un instant, tous les rêves de Ramsès périraient à jamais avec lui, et l'empereur hittite Mouwatalli aurait définitivement anéanti son adversaire.

Mais Ramsès ne se comportait pas en spectateur oisif face à ce déferlement d'événements précipités. Dès le début de la confusion, il se jeta sur ses armes, héla son conducteur et s'engouffra dans son char. C'est en vain qu'il rappela ses troupes paniquées afin qu'elles viennent le soutenir. Lui était résolu à se battre jusqu'à la mort et disposé à affronter seul les Hittites. Voici le récit ultérieur du roi :

> « Quand Menna, mon écuyer, vit le grand nombre de chars (ennemis) m'encercler, il blêmit et fut saisi de terreur. Il cria à Ma Majesté : “ Mon bon maître, puissant prince, nous sommes seuls entourés par l'ennemi. Voyez, l'infanterie et les chars nous ont abandonnés ! Pourquoi restez-vous pour les sauver ? Fuyons, sauvez-vous *Usima-re !* ” Alors Ma Majesté dit à son écuyer : “ Reste calme, ne bouge pas mon écuyer ! J'irai à eux comme le faucon s'abat sur sa proie, les tuant, les massacrant et les abattant ! ” »

Ne pouvant rallier que ses serviteurs les plus proches, le roi se jeta sur les assaillants avec la rage du désespoir, des milliers de pensées se bousculaient dans son esprit : la lâcheté de ses troupes paniquées, une prière afin qu'Amon, qu'il avait servi avec tant de ferveur, l'épargnât à présent. Par six fois, il se jeta sauvagement dans la bagarre provoquant au moins une confusion ponctuelle parmi les rangs ennemis qui l'assaillaient.

C'est à ce moment précis que l'aide vint d'un endroit d'où on ne l'attendait plus en raison de la confusion de la mêlée. La force de soutien de la côte d'Amourrou — le Nearin — arriva soudain de l'ouest en une formation impeccable et s'engagea avec adresse dans la bataille. Pris entre la force de soutien sur leur gauche et les furieuses attaques de Ramsès sur leur droite, les chars hittites furent à leur tour menacés d'encerclement et de destruction. Leurs commandants, prudents, leur ordonnèrent de se replier au sud du camp égyptien dévasté afin de se regrouper et (espéraient-ils) d'anéantir l'embryon de contre-attaque égyptienne avant qu'il ne se développe davantage. Ils ne devaient toutefois pas y parvenir. Profitant de cette minute de répit, Ramsès rallia sa force de soutien et ses serviteurs et prit l'offensive avec la vitesse du faucon. Ils chargèrent à nouveau, arrêtant puis repoussant les chars hittites déconfits vers le sud puis vers l'est, les adossant à la berge du fleuve d'où ils étaient venus. Une nouvelle vague de chars hittites vint renforcer les rangs, mais elle aussi fut entraînée dans une confusion sans nom.

Le prudent Mouwatalli écoutait, depuis la rive opposée du fleuve, la rumeur de l'affrontement avec un sourire de satisfaction, puisqu'à un ou deux kilomètres de lui, ses chars étaient censés accomplir leur mission. Sa satisfaction se mua soudain en stupéfaction. Déjà les chars hittites étaient en vue. Ils fuyaient tête baissée vers le fleuve, poursuivis par les forces égyptiennes que conduisait le pharaon. Sous le regard horrifié de Mouwatalli, les Égyptiens refoulèrent les Hittites pêle-mêle dans le fleuve, princes et plébéiens se débattaient dans l'eau, nageaient de toutes leurs forces vers la rive, cherchant la sécurité de leurs propres lignes, s'aidant les uns les autres à regagner la terre ferme, tombant épuisés dans la boue. Le prince d'Alep avala tant d'eau en traversant le fleuve que ses aides durent le porter la tête en bas, le tenant par les chevilles pour qu'il se vide !

Victoire et reproches

Ainsi, tandis que les derniers combattants hittites rampaient au loin et que les chars égyptiens se rassemblaient sur la rive ouest, Ramsès restait maître du terrain. La première Division de Ptah, menée par le vizir, n'apparut qu'à la fin de l'affrontement. Ses hommes s'occupèrent de rassembler les blessés, de ramasser le butin et de dénombrer les ennemis morts : ils effectuaient ce calcul d'une manière macabre en coupant une main à chaque victime. Pendant ce temps, les survivants décontenancés de la Division « traumatisée » de Rê et de la Division paniquée d'Amon rejoignaient le corps principal des troupes de soutien, la Division de Ptah et la suite royale. Comme Ramsès le dit plus tard :

> « " Mon armée vint alors me louer, stupéfaite de voir ce que j'avais fait "... Et il fut prompt à condamner leur indiscipline et leur lâcheté : " Que dira le peuple lorsqu'il apprendra que vous m'avez abandonné, livré à moi-même et que pas un officier, pas un capitaine, pas un soldat ne vint me seconder tandis que je me battais ! J'ai conquis des *millions* de terres étrangères, seul avec Victoire-à-Thèbes et Mout-est-content, mes grands chevaux de chars ! Ce furent mes seuls secours alors que je combattais les armées étrangères. Je m'abaisserai personnellement pour les nourrir chaque jour lorsque je serai dans mon palais : ce furent eux qui m'aidèrent au milieu de la bataille, eux, ainsi que le conducteur Menna, mon écuyer et les échansons du palais, témoins de ma lutte. Ce furent eux que je *trouvai* (à mes côtés). ". »

Vers le coucher du soleil et avec l'arrivée tardive de la Division de Seth, les Égyptiens établirent finalement un campement pour la nuit. Les Hittites faisaient probablement le point sur la rive opposée du fleuve et cherchaient à comprendre leurs « erreurs stratégiques ». Deux divisions égyptiennes étaient en piteux état (Amon et Rê), deux divisions étaient intactes (Ptah et Seth), ainsi que la force de soutien. Deux puissantes formations de l'infanterie hittite n'avaient subi aucun dommage, mais les pertes en chars avaient été lourdes. La disparition de nombreux chefs constituait le revers le plus angoissant pour Mouwatalli et son conseil de guerre, même si le prince d'Alep avait survécu à son absorption excessive d'eau de l'Oronte. Deux des frères de Mouwatalli, deux de ses écuyers, son secrétaire, son chef de corps de garde, quatre conducteurs de char et six chefs d'armée ayant quelque importance avaient péri dans la bataille. Les causes profondes de l'échec face au pharaon égyptien étaient l'éminent courage physique du jeune pharaon, l'arrivée de la force de soutien (négligée par les Hittites ?), et la capture des éclaireurs de Mouwatalli.

La fin de la bataille

Tôt le lendemain matin, Ramsès estima qu'il lui revenait de prendre l'initiative du combat. Il disposa rapidement ses troupes pour la bataille et attaqua les Hittites avec toute la furie qu'il pouvait inspirer. Une telle attaque associant la surprise à un nombre de chars supérieur à celui de l'ennemi aurait dû en principe prendre les Hittites à contre-pied et permettre de les repousser. Leur infanterie était toutefois deux fois plus nombreuse que les forces égyptiennes et bien disciplinée ; elle résista, inébranlable, au premier choc. Les Hittites ne disposant plus de chars en nombre suffisant étaient incapables de repousser correctement les Égyptiens, quoique ceux-ci ne parvinssent pas à pénétrer les rangs de leurs adversaires. Ce fut alors l'impasse et les armées se désengagèrent.

A ce moment, fidèle à la politique de sa dynastie, Mouwatalli eut recours à la diplomatie pour mettre un terme à cette impasse. Quelque quinze années auparavant, il avait signé la paix avec Séti Ier, et les deux parties avaient accepté le *statu quo*, s'accordant sur la restitution de l'Amourrou et de Kadesh aux Hittites. Mouwatalli ne voyait plus l'intérêt de poursuivre le combat ; il espérait que Ramsès estimerait que son honneur était sauf (en dépit de sa désillusion) et qu'il accepterait d'envisager la fin des hostilités. Il dépêcha donc un envoyé au camp égyptien, porteur d'une lettre contenant des propositions de paix dont les modalités demeurent inconnues. Mouwatalli complimenta sans aucun doute le pharaon de sa bravoure, puis suggéra un accord portant sur un *statu quo* territorial.

Ramsès convoqua ses commandants et les informa des propositions hittites afin d'éprouver leur réaction :

> « Alors ils dirent d'un commun accord : “ La paix est un bien précieux ô Souverain notre Maître ! La réconciliation ne peut être blâmée lorsque vous la signez — car qui peut vous résister le jour de votre colère ? ” »

Il était donc évident que ses forces n'étaient pas en mesure d'affronter un nouveau conflit immédiat avec les Hittites, ni même de tenter de prendre Kadesh. L'ambitieux pharaon ne pouvait par ailleurs se résoudre à consentir à une paix dont les termes lui paraissaient révoltants — ne récupérer ni Kadesh ni Amourrou. Ce *statut quo* l'ulcérait depuis sa jeunesse lorsque son père l'avait accepté. C'est pourquoi (avec un manque insigne de prévoyance) Ramsès résolut-il temporairement le dilemme en différant la signature de tout traité de paix. Il dédaigna tout accord compromettant ses visées sur Kadesh ou sur Amourrou, mais il accepta de renoncer à tout nouveau conflit pour le moment. Il était ainsi en mesure d'ordonner à son armée de lever le camp et d'entamer la longue marche de retour au pays ; mais il se réservait le droit imaginaire de présenter à la Syrie une revendication énergique quand il le désirerait. Mouwatalli avait ainsi gagné une brève période de répit, mais n'avait pas annihilé son ingénieux ennemi. Il ne l'avait pas non plus contraint à un véritable accord de paix.

Retour au pays sous des nuages menaçants

Durant la dernière partie du troisième mois d'été, l'armée égyptienne se déplaça vers le sud, franchit l'Oronte à Shabtuna et revint à Canaan. Elle rentra en Égypte au début du quatrième mois de l'an 6 par le poste frontière de Silé et se dirigea vers la résidence du Delta. Ramsès ne manqua pas sans doute de tirer avantage des prisonniers et du butin qu'il ramenait tandis qu'il conduisait son char éclatant dans la cour du palais de Pi-Ramsès, sous la chaleur exaspérante de juin-juillet 1274 avant J.-C.

Des nuages menaçants se levaient pendant ce temps sur le nord. Le départ des Égyptiens laissait Mouwatalli seul maître du terrain. Le jour épique du conflit décisif, le jeune pharaon Ramsès II avait évité un désastre et remporté une victoire de faible éclat personnel. Le deuxième jour de bataille avait débouché sur une impasse, et Ramsès avait jugé opportun de ne pas pousser plus avant ses troupes découragées, de quitter le terrain et de regagner l'Égypte. Or, durant les semaines qui suivirent, la vérité d'une défaite essentiellement politique arriva amère et fatale. Mouwatalli renforça rapidement sa mainmise sur Kadesh toute proche, puis partit vers l'ouest pour ramener promptement sous sa férule l'État égaré d'Amourrou. Benteshina, l'infortuné roi, fut mis en accusation par Mouwatalli, il fut destitué péremptoirement et remplacé par un homme nouveau, Shapili. Benteshina eut la vie sauve, mais il fut envoyé en exil à Hattousa où par la suite, il servit le frère de l'empereur Hattousil.

Mouwatalli avait donc satisfait son premier objectif, à savoir : conserver Amourrou et Kadesh sous la domination hittite, en dépit du fait qu'il n'avait pas réussi à défaire Ramsès. Il entrevoyait à présent l'opportunité d'exploiter la situation et de repousser encore plus loin les Égyptiens. Le voyage de retour de Ramsès touchait à son terme lorsque Mouwatalli, conduisant ses troupes au sud, le long de la dépression de la Bekaa, écrasa le centre égyptien de Kumidi. Il vira ensuite à l'est en coupant la chaîne de l'Anti-Liban pour occuper Damas et la province égyptienne d'Upi. L'Égypte aurait ainsi d'autres soucis que la reconquête de Kadesh et d'Amourrou, et les Hittites bénéficieraient quant à ceux de l'annexion d'une région prospère, qui constituerait une protection pour leur royaume — Ramsès ayant refusé un traité raisonnable, il en paierait le prix.

Des affaires pressantes attendaient Mouwatalli en pays Hatti. Les rois hittites étaient tenus d'assister à toute une succession de fêtes religieuses ; il devait de plus s'acquitter vis-à-vis des dieux des riches présents qu'il leur avait promis s'ils lui octroyaient la victoire... Il marcha donc vers Hatti, laissant à son puissant frère et homme de main Hattousil le soin d'organiser leur « nouvelle » province d'Upi.

Les Hittites durent à leur tour payer le prix de leurs succès militaires et stratégiques. L'audacieux roi d'Assyrie, Adad-nirari Ier, vit sa chance dans le bain de sang égypto-hittite de Kadesh. La terre d'Hanigalbat (vestige du grand royaume de Mitanni à l'époque d'Akhenaton) était de longue date l'objet de disputes entre les Hittites et les Assyriens. Hanigalbat avait participé à la bataille de Kadesh aux côtés de Mouwatalli et avait sans aucun doute subi son lot de pertes. Les Assyriens balayèrent les territoires en direction de l'ouest, s'assurèrent de la personne du roi Wasashatta et annexèrent la région d'Hanigalbat. Les domaines assyriens s'étendaient jusqu'à la boucle ouest de l'Euphrate. Cette attaque survint au moment où le Hatti et l'Hanigalbat s'y attendaient le moins. Grisé par ses exploits, Adad-nirari Ier fit preuve d'un manque de tact singulier. Il écrivit à Mouwatalli qu'il prétendait au statut de « Grand Roi » (statut du « grand pouvoir ») et proposait la « fraternité » (ou l'alliance) avec le Hittite. A défaut, précisait-il, il serait contraint de pénétrer en Syrie, voire de lancer un raid dans le massif montagneux du mont Amanus !

L'empereur hittite furieux et animé d'une rage apoplectique adressa une réponse cinglante à cette missive impudente :

> « Tu te vantes de ta victoire sur Wasashatta et la terre hourrite. Tu l'as conquise par la force. Tu as aussi vaincu mon allié et tu es devenu un " grand roi ". Mais que ne cesses-tu de parler de " fraternité " ?... Toi et moi sommes-nous nés de la même mère ? (En fait), tout comme mon père et mon grand-père n'étaient pas habitués à parler de " fraternité " au roi d'Assyrie, de même tu cesseras de m'écrire au sujet de fraternité et de grande royauté. Car je n'ai aucun désir de t'entendre ! »

Ainsi, les Hittites ne retirèrent pas que des bénéfices des conséquences de Kadesh. L'annexion du territoire du Sud n'était qu'un piètre réconfort alors que toute la province syrienne était menacée par la perte de l'État-tampon d'Hanigalbat. Il est vrai que par la suite, un nouveau maître d'Hanigalbat, Shattuara II, s'élèverait et épaulerait les Hittites contre l'Assyrie, mais cet événement appartenant au domaine du futur ne pouvait consoler Mouwatalli de la chute de Wasashatta aux mains du loup assyrien.

LUTTE POUR LA SYRIE

Célébration, promotions, travaux à Abou Simbel

Installé en sécurité dans sa nouvelle résidence du Delta, en extension perpétuelle, Ramsès II décida d'immortaliser à tout jamais son exploit personnel en transformant le désastre de Kadesh en une victoire éphémère. S'il n'avait pas montré la voie, rallié ses suivants et géré les actions de sa force de soutien lors de son arrivée, où serait l'Égypte à l'heure actuelle ? Probablement privée de chef. L'empire ne serait plus qu'un souvenir. Mais la bravoure avait sauvé la mise. Bien sûr, Kadesh n'était pas prise et les Hittites avaient annexé les provinces d'Upi et d'Amourrou, mais (selon l'opinion optimiste de Ramsès) un meilleur service de renseignements militaires et une armée réorganisée permettraient d'inverser la situation à brève échéance. Son comportement héroïque lors de la bataille de Kadesh ne marquerait donc pas la fin d'un rêve, mais au contraire annoncerait de grandes réalisations ultérieures.

Ramsès commanda donc à ses scribes et à ses artistes la réalisation d'une composition de grandes scènes « épiques » et d'inscriptions glorieuses célébrant ses hauts faits. Celle-ci serait par la suite gravée sur les murs et sur les façades des pylônes des plus grands temples égyptiens. Ils réalisèrent donc une représentation « bidimensionnelle » splendide de l'ensemble : deux grandes scènes et un récit épique. Le premier tableau devrait représenter le camp égyptien, le roi assis à proximité, les deux éclaireurs battus jusqu'à ce qu'ils révèlent la funeste information, l'attaque du camp par les chars hittites et l'arrivée des troupes de soutien, le tout accompagné de commentaires appropriés. Le second tableau devait représenter le roi dans son char, chargeant bravement l'ennemi, le repoussant dans l'Oronte au-delà duquel se tenait le roi hittite impuissant, avec ses colonnes d'infanterie non engagées ; au-dessus, en toile de fond, Kadesh, la citadelle cernée de fossés. Ce tableau comportait une touche humoristique, que ne manquèrent pas de relever certains observateurs égyptiens : le malheureux prince d'Alep suspendu la tête en bas afin qu'il évacue l'eau de l'Oronte qu'il avait avalée. Des tableaux supplémentaires furent ajoutés lorsque les surfaces murales des temples le permettaient. Ils montraient la présentation des prisonniers au roi, et le roi et ses fils à la tête des prisonniers offrant le butin aux dieux. Un récit merveilleusement fleuri et poétique fut composé qui raconte le début de la campagne, l'assaut des Hittites, le bravoure du pharaon et la prière à Amon, la déroute de son armée, la défaite des Hittites, le second jour du combat, puis l' « appel » à la paix des Hittites.

Cette composition remarquable de mots et d'images (digne d'une superproduction) fut alors gravée sur les murs extérieurs nord et ouest du nouveau temple de Ramsès à Abydos ; le long du mur extérieur sud de la grande salle hypostyle à Karnak (elle fut ultérieurement remplacée par d'autres scènes guerrières) ; le long des abords sud à Karnak (côté ouest) ; trois fois dans le temple de Louxor (façade du pylône, extérieur des cours) ; puis deux fois dans l'avant-cour du Ramesseum sur la rive opposée du fleuve.

Ramsès entreprit certainement un remaniement implacable de son état-major à la suite des vicissitudes de Kadesh, mais nous ne disposons d'aucun détail sur cette affaire. Quoi qu'il en soit, les promotions suivirent les dégradations. C'est peut-être là qu'il convient de situer l'avancement du compagnon de longue date de Ramsès, Amen-em-inet, qui devint Envoyé royal dans toutes les terres étrangères. Celui-ci, investi dans ses nouvelles fonctions, déclara : « Je lui rapportai (au roi) tous les aspects des terres étrangères » — s'agissait-il d'un exemple du nouveau « réseau de renseignements » de Ramsès ?

Mais l'infatigable Ramsès se consacrait à d'autres projets en sus des guerres. Son regard se porta à nouveau sur la Nubie. A quelques kilomètres au nord d'Akcha, sur la rive gauche du Nil, s'élevaient deux gigantesques falaises de grès rose — le roc d'Ibchek, aujourd'hui Abou Simbel. A cet endroit, deux grands sanctuaires devaient être taillés dans la roche même. Sur la falaise sud, une grande façade — proportionnée comme un pylône immense — précédée de quatre statues colossales (hautes d'une vingtaine de mètres) représentant le roi assis, constituaient le prélude à un temple dont les salles devaient être entièrement creusées dans le cœur de la falaise sur une profondeur d'environ cinquante mètres. Une représentation monumentale de la bataille de Kadesh devait être placée sur le mur nord de la première grande salle hypostyle à piliers. Cet édifice serait le temple funéraire de Ramsès II consacré à Amon et à Rê, dans la province de Nubie. Pendant ce temps, sur la falaise nord à quelques centaines de mètres de là, des ouvriers creusaient une autre façade superbe dans la roche, qui marquerait l'entrée d'un autre temple (d'une profondeur de quelque vingt-cinq mètres) celui de la reine Nefertari, dédié à la déesse Hathor. Six statues colossales debout représentant le roi et la reine ornaient la façade ainsi que des statues plus petites figurant certains de leurs enfants, conférant à l'ensemble un caractère plus familial.

Les hommes chargés de l'inauguration des travaux de ces projets jumeaux purent y laisser leur « signature » pour la postérité. L'homme des lieux, le vice-roi Iouny, plaça une scène le représentant devant le roi, dans l'alignement exact de la bordure nord de la façade du temple de la reine, se liant ainsi publiquement à l'ouvrage. Ce fut toutefois son dernier acte important ; peu après, un nouveau vice-roi fut nommé : Heqanakht. Mais un autre homme s'occupa de la mise en chantier d'Abou Simbel. Il s'agissait d'un serviteur de confiance — le Premier Échanson du Roi, Asha-hebsed, qui devenait ainsi Premier Échanson Royal de Sa Majesté, et portait le nom très loyal de Ramsès-Asha-hebsed, « Ramsès Riche en Jubilés » — un souhait de longue vie pour son maître. Cet homme affairé s'occupa des arrangements du grand temple dès son arrivée sur le site. A l'instar d'Iouny, il laissa sa « carte de visite » ; une profonde inscription dans la roche par laquelle il déclarait :

> « Voyez, l'esprit de Sa Majesté était toujours prompt à découvrir toute opportunité conférant des avantages à son père, le dieu Horus de Meha — faisant en fait exécuter dans la montagne de Meha son Temple des Millions d'Années... Il amena maints ouvriers, les captifs de son bras puissant originaires des terres étrangères, il emplit les propriétés des dieux en leur offrant en butin les enfants de Syrie. L'Échanson du Roi fut chargé de réorganiser la terre de Koush au grand nom de Sa Majesté... »

Ainsi, Asha-hebsed jouissait-il d'une grande liberté pour régler les affaires en Nubie (peut-être Iouny manquait-il de vigueur ?) et pour accélérer l'exécution des travaux du nouveau temple. La falaise sud fut nommée Méha et consacrée au dieu local Horus, tandis que la falaise nord, Ibchek, était dédiée à la déesse Hathor. Mais Horus de Meha ne jouit plus ensuite d'une prééminence certaine dans le temple du roi.

Récupération et révolte

Ramsès II n'entreprit aucune campagne importante pendant un an, une période courant sur la 6e et la 7e années de son règne — y compris l'été 1273 avant J.-C. Il se concentra sur la reconstitution de son armée malmenée. Sa machine de guerre avait besoin d'entraînement : c'est peut-être cet été-là que Ramsès fournit à ses forces réorganisées une mise en condition sur le terrain favori de sa jeunesse, la côte de Libye, afin de prévenir tout mouvement dans cette contrée tandis que son regard se tournerait vers la Syrie.

Or des troubles éclatèrent à cet endroit précis. La retraite de Ramsès après la bataille de Kadesh, le manque de réaction après l'annexion de la province d'Upi, et l'absence de l'armée égyptienne et du roi pendant la saison suivante, tout ceci fut interprété à Canaan comme un signe de la faiblesse égyptienne et les percepteurs égyptiens trouvèrent les dirigeants locaux très réticents lors du paiement du tribut. De nouveaux royaumes s'étaient constitués de l'autre côté du Jourdain, en Palestine orientale tels que le Moab à l'est de la mer Morte et l'Edom au sud. Ceux-ci refusaient à présent de reconnaître le gouvernement égyptien, alors que les populations semi-nomades de Seir (les Shosu) lançaient des raids sur Canaan. De tels troubles ne s'étaient jamais produits durant les vingt dernières années, depuis le début du règne de Séti.

Ramsès ne put réagir à cette période, mais le printemps suivant (en 1272 avant J.-C.) il prit les choses en main. Il atteignit rapidement Gaza et montra à Canaan que son statut de vassal ne serait en rien modifié. Un détachement itinérant repoussa rapidement les Shosu à l'est, hors de Canaan. Ramsès s'occupa ensuite de la Palestine orientale. Menée par le prince aîné, Amen-hir-khopshef (jadis Amen-hir-wonmef), le détachement itinérant frappa dans les collines de Neguev, traversa le fossé d'effondrement au sud de la mer Morte, et remonta à travers l'Edom-Seir, conquérant ainsi les colonies de leurs ennemis. Puis les forces du prince virèrent au nord de l'autre côté du profond ravin du Zered au cœur du pays de Moab, et le long de la traditionnelle « Route du Roi » pour prendre Butartu (Rabbath Batora). Ramsès se déplaça au même moment dans le sens des aiguilles d'une montre pour refermer l'étau. Il franchit le seuil montagneux au centre du pays de Canaan, passa Jérusalem, traversa le Jourdain, dépassa Jéricho et poursuivit vers l'extrémité nord de la mer Morte, au sud du Moab, pour frapper à Dibon. S'étant emparé de ce bourg, il manœuvra vers le sud en traversant la vallée de l'Arnon pour rejoindre le prince Amen-hir-khopshef.

Canaan était calmé, la Palestine orientale était soumise. Ramsès était donc en mesure de regarder à nouveau vers le nord. Il pouvait maintenant remonter à son gré la « Route du Roi », par Heshbon, Ammon, Ashteroth-Qarnaim, et aller ainsi jusqu'à Damas, puis au-delà à Kumidi, restituant à l'Égypte la province perdue d'Upi. Ayant ainsi reconquis ses possessions extérieures, Ramsès rentra en Égypte en toute confiance.

Nouvelle offensive syrienne

Ramsès se sentit enfin prêt à reprendre ses aventures en Syrie. L'été des années 8/9 de son règne (1271 avant J.-C.), on le vit étouffer les derniers sursauts de résistance au nord de Canaan, anéantir les dissidents des monts de Galilée (Marom, Beth-Anath) et occuper le port d'Akko. De là, Ramsès avança vers le nord le long de la côte sud de la Phénicie, affirmant ses droits sur les ports de Tyr, de Sidon, de Beyrouth, de Byblos, d'Oullaza, d'Irqata et de Simyra. Il est possible qu'une inscription dans la roche ait été gravée au promontoire du « Fleuve du Chien ».

Jusqu'à présent, les Hittites eux-mêmes ne pouvaient s'offenser de ces événements. Mais Ramsès ne s'arrêta pas là. Ne perdant de temps ni à Amourrou ni à Kadesh, il les contourna en se dirigeant à l'est par la vallée de l'Éleuthéros, puis au nord jusqu'à l'Oronte, s'enfonçant profondément à l'intérieur des territoires occupés par les Hittites, où aucune armée égyptienne n'avait été vue depuis cent vingt ans. Il s'empara ainsi de Dapur à la limite nord du territoire d'Amourrou — « une cité que Sa Majesté vainquit dans la terre d'Amourrou », ainsi que le dit un texte de l'an 8. Ramsès prit ensuite possession du territoire de la cité-État de Tunip. A Dapur même, le pharaon proclama ouvertement sa souveraineté en élevant une statue à son effigie — peut-être dans le temple principal de la ville. En occupant ainsi le cours moyen de l'Oronte, Ramsès tentait de resserrer son étau sur le sud de la Syrie occupée par les Hittites : l'Amourrou, coupé en deux, était privée, comme Kadesh, de toute communication prompte avec leurs suzerains hittites résidant au nord à Alep, à Karkémish et au Hatti. Cette tête de pont était susceptible de permettre à Ramsès une reconquête d'Amourrou et de Kadesh. Ramsès II rentra donc à Pi-Ramsès au début de l'An 9, très conscient de son exploit. De bonnes raisons justifiaient probablement l'absence de réaction des Hittites. Après presque un quart de siècle passé sur le trône hittite, Mouwatalli était certainement décédé, précipitant une crise de succession royale. Il ne laissait aucun fils de sa première épouse, seulement un adolescent, Ourhi-Teshoub, qu'il avait eu d'une concubine. Ce jeune homme devint alors empereur sous le nom de Moursil III. Mais il se sentait éclipsé par l'homme fort de l'époque, son oncle Hattousil. Très méfiant à l'égard de ce dernier, le jeune roi éloigna son parent ambitieux dans les régions frontalières au nord du Hatti, avec des forces insuffisantes, afin de protéger le pays contre les tribus indisciplinées kaskéennes. Il est probable que Moursil III ne se sentait pas en mesure de quitter son sol natal (ainsi qu'Hattousil) pour s'occuper personnellement de la Syrie. Il confia donc à son vice-roi syrien, le roi de Karkémish, le soin de résister aux nouvelles attaques égyptiennes en Syrie.

Impasse syrienne

Il est probable qu'après le départ de Ramsès les émissaires de Karkémish et du Hatti n'éprouvèrent aucune difficulté à persuader des villes telles que Tunip et Dapur d'expulser leurs nouveaux commissionnaires égyptiens et de se remettre sous la protection des Hittites. L'Égypte était très éloignée, tandis que les armées de Karkémish, d'Alep et de Nuhasse étaient toutes proches : cette menace envers leur propre sécurité avait probablement poussé les centres brièvement occupés à renouer leurs relations habituelles avec le royaume du Hatti.

Ramsès II n'était toujours pas découragé. L'an 10 (1270-1269 avant J.-C.) le trouva une nouvelle fois en campagne. Une troisième stèle au promontoire du « fleuve de Chien » attestait de son passage par la Phénicie. Il entendait à nouveau soumettre Dapur. Ramsès, alors âgé de trente-cinq ans, vantait toujours ses prouesses physiques. Dans le temple de Louxor et au Ramesseum, des reliefs le représentant en train de décocher des flèches sur Dapur étaient agrémentés des inscriptions suivantes :

> « Quant à sa manière de se tenir et d'attaquer cette cité hittite, dans laquelle se trouvait la statute du pharaon, Sa Majesté le fit en réalité deux fois en présence de ses troupes et de ses chars, tandis qu'il dirigeait l'attaque de

> cette cité hittite ennemie qui se trouve dans la région de Tunip, sur le territoire du Naharina. Sa Majesté prit sa cotte de maille pour la revêtir (seulement après) qu'il eut (déjà) passé deux heures debout à attaquer la cité de l'ennemi hittite, devant ses troupes et ses chars (sans) porter de cotte de maille. »

Comme le montre ce commentaire, Ramsès était à nouveau en tête affichant ainsi à l'intention de ses troupes une conduite brave. Par chance, aucun des tireurs d'élite postés sur les remparts de Dapur ne parvint à l'atteindre d'un coup fatal. Le roi contraignit de nouveau Dapur à se soumettre... jusqu'à son départ, à la suite duquel les Syriens revinrent simplement vers leurs maîtres hittites. Nous ignorons toujours combien d'années dura cette joute grand-guignolesque. En dépit de son obstination et de sa persévérance, il est probable que Ramsès finit par s'apercevoir qu'à moins d'annexer le nord de la Syrie jusqu'à l'Euphrate et jusqu'au Taurus, il lui était tout simplement impossible de se rendre maître du centre de la Syrie de manière progressive. C'est ainsi que de l'an 11 à l'an 17 ses campagnes nordiques se firent plus rares et qu'il finit par se satisfaire de ses territoires traditionnels. Cette prise de conscience lui permit d'accorder son attention à d'autres fronts. Dans le lointain Hatti, les relations toujours plus tendues entre le jeune Moursil III (Ourhi-Teshoub) et son oncle, avaient persisté jusqu'à atteindre leur paroxysme.

L'exode des Hébreux

Le delta oriental de l'Égypte abritait depuis très longtemps un mélange hétéroclite de peuples et les langues les plus diverses y résonnaient. A la fin de l'Ancien Empire et en particulier à la fin du Moyen Empire dont l'apogée fut le règne des Hyksos, des groupes parlant des langues sémitiques avaient pénétré dans le delta oriental et s'y étaient installés pour y devenir serviteurs puis membres des maisons égyptiennes, même très en amont de la vallée du Nil. Joseph (Genèse 37, 39 à 50) fut un exemple pittoresque du flot habituel d'entrées en Égypte, à cette époque. Il est probable que sous le règne des grands pharaons de la XVIIIe dynastie, un contrôle plus strict des personnes passant par Silé ait été institué. Mais aux étrangers demeurant déjà en Égypte, s'ajoutaient maintenant des milliers d'autres, des Cananéens, des Amorites, des Hourrites, tous les prisonniers de guerre, employés dans les grands domaines des principaux temples et des services de l'État. Avec la construction des magasins et des entrepôts pour les tributs, un nombre croissant non seulement de prisonniers mais encore d'autres groupes ethniques vivant dans le delta arrivèrent pour les travaux obligatoires de terrassement. Les étrangers n'avaient pas systématiquement un statut social inférieur. Ces personnes étaient en outre libres, à l'instar du général Urhiya, d'atteindre des positions sociales élevées voire (comme les échansons et les conseillers) d'occuper des fonctions aux côtés du pharaon lui-même. Horemheb était sans doute l'instigateur des nouveaux travaux de construction dans le delta oriental qui vinrent s'ajouter au temple de Seth à Avaris. Parmi la foule bigarrée des individus « engagés » pour ces travaux se trouvaient ceux qu'on nommait les Apirou (Habirou selon les sources cunéiformes), essentiellement des individus sans racines, qui étaient enrôlés de gré ou de force dans les divers corps de métier. Des textes datant du milieu du règne ramesside évoquent « soldats et Apirou hâlant les pierres pour les grands pylônes de... Ramsès II ».

Il est probable qu'on assimilait en général aux Apirou ceux qui semblent être, d'après la Bible, les Hébreux, en particulier, les tribus d'Israël qui s'étaient fixées dans le delta oriental lors des jours lointains où leurs aïeux, Joseph et Jacob avaient fui la famine et étaient arrivés en Égypte. Ils constituaient eux aussi une main-d'œuvre toute désignée pour Pharaon. « (Ils) leur rendirent la vie amère par une rude servitude : (...) tous les travaux des champs » (Exode 1, 14). La tradition biblique raconte comment un enfant échappa à l'effroyable contrôle des naissances institué par le pharaon, grâce à une princesse qui le recueillit et l'éleva dans le harem royal jusquà ce qu'il puisse se ranger aux côtés de son peuple et fuir d'Égypte accusé de meurtre. Il s'appelait Moïse (Exode 2).

Le temps venu, le peuple hébreu lui aussi dut participer à la fabrication des briques destinées à Avaris et à Pi-Ramsès pour Séti Ier, et dans les premières années de Ramsès II : « il bâtit pour Pharaon des villes-entrepôts, Pitôm et Ramsès » (Exode 1, 11). Et ce jusqu'à ce que Moïse revienne pour réclamer son peuple au pharaon, afin que celui-ci les délivre de l'esclavage. Ce n'est qu'à l'issue de plusieurs entrevues que le roi obstiné accepta de les laisser partir, sous la pression de signes de la nature tels qu'une crue du Nil excessive, des moissons anéanties, la maladie et la peste, et enfin la mort de son premier fils (Amen-hir-khopshef ?). Alors Moïse mena son peuple loin de Pi-Ramsès, au sud et à l'est vers Soukkoth, puis à nouveau vers le nord, près des Lacs Amers. Piégés ! Ramsès vit là une occasion, il envoya une force de chars importante pour rassembler ce corps considérable d'esclaves en fuite (Exode 14, 7). Mais sur les lacs ou mer des Joncs, de forts vents refoulèrent les eaux remuantes suffisamment loin de chaque côté pour laisser passer les Hébreux en fuite — puis les flots déferlèrent, submergeant les chars, leur infligeant de lourdes pertes. Sur la rive lointaine, l'hymne triomphal n'était pas chanté par les hommes du pharaon, mais par les Hébreux (Exode 15). Les Hébreux n'empruntèrent pas la route côtière principale de Canaan (« la route des Philistins »), trop facilement sujette au contrôle militaire égyptien, mais ils s'enfoncèrent au sud et à l'est à l'intérieur du Sinaï. Là, au pied de la montagne, ils devinrent une nation, avec leur propre « Grand Roi », en alliance avec le Dieu de leurs aïeux qui les délivra de l'Égypte et (Exode 20) les constitua en un peuple dont les fondements étaient plus stables et plus sains qu'une soumission à l'idéologie d'un pouvoir déifié.

Cet événement de l' « exode » biblique ne trouve aucun écho dans les fières inscriptions de Ramsès ; on ne célébra ni la perte d'un escadron de chars ni les malheureux qui remplacèrent dans les briqueteries et dans les ateliers la main-d'œuvre perdue. Les fléaux et les pertes de l'année devinrent rapidement un simple souvenir désagréable devant être chassé de l'esprit, et la moindre leçon enseignée fut vite oubliée. L'Égypte impériale considérait que l'exode était un incident sans lendemain, bien que désagréable ; les Hébreux y virent un événement mémorable qui eut un retentissement incommensurable sur l'histoire spirituelle du monde. Les récits (Exode 1 à 20) mentionnent maints traits du Nouvel Empire égyptien, tels que l'étroite surveillance des ouvriers (surtout les travailleurs étrangers), visible aussi à Deir el-Medineh, le problème des quotas de briques, l'utilisation de la paille comme dans les papyrus contemporains, l'attribution de jours de congés, la dureté du pharaon envers la main-d'œuvre étrangère (constatée à nouveau en Nubie avec le vice-roi Sétau) contrastant avec l'attention portée aux travailleurs égyptiens, et l'obstination qui caractérisait le fier roi ramesside. Il est fort possible que ces « incidents désagréables » aient eu lieu durant les trois premières décennies du long règne de Ramsès II, peut-être quelque temps après l'an 15 ; la tradition hébraïque coïncide dans l'ensemble avec cette date.

AVENTURES AFRICAINES

La frontière du nord-ouest

Ramsès II avait d'autres préoccupations sur le côté occidental du delta. Jeune homme, il avait participé à la campagne libyenne de son père. Or, durant son propre règne, peut-être pendant l'accalmie involontaire survenue après Kadesh, Ramsès II élabora une méthode plus fiable pour contrôler la bande côtière libyenne et pour maintenir en observation la population de cette région. Le long de la bande désertique occidentale du delta, située entre Memphis et la mer, il renforça une succession de petites colonies, y construisant parfois de nouveaux temples dédiés aux dieux locaux, d'anciennes villes réduites de nos jours à de simples tertres (les Koms d'Abou Billo, Hisn, Firin, Abqain et El-Barnugi). Le pharaon installa ensuite toute une chaîne de forteresses, en particulier de la lisière du delta proche de la Méditerranée jusqu'au-delà de la ligne côtière libyenne. Ces forteresses s'étiraient à l'ouest de l'actuelle Gharbaniyet et El-Alamein (bien connue depuis !) jusqu'à Zawiyet Umm el-Rakham, à plus de 300 kilomètres de l'embouchure du « Fleuve de l'Ouest ». Les trois forts dont nous avons connaissance faisaient probablement partie d'un ensemble, la distance les séparant n'excédait jamais deux jours de marche rapide (ou une journée de char). Cette succession de garnisons permettait ainsi de surveiller les mouvements des tribus libyennes (y compris les nouvelles venues de l'ouest), de rapporter à l'Égypte toute information significative et d'appeler une force expéditionnaire afin de contrer toute menace d'invasion dès sa matérialisation. Ramsès prévoyait de protéger l'Égypte contre toute interférence provenant de ce district. Ce système s'avéra efficace aussi longtemps qu'il vécut et qu'une surveillance vigilante fut maintenue. Une forteresse « légionnaire » de ce type pouvait être tout à fait substantielle. A Zawiyet Umm el-Rakham, à quelque 300 kilomètres du territoire national, le Scribe Royal, Commandeur de l'Armée et Gouverneur, Neb-re, dirigeait un grand fort dont l'enceinte abritait trois grands bâtiments et au moins un temple.

De retour à Irem en Haute Nubie

Le calme régna en Nubie durant une génération, voire plus. L'Irem avait été châtié en l'an 8 du règne de Séti Ier, et Ramsès en tant que prince régent avait rapidement étouffé une petite insurrection en Basse Nubie. Vers les années 15 à 20 du règne de Ramsès II, les souvenirs des deux tentatives de révolte s'étaient probablement estompés chez les Nubiens. Le gouvernement permanent des vice-rois, leur exploitation continue de l'or et des lieux d'exploitation, ainsi que la levée des impôts sur l'économie par ailleurs inexistante des Nubiens bénéficiaient au pharaon. Mais de temps à autres un chef local, las de toutes ces impositions, tentait (par impétuosité ou par désespoir) de se révolter contre le maître égyptien.

La campagne de Séti Ier ayant été oubliée, Ramsès II dut envoyer ses forces soutenir le vice-roi en Irem. Quatre princes participèrent à cette expédition, dont Set-em-wia et Merenptah, les huitième et treizième fils du pharaon, des adolescents qui n'avaient pas vingt ans. La campagne fut brève et plus de sept mille hommes furent capturés. Irem sombra à nouveau dans un calme imposé, et ne devait plus jamais tenter de s'affranchir du joug égyptien. Dans la nouvelle capitale provinciale de « Ramsès la Ville », à Amara-Ouest, il ne restait plus suffisamment d'espace sur les murs du temple pour y exposer ce triomphe local ; les scènes de combat et de saccage furent donc sculptées le long des murs de la porte principale de la ville, la Porte Ouest, de sorte que tous ceux qui entraient ou qui sortaient se souvinssent de la puissance de Ramsès dans le Sud et ne songent plus jamais à de nouvelles rébellions. A Abydos, un récit plus court devait être ajouté sur le second pylône du temple de Ramsès, mais son exécution fut interrompue, et les inscriptions ne furent jamais terminées.

CHAPITRE V

LA PAIX

LA TEMPÊTE AVANT LE CALME

Crise ! Révolution de palais au royaume du Hatti

Pendant sept ans le jeune Ourhi-Teshoub, Moursil III, régna en Grand Roi hittite. Il n'était que méfiance à l'égard de son oncle Hattousil, qu'il avait envoyé dans le Nord lointain. Celui-ci défendait cette frontière tout en recrutant divers dissidents pour son service personnel. Le souverain soupçonneux réduisit progressivement la taille de la province d'Hattousil et la limita en définitive à un centre principal, Hapkis, où le défunt Mouwatalli avait installé son frère en tant que roi local et grand prêtre.

La situation évolua vers la rupture : Ourhi-Teshoub tenta même de retirer Hapkis à l'autorité d'Hattousil. L'arrestation et la disgrâce semblaient imminentes : Hattousil n'en supporta pas davantage. Il accusa Ourhi-Teshoub d'ouvrir les hostilités, et porta publiquement leur différend devant le jugement de sa patronne la déesse Ichtar de Samuha et le dieu du Temps de Narik. Ourhi-Teshoub et ses forces avancèrent pour appréhender Hattousil. Mais ce dernier piégea son attaquant dans Samuha même, le faisant prisonnier.

Hattousil triomphait donc. Les Hittites avaient maintenant un nouveau « Grand Roi », l'homme fort de l'époque, régnant dorénavant sous le nom d'Hattousil III, avec à ses côtés, sa femme devenue reine, Pudukhepa. Le nouvel empereur ne fit pas exécuter Ourhi-Teshoub, mais l'exila dans la principauté de Nuhasse au nord de la Syrie.

Ramsès II eut vent de ce bouleversement vers l'an 16. Il est probable que ses envoyés le tenaient informé des dramatiques événements qui se déroulaient au cœur même du grand empire rival. Il se trouva bientôt directement impliqué au cœur de ce conflit.

Crise ! Nouvelle menace de guerre

Le jeune Ourhi-Teshoub n'était pas satisfait de son exil à Nuhasse. Il commença donc à intriguer à la cour du roi de la lointaine Babylone. Le complot fut découvert et Hattousil III bannit son neveu sur le littoral (voire à Chypre). Hattousil III entreprit une campagne diplomatique intensive à l'étranger afin d'obtenir des rois des autres États importants la reconnaissance pleine de la légitimité de sa souveraineté sur le royaume hittite. Il s'allia en définitive à Kadashman-Turgu, roi de Babylone. Il tenta un rapprochement avec le nouveau roi assyrien, Salmanasar Ier, qui avait accédé au pouvoir peu de temps après Hattousil lui-même. Les hostilités persistèrent néanmoins avec l'Égypte. Les difficultés d'Hattousil étaient loin d'être terminées en dépit du succès de sa diplomatie en Orient, car Ourhi-Teshoub le révolté, était parvenu à s'échapper et avait gagné l'Égypte. Ainsi, Ramsès II accorda-t-il, vers l'an 18 de son règne, une audience à un empereur hittite déchu, au fils de son vieil adversaire, Mouwatalli, bien connu depuis Kadesh.

Hattousil perçut là la plus effroyable des menaces pour son propre trône : qu'arriverait-il si un ennemi de si longue date et aussi redoutable que Ramsès II choisissait d'appuyer Ourhi-Teshoub comme prétendant légitime au trône hittite ? Hattousil s'empressa donc de demander que Ramsès prononce l'extradition du jeune émigré : Ramsès refusa.

C'était la guerre ! Hattousil entreprit de mobiliser ses troupes. Kadashman-Turgu de Babylone, informé de ce refus, cessa immédiatement toute relation diplomatique avec l'Égypte, et offrit d'envoyer — et même de mener — ses troupes contre l'Égypte aux côtés d'Hattousil. Le roi hittite (préférant livrer lui-même ses batailles) déclina avec courtoisie cette offre. Il n'en demeure pas moins que dans le ciel de l'ancien Proche-Orient, jamais autant de nuages ne s'étaient amoncelés, y compris lors de la bataille de Kadesh.

On suppose que Ramsès II avait lui aussi disposé ses armées et pris position dans le nord de la province de Canaan, à Megiddo et à Beth-Shan, prêt à frapper au nord pour défendre son empire au cas où la menace hittito-babylonienne se matérialiserait. Tout en attendant des renseignements, il devait s'assurer de la fidélité de ses propres vassaux. Une stèle solennelle de Ramsès II à Beth-Shan, datée du premier jour du quatrième mois d'hiver de l'an 18 (février 1261) atteste de l'activité frénétique qui régnait alors dans cette région.

Crise ! Hanigalbat disparaît...

Une nouvelle complication vint ajouter aux difficultés de succession vers l'an 18 et 19. Shattuara II, le nouveau prince d'Hanigalbat, avait survécu durant quelque temps en reconnaissant la souveraineté de l'Assyrie (dont le roi avait destitué son prédécesseur, Wasashatta). Mais Shattuara II ne ressentait pas la nécessité d'une fidélité inconditionnelle envers le nouveau roi assyrien, Salmanasar Ier, et il se tourna vers les Hittites. Sachant que la contre-attaque assyrienne était imminente, Shattuara et son voisin hittite le roi de Karkémish se préparèrent à parer le coup, occupant les passes, les routes et les points d'eau.

Finalement, Salmanasar Ier frappa à l'ouest contre Shattuara II et son allié hittite, alignant un maximum de forces, submergeant les défenses ennemies et triomphant de la province d'Hanigalbat. Il remonta jusqu'aux portes de la ville de Karkémish, située de l'autre côté de l'Euphrate. Quelque 14400 hommes furent faits prisonniers, la capitale et neuf villes principales furent anéanties, et cent quatre-vingts colonies furent mises à sac. Le fait que *cette fois* l'Assyrien était là pour occuper le ter-

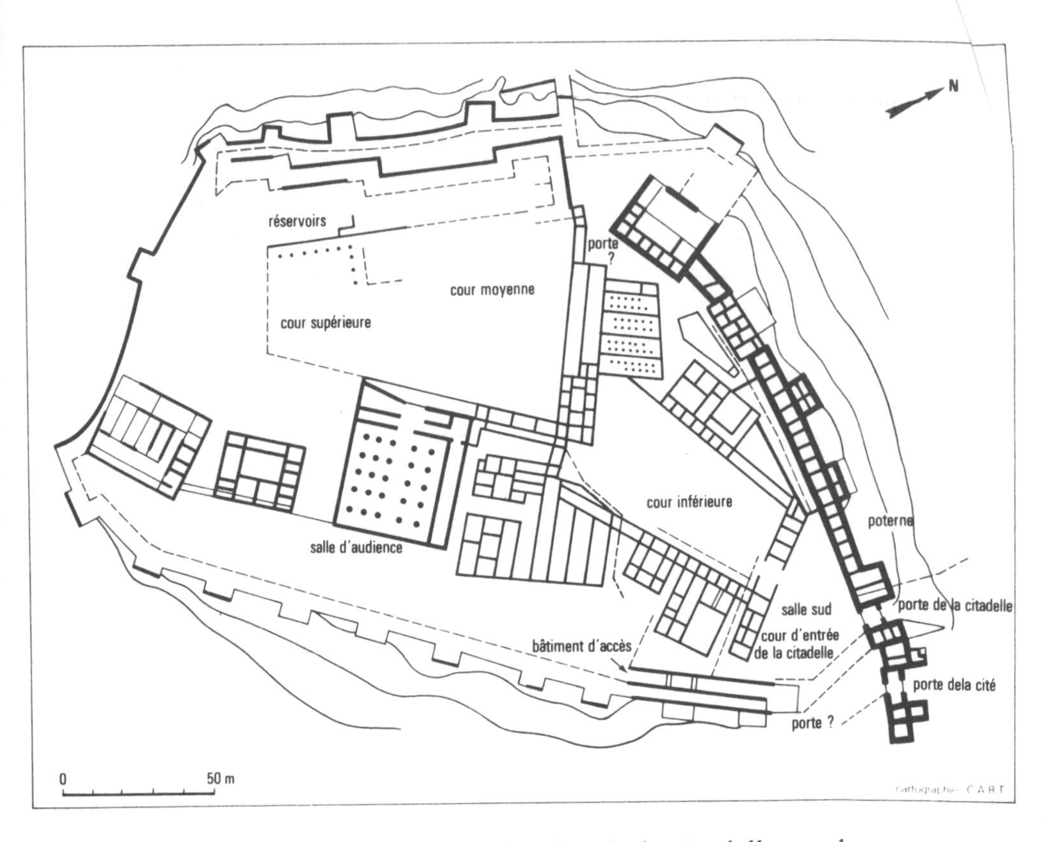

Hattousa, reconstitution du plan de la citadelle royale.
Des remparts défendaient la ville (aujourd'hui Boghaz-koy).

rain était d'une importance capitale. Le royaume d'Hanigalbat fut incorporé à l'Assyrie et ne devait plus jamais retrouver son indépendance. La frontière de l'Assyrie suivait désormais le cours de l'Euphrate et jouxtait celle de l'empire hittite, en rejoignant directement (et en menaçant potentiellement) la province syrienne de cet empire. Les traditionnelles insurrections du Mitanni ou d'Hanigalbat, qui duraient depuis des siècles, cessèrent brutalement et à jamais. Ce coup soudain et catastrophique fit sur Hattousil III l'effet d'une douche froide. Il avait à présent pris conscience du fait qu'en dépit de son alliance avec la lointaine Babylone, l'ennemi se trouvait aux portes de son empire : à l'est et au sud. Il lui était impossible de combattre sur les deux fronts : mais comment échapper à ce dilemme ?

LA PAIX ENFIN

Volte-face d'Hattousil

Hattousil III ne pouvait soumettre des propositions de paix à la victorieuse Assyrie en ces circonstances humiliantes, ni lui ni ses conseillers n'auraient pu supporter une telle défaite. Qu'en était-il de l'Égypte ? Rien n'interdisait de supposer que la menace venant de Ramsès II au nom d'Ourhi-Teshoub était plus terrifiante que réelle. L'Égypte n'avait pas attaqué les territoires du Hatti ; elle s'était contentée jusqu'à présent d'accueillir Ourhi-Teshoub à sa cour. Il semblait donc possible de réviser la politique hittite en prétextant que l'honneur était sauf.

Le roi hittite entama donc de discrets sondages quant à la possibilité d'une paix avec l'Égypte, après un laps de temps durant lequel aucune action hostile ne fut déclenchée en Syrie. Nous ne possédons aucun détail quant aux négociations secrètes qui allèrent des manœuvres d'approche jusqu'à la véritable discussion en vue d'un accord éventuel. L'accord intervint pourtant deux ans plus tard et les documents du traité purent être échangés.

Aplanissant les différends, les envoyés précipitèrent les allées et venues entre les deux capitales pendant des mois, allant des palmeraies de Pi-Ramsès dans le plat et doux Delta à la dure Hattousa, élevée sur le plateau anatolien. Pour un messager rapide, chacun des trajets durait un mois, mais une escouade mettait au moins deux fois plus de temps.

Le traité : la paix est acceptée

Enfin, en l'an 21 du règne de Ramsès II, c'est-à-dire en novembre/décembre 1259 avant J.-C., un splendide détachement de chars descendit d'Hattousa, traversa la Syrie et se dirigea vers Pi-Ramsès :

> « Le vingt et unième jour du premier mois de l'Hiver de l'an 21 de... Ramsès II. Ce jour, voyez, Sa Majesté se trouvait dans la cité de Pi-Ramsès, faisant le plaisir (des dieux...). Arrivèrent les (trois Envoyés Royaux de l'Égypte...) ainsi que les premier et second Envoyés Royaux du Hatti, Tili-Teshoub et Ramose, et l'Envoyé de Karkémish, Yapousili, portant la tablette d'argent que le grand Souverain du Hatti, Hattousil (III) envoyait à Sa Majesté le Pharaon Ramsès II, pour demander la paix. »

Ce fut sans doute un instant poignant au cours duquel Ramsès, assis sur le trône parmi les splendeurs du grand palais du Delta, épouva des sentiments mitigés. Il ordonna aux six hommes d'avancer vers lui et de révéler à ses yeux la grande tablette d'argent scintillante, gravée de longues lignes formant un entrelacs de dessins triangulaires caractéristiques de l'écriture cunéiforme et dont le centre (sur l'avers et sur l'envers) représentait des rois, des dieux et des hiéroglyphes étranges tels que lui-même et sa cour n'en avaient jamais vus. Cet étrange objet brillant attestait de sa bravoure en Syrie, et marquait la fin des hostilités entre l'Égypte et le Hatti. A l'instar des rois précédents (dont son père), Ramsès II était désormais lié, par une paix solennelle, au lointain pouvoir du Hatti. Plus de guerre ni de victoire : Kadesh et Amourrou ne lui appartiendraient jamais.

Mais d'autres compensations adoucissaient ses regrets. La suspicion et l'incertitude quant à la Syrie étaient révolues ; ce qui était égyptien le demeurerait et les droits de l'Égypte sur les ports phéniciens seraient garantis. Mieux encore, Hattousil III lui concédait le droit de circuler à sa guise tout au long de la route menant à Ougarit, alors que les émissaires égyptiens n'avaient plus joui de cette facilité depuis les jours heureux d'Aménophis III, un siècle auparavant.

Il est probable que les exigences des champs de bataille souriaient moins au pharaon vieillissant et que l'opportunité d'en terminer avec les conflits stériles était plus séduisante à un homme qui songeait à se consacrer à de tout autres activités. Telles furent les conséquences de la tablette d'argent. Des copies plus modestes en argile furent conservées dans les archives d'Hattousa et d'autres sur papyrus demeurèrent dans le bureau des affaires étrangères à Pi-Ramsès : la version hittite était rédigée dans la langue babylonienne, langue diplomatique internationale à l'époque.

Le Traité fut rédigé, comme il convenait à un document des plus importants pour la loi internationale, en deux versions complémentaires — l'une d'Hattousil à Ramsès, et l'autre en sens inverse. Paragraphe après paragraphe, le document déterminait les modalités de l'accord entre les deux grandes puissances, à savoir la « fraternité », l'adhésion à un pacte mutuel de non-agression, une alliance défensive mutuelle contre toute attaque provenant d'un tiers (« un autre ennemi », c'est-à-dire ni égyptien ni hittite), la sauvegarde de la succession royale dans les deux États, l'extradition mutuelle des fugitifs et le traitement humain des extradés. Le grand document se terminait par l'ultime garantie de sa validité : les deux souverains invoquaient comme témoins de leur pacte les mille dieux du Hatti et les mille dieux de l'Égypte, lesquels jetteraient leur malédiction sur celui qui enfreindrait le traité, ou accorderaient leur bénédiction à celui qui le respecterait. L'usage de tels documents solennels était vraisemblablement moins répandu en Égypte (où la parole du pharaon avait force de loi) que dans l'empire hittite, où ces traités représentaient une pratique courante entre suzerain et vassal et ne nécessitaient qu'une légère adaptation pour sceller un accord entre des parties d'égale puissance. Le texte égyptien du traité avait été traduit d'un document cunéiforme et reproduit ensuite en hiéroglyphes sur les murs de Karnak et du Ramesseum de Thèbes. Il montre bien la dignité du style juridique de l'époque. Hattousil s'adressait ainsi à Ramsès :

« Maintenant, en ce qui concerne Mouwatalli, le grand Souverain du Hatti, mon frère, il combattit (Ramsès II) le grand Souverain d'Égypte. Mais aujourd'hui, voyez Hattousil... (signe) un traité pour établir la relation que Rê a faite et que Seth a faite — entre la terre d'Égypte et la terre du Hatti — pour empêcher les hostilités de s'élever entre eux à jamais.

« Voyez, Hattousil III... se lie à Ramsès II par traité... à partir d'aujourd'hui, de manière à créer paix et bonne fraternité entre nous pour toujours — lui étant amical et en paix avec moi, et moi étant amical et en paix avec lui, à jamais...

« Le Grand Souverain du Hatti ne violera jamais la terre d'Égypte pour y prendre quelque chose. Ramsès II... ne violera jamais la terre du Hatti pour y prendre quelque chose.

« Quant au traité permanent qui était en vigueur à l'époque de Souppiloulіouma (Ier)... ainsi que le traité permanent existant à l'époque de Mouwatalli... j'y adhère à présent.

« Voyez, Ramsès II... y adhère (aussi). La paix, qui est devenue nôtre, commençant à partir d'aujourd'hui, nous y adhérons et agirons sur base de cet accord permanent.

« Si un quelconque ennemi marchait contre les territoires de Ramsès II ... et que celui-ci s'adresse au grand Souverain du Hatti en disant : " Alliez-vous à moi et marchons contre lui ! ", le grand Souverain du Hatti agira alors (avec lui et) massacrera son ennemi. Le grand Souverain du Hatti, s'il n'est pas disposé à livrer le combat (personnellement), enverra ses troupes et ses chars et ils tueront son ennemi... » [Et Ramsès II agira de la même manière vis-à-vis d'Hattousil.]

« Si un Égyptien — ou deux ou trois — fuit et qu'il cherche asile chez le grand Souverain du Hatti, alors le grand Souverain du Hatti s'en saisira et le ramènera à Ramsès II, grand Souverain d'Égypte. Quant à la personne reconduite auprès de Ramsès II, grand Souverain d'Égypte, il ne lui sera fait aucun reproche de son erreur, sa maison ne sera pas détruite, ses femmes ou ses enfants auront la vie sauve et cette personne ne sera pas mise à mort. Elle n'aura à souffrir aucune blessure ni aux yeux ni aux oreilles ni à la bouche ni aux jambes. On ne lui reprochera (en fait) aucun crime. »

Ramsès s'adresse ainsi à Hattousil III dans le paragraphe qui suit :

« Maintenant, quant aux termes du traité que le grand Souverain du Hatti a passé avec Ramsès II, le grand Souverain d'Égypte, ils sont écrits sur cette tablette d'argent.

« Un millier de dieux, de déités mâles et femelles, appartenant au Hatti, ainsi qu'un millier de dieux, de déités mâles et femelles appartenant à l'Égypte sont mes témoins et ont entendu ces termes. (Nommément) :

« Le dieu du Soleil, Maître du Ciel, la déesse du Soleil de la cité d'Arinna ; le dieu de l'orage, Maître du ciel, le dieu de l'orage du Hatti, ... d'Arinna ; les dieux de l'orage de Zippalanda, Pittiyarik, Hissaspa, Saressa, Alep, ... ; Astarte de la terre du Hatti, ... la déesse de Karahna, la déesse du Champ de Bataille, la Déesse de Ninive ; ... la reine du Ciel, les dieux, les Maîtres du Serment, ... les Rivières des terres du Hatti ; les dieux de Kizzuwatna.

« Amon, Rê et Seth ; les dieux mâles et femelles ; les fleuves et les montagnes de la terre d'Égypte. Le Ciel, la Terre ; la Grande Mer ; le Vent ; les nuages et l'orage.

« En ce qui concerne les termes inscrits sur cette tablette d'argent par le Hatti et par l'Égypte :

« Celui qui ne les remplirait pas verrait le millier de dieux du Hatti ainsi que le millier de dieux de l'Égypte détruire sa maison, sa terre et ses serviteurs.

« Quant à celui qui respectera les termes de cette tablette d'argent, Hittite ou Égyptien, ... le millier de dieux du Hatti et le millier de dieux d'Égypte lui conféreront la prospérité et lui permettront de vivre avec sa maisonnée et sur sa terre. »

Les Égyptiens furent fascinés par les motifs gravés au centre sur les deux faces de la tablette d'argent. Lorsque l'ordre royal parvint à Thèbes d'y transcrire le Traité, les scribes y adjoignirent une explication descriptive de ces ornements. Il s'agissait en fait de reproductions dans de l'argent des impressions des grands sceaux de l'État du royaume hittite et de ses souverains (les originaux étant en argile bien sûr) :

« Ce qu'on observe au centre de la tablette d'argent : esquisse du dieu de l'orage étreignant la silhouette du

> grand Souverain du Hatti, entouré d'un carnèle légendé comme suit : Sceau du dieu de l'orage, Souverain du Ciel ; sceau du traité fait par Hattousil III, grand Souverain du Hatti, Vaillant, fils de Moursil (II), grand Souverain du Hatti, le Vaillant. Ce qui est inscrit sur la face : " Sceau du dieu de l'orage, Souverain du Ciel. " »

Vient ensuite une description semblable de l'envers du sceau, représentant la déesse solaire d'Arinna avec la reine Pudukhepa et les légendes appropriées. Ainsi qu'en attestent les documents originaux des archives hittites, les scribes de Ramsès offraient ici une description précise — presque archéologique — des sceaux de l'État sur la tablette d'argent. On connaît des sceaux similaires montrant le dieu de l'orage étreignant un roi hittite, qui présentent un carnèle portant des caractères cunéiformes, et une légende en hiéroglyphes à l'intérieur du sceau lui-même.

Félicitations mutuelles

La signature du traité fut l'occasion de réjouissances officielles, et les cours royales de l'Égypte et du Hatti échangèrent des messages de félicitation et de bons vœux. Les deux rois n'étaient pas les seuls signataires du traité. Au Hatti, Hattousil III avait coutume d'associer son épouse, la reine Pudukhepa, à tous les actes importants de l'État. Ainsi, lorsque son mari envoya ses vœux à Ramsès, la reine Pudukhepa écrivit-elle une lettre de félicitation parallèle à la reine Nefertari, qui était toujours la première épouse de Ramsès II en l'an 21. La cour égyptienne souscrivit aux réjouissances. La reine-mère Touya adressa ses compliments au Hatti, comme le firent le prince héritier de l'époque, Set-hir-khopshef et le vizir Paser. Selon l'usage, la reine Nefertari répondit aux lettres officielles de sa « sœur » hittite. Ces missives étaient traduites en caractères cunéiformes sur des tablettes d'argile par les scribes des Affaires étrangères à Pi-Ramsès :

> « Alors, *Naptera* (Nefertari), la Grande Reine d'Égypte, dit : " A Pudukhepa, la Grande Reine du Hatti, ma sœur, je parle ainsi :

« Avec moi, ta sœur, tout va bien, avec mon pays tout va bien.

« Avec toi, ma sœur, que tout aille bien ; avec ton pays que tout aille bien ! Vois maintenant, j'ai (bien) noté que toi, ma sœur, tu m'as écrit pour t'enquérir de mon bien-être. Et (que) tu m'as écrit quant à la (nouvelle) relation de bonne paix et de fraternité dans laquelle (se sont engagés) le Grand Roi, le Roi d'Égypte, et son frère, le Grand Roi, le Roi du Hatti.

« Puisse le Dieu-soleil (de l'Égypte) et le dieu de l'orage (du Hatti) t'apporter la joie ; et puisse le Dieu-soleil faire en sorte que la paix soit bonne et octroie la fraternité au Grand Roi, le Roi d'Égypte, avec son frère le Grand Roi, Roi du Hatti à jamais. Et (maintenant) je suis en amitié et en relation fraternelle avec ma sœur, la Grande Reine (du Hatti) aujourd'hui et pour toujours. " »

Les relations internationales étaient un domaine nouveau et peu familier à Nefertari comme le trahit sa lettre quelque peu emphatique.

Les deux cours échangèrent des présents : à titre de preuve matérielle de cette nouvelle cordialité : Nefertari envoya des bijoux, des étoffes teintées et des vêtements royaux à sa « sœur », et le prince héritier, Set-hir-khopshef, dit :

« Maintenant, j'ai envoyé des présents à mon Père (le roi hittite) par (l'envoyé) Parikhnawa. »

La nouvelle relation prenait un bon départ et augurait d'un avenir prometteur. Les envoyés égyptiens allèrent jusqu'à Ougarit, où les vases portant le nom de Ramsès II atteignirent le palais local. Hattousil III était à présent en mesure de faire face à l'Assyrie ou à ses ennemis proches du nord ou de l'ouest, certain du fait que l'Égypte l'assisterait et ne l'entraverait plus. Ce qui était préférable. A Babylone, Kadashman-Turgu mourut en laissant sur le trône un jeune homme (Kadashman Enlil II), qui se laissa influencer par une faction antihittite (probablement assyrienne) de la cour de Babylone, ayant à sa tête le redoutable vizir Itti-Marduk-balatu. La situation d'Hattousil était donc inconfortable.

Ramsès II était libre de concentrer son énergie sur d'autres projets, tels que l'achèvement des grands temples rupestres d'Abou Simbel. Cette nouvelle période de son règne fut pourtant obscurcie en l'an 22 ou au début de l'an 23, sa mère, la reine-mère Touya, une femme gracieuse et sereine d'une soixantaine d'années environ, mourut. Son fils, qui la chérissait passionnément, avait commandé à son intention la construction d'une merveilleuse tombe dans la Vallée des Reines à Thèbes, où elle fut inhumée.

La force de l'habitude et les tensions de l'après-traité

Un réalignement aussi radical présentait forcément des points de tension, l'amitié devant succéder à deux décennies de guerre et à près d'un siècle d'hostilités intermittentes. Le roi du petit État de Mira, en Asie Mineure, fut assez insensé pour s'enquérir auprès de Ramsès II de Ourhi-Teshoub, exilé politique à la cour d'Égypte. Ramsès lui adressa une réponse cassante :

> « Quant à l'affaire Ourhi Teshoub, elle n'est pas telle que vous la présentez... Prenez note des bonnes relations que (moi) le Grand Roi d'Égypte ai établi avec le roi du Hatti, mon frère... »

En dépit du rapprochement, l'affaire Ourhi-Teshoub constituait toujours un problème épineux. Rien n'interdit de penser qu'Hattousil ait souhaité appliquer rétrospectivement les termes du traité pour obtenir son extradition. Il est certain que, dans ce cas, Ramsès aura refusé ; en effet Ourhi-Teshoub résidait toujours à la cour d'Égypte dix ans plus tard. Il est probable que Ramsès ait tenté d'obtenir en sa faveur une redéfinition de la frontière syrienne, mais Hattousil fit la sourde oreille. Les deux monarques faisaient montre d'une grande susceptibilité à l'égard du problème Ourhi-Teshoub. Hattousil prenait par ailleurs ombrage du ton des lettres de Ramsès ; il les jugeait péremptoires, se plaignait d'être traité comme un inférieur et non comme un égal. Ramsès II réfuta l'accusation et tenta de rassurer son « frère » :

> « Je viens juste d'apprendre les mots que mon frère m'écrit, disant : " Pourquoi m'écris-tu, toi mon Frère,

comme si je n'étais qu'un de tes (simples) sujets ? " Quand tu écris : " comme si je n'étais qu'un de tes (simples) sujets " — tu m'offenses, mon Frère !... Tu as accompli de grandes choses sur toutes les terres ; tu es réellement le Grand Roi des terres du Hatti ; le dieu du Soleil et le dieu de la Tempête t'ont accordé de t'asseoir (sur le trône) du Hatti à la place de ton grand-père. Pourquoi t'écrirai-je, moi, comme à un sujet ? Souviens-toi que je suis ton frère. Tu devrais parler avec des mots réjouissants : " Puisses-tu te sentir bien tous les jours ! " Et au lieu de cela, tu profères ces mots insensés, indignes d'un message ! »

S'étant défendu et ayant reconnu avec une grande diplomatie la légitimité de l'usurpateur Hattousil en tant que successeur de son redoutable grand-père, le grand Souppilouliouma Ier, Ramsès II aborda d'autres sujets : les envoyés ; les présents mutuels (Hattousil n'avait envoyé qu'un seul esclave — un infirme) ; l'envoi de médecins égyptiens en terre hittite, ainsi que celui d'herbes spéciales dont les Hittites reconnaîtraient la valeur dans les années à venir.

Les dissensions s'atténuèrent au fil des ans, les deux partenaires apprenant à vivre avec leurs points faibles respectifs, leurs limites et des opinions culturelles différentes. Hattousil réservait à présent ses lamentations pour Babylone, le jeune roi Kadashman Enlil II l'ayant accusé de s'ingérer dans le rétablissement des relations entre Babylone et l'Égypte. Hattousil récusa cette accusation : les Égyptiens et les Hittites étant désormais alliés, pourquoi verrait-il une objection à ce que Babylone renoue ses anciennes relations avec l'Égypte ? Les relations babyloniennes et égyptiennes se révélèrent en définitive si bonnes que Ramsès II accepta même une princesse babylonienne dans son harem. En dépit de ses protestations, Hattousil III redoutait certainement un rapprochement égypto-babylonien. Le nouveau roi babylonien entretenait des relations amicales avec l'Assyrie et la formation d'un axe Assyrie-Babylone-Égypte constituerait une sombre menace pour le roi hittite et l'isolerait dans la diplomatie des grandes puissances de l'époque. « Si tu ne peux les battre, rejoins-les ! » Ce n'est pas exactement un proverbe hittite, mais c'est en fin de compte la ligne de conduite qu'adopta Hattousil. Un laps de temps raisonnable s'était écoulé depuis l'agression d'Hanigalbat, et Hattousil III se sentait à présent capable d'entamer des ouvertures puis des négociations avec Salmanasar Ier d'Assyrie. Le cercle des alliances fut alors bouclé — Hatti-Assyrie-Babylone-Égypte-Hatti — et la tranquillité assurée de tous les côtés, exception faite des pirates des mers et des tribus du Nord. Le monde de l'ancien Proche-Orient affichait une stabilité et un pacifisme dont il n'était pas coutumier.

MARIAGE ROYAL INTERNATIONAL

Marchandage pour une épouse

L'alliance égypto-hittite était devenue si stable au fil des ans qu'Hattousil III proposa à Ramsès la main de sa fille, afin de sceller leur alliance. Ramsès agréa cette proposition comme il convenait. Les deux souverains exprimèrent leur plaisir réciproque et échangèrent des souhaits mutuels.

Les affaires en étaient donc probablement à ce stade au début de la trente-troisième année du règne de Ramsès II, au cours de l'automne 1246 avant J.-C. Les envoyés royaux effectuaient d'incessants aller et retour entre les deux capitales. A ce moment-là, en un geste de parade plutôt inconsidéré, Hattousil exalté promit que sa fille recevrait une dot magnifique :

> « La dot sera plus belle que celle de la fille du roi de Babylone, et que celle de la fille du roi de B(arga ?)... J'enverrai cette année ma fille ; des serviteurs, du bétail, des moutons et des chevaux l'accompagneront : puisse mon frère envoyer un homme en terre d'Aya pour les accueillir !... »

Ramsès accéda avec joie à sa demande, et prit ses dispositions pour recevoir la princesse et sa dot au poste frontière hittite d'Aya, en Syrie méridionale, près de la province égyptienne d'Upi :

> « J'ai écrit au gouverneur Suta, à Ramsès-la-Ville (Kumidi) qui se trouve en Upi, pour recevoir ces esclaves Kaskéens, ces troupeaux en marche, ce menu et ce gros bétail qu'elle apportera, et il les conduira jusqu'à ce que la future épouse atteigne l'Égypte.
>
> « En outre, j'ai écrit au gouverneur de Ptah- (...) dans la ville de Ramsès (Gaza ?) qui se trouve à Canaan... (de même manière). " Veille aux besoins de l'escorte de ma future épouse " — ainsi as-tu écrit — j'ordonnerai donc qu'il en soit fait ainsi que mon Frère le désire ! »

Il semble toutefois qu'à ce stade des négociations, les Hittites ne respectèrent pas les délais, ce qui leur valut sans aucun doute des remontrances de Ramsès : on lui avait promis une princesse dotée de manière somptueuse et il ne constatait que des retards. Les reproches de Ramsès n'atteignirent pas immédiatement Hattousil dans sa capitale — l'empereur ayant sans aucun doute « quitté la ville » pour assister à l'un des innombrables rituels locaux qui éloignaient constamment les souverains hittites de leur palais. Ce fut la reine Pudukhepa qui envoya une réponse cinglante. Ramsès avait accueilli avec trop d'enthousiasme la vantardise d'Hattousil quant à la dot (surtout en ce qui concerne les délais) et prétendait à présent qu'une « poignée de main en or lui était indispensable » ! Scandalisée par ce qu'elle considérait être une impudence monstrueuse, la fière reine ne ménagea pas son « frère » monarque, Ramsès II.

> « Or toi, mon frère, tu m'écris ceci : " Ma sœur m'écrivit : ' je t'enverrai une fille ', pourtant tu la retiens loin de moi sans gentillesse. Pourquoi ne me l'as-tu pas encore donnée ? "
>
> « Tu ne devrais pas te méfier (de nous) mais (nous) croire. Je t'aurais envoyé la fille depuis longtemps, mais (... diverses difficultés...) ; (...) brûlé dans le palais. Ce qui resta, Ourhi-Teshoub le donna aux grands dieux. Puisque Ourhi-Teshoub est là-bas (près de toi), demande-lui s'il en est ainsi ou non ! Quelle fille sur terre ou dans le ciel pourrais-je donner à mon frère ?... L'obligerais-je à épouser une fille de Babylone, de Zulabi ou d'Assyrie ?...

« Mon frère ne possède rien? Si le fils de la déesse solaire ou le fils du dieu de l'Orage n'a rien... (seulement alors) n'as-*tu* rien (aussi)! Que *toi*, mon frère, tu désires t'enrichir à mes dépens... n'est ni amical ni honorable !!... »

L'image du grand Ramsès, constructeur de magnifiques temples et prospecteur d'or, plaidant la pauvreté et réclamant de manière éhontée la dot promise est un rôle grotesque et comique pour celui qui fut le héros de Kadesh! C'était toutefois plus outrageant qu'amusant pour la reine hittite altière et résolue.

La reine ne se contenta pas dans cette longue lettre de réprimander le pharaon qui avait osé se plaindre du retard de sa promise. Elle conclut avec humour sur de savoureux commérages internationaux répandus dans les cours de l'ancien Proche-Orient. Ramsès II avait accepté longtemps auparavant une princesse babylonienne dans son harem, mais (à l'instar d'Aménophis III) il n'avait pas autorisé les envoyés de son père à rendre visite à la jeune fille. La reine Pudukhepa avait alors commenté cette attitude déplacée et Ramsès l'avait reprise à ce propos dans la lettre qui faisait à présent l'objet du débat. Ainsi, rapportant ces faits, elle poursuit en révélant ses « sources » :

« Cette histoire me fut rapportée par Enlil-belnishé, envoyé du roi de Babylone. Mais aurais-je cessé d'écrire à mon frère simplement parce que j'aurais entendu ce conte? Mais puisque mon frère se méfie de moi à présent, je ne le ferai plus. Je n'imposerai plus à mon frère ce qui le peine! »

Quoi qu'il en soit, les réprimandes de la reine Pudukhepa ne découragèrent pas l'impulsif pharaon qui n'hésita pas à poursuivre le débat. Les affaires en cours se clarifièrent enfin puisque les Hittites se déclaraient prêts à lui donner la princesse; ils demandèrent qu'une délégation égyptienne se rende au Hatti pour apporter l'huile la plus fine afin d'oindre la jeune fille pour sa préparation au voyage de sa vie. Ramsès adressa promptement des lettres au couple royal hittite. Voici celle destinée à Pudukhepa :

« J'ai vu la tablette que ma sœur m'a envoyée et j'ai remarqué tous les sujets sur lesquels la Grande Reine du

Hatti, ma sœur, m'a si gracieusement écrit... Le Grand Roi, le roi du Hatti, mon frère, m'a écrit en disant : " Que des gens viennent, afin de verser l'huile fine sur la tête de la jeune fille, et puisse-t-elle être conduite dans la maison du Grand Roi, le roi d'Égypte ! " ... Excellente, excellente est cette décision au sujet de laquelle mon frère m'a écrit... (nos) deux grands pays deviendront une terre, à jamais ! »

La délégation spéciale fit le voyage et s'acquitta de sa mission sans doute au début de l'été 1246 avant J.-C., comme le rapporte avec fierté la reine Pudukhepa :

« Lorsque l'huile fine fut versée sur la tête de (ma) fille, les dieux de l'Enfer furent bannis... ; ce jour-là, les deux grands pays devinrent une terre, et vous, les deux Grands Rois, vous avez découvert la véritable fraternité. »

Toutes les formalités ayant été accomplies, Ramsès reçut certainement ces nouvelles avec plaisir et se prépara à recevoir la princesse.

La marche nuptiale

Ainsi, en l'an 34 du règne de Ramsès II, à la fin de l'automne 1246 avant J.-C., la princesse hittite quitta définitivement sa demeure septentrionale, accompagnée par une brillante escorte de soldats, de dignitaires et d'envoyés des deux terres. Sa dot la précédait : troupeaux de bétail, esclaves et une caravane de bijoux précieux et d'étoffes, la richesse de l'ancien Proche-Orient. Ils descendirent au sud par les défilés du Taurus, traversèrent le Kizzuwatna (aujourd'hui la Cilicie), contournèrent le mont Amanus par l'est et poursuivirent par la plaine d'Alep en Syrie du Nord. Ils se dirigèrent ensuite vers l'Oronte et vers Kadesh en longeant les frontières d'Amourrou puis vers la frontière de la partie syrienne appartenant à l'Égypte. C'est à cet endroit que la reine Pudukhepa fit ses adieux à sa fille. Accueillies par la délégation égyptienne, la princesse et son escorte furent alors dirigées sur Canaan ; elles empruntèrent ensuite la route côtière que surplombe le Sinaï et remontèrent vers l'Égypte. Cette caravane arriva enfin à Pi-Ramsès où la dot merveilleuse fut présentée au roi. En février 1245 avant J.-C., Ramsès accueillit la princesse hittite, si longtemps attendue, dans le grand palais de Pi-Ramsès. Elle était, souhaitons-le, charmante à l'instar de toutes les princesses hittites ; lui était encore un bel homme d'une cinquantaine d'années ; ni sa fierté ineffable ni le fait d'être traité comme une déité sur terre ne parvenaient à altérer sa séduction. Quoi qu'il en soit, les réjouissances générales succédèrent au grand événement, et une gigantesque inscription, composée spécialement pour la circonstance, fut gravée dans les temples les plus importants d'Égypte : à Thèbes (Karnak), à Éléphantine, à Akcha, à Abou Simbel et à Amara-Ouest. Une version plus concise fut réalisée à l'intention de la déesse Mout à Karnak. Les loyaux fonctionnaires, qui s'étaient acquittés de leur tâche consistant à ramener la princesse en Égypte, furent dûment récompensés ; le doyen des envoyés royaux, Huy, fut pressenti pour être le prochain vice-roi de Nubie.

Les grandes compositions poétiques des bardes de Ramsès étaient fleuries et rhétoriques à l'excès ; elles contrastaient avec les douzaines d'échanges diplomatiques sérieux en caractères cunéiformes qui avaient marqué les deux années précédentes consacrées au marchandage et à la négociation. Ceci vaut surtout pour la grande Inscription du Mariage vantant la puissance de Ramsès. Hattousil en eût plus que probablement été offusqué s'il en avait eu connaissance :

> « An 34, sous la Majesté de... Ramsès II. Commencement de la splendide commémoration, devant magnifier le pouvoir du Maître de la Force, exalter sa vaillance et vanter sa victoire et les grandes et mystérieuses merveilles qui sont survenues avec le Maître des Deux Terres, véritable incarnation de Rê, plus que tout roi (« dieu ») précédent qui soit jamais né, dont la valeur fut décrétée... Ramsès II. »

Après trente lignes emphatiques louant les mérites du roi et racontant comment le roi hittite, qui avait imploré en vain les faveurs de Ramsès II, décida finalement de lui donner sa fille en mariage, le texte se poursuit :

> « Alors, il (le roi hittite) fit amener sa fille aînée et un tribut splendide (la précédant) d'or, d'argent, de bronze, d'esclaves, de couples de chevaux, de bétail, de chèvres et de béliers par milliers (tels étaient) les dons que reçut Ramsès II.
>
> « On fut agréable à Sa Majesté en disant : " Voyez, le Grand Souverain du Hatti a envoyé sa fille aînée avec un riche tribut ; la princesse et les grands du Hatti ont parcouru une longue route pour l'apporter. Ils ont traversé de lointaines montagnes et des défilés dangereux et ils ont à présent atteint la frontière (syrienne) de Votre Majesté. Que l'armée et les fonctionnaires aillent les accueillir ! "
>
> « Alors Sa Majesté se réjouit (entrant) dans le palais joyeusement, lorsqu'il entendit ces événements merveilleux, inconnus (auparavant) en Égypte. Il ordonna à son armée et aux fonctionnaires de se mettre en route pour les accueillir.
>
> « Sa Majesté ayant réfléchi dit : " Comment feront-ils, ceux que j'ai envoyé en Syrie, en ces jours de pluie et de neige hivernaux ? " Alors, il offrit une riche oblation à son père (le dieu) Seth, ... en disant : " Le ciel est entre tes mains, la terre est sous tes pieds, quoi qu'il advienne tu l'as ordonné — alors puisses-tu n'envoyer ni pluie ni vent glacé ni neige jusqu'à ce que la merveille, que tu as choisie pour moi, me rejoigne ! "
>
> « Alors, son père Seth tint compte de ses paroles et le ciel resta calme et il y eut des journées estivales durant la saison d'hiver. C'est pourquoi son armée et ses fonctionnaires se mirent en route d'un pas léger et d'un cœur heureux.
>
> « Voyez, alors que la fille du Grand Souverain du Hatti entrait en Égypte, les troupes, les chars et les fonctionnaires de Sa Majesté l'escortèrent, se mêlant aux troupes, aux chars, aux fonctionnaires du Hatti... Ils mangèrent et burent ensemble, unis comme des frères — aucun ne traita son compagnon avec mépris, la paix et l'amitié régnant parmi eux, semblable à celle qui habitait le dieu lui-même, Ramsès II.
>
> « Ainsi, les chefs dirigeant chaque terre que (la caravane) traversa, se prosternèrent, s'évanouissant à la vue de tout le peuple du Hatti uni à l'armée du roi d'Égypte... (comme pour Ramsès II)... la terre du Hatti est avec lui tout comme la terre d'Égypte. Le ciel même est à ses ordres et concrétise tous ses désirs !

> « Alors une grande merveille de valeur survint (?) en l'honneur de la " caravane " (?) lorsqu'elle atteignit Pi-Ramsès... Le troisième mois d'hiver de l'an 34 du règne de Ramsès II.
>
> « Puis la fille du Grand Souverain du Hatti fut introduite... devant Sa Majesté, avec à sa suite un somptueux et abondant tribut. Ensuite, Sa Majesté la vit, comme une personne de belle apparence, la première parmi les femmes — les grands (l'honorèrent comme ?) une véritable déesse ! Voyez, c'était un événement grand et mystérieux, une merveille précieuse, que la tradition populaire ignorait et n'avait jamais chantée, que la tradition écrite n'avait jamais rapportée depuis le temps des aïeux : la fille du Grand Souverain du Hatti entrant, pénétrant en Égypte à la rencontre de Ramsès II.
>
> « Or elle était belle selon l'avis de Sa Majesté et il l'aima plus que tout ; elle représentait pour lui un événement de première importance, un triomphe que son père Ptah-Tatenen lui avait réservé.
>
> « Son nom (égyptien) fut proclamé ainsi : " Reine *Maât-Hor Neferure,* puisse-t-elle vivre, fille du Grand Souverain du Hatti et fille de la Grande Reine du Hatti. "
>
> « Elle fut installée dans le palais royal, accompagnant chaque jour le Souverain, son nom rayonnant sur la terre (entière)... »

A la gloire extérieure attachée à cet événement d'État, aux foules joyeuses dans les rues, sur les places et dans les tavernes de Pi-Ramsès, à l'éblouissante splendeur de la dot, à la silhouette svelte de la princesse aux côtés du fier pharaon dans les salles à colonnades du trône s'ajoutaient les implications pratiques du renforcement d'une alliance, ainsi qu'en attestent les écrits des scribes royaux :

> « A l'issue de cet événement, un homme, ou une femme, qui se rendait en Syrie pour affaire, pouvait atteindre la terre du Hatti, sans que la peur ne hante son cœur, grâce aux victoires de Sa Majesté » — [dont les conquêtes matrimoniales !].

La nouvelle reine

Le fastueux événement retentissait encore à travers l'Égypte près d'une année plus tard, au cours de l'hiver de l'an 35 du règne (début décembre 1245 avant J.-C.). Le dieu Ptah de Memphis accorda, cette année-là, sa bénédiction à Ramsès II en une grande inscription qui fut composée afin d'être gravée dans les temples les plus importants d'Égypte et de Nubie, formant ainsi le pendant de la grande Stèle du Mariage de l'année précédente. En se référant à la récente union royale, on fit remarquer à Ptah :

> « Depuis les premières Annales secrètes des Dieux dans la Maison-des-Livres, depuis l'époque de Rê jusqu'à ce jour, nul n'a jamais entendu parler d'une relation amicale entre le Hatti et l'Égypte. »

L'Épouse hittite de Ramsès II fut très honorée au début au même titre que ses consœurs égyptiennes, les reines-princesses Bint-Anath, Meryet-Amon ou Nebettaouy. Son nom — « Elle qui voit le Faucon (Roi) qui est la splendeur visible de Rê » — apparut sur les monuments de Pi-Ramsès ; elle figure en tant que reine à part entière dans l'art statuaire officiel et sur les plaques vernissées utilisées comme amulettes ou déposées dans des coffres à offrandes. Mais ainsi que nous le verrons, elle devint une matrone dans les années qui suivirent, et on l'installa dans le grand Harem de la province-jardin du Fayoum, à quelque 200 kilomètres de Pi-Ramsès et de ses visiteurs hittites.

VISITES ROYALES INTERNATIONALES

Le prince héritier hittite en Égypte

Les vieilles suspicions s'évanouirent et une sensation de détente s'installa tandis que passait la « décennie du mariage » (ans 33 à 42) et que le Hatti et l'Égypte partageaient une solide amitié.

Non seulement les Envoyés Royaux habituels des deux nations faisaient-ils sans cesse l'aller et retour, mais encore de hautes personnalités entreprirent le voyage de plus de 1300 kilomètres entre la ville-citadelle de Hattousa et celle bordée de palmeraies de Pi-Ramsès. L'une d'entre elles fut le prince Hishmi-Sharruma, fils d'Hattousil III et prince héritier du royaume hittite, destiné un jour à succéder à son père sous le nom de Toudkhalia IV.

A l'instar de sa sœur (la reine d'Égypte) le prince Hishmi-Sharruma choisit de voyager du Hatti vers l'Égypte pendant les mois d'hiver ; un détail que remarqua Ramsès II dans une lettre adressée au père du prince, le roi Hattousil :

> « Voyons maintenant, lorsque Hishmi-Sharruma vint, ce fut durant les mois de froid (hiver) ! »

A l'issue de sa visite en Égypte durant l'uniforme climat hivernal de cette terre favorisée — la véritable « saison touristique » ! — le prince retourna en Hatti (probablement durant le printemps). Il rentra « avec les Envoyés qui l'accompagnaient » chargés de présents pour la cour hittite. Rien n'interdit de s'interroger quant aux sentiments que le futur roi hittite retira de la vie à la cour de Ramsès II. Fut-il impressionné par les reliefs peints et sculptés qui ornaient les immenses temples de pierre des dieux égyptiens ? Engagea-t-il jamais, par l'intermédiaire des interprètes, des discussions sur la nature, sur les formes et sur l'organisation de la religion égyptienne, sur les usages et sur l'administration politique égyptienne avec des notables tels que les princes Khaemwaset et Merenptah, les fils aînés de Ramsès II ? Nous ne connaîtrons probablement jamais les réponses à ces questions, mais un fait est certain : il est impossible qu'il soit demeuré muet durant son long séjour. Il suffit de remarquer en passant que ce fut Toudkhalia IV, en particulier, qui réalisa les maints reliefs du panthéon des dieux hourito-hittites sur la partie principale du grand temple de pierre à ciel ouvert de Yazilikaya, proche de la capitale hittite. Il utilisa également les hiéroglyphes hittites à une échelle monumentale plus souvent que ses prédécesseurs. Et ce fut Toudkhalia IV qui organisa la surveillance et l'inventaire des cultes religieux de son grand royaume, en structurant les archives, en les recopiant et en procédant à des vérifications minutieuses. Il est

La plus prestigieuse inscription de musée du monde. Pyramide du roi Ounas.

Vue de la salle à colonnades ouvrant sur la salle du trône. Reconstitution du palais de Thèbes-Ouest de Ramsès III, identique dans le tracé à celui de Ramsès II.

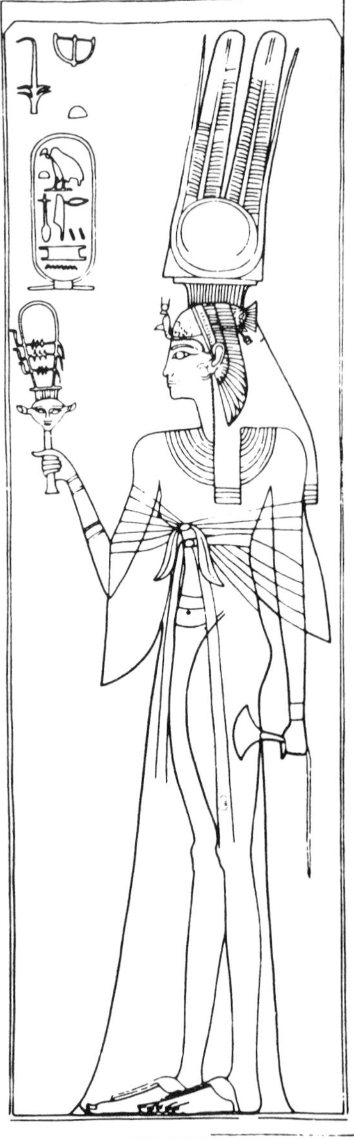

La reine Nefertari, Première Epouse de Ramsès II. (Abou Simbel.)

Le prince Khaemwaset. (British Museum.)

Statue de la reine Touya, mère de Ramsès II. (Musée du Vatican.)

Statue de vizir Paser. (Musée du Caire, J. 38062.)

Stèle du Sérapéum représentant le prince Khaemwaset et son secrétaire Tjay qui honorent le taureau Apis, provenant de Saqqarah. (Musée du Louvre.)

Sarcophage de granit du vice-roi Sétau. (British Museum.)

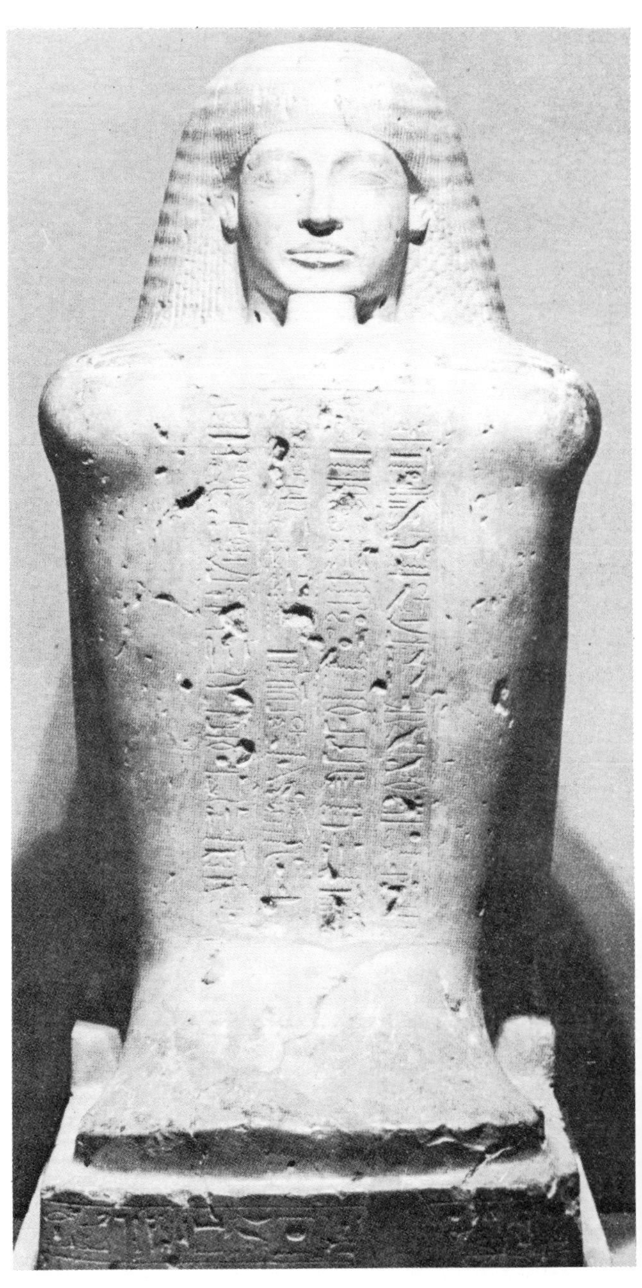

Statue de Bakenkhons, grand prêtre d'Amon. Les inscriptions nous renseignent sur l'évolution de sa carrière. (Munich, Collection bavaroise d'État).

Le dieu Thot, protecteur des scribes et de la connaissance, assis sur le trône, un calame dans la main et assisté par « Vision » personnifiée. (Temple de Ramsès II, Abydos.)

Mose triomphe à la cour de justice. En haut à gauche : le « banc » où siègent les juges ; un scribe communique le verdict. En haut à droite : la partie adverse ploie sous les coups de l'officier tandis que Mose applaudit le verdict qui lui donne raison. En bas, Mose quitte la cour, les bras écartés en signe de victoire. (Musée du Caire.)

également permis de se demander si ce n'est pas le souvenir de l'Égypte qui le poussa ultérieurement à recourir à l'art et à l'écriture monumentaux dans la religion hittite et à organiser le type d'inventaire si cher aux rois égyptiens mais inconnu des Hittites.

Hattousil III a-t-il visité l'Égypte ?

Le succès de visites si peu formelles telles que celle de Hishmi-Sharruma permirent un événement encore plus important : une visite du grand souverain du Hatti à Ramsès II en Égypte. Ramsès, toujours optimiste, invita chaleureusement Hattousil à venir visiter l'Égypte afin que les deux souverains fassent connaissance. Hattousil, toujours renfrogné, réserva un accueil assez glacial à cette invitation :

> « Que mon Frère m'écrive et me dise seulement ce que nous ferions là-bas ! »

Ramsès ne se laissa pas démonter et répondit chaleureusement :

> « Qu'a donc dit mon Frère ?... »

Et il réitéra son invitation de manière encore plus pressante :

> « Le Dieu-soleil (d'Égypte) et le dieu de l'orage (du Hatti) feront en sorte que mon Frère voie son Frère : puisse mon Frère accepter cette bonne suggestion de venir me voir. Et alors (nous) nous connaîtrons l'un l'autre à l'endroit où le Roi (Ramsès) se tient sur son trône. J'irai moi-même à Canaan, afin de rencontrer mon Frère et de le voir en face à face et de le recevoir au cœur de ma terre ! »

Ramsès offrit donc de rencontrer son futur invité à Canaan, peut-être d'abord dans une résidence officielle (à Gaza ?), puis de l'escorter personnellement en Égypte et très certainement à Pi-Ramsès tout proche.

Il se pourrait que Ramsès soit parvenu à convaincre le

prudent monarque hittite de sa bonne volonté et de la sincérité de son invitation. Mais (si tel fut le cas) une nouvelle complication surgit. Hattousil souffrit d'une inflammation des pieds qui l'empêcha temporairement de se rendre en Égypte. Les Hittites promirent aux Égyptiens de leur adresser un « rapport fiable » de la progression de la convalescence du roi — qui persistait dans son intention de se rendre en Égypte. La reine Pudukhepa fit même un rêve au sujet de ce voyage, dans lequel un messager divin lui conseillait de...

> « ... faire un vœu à la déesse Ningal, en ces termes : " Si cette maladie de Sa Majesté (nommé) *Brûlure des Pieds* guérit rapidement, alors je ferai dix flacons d'or sertis de lapis (bleus) pour Ningal !" »

Les pieds d'Hattousil guérirent effectivement et à en juger d'après une lettre il « avait quitté sa ville » et prenait la route de l'Égypte. Rien n'interdit donc de penser qu'Hattousil III et Ramsès II — probablement les hommes les plus puissants du monde à leur époque — se soient rencontrés à Canaan et à Pi-Ramsès. Nous ne possédons jusqu'à présent aucun récit authentifié détaillant cet événement prestigieux : il est possible qu'une stèle ait été détruite depuis longtemps dans les ruines de Pi-Ramsès et qu'aucune trace n'en ait subsisté ou ne soit identifiable. Un passage des papyrus « scolaires » de Memphis raconte d'une manière plutôt enjouée que le grand souverain du Hatti écrivit au souverain de Qode (Syrie du Nord), le pressant de se préparer à se précipiter en Égypte afin d'y rendre un hommage obséquieux à Ramsès II. Un mémorandum fragmentaire de Thèbes présente le début d'une lettre type comme si elle avait été écrite par Ini-Teshoub Ier, roi de Karkémish. Il existe donc une probabilité pour que cette « rencontre au sommet » historique ait eu lieu malgré l'absence de traces ultérieures.

ENCORE UN MARIAGE ROYAL

Y a-t-il un médecin dans la maison ?

La cour hittite appréciait de plus en plus le savoir-faire égyptien, en particulier en matière de médecine. La réputation des médecins égyptiens et de leurs remèdes devint légendaire tant à la cour d'Hattousa que dans les cours satellites. Ainsi, une série de lettres furent échangées avec la cour royale hittite (en utilisant la nouvelle titulature royale de Ramsès II, « Ramsès II aimé d'Amon » plus « Dieu souverain d'Héliopolis » [exprimé par *ilum, Sharru Ana,* en babylonien officiel]) vers les années quarante du règne de Ramsès II (vers 1240-1230 avant J.-C.). Ainsi, lorsque l'un des vassaux d'Hattousil, un petit roi local, Kurunta, sollicita l'aide médicale égyptienne par l'entremise de son souverain, le Grand Roi, Ramsès II fut-il en mesure de le satisfaire :

> « Alors, j'ai convoqué un médecin érudit. Le (Dr) Pariamakhu sera envoyé pour préparer des herbes pour Kurunta, roi de la terre des Tarhuntas ; il requit une (sélection) de toutes les herbes, en fonction de ce que vous m'avez écrit. »

Le (Dr) Pariamakhu rendit service en d'autres occasions. Les caractères cunéiformes désignant un « médecin érudit » signifient, dans un sens littéral, « Scribe (et) Médecin » et équivalent au titre « Scribe (Royal) et Médecin (Chef) ». L'habileté particulière de cet homme résidait, semble-t-il, dans sa capacité à préparer des médicaments à base d'herbes. Ces allées et venues étaient courantes depuis longtemps entre les cours égyptiennes et les cours du Proche-Orient. Les Syriens venaient en Égypte pour consulter les médecins égyptiens, ou les docteurs égyptiens étaient mandés par les rois du riche État d'Ougarit, sur la côte septentrionale de la Syrie.

La foi hittite en l'art médical égyptien ne connaissait pas de limites, pour le plus grand embarras de Ramsès. Hattousil écrivit au pharaon, réclamant un médecin pour préparer des drogues afin d'aider sa sœur mariée à avoir des enfants. Ramsès lui répondit avec une candeur et un manque de courtoisie manifeste :

> « Voyons maintenant, en ce qui concerne Maranazi, la sœur de mon Frère, (moi) le roi ton frère je la connais. Elle a cinquante ans ? Jamais ! Elle en a soixante, c'est évident !... Personne ne peut fabriquer de médicament lui permettant d'avoir des enfants. Mais, naturellement dans le cas où le Dieu-Soleil et le dieu de l'orage le souhaitent... j'enverrai un bon magicien et un médecin capable, et ils lui prépareront quelque drogue pour la procréation (qu'il en soit ainsi fait). »

Une nouvelle princesse

Les relations étaient, semble-t-il, devenues si cordiales, qu'Hattousil III offrit à Ramsès une seconde fille en mariage, dont la dot n'avait rien à envier à la précédente. « Ne dis jamais non à une dame » (surtout lorsqu'elle est bien dotée), semble avoir été le mot d'ordre du pharaon à ce sujet. Une seconde princesse hittite partit donc pour l'Égypte. Les souverains vassaux contribuèrent, eux aussi, à la richesse et à la splendeur de cette nouvelle union. Nous ignorons tout de la correspondance diplomatique et des négociations qui concernèrent ce mariage. Mais, à cette occasion, les poètes de la cour du pharaon se mirent une nouvelle fois au travail, présentant cet événement comme un don des dieux, dans un texte très poétique placé sur les stèles de divers temples :

> « Sa Majesté décréta que (le récit) des grandes merveilles accordées par Ptah-Tatenen... (et par d'autres dieux...) à Ramsès II, leur beau-fils, serait inscrit sur (une stèle). Il relatait la manière dont les Dieux de l'Égypte amenèrent les chefs souverains de toutes les terres étrangères à apporter leur tribut à Ramsès II, leur beau-fils, parmi lequel se trouvaient de grandes quantités d'or, d'argent et toute sorte de pierres précieuses nobles.

« Le grand souverain du Hatti envoya le riche et massif butin du Hatti,
le riche et massif butin de Kaska,
le riche et massif butin d'Arzawa,
le riche et massif butin de Qode,
dont (l'étendue) était inégalée, pour Ramsès II,
et maints couples de chevaux,
maintes hordes de bétail,
maints troupeaux de chèvres,
maintes paires de gros gibier,
précédaient sa fille qu'il adressa à Ramsès II, en Égypte, en cette seconde occasion. Ce ne furent ni les troupes ni les chars qui les amenèrent, mais la puissance des Dieux d'Égypte et des Dieux de chaque pays — *eux* firent que les chefs souverains de chaque terre apportent (leur tribut sur) leurs épaules, à Ramsès II.
« Ils (les dieux) firent que les chefs souverains apportent leur or,
apportent leur argent,
apportent leur vaisselle de jade à Ramsès II,
apportent leurs couples de chevaux,
apportent leurs hordes de (bétail),
apportent leurs troupeaux de chèvres,
apportent leurs couples de gibier,
ce furent les enfants des chefs souverains des terres du Hatti
qui présentèrent leurs dus, d'eux-mêmes, venant d'aussi loin que les limites
des territoires de Ramsès II.
Ils vinrent (réellement) d'eux-mêmes, aucun personnage officiel ne les accompagna,
aucune troupe ne les accompagna,
aucun char ne les accompagna,
aucun porteur ne les accompagna,
c'était Ptah-Tatenen, Père des Dieux, qui déposait toutes les terres et tous les pays sous les pieds de ce beau dieu (Ramsès II) à tout jamais ! »

Ainsi, notre aperçu du rapprochement des relations égypto-hittites se termine sur une aura d'harmonie et de splendeur courtoise. Nous ignorons tout du nom et du sort de la jeune fille qui suivit sa sœur dans le harem de Ramsès II. Nous ne possédons d'ailleurs plus d'information sur les relations ultérieures entre les deux cours. Nous ne sommes même pas certains de la date de ce second mariage hittite de Ramsès II, mais il intervint probablement pendant les années quarante du règne, lorsqu'il adopta le titre de « Dieu Souverain d'Héliopolis » (présent dans les textes cunéiformes) — et du vivant d'Hattousil III. Rien n'interdit d'avancer que lorsque Hattousil III « alla vers son destin et devint dieu », comme l'auraient dit les Hittites et que son fils Toudkhalia IV lui succéda, les relations se relâchèrent graduellement. L'Égypte et le Hatti restèrent néanmoins longtemps alliés probablement aussi longtemps que les deux pouvoirs coexistèrent. Ramsès vieillissant régna encore pendant quelque vingt années jusqu'en 1213 avant J.-C. La fin de son long règne, qui dura soixante-sept ans, fut placé sous les auspices de la splendeur à l'extérieur de la paix et de la prospérité à l'intérieur.

Des échos à travers les siècles

Les importants et splendides « événements royaux » que vécurent ces puissances qu'étaient l'Égypte et le Hatti, seraient les derniers pour les siècles à venir, bien que nul ne pût le savoir à cette époque. Les mariages politiques restèrent en vigueur à cette époque et ultérieurement, mais ne furent plus jamais célébrés avec un tel faste, une telle poésie et un tel apparat. Mais la mémoire égyptienne n'oublia jamais ces événements brillants dont la tradition fut gravée pour la postérité sur les monuments de Ramsès. Un millier d'années plus tard, les prêtres de Thèbes connaissaient toujours l'histoire d'une princesse étrangère devenant reine d'Égypte, et celle des médecins égyptiens se rendant à l'étranger. Ils rattachèrent ces contes merveilleux à la réputation de l'un des dieux mineurs de Thèbes au IIIe siècle avant J.-C., et érigèrent même une stèle impressionnante « commémorant » à tort le rôle de Khons qui gouverne, guérisseur, œuvrant à l'époque lointaine et dorée de Ramsès II et de la reine « Neferure ».

TROISIÈME PARTIE

LE ROYAUME DU DIEU SOLEIL

CHAPITRE VI

LA FAMILLE ROYALE ET LES CAPITALES DU ROYAUME

LES BEAUTÉS DU PALAIS

La grande dame : la reine-mère Touya

La guerre et la paix, les constructions et les batailles occupaient la majeure partie du temps de Ramsès II. Il dirigeait également sa vie familiale à une échelle grandiose. Ayant disposé d'un harem depuis sa nomination au rang de prince régent, ainsi que d'une demi-douzaine de reines en titre au cours de son règne, Ramsès II peupla les palais et les harems d'une centaine de fils et de filles.

Mais pendant les vingt premières années du règne, une femme se dressait au-dessus de la foule : la reine-mère. La reine Touya avait sans aucun doute été la fidèle compagne et conjointe de Séti Ier, mais n'avait joué aucun rôle important dans les affaires politiques et publiques. Elle est très souvent absente des monuments du règne de son mari.

Ramsès II était cependant très attaché à sa mère, et en tant que pharaon, il lui témoigna une estime considérable. Des statues de Touya, la reine-mère, furent élevées dans le Ramesseum à Thèbes, et à Pi-Ramsès ; le musée du Vatican en possède un très bel exemple. Son image était associée à celle de Ramsès II, de la reine Nefertari et de leurs enfants sur les façades des temples rupestres d'Abou Simbel à quelque 1600 kilomètres au sud du Delta. Qui plus est, Ramsès II reconstruisit à Thèbes, sur le côté nord du Ramesseum, un petit temple en grès, qu'il dédia à Touya. Il se composait d'un portique, d'une cour et de salles ; les piliers étaient couronnés de chapiteaux représentant la déesse Hathor. Il est possible que cet édifice, constitué de deux suites parallèles, ait servi de mémorial tant à Touya qu'à Nefertari. Les reliefs représentant les parents de la reine-mère Touya, le lieutenant des chars Raia et sa femme Ruia proviennent sans doute de là. La décoration reprenait en outre la légende de la *Naissance divine du Pharaon,* que Ramsès II adoptera afin de souligner la nature divine de sa souveraineté. Ce dogme théologique affirmait qu'Amon s'incarnait lui-même dans le père du roi lorsque la reine concevait un fils (le roi — Ramsès II en l'occurrence). Le futur jeune roi était donc de par sa naissance tant le fils d'Amon de Thèbes que celui de son père terrestre et royal. La reine Hatchepsout et Aménophis III, qui appartenaient à la dynastie précédente, avaient fait leur la légende ainsi qu'en attestent leurs temples respectifs de la rive gauche et de Louxor.

La reine-mère jouit d'insignes honneurs durant les dernières années de sa vie. Elle connut les vingt années du conflit en Syrie et participa à la célébration officielle du traité de paix hittite en l'an 21, adressant même l'un des nombreux messages officiels de félicitation à la cour hittite. Pendant ce temps, à Thèbes-Ouest, Ramsès avait ordonné, à son intention, la réalisation d'une splendide tombe dans la Vallée des Reines, dont les escaliers menaient à trois salles creusées dans la roche, qui débouchaient sur une salle de piliers. Elle fut décorée avec délicatesse, meublée avec somptuosité, et un sarcophage de granit rose fut installé pour contenir ses cercueils. Ce fut dans le courant de l'an 22 (1258-1257 avant J.-C.) très peu de temps après l'instauration de la paix, que Touya — âgée vraisemblablement d'une soixantaine d'années — mourut et alla reposer dans sa « maison d'éternité ».

Les sœurs du roi

Les sœurs de Ramsès vivaient également à la cour. L'une était plus jeune que le souverain, l'autre plus âgée. Tija avait épousé un homme nommé Tia avant même que le grand-père de Ramsès n'ait porté la famille sur le trône. Après son accession au trône en tant que monarque absolu, Ramsès avait nommé son beau-frère Superintendant du Trésor et du Bétail du Ramesseum, un poste de responsabilité qui permettait à Tia de surveiller le bon fonctionnement de ce temple. Tija était elle-même « Prêtresse d'Amon, Grand-des-Victoires », attachée à ce culte dans la résidence du Delta, ainsi qu'à Memphis et à Héliopolis.

Ramsès fit de sa plus jeune sœur, Hentmire, l'une de ses reines « consortes » puisque, née dans la pourpre de Séti Ier, elle était en quelque sorte héritière du royaume. S'inspirant d'un précédent intervenu durant la XVIIIe dynastie, Ramsès la plaça donc parmi ses épouses officielles. Le rôle de Hentmire était toutefois modeste ; elle apparaît rarement dans les cérémonies publiques ou sur les monuments. Elle est représentée sur la statue de sa mère qui se trouve au Vatican, et sur une statue relativement tardive de Ramsès II. Elle décéda vraisemblablement au cours des années quarante du règne de son frère. Son sarcophage, qui fut trouvé à Thèbes, est aujourd'hui au musée du Caire.

Les reines rivales : Nefertari et Istnofret

Deux jeunes femmes se distinguèrent parmi la galaxie qui peuplait la « maison » octroyée par Séti Ier à son fils le prince régent. Il s'agissait des reines en titre : Nefertari et Istnofret, sa consœur principale. On ne connaît toutefois rien de l'origine et des antécédents de ces deux jeunes filles, qui furent les compagnes les plus proches de Ramsès pendant les vingt premières années de son règne. Que Nefertari ait été aussi gracieuse, belle et charmante que son mari était beau et dynamique, est plus suggéré que prouvé par la beauté de l'exécution des monuments, comme si on avait souhaité lui rendre justice. Ramsès II lui vouait certainement un très grand attachement. En tant que première épouse, c'était elle qui apparaissait en public aux côtés du roi lors des cérémonies d'apparat et des grandes fêtes religieuses, et c'était sa silhouette mince et élancée qui côtoyait celle de son époux dans la statuaire des temples, durant les deux premières décades du règne.

Aux côtés de Nefertari, la seconde reine Istnofret, fait (à nos yeux) figure de « doublure » durant cette période. On ne connaît, à l'heure actuelle, aucun événement qui aurait été éclairé de sa présence ; aucun colosse ne la montre aux côtés de Ramsès, aucun temple ne fut construit à son intention. Régnait-il quelque malaise ou quelque jalousie dans le harem royal entre la « première Dame » et la « deuxième » ? Nulle allusion à un conflit ne vient appuyer cette supposition. Istnofret enviait-elle sa consœur ? Connaissait-elle la place qui lui revenait, se satisfaisait-elle d'un rôle obscur sachant qu'il n'en irait pas toujours ainsi ? Ramsès II accordait certainement une profonde estime à sa deuxième conjointe ; un chapelet en or, provenant d'un bijou splendide, associe le nom des deux époux. Nefertari engendra le fils aîné, Istnofret le second et la première fille ; et toutes deux eurent de nombreux enfants. Ce furent, en outre, les fils talentueux d'Istnofret qui en définitive se distinguèrent et parvinrent à la succession.

Carrière et monuments de la reine Nefertari

Le rôle prééminent de la reine Nefertari fut établi d'emblée. Elle accompagna Ramsès à Thèbes en l'an 1, éclairant de sa présence gracieuse l'audience royale à Abydos au cours de laquelle Nebwenenef fut nommé grand prêtre d'Amon. Elle est représentée en l'an 3 aux côtés du roi dans les scènes gravées au dos du nouveau grand pylône du temple de Louxor (ainsi que sur les autres scènes de cet endroit), tout comme dans le granit des statues placées sur ordre du roi autour de la nouvelle avant-cour. Elle apparaît à Karnak, et rien n'interdit d'avancer qu'elle ait partagé avec la reine-mère Touya le petit temple situé sur l'autre rive du fleuve, le long du côté nord du Ramesseum. Dans la Vallée des Reines, les ouvriers de la Tombe Royale creusèrent et décorèrent une tombe des plus splendides — salles d'entrée, escaliers, salle à colonnades, magasins et chambres annexes — ornée de scènes de la meilleure facture, sculptées en bas-reliefs et recouvertes de peintures éclatantes. C'était vraiment la plus jolie « demeure éternelle » jamais réalisée dans la Vallée des Reines.

Mais des honneurs encore plus insignes attendaient Nefertari dans la lointaine Nubie. Des deux grands temples d'Abou Simbel, l'un était destiné à Ramsès II et aux dieux étatiques, l'autre, à la déesse Hathor, était dédié à la reine Nefertari. De chaque côté de la façade se trouvait une représentation colossale de la reine flanquée de statues du roi. Des statues plus petites des enfants royaux se tenaient à leurs côtés. Ces six statues gigantesques, qui semblaient jaillir de la montagne, étaient entourées d'inscriptions hiéroglyphiques précisant que :

> « Ramsès II a fait bâtir un temple, creusé dans la montagne, dont la facture est éternelle... pour la première Reine, Nefertari Aimée-de-Mout, en Nubie, à tout jamais, ... Nefertari ... pour le sort de qui le soleil même brille ! »

La reine apparaît aussi souvent que son époux sur les murs du temple ; ce n'est qu'à l'arrière du sanctuaire intérieur que Ramsès reprend enfin la préséance, faisant une offrande à Hathor, représentée sous les traits d'une vache protégeant le roi. Mais Nefertari jouit du privilège qu'un temple lui soit dédié dans l'empire nubien, à l'instar de la reine Tyi, l'épouse d'Aménophis III dont le temple se situait à Sedeinga, dans les terres du Sud.

Dans le grand temple rupestre du roi, tout proche, Nefertari se trouvait de nouveau aux côtés de Ramsès, au même titre que leurs enfants et que Touya. C'est uniquement durant les dernières étapes de la construction de l'ouvrage qu'une autre reine apparaît : la reine-princesse Bint-Anath. Cette représentation au dos d'un pilier de la fille du roi présentée en tant que vraie reine est unique.

En l'an 21, lors de la paix hittite, Nefertari adressa comme nous l'avons vu ses félicitations à son homologue hittite Pudukhepa. A cette époque, elle était probablement âgée d'une quarantaine d'années et avait mis au monde sa juste part de fils et de filles, au minimum sept ou huit.

C'est vraisemblablement vers l'an 24 qu'advint le dernier grand événement de la vie et de la carrière de Nefertari. Les deux immenses temples d'Abou Simbel étaient enfin terminés. L'heure avait sonné d'inaugurer ces splendides sanctuaires. Ainsi, cet hiver-là (en février 1255 avant J.-C.), la flottille royale vogua encore et toujours vers le sud, passa Thèbes, traversa la Basse Nubie et se dirigea vers Abou Simbel. Le roi et la reine étaient accompagnés à cette occasion par la princesse Meryetamon (leur fille aînée) et étaient escortés par le vice-roi Heqanakht et par de nombreux dignitaires et serviteurs. A l'aube, les rayons du soleil apparurent au-dessus des collines orientales, frappèrent de l'autre côté de la rivière pour illuminer la façade du Grand Temple, irradiant en une vive lueur orangée sur le grès là où il était vierge de peinture. A l'intérieur, les grandes portes s'ouvrirent, salle après salle, jusqu'à ce qu'enfin les longs rayons du soleil y pénètrent profondément et illuminent les statues de Ramsès II et de ses dieux-compagnons — Rê, Amon, Ptah — taillées dans la roche au fond du sanctuaire intérieur, près de soixante mètres au cœur de la montagne : « union avec le disque solaire », ainsi que l'exprimeraient les prêtres égyptiens, les rayons du soleil dispensateurs de vie conféraient vie à ces personnages. Le vice-roi Heqanakht fit ériger une stèle de pierre qui immortalisa l'impérissable souvenir qu'il conservait de cet événement. Là, Ramsès II et la princesse Meryetamon adorent les dieux du Grand Temple — Amon, Rê et Ramsès lui-même. Au-dessous de cette scène, le vice-roi Heqanakht honore la reine Nefertari.

La gracieuse reine survécut-elle à ce voyage de quelque 3300 kilomètres jusqu'au cœur de la Nubie ? La stèle que nous avons décrite renferme peut-être une information significative. C'est en fait la princesse Meryetamon qui rend hommage aux dieux en compagnie de Ramsès II, tandis que le vice-roi honore la reine Nefertari. Rien n'interdit d'émettre une hypothèse : la reine Nefertari était-elle trop malade ou trop fatiguée pour remplir son rôle dans les rituels religieux longs et compliqués accompagnant la consécration des nouveaux temples ? Dut-elle se reposer sur la barque royale soignée par ses médecins et sous la garde du vice-roi, tandis que Meryetamon remplaçait sa mère aux côtés du roi lors des rites du temple ? Quoi qu'il en soit, après le retour vers le nord, vers Thèbes, Memphis et Pi-Ramsès, il n'est plus jamais question de Nefertari... Il est permis de supposer que c'est en cette année 24 ou peu de temps après qu'elle entreprit son dernier voyage vers cette tombe merveilleuse dans la Vallée des Reines.

La reine Istnofret et sa fille

Alors, pour un court laps de temps, Istnofret la « doublure » devint grande épouse. En outre, en tant que fille aînée du roi, Bint-Anath (en canaanéen : « Fille de la déesse Anath ») succéda à sa mère à la place de deuxième épouse. Par ailleurs, à cette époque, la plupart des fils de Nefertari étant décédés, les fils d'Istnofret occupèrent d'importants postes.

Istnofret apparut enfin sur les monuments. Une stèle de pierre à Assouan la représente (vers les années 24-30 ?) comme étant la reine en titre, aux côtés de Bint-Anath et de ses principaux fils, Ramsès, Khaemwaset et le jeune Merenptah. Quelques années plus tard, une superbe stèle de pierre dans les carrières de Silsila montre les deux femmes servant Ramsès II devant lequel se tient Khaemwaset. Le prince Ramsès, fils aîné d'Istnofret, était alors l'héritier présomptif — « fils aîné du roi » — tandis que Merenptah était devenu à cette époque « Scribe royal, artiste (?) des doigts ». La prééminence d'Istnofret fut toutefois brève. Elle mourut vers l'an 34 probablement et fut conduite dans sa tombe de la Vallée des Reines, qui n'est toujours pas découverte, mais qui figure dans les dossiers des ouvriers de la Tombe Royale. Le rôle de première épouse échut donc à sa fille Bint-Anath, et celui de deuxième épouse à Meryetamon, la fille aînée de Nefertari.

Les premiers fils

Ramsès avait engendré des enfants dès les premières années de sa régence. Certains moururent en bas âge, d'autres vécurent jusqu'à l'âge adulte, et d'autres encore virent la fin du règne extraordinaire de leur père.

Nefertari mit au monde le fils aîné, Amon-hir-wonmef et le troisième fils, Pre-hir-wonmef (Amon, Rê est à sa droite). Istnofret donna le jour au second fils, Ramsès, au quatrième, Khaemwaset (« Apparaissant à Thèbes ») ainsi qu'à la fille aînée, Bint-Anath. Vers la fin de la régence et du règne de Séti Ier, les deux petits garçons Amon-hir-wonmef et Khaemwaset accompagnèrent leur père lors d'une petite campagne en Basse Nubie, immortalisée au temple de Beit el-Wali.

Il semble que Ramsès ait modifié le nom de son fils aîné, lors de son accession au trône en tant que monarque absolu ; il ne nomma Amon-hir-khopshef (« Amon est avec son bras puissant »), ajoutant la précision « fils aîné du roi » ou prince héritier. Les jeunes princes, de plus en plus nombreux, accompagnaient probablement Ramsès II lors des campagnes syriennes, si l'on en croit les scènes des grands temples. La présence de Pre-hir-wonmef à la bataille de Kadesh ne fait aucun doute. C'est lui qui alla chercher de l'aide avec le vizir. Il n'était alors qu'un adolescent vivant son baptême du feu.

Les princes et l'armée

Parmi les fils représentés sur les scènes de guerre, Amon-hir-khopshef devint rapidement « Général en Chef » ; son demi-frère Ramsès accédera plus tard à la charge de « Premier Général en Chef ». Pre-hir-wonmef reçut quant à lui le titre de « Premier Brave de l'Armée », s'agissait-il de commémorer son rôle modeste à Kadesh ? Il entra dans le corps des chars en tant que superintendant des Écuries, et devint enfin Premier Écuyer de Sa Majesté. D'aucuns affirment qu'il succéda à l'écuyer de la bataille de Kadesh. Il partagera plus tard ce poste avec le cinquième fils, Montou-hir-khopshef. Il semble que les quatorze premiers fils du roi aient participé aux campagnes syriennes. Le prince héritier Amon-hir-khopshef joua un rôle marquant durant la campagne de Moab (vers l'an 7 ?). Le treizième fils, Mérenptah, tint un rôle mineur dans les guerres, mais les plus jeunes fils de Nefertari, Mery-Atoum et Set-hir-khopshef, n'y participèrent apparemment pas.

Changements de succession

Au fil des ans, les rigueurs de la vie militaire et le hasard des accidents et des maladies prélevèrent sans aucun doute leur tribut parmi la progéniture prolifique de Ramsès. Amon-hir-khopshef n'était plus prince héritier vers l'an 20 et, s'il vivait toujours, ce n'était plus sous ce nom. Ses jeunes frères de sang Pre-hir-wonmef, Séti et Meryre l'Aîné étaient également décédés avant d'avoir atteint la trentaine. Parmi les plus jeunes fils de Nefertari, il restait Mery-Atoum (le seizième fils) et Set-hir-khopshef, à peine plus jeune. Mery-Atoum portait à présent le titre de Fils Aîné (vivant) du roi et de Nefertari, mais le pharaon l'écarta et s'intéressa à Set-hir-khopshef qui devint héritier et « prêtre » de la divinité officielle de son père, et ministre d'État aux affaires septentrionales. Set-hir-khopshef, en tant qu'héritier présomptif, participa par conséquent aux congratulations officielles échangées à la suite du traité hittite en l'an 21. Mais il disparut prématurément de la scène bien avant l'an 53 (1227-1226 avant J.-C.), année où son inhumation à Thèbes suscita quelque intérêt.

Ainsi, à l'issue des vingt premières années du règne de Ramsès II, les fils d'Istnofret remplissaient des rôles importants dans l'appareil de l'État. Le nouveau prince héritier, le prince Ramsès, fils aîné d'Istnofret, était général. On présume qu'il a occupé ce poste durant quelque vingt années, voire plus : de l'an 25 à l'an 50 environ

(1254-1229 avant J.-C.). Mais même un prince ayant si longuement servi n'était pas destiné à monter sur le trône. Le quatrième fils (le second d'Istnofret), le savant Khaemwaset devint pour peu de temps héritier du royaume au début des années cinquante du règne de Ramsès. Khaemwaset mourut vers l'an 55 (124 avant J.-C.). Ce fut donc son jeune fère, le prince Merenptah, qui devint le cinquième prince héritier du règne. Le jeune homme qui, un demi-siècle auparavant, n'était que le treizième fils de la seconde épouse, était pressenti pour devenir pharaon. Il succédera en définitive au souverain égyptien ayant eu le règne le plus long depuis des siècles.

KHAEMWASET — LE PRINCE ÉGYPTOLOGUE

Début de carrière

Quatrième fils de son père, le second né d'Istnofret, le prince Khaemwaset jouit d'une renommée qui surpassa de loin celle de ses contemporains, à l'exception de celle de Ramsès II lui-même. Né trop tôt au début de la régence du prince son père, il n'était guère qu'un petit garçon de quatre ou cinq ans lorsqu'on l'emmena en « campagne » en Basse Nubie. Ainsi qu'en attestent les scènes des temples, Khaemwaset tint un rôle dans les guerres ultérieures du règne unique de son père.

Mais Khaemwaset n'était fait ni pour l'armée ni pour la guerre. Le jeune garçon exprima très tôt d'autres tendances : qualités intellectuelles, maîtrise de la lecture et de l'écriture, penchant pour la religion, la théologie, la magie et les arts graphiques. La cour résidant le plus souvent au nord, il entra au service de Ptah de Memphis : le vénérable à la tête rasée, le dieu des arts et du travail manuel, servi par un clergé savant.

Soin des taureaux sacrés

Le précoce Khaemwaset, âgé d'une vingtaine d'années, fut nommé prêtre Sem de Ptah, bras-droit de Houy, *Chef des Artificiers* ou grand prêtre de Ptah. Cet événement advint probablement peu de temps avant la mort du taureau Apis (animal sacré de Ptah) en l'an 16 (1264-1263 avant J.-C.). Pour enterrer les tout petits restes momifiés du taureau mort, une descenderie et une chambre funéraire furent creusées, selon une méthode traditionnelle, dans la roche du désert dans le cimetière de Saqqarah à Memphis, à proximité des tombes des taureaux précédents. Chacune était surmontée d'une petite chapelle. Tel était le « Sérapéum », ou nécropole des taureaux sacrés, jusqu'à l'époque de Khaemwaset. Sur les parois de la nouvelle chambre funéraire, Ramsès II et Khaemwaset étaient représentés en adoration devant le dieu Apis. A l'enterrement d'Apis, les présents de maints notables (oushebti, amulettes puissantes, etc.) constituaient les biens funéraires du taureau défunt. En l'an 16, on comptait au nombre de ces donateurs distingués, outre le grand prêtre Houy et Khaemwaset lui-même, le frère aîné de ce dernier, le général Ramsès et le vizir Paser. A la mort d'un taureau, il fallait trouver dans le pays un nouvel animal porteur des caractéristiques requises. On l'installait ensuite dans la fonction d'Apis. Ainsi fut-il fait. Ce nouvel Apis mourut quatorze années plus tard, en l'an 30. Le prince Khaemwaset fit enterrer le taureau mort dans la même tombe que son prédécesseur. Des présents vinrent du chef du Trésor, Souty, et peut-être d'un autre Houy, maire de Memphis. D'autres dignitaires et hommes de rang inférieur offrirent des stèles que l'on trouve à l'extérieur de la porte du tombeau ; citons Piay, le scribe lettré et lecteur, chef des embaumeurs, le régisseur Ptahmose, le chef du Harem de Memphis, Amenmose. Au fil des ans, d'autres taureaux « passèrent à l'Ouest » ; l'un se trouve probablement dans une salle adjacente, taillée dans la descenderie de la double tombe des années 16 et 30.

Des caves secrètes et un temple d'Apis

Khaemwaset élabora un nouveau projet pour les taureaux qui suivirent : de part et d'autre d'une galerie souterraine s'ouvrirait, non pas une chambre funéraire, mais toute une succession qui assurerait la sécurité des dépouilles des taureaux, et ne nécessiterait à chaque enterrement que la percée d'une salle adjacente de dimensions modestes. Ainsi, vers la fin de sa vie, Khaemwaset fit-il creuser un escalier dans la roche, formant trois angles droits, qui débouchait sur une galerie courant vers le nord sous le plateau désertique. On prépara sur toute la longueur de celle-ci une chambre pour le prochain taureau.

Le nouvel arrangement supprimait également les chapelles individuelles construites au-dessus des tombes. Khaemwaset bâtit un temple d'Apis pour les remplacer, aire de repos pour la momie du taureau le jour des derniers rites précédant l'enterrement et servant de lieu au culte du défunt Apis (« vivant éternellement »). Sur une inscription spéciale, le prince s'adressait aux générations futures évoquant la nature de ses travaux, puis à Apis lui-même :

> « L'Osiris, le prêtre Sem, prince Khaemwaset dit : ... " O vous prêtres Sem, grands prêtres, dignitaires du temple de Ptah..., et tous les scribes possédant la connaissance, qui entrerez dans ce temple que j'ai fait pour le vivant Apis, et qui verrez mes réalisations gravées sur les murs de pierre telles de grands et puissants bienfaits !...
>
> " Jamais chose semblable n'avait été portée par écrit dans la cour de la grande fête devant ce temple. Les dieux qui sont dans le temple (d'Apis)... (sont dessinés) dans les Demeures de l'Or, avec toutes les splendides pierres précieuses. J'ai institué pour lui des offrandes divines ; offrandes quotidiennes, fêtes (lunaires) dont les jours tombent à dates fixes, et fêtes calendaires (annuelles) tout au long de l'année, et par-dessus tout des offrandes de nourriture qui sont dispensées en la présence (divine) en tête des offrandes à Ptah.
>
> " J'ai nommé pour lui des frères convers, des lecteurs qui récitent les glorifications, ... un personnel du temple. ... Je lui ai construit un grand sanctuaire de pierre devant ce temple, dans lequel il peut se reposer le jour de la pré-

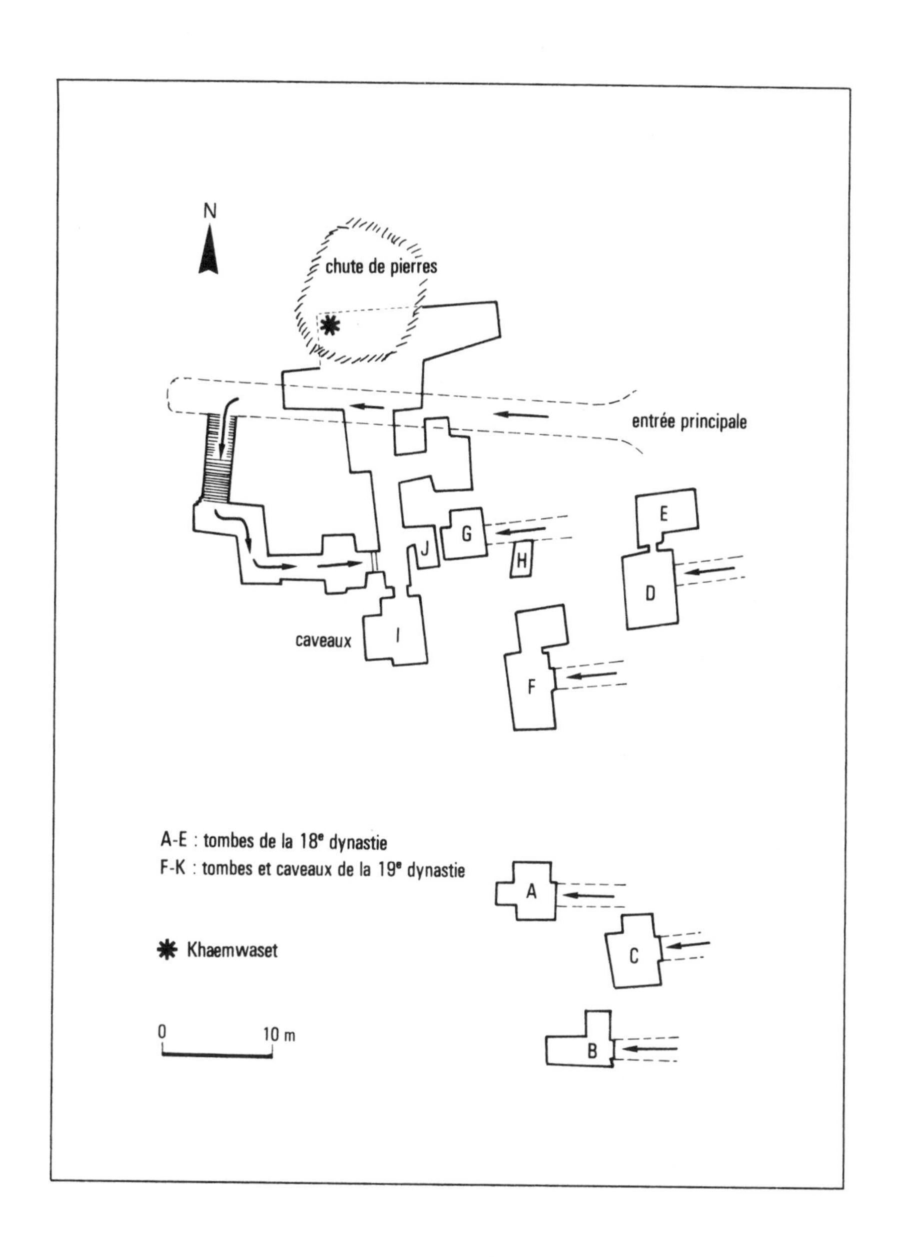

Plan du Sérapéum à Saqqarah sous Ramsès II et le prince Khaemwaset, montrant les premières tombes séparées et les galeries souterraines du prince destinées aux sépultures des taureaux sacrés (et peut-être à la sienne propre).

paration (à) l'enterrement. Je lui ai fait une grande table d'offrande, à l'opposé de son grand sanctuaire, dans un beau calcaire blanc de Tura (où sont) gravées... les offrandes divines (et) toutes les bonnes choses fournies lors de la (cérémonie de) l' " Ouverture de la Bouche "...

" Cela vous (semblera) sûrement un bienfait lorsque vous verrez (en contraste) les travaux pauvres et maladroits des ancêtres ; nul n'agirait (à l'encontre) de ce qui fait pour la paix d'autrui... ; (que celui qui respecte cela ?) soit récompensé et prospère !

" Souvenez-vous de mon nom, en décrétant (d'autres travaux semblables ?), récompensez par une (bonne) action une " bonne " action — et puissiez-vous faire de même !

" O Apis-Sokar-Osiris, grand dieu, maître du sanctuaire Shetayet, je suis le prêtre Sem, le prince (Khaemwaset) ! " »

Ce prince savant et entreprenant établit ainsi un modèle pour les soins et les enterrements des taureaux d'Apis qui lui survécut pendant treize siècles : les générations futures continuèrent en effet à enterrer leurs taureaux sacrés dans cette galerie, puis en percèrent de nouvelles ; et un millier d'années après Khaemwaset, les rois Nectanebo construisirent un nouveau temple d'Apis, à l'entrée des caves du Sérapéum. Plus d'un dignitaire dut voir et lire les inscriptions de Khaemwaset pendant ces longs siècles, et sa renommée alla croissant.

Khaemwaset l'égyptologue

Memphis baignait dans l'histoire; ses monuments remontant jusqu'aux jours des Pyramides qui, à l'ouest, brisent l'horizon jaune et désertique de leurs formes trapues et triangulaires. C'étaient les demeures éternelles des anciens rois. Ainsi, le prince qui fut peut-être le premier égyptologue du monde entreprit-il des recherches dans les proches pyramides de Saqqarah et au nord à Gizeh. Il fut sans aucun doute très impressionné par la superbe exécution de ces monuments splendides réalisés mille ans auparavant — et se sentit peut-être attristé par leur état de décrépitude : ils disparaissaient sous des dunes de sable. Les temples tombaient en ruine.

Consterné par ce spectacle, il résolut de dégager du sable ces prodiges de l'antiquité, de nettoyer leurs temples, et d'honorer le souvenir (voire le culte) des anciens rois. Il soumit probablement ses projets à l'approbation de son père ; Ramsès II apparaîtrait de ce fait comme le protecteur des « ancêtres royaux » — et comme le maître restaurateur des plus grands monuments d'Égypte — dont la gloire rejaillirait sur son règne et donc sur son époque. Il est probable que Khaemwaset obtint facilement l'assentiment royal quant à la réalisation de ses projets. Il supervisa dès lors la commission savante, vérifia les noms des rois, et fit graver sur un des côtés de chaque pyramide ou temple solaire une inscription précisant le nom de l'ancien roi à qui elle appartenait, celui de Ramsès II en tant que bienfaiteur, et le décret qui avait décidé de la restauration. Gravées en hiéroglyphes grossiers, ces inscriptions sont les plus anciennes et les plus prestigieuses « inscriptions de musée » de toute l'histoire ! A Saqqarah, la pyramide à degrés de Djeser (IIIe dynastie), le grand tombeau rectangulaire de Chepseskaf (IVe dynastie) et la petite pyramide de Ounas (Ve Dynastie) en bénéficièrent. Plus au Nord, ces soins furent apportés à la pyramide de Sahourê et au temple solaire de Niouserrê (tous deux de la Ve dynastie). Rien n'interdit d'affirmer qu'à Gizeh, la grande pyramide de Khéops fut elle aussi « répertoriée » de cette manière, puisque d'aucuns affirment qu'une telle inscription aurait été « lue » à Hérodote huit siècles plus tard. Sous les titres royaux de Ramsès II et du roi correspondant à chacun des monuments, le décret et l' « inscription de musée » du prince Khaemwaset et de son père disaient ceci :

> « Sa Majesté décréta une annonce (ainsi rédigée) :
> « C'est le grand prêtre (de Ptah), le prêtre Sem, le prince Khaemwaset, qui a perpétué le nom du Roi... (untel). Son nom ne se trouvait pas à l'origine sur le côté de la pyramide. Le prêtre Sem, le prince Khaemwaset agit hautement désirant restaurer les monuments des rois de la haute et de la basse Égypte qui tombaient en ruine. Lui (c'est-à-dire Khaemwaset) décréta des offrandes sacrées (pour les pyramides)... (les dota) d'une parcelle de terre ainsi que d'un personnel... »

Si l'on accorde foi au « griffonnage » d'un maçon mentionnant « le premier jour du travail des hommes des carrières... » dans la grande enceinte de Djeser, ces travaux furent entrepris le dixième jour du troisième mois d'été de l'an 36 (été 1243 avant J.-C.).

Khaemwaset l'administrateur

Ni l'archéologie ni les taureaux d'Apis ne devaient monopoliser le temps de Khaemwaset. Durant la longue période pendant laquelle il occupa de hauts postes officiels à Memphis, Khaemwaset assuma en outre diverses responsabilités dans l'administration locale, surtout en ce qui concerne le temple et les biens de Ptah. Un échange constant de correspondance officielle circulait entre les palais de Pi-Ramsès et de Memphis. Ainsi, le journal de bord d'un navire datant de l'an 52 (décembre 1228 avant J.-C.) précise qu'une série de lettres furent envoyées « au prêtre Sem » les vingt-sixième, vingt-huitième et vingt-neuvième jours du deuxième mois d'hiver et les premier et quatrième jours du troisième mois. Ce navire avait des « marins du Sem », et avait reçu de Memphis une liste (?) de personnes attachées au prêtre Sem de Ptah, Khaemwaset. Ce journal et d'autres documents nous renseignent ainsi sur la famille de Khaemwaset et le haut personnel de Memphis. Son fils aîné, Ramsès, reçut le titre honorifique de « Prince » ; Khaemwaset, alors âgé de soixante ans, était lui-même prince héritier vers l'an 52 du règne de Ramsès II ; son fils, l'héritier de l'Héritier, devait avoir une quarantaine d'années. Ce prince était l'assistant de son père ; il disposait de ses propres biens et d'un scribe ou secrétaire particulier, Houy, entre les mains duquel passaient les messages échangés par Meryotef, le serviteur du Palais à Pi-Ramsès et son amie la Chantresse Rennut qui vivait probablement à Memphis.

Les responsabilités de Khaemwaset couvraient un territoire allant non seulement de Memphis au nord vers Pi-Ramsès mais encore jusqu'à cent kilomètres au sud, vers Ninsu aux portes du Fayoum. Khaemwaset envoya ainsi un ordre à son agent Sunero, lui enjoignant ceci :

« Faites des recherches pour trouver ces messagers du prince Iotamon qui sont dans le district de Ninsu ; qu'ils disent en quoi consistent leurs affaires et qu'on ordonne à l'écuyer Neferhor de les ramener ! »

Les serviteurs de son jeune frère avaient apparemment filé à l'anglaise. Sunero les retrouva ; certains d'entre eux étant déjà en état d'arrestation à Ninsu ; il écrivit donc pour demander de nouvelles instructions, en prenant soin de ne pas enfreindre le protocole en vigueur entre Khaemwaset et son puissant frère Merenptah.

Tandis que Ramsès, le fils aîné de Khaemwaset, participait aux devoirs administratifs de son père, son second fils Hori, entra dans le clergé de Ptah. Il devint grand prêtre de nombreuses années plus tard. Hori eut un fils qui porta le même nom que lui ; celui-ci se dirigea, une génération après Ramsès, vers la carrière civile et devint vizir du Nord, puis vizir thébain.

Khaemwaset et les jubilés royaux

C'est de Memphis et sous le patronage de Ptah-Tatenen, qu'étaient traditionnellement proclamés les rites « jubilaires » pour la renaissance de la royauté du pharaon, lors des années 30 de son règne (et les suivantes). Ramsès II avait choisi Pi-Ramsès et non Memphis pour célébrer ces réjouissances. Cependant, par égard pour la vieille capitale, il fit d'abord annoncer ses jubilés à Memphis, par le prince Khaemwaset, prêtre Sem. Il en fut ainsi pour chacun des cinq premiers jubilés (de l'an 30 à l'an 42), puis le prince Khaemwaset lui-même propageait la bonne nouvelle et la proclamait à travers toute l'Égypte et jusqu'à Assouan. Tout un personnel le secondait pour cette tâche, y compris le nouveau vizir thébain Khay, successeur de Paser. Ils laissèrent ici et là des traces de leur passage : à Nekheb dans le temple de la déesse-vautour, à Silsila dans la vieille chapelle de pierre de Horemheb et aux alentours d'Assouan. A partir du sixième jubilé (an 45) Khaemwaset laissa le soin au vizir Khay et à d'autres d'annoncer les jubilés suivants : il se sentait trop âgé pour de tels voyages et d'ailleurs il n'aurait plus jamais l'occasion d'assister à ces réjouissances.

Tombe et enterrement de Khaemwaset

Le prince Khaemwaset — comme de nombreux Égyptiens — commença au fil des ans à se préoccuper de son propre enterrement et de sa vie après la vie. Ce prince extraordinaire trouva une solution digne de lui-même. Sa propre tombe serait située à l'intérieur du Sérapéum, l'ensemble funéraire des taureaux sacrés pour lequel il avait tant fait toute sa vie durant. Il fit édifier une chapelle classique dans le désert au-dessus de sa nouvelle galerie, décorée de reliefs splendides réalisés par les meilleurs artisans de Memphis, comme il convenait à son rang. Sa décision était révolutionnaire en ce sens qu'il fit creuser non seulement une nouvelle chambre destinée à recevoir un autre taureau Apis, mais encore un espace qui lui était réservé. Lorsque le prince Khaemwaset mourut vers l'an 55 du règne de Ramsès II, après avoir passé quarante années à Memphis au service de Ptah, il semblait faire partie intégrante de cet endroit tout comme son père paraissait indissociable du trône d'Égypte. C'est pourquoi le conclave du clergé de Ptah de Memphis rendit honneur au vénérable prince, dont les actes avaient peut-être octroyé à leur culte une protection royale et une prééminence supérieure à celle dont il jouissait à l'époque des Pyramides, ou dont il ne bénéficierait plus jamais à l'avenir. Le prince défunt, pourvu d'un masque d'or, de riches joyaux à son nom, d'un mobilier funéraire abondant, et placé dans un robuste cercueil de bois se reposa enfin dans sa chambre mortuaire, dans les caveaux des taureaux Apis, sous la protection du dieu. Celui-ci garda bien son étrange secret... au cours des siècles suivants, maints taureaux Apis furent enterrés le long du couloir de Khaemwaset. Puis, le plafond s'effondra, recouvrant entièrement la sépulture du prince. Les galeries des taureaux furent pillées de leurs trésors vers la fin du paganisme en Égypte, mais Khaemwaset sommeilla en paix jusqu'en 1852 après J.-C. C'est cette année-là que Mariette exhuma ses reliques, mais (ne songeant qu'aux taureaux d'Apis) il eut du mal à comprendre ce qu'il avait découvert. Ainsi passa Khaemwaset, laissant son héritage et le soin de Memphis à ses frères et successeurs.

LES REINES-PRINCESSES

Bint-Anath et Meryetamon

Au milieu et à la fin du règne de Ramsès II, une génération plus jeune de dames royales fit son apparition sur la scène égyptienne. Ainsi que nous l'avons vu, à la mort d'Istnofret, sa fille Bint-Anath devint Première Reine. Ce rôle d'épouse était effectif, puisque Bint-Anath eut une fille de son père et mari, ainsi qu'en attestent les scènes représentant cette enfant dans la tombe de Bint-Anath, dans la Vallée des Reines. Nous ignorons durant combien de temps Bint-Anath tint ce rôle de conjointe principale (avant de se retirer au harem). Il est cependant certain qu'elle survécut à Ramsès II puisqu'elle fut plus tard une des conjointes officielles de Merenptah. Bint-Anath eut tout d'abord pour associée sa demi-sœur Meryetamon, fille de Nefertari. Mais en l'an 34, les deux jeunes femmes durent accueillir une autre épouse Maât-Hor-neferure, la princesse hittite. Celle-ci jouit de la faveur royale due à son rang durant un certain laps de temps, puis fut envoyée dans les harems royaux, en particulier celui de Ninsu, à l'entrée du Fayoum. Rien n'interdit d'avancer qu'elle y tint le rôle de doyenne, vraisemblablement à l'époque où sa jeune sœur arriva en Égypte, vers les années quarante du règne.

Au harem

La vie au harem de Mi-wer, près de Ninsu, n'avait rien d'une existence oisive et ennuyeuse interrompue de temps à autre par des visites du pharaon. Les dames royales étaient chargées en fait de tout ce qui touchait à l'« économie ménagère » et à l'éducation des enfants, y compris celle des enfants étrangers. Elles leur enseignaient l'art du filage et du tissage ; elles réalisaient des vêtements de toile de lin pour leur usage personnel ainsi que pour celui du pharaon et d'autres membres de la cour — « des étoffes royales » en vérité. Les étoffes destinées à la confection des vêtements provenaient des « entrepôts » de Mi-wer qui étaient ensuite envoyés à Pi-Ramsès. Le tissu était généreusement distribué aux épouses royales. Elles obtenaient des pièces de vingt-huit coudées, quatre palmes de longueur sur quatre coudées de largeur, ou de quatorze coudées, deux palmes de longueur sur la même largeur (deux pièces) — c'est-à-dire que des pièces de plus de douze mètres ou de plus de six mètres de longueur et d'une largeur de deux mètres étaient fournies à cette auguste dame :

> « Reine Maât-Hor-neferure puisse-t-elle vivre Fille du Grand Souverain du Hatti. »

Il va sans dire que les épouses royales recevaient toutes les provisions nécessaires, par exemple du poisson frais du Nil ou du lac Fayoum ; en outre la terre fournissait le grain pour le pain, le pâturage pour le bétail (lait, bœuf rôti...), etc., en quantités abondantes.

La nourriture et les vêtements ne constituaient pas leurs seules fournitures. Un récit nous est parvenu qui reflète l'amour qu'éprouvaient les beautés du harem du pharaon pour les bijoux et les fleurs : des boisseaux de lapis-lazuli d'un bleu profond et de malachites vertes, de salfeur et de cardamome. Les besoins quotidiens étaient amplement satisfaits et les marchandises personnelles et domestiques ne faisaient pas défaut au harem de Mi-wer, lequel était lui-même une ruche d'activité. Les visites du pharaon dans ses beaux bâtiments près de la province-jardin étaient le prétexte de réjouissances en grandes pompes.

Les autres reines

Meryetamon disparut finalement de la scène. Ce fut peut-être Nebettaouy, la dernière des reines-princesses, qui lui succéda durant les dernières décennies du règne de Ramsès. Les renseignements nous font défaut sur cette nouvelle épouse royale ; nous savons cependant qu'à l'instar de Nefertari, d'Istnofret, de Bint-Anath et de Meryetamon, elle eut une somptueuse tombe dans la Vallée des Reines. Nombre des filles de Ramsès moururent au fil des ans, peut-être prématurément, comme maints de leurs frères. Certaines survécurent toutefois à leur père.

Pour nombre de princes et de princesses, nous ne disposons que d'informations fort pauvres. Nous savons toutefois que la princesse Istnofret II possédait ses propres terres et des troupeaux de bétail : nous savons que du lait, du pain et des herbes étaient fournis à ses suivantes. Deux de ses subordonnés, les chanteurs du palais Pentaweret et Pawekhed, lui écrivirent, anxieux au plus haut point, désirant avoir de ses nouvelles alors qu'ils se trouvaient peut-être à Memphis :

> « Le chanteur Pentaweret et le chanteur Pawekhed saluent (leur dame), la princesse Istnofret.
>
> « Salutation ! Un message pour dire que je demande à tous les dieux et à toutes les déesses de Pi-Ramsès : " Puissiez-vous (la princesse) être en bonne santé (prospère) et vivante ! Puissiez-vous jouir de la faveur de mon dieu Ptah. " »
>
> *Plus loin :* « Nous sommes en vie aujourd'hui, mais ne savons pas comment nous serons (demain !)... Puisse Ptah nous ramener (sains et saufs), afin que nous puissions vous voir !... Votre sort nous préoccupe très sérieusement. »

MÉRENPTAH ET LES PLUS JEUNES FILS

Les jeunes fils de Ramsès II

Il semble que rares sont les jeunes fils de Ramsès II qui se soient distingués. Le seizième d'après les listes officielles, un fils tardif de la reine Nefertari, le prince Mery-Atoum, fit une carrière qui n'évoque que modestement celle de Khaemwaset. Jeune homme, Mery-Atoum avait visité le Sinaï, accompagné par Asha-hebshed, probablement au cours de la seconde décennie du règne. Vers l'an 23, au sommet de la paix hittite, Mery-Atoum, ayant survécu à ses cinq frères aînés, devint « Premier Fils du roi » et fut promu au rang élevé et honorifique de porteur de l'Éventail. Plus tard encore, après la mort de sa mère (vers l'an 26 ?), Mery-Atoum reçut la nomination prestigieuse de grand prêtre du Dieu Soleil Rê à Héliopolis, sise à quelques kilomètres de la résidence de Khaemwaset à Memphis, en aval de l'autre côté du fleuve. Il est possible que l'enterrement d'un taureau Mnevis (dédié à Rê) en l'an 26 soit intervenu lors de sa prise de fonction ou peu de temps auparavant. Les quelque vingt années pendant lesquelles Mery-Atoum occupa ce poste ne furent marquées d'aucun acte particulier ; cette importante fonction échut ensuite aux vizirs.

Nos connaissances relatives aux autres fils sont encore plus pauvres. Le vingt-troisième, Si-Montou, avait épousé Iryet, la fille de Ben-Anath, capitaine de navire syrien. Si-Montou fut pendant un certain temps chargé des (ou attaché aux) « Vignes du Domaine d'*Usi-ma-re*, Élu de Rê (Ramsès II) à Memphis ». Rien n'interdit de penser que c'est dans cette capitale des plus cosmopolites qu'il rencontra son épouse syrienne. Mais l'extrait d'un document la concernant, rédigé en l'an 42 (février 1237 avant J.-C.), ne nous apprend rien de plus : cette note (thébaine) pourrait signifier que sa sépulture se trouve dans une tombe de Thèbes appartenant à son époux.

Le prince Ramsès-Maât-Ptah était encore plus jeune, et il ne figure pas sur les listes officielles. Le serviteur du palais de Memphis Meryotef lui adressa un jour ses salutations. Après les préliminaires d'usage, le billet poursuit ainsi :

> « Comment se fait-il, en vérité, que je ne reçoive aucune lettre de vous ? Que signifie le fait que toutes les lettres que je vous adresse demeurent sans réponse ? »

Cette petite missive suggère que les subordonnés du jeune prince se sentaient en droit de le réprimander librement : il est évident que celui-ci devait être un bien piètre correspondant !

Mais il est un autre jeune prince qui nous parle uniquement de sa tombe. Ramsès-Neb-weben était bossu et il mourut à l'aube de la trentaine. Rien n'interdit de penser qu'il s'éteignit dans le grand harem de Mi-wer et qu'il était prévu qu'il soit enterré à Thèbes. Il est possible que sa mort ait été inopinée, car les seules grandes pierres de sarcophage immédiatement disponibles pour son enterrement furent deux belles pièces anciennes destinées à l'origine à l'arrière-grand-père du jeune homme, Ramsès Ier, alors que celui-ci n'était encore que le vizir Pramsès. Elles avaient été conservées lors de son accession au trône en tant qu' « excédents disponibles ». L'une de ces pierres fut expédiée à Thèbes, tandis que la momification du prince était exécutée dans le Nord. Or, on décida en définitive de l'enterrer dans le reste du sarcophage près de Mi-wer : de sorte que la pierre expédiée à Thèbes fut ensevelie vide !

Mérenptah, le dernier héritier

A la mort du prince Khaemwaset, vers l'an 55, ce fut son jeune frère Mérenptah qui se distingua parmi la nombreuse progéniture des cours de Pi-Ramsès et de Memphis. Mérenptah avait auparavant assisté son père pour l'organisation des affaires de Pi-Ramsès et du Delta est. A la mort de Khaemwaset, ses responsabilités furent étendues jusqu'à Memphis, où il s'occupa également de l'ensevelissement des nouveaux taureaux Apis, secondé dans cette tâche par son secrétaire personnel Tjay.

C'est à ce moment que Mérenptah devint à son tour héritier présomptif, « Fils aîné du roi », comme il le fit fièrement inscrire sur d'anciennes statues royales érigées à nouveau à Pi-Ramsès à l'intention de son père. Il y ajouta des sceaux spéciaux représentant des scarabées sacrés pour commémorer son rang élevé. C'est lui, en fait, qui présida aux destinées du royaume durant les douze dernières années du très long règne de son père. Agé d'environ soixante ans, il décida sagement de déléguer diverses tâches : il envoya ainsi le grand intendant Yupa (fils du vieux général Ourhiya) et le vizir Néferronpet proclamer à travers toute l'Égypte les derniers jubilés (du neuvième au quatorzième, ans 54 à 66), tandis qu'il s'occupait de l'administration centrale. Ce fut donc le patient Mérenptah qui reprit l'héritage lorsque Ramsès II trouva enfin le repos.

LES TROIS GRANDES CITÉS

Memphis l'ancienne

La véritable capitale de l'Égypte était située parmi la luxuriante végétation de la riche plaine, entre la rive gauche du Nil et le désert, bordée des pyramides symbolisant sa fière ancienneté, baignée de rose et d'or au lever et au coucher du soleil. Le long de la berge du fleuve et surtout vers le quartier sud, se trouvaient les quais et les chantiers navals de Peru-nefer, ce qui signifie « Bon voyage* ». C'est de là que les navires appareillaient et faisaient route vers le large et les ports méditerranéens, c'est également là qu'ils accostaient. Tout près se trouvait le quartier étranger, où résonnait l'impétueux babillage des Cananéens, des Hourrites, des habitants des îles de la

* En français dans le texte (N.d.T.).

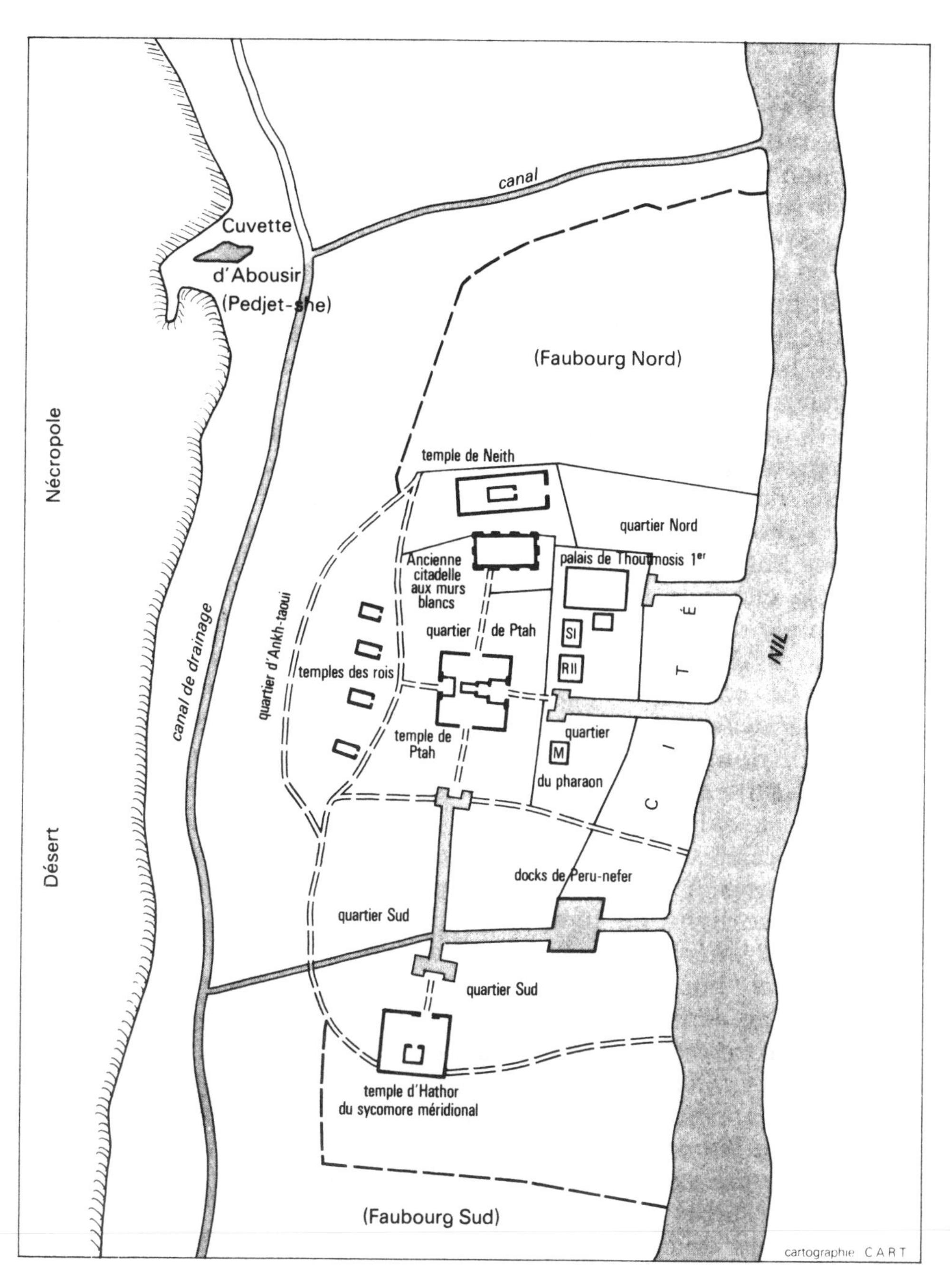

Reconstitution du plan de la Memphis ramesside.

mer Égée et de bien d'autres encore : Baal et Astarté y avaient leurs sanctuaires. La zone militaire et « industrielle », y compris l'Arsenal, n'était guère éloignée : ateliers et entrepôts des chars, des boucliers, des lances et de tout l'« attirail » nécessaire à la guerre ancienne. Amon avait son sanctuaire dans Péru-nefer, mais le quartier sud était placé sous la protection d'Hathor, la déesse du Sycomore méridional.

Le noyau administratif de la vénérable capitale se trouvait probablement plus au nord, et derrière ces « îlots de bureaux » construits en mauvaise brique de boue, s'étendait une ligne nord-sud d'enceintes plus spacieuses, commençant par l'ancien grand palais, le « Domaine d'Akheperkare » (Thoutmosis Ier) utilisé par tant de rois et se poursuivant par les loges et harems royaux, cernés de jardins, de Séti Ier et de Ramsès II lui-même. Au cœur même de l'ancienne cité se trouvait la citadelle royale originale « les Murs Blancs », qui donna son nom à la ville. Au sud de la citadelle s'élevait la grande enceinte du vénérable Temple de Ptah avec ses cours, ses pylônes et ses sanctuaires, dont la façade est donnait au centre et à l'ouest. Sur le côté ouest du temple principal, Ramsès II et Khaemwaset ajoutèrent une nouvelle et superbe Salle du Jubilé dont la forêt de gigantesques colonnes aux socles de basalte était précédée d'un pylône et de statues colossales : la salle ouest du temple de Ptah. Les cérémonies y étant célébrées probablement en parallèle avec celles de Pi-Ramsès. A l'ouest, dans le quartier de Ankh-taouy, s'étirait une ligne de temples funéraires royaux, allant de celui d'Aménophis III à celui de Ramsès II. Et dans le quartier nord de l'ancienne citadelle, se trouvait le domaine de la déesse Neith, « Nord des Murs ».

Au nord et au sud des quartiers formant le centre de la ville, il y avait probablement les banlieues, avec les villas et les jardins des nobles. De grandes fêtes étaient données en l'honneur de Ptah, d'Hathor et des autres dieux. La barque sacrée de Ptah naviguait alors sur le canal, vers le sud et le temple d'Hathor du Sycomore méridional. Lors de ces réjouissances, ainsi que le relatent des papyrus contemporains :

« Memphis n'est pareille à nulle autre cité, ses greniers sont pleins d'orge et d'avoine, ses lacs sont remplis de boutons... et de fleurs de lotus ; l'huile y est douce et la graisse abondante... Les Asiatiques de Memphis sont assis, détendus et confiants ... ils portent des colliers de boutons de lotus... La dame-lutteur du Sud est arrivée ; elle maîtrise celle du Nord, elle a plongé ses pieds sur son cou et ses mains sur le sol. Les nobles dames de Memphis sont assises, désœuvrées, leurs mains ployant sous les feuillages et la verdure... »

Les jeunes gens qui revenaient à Memphis après les guerres ou après avoir satisfait d'autres devoirs espéraient retrouver leurs bien-aimées. Dans un poème lyrique, décrivant l'aube, cet instant où la cité et ses jardins apparaissent peu à peu dans la lumière du matin, on peut lire :

« Je pars le long du fleuve...,
Mon pipeau de roseau sur l'épaule.
Je me dirige vers Ankh-taouy,
Je dirai à Ptah, le Maître du Droit :
" Accorde-moi mon aimée ce soir ! "
Le Fleuve est comme le vin,
les roseaux de Ptah, le bouquet de Sekhmet,
les boutons de lotus de la déesse de la rosée,
les fleurs de lotus de Nefertoum.
C'est la déesse d'or qui se réjouit,
tandis que sa beauté illumine la terre.
Memphis est un calice de fruits
Placé devant (Ptah) au visage plaisant. »

Thèbes l'impériale

Plusieurs centaines de kilomètres au sud de la longue vallée du Nil ceinte de falaises, le voyageur atteignait Thèbes, cité dont le caractère et la disposition différaient de ceux de Memphis. Un sentiment de confiance et de facilité émanait de Memphis, cité forte de sa suprématie deux fois millénaire. Ayant une tradition royale millénaire, Thèbes n'était pas non plus une nouvelle venue. Mais dans la plaine divisée par le Nil, ouvrant sur les spectaculaires perspectives de la Montagne-Ouest, cette

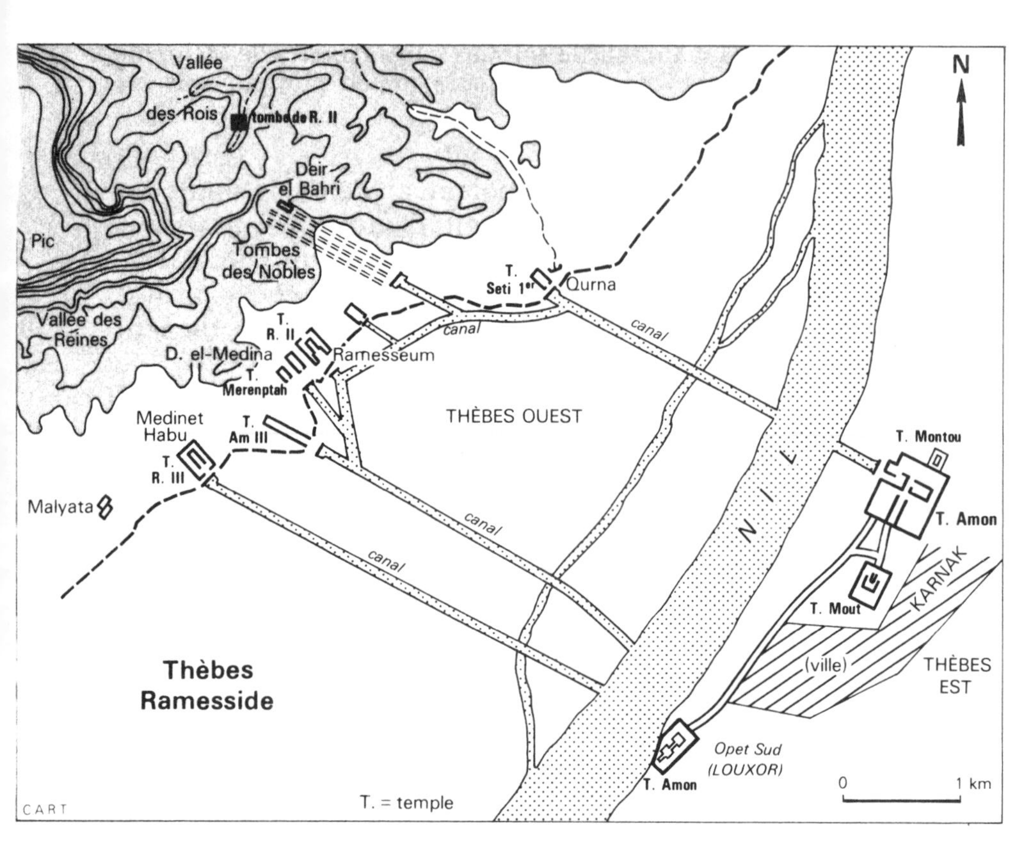

La Thèbes impériale.

demeure de l'illustre XVIIIe Dynastie des rois conquérants, qui refoulèrent les Hyksos et soumirent l'Asie occidentale, respirait un air plus martial : « Thèbes la Victorieuse ». Les richesses de l'Empire atteignaient les rives de Thèbes sous cette dynastie, mais Akhenaton décida de retirer sa faveur à Amon et à sa cité. Thèbes recouvra toute sa splendeur lors de sa restauration sous Horemheb et la famille de Ramsès II — bien qu'elle acquit à cette époque la réputation de « ville sainte » d'Amon, tout en demeurant la « cité du Sud » par excellence, et le siège local d'un vizir.

Le long de la rive droite du Nil, la ville principale s'étendait derrière les quais, une « ville jardin » de palais, de villas et de zones résidentielles s'étendant sur quelque trois kilomètres de la vieille ville au nord derrière la vaste enceinte d'Amon à Karnak jusqu'au sud de Louxor et à l'autre temple de ce dieu à « Opet Sud ». Dans les environs de Karnak se trouvait le palais traditionnel de Thèbes. Derrière la ligne que formaient le Nil et la ville, une vaste plaine s'étendait vers l'est, vers les collines et les triples pics lointains du désert arabique, qui s'étirait jusqu'à la mer Rouge. A Karnak, une avenue bordée de sphinx courait le long du canal, se dirigeant vers l'est jusqu'à l'énorme portail-pylône de la salle hypostyle de Séti Ier et de Ramsès II. Derrière celle-ci et une étroite cour, des obélisques et un pylône donnaient sur des salles sombres, sur d'autres pylônes, sur des couloirs et sur des sanctuaires du vieux temple d'Amon, lequel datait en grande partie de la XVIIIe dynastie et avait été édifié autour d'un sanctuaire de la XIIe dynastie. Au sud de l'étroite cour (longeant le lac sacré), courait un chemin de procession qui franchissait quatre puissants pylônes (dépassant le temple de Khons à l'ouest), se poursuivait le long d'une autre avenue bordée de sphinx qui se dirigeait vers le temple de Mout, conjointe d'Amon, à demi entouré d'un lac en forme de « fer à cheval ». Au nord du grand temple d'Amon, des sanctuaires inférieurs dédiés à Ptah et au vieux dieu de la guerre, Montou, complétaient l'enceinte de Karnak. A quelque trois kilomètres au sud, le temple de Louxor d'Amon était précédé à présent du pylône et de l'avant-cour de Ramsès II (avec ses obélis-

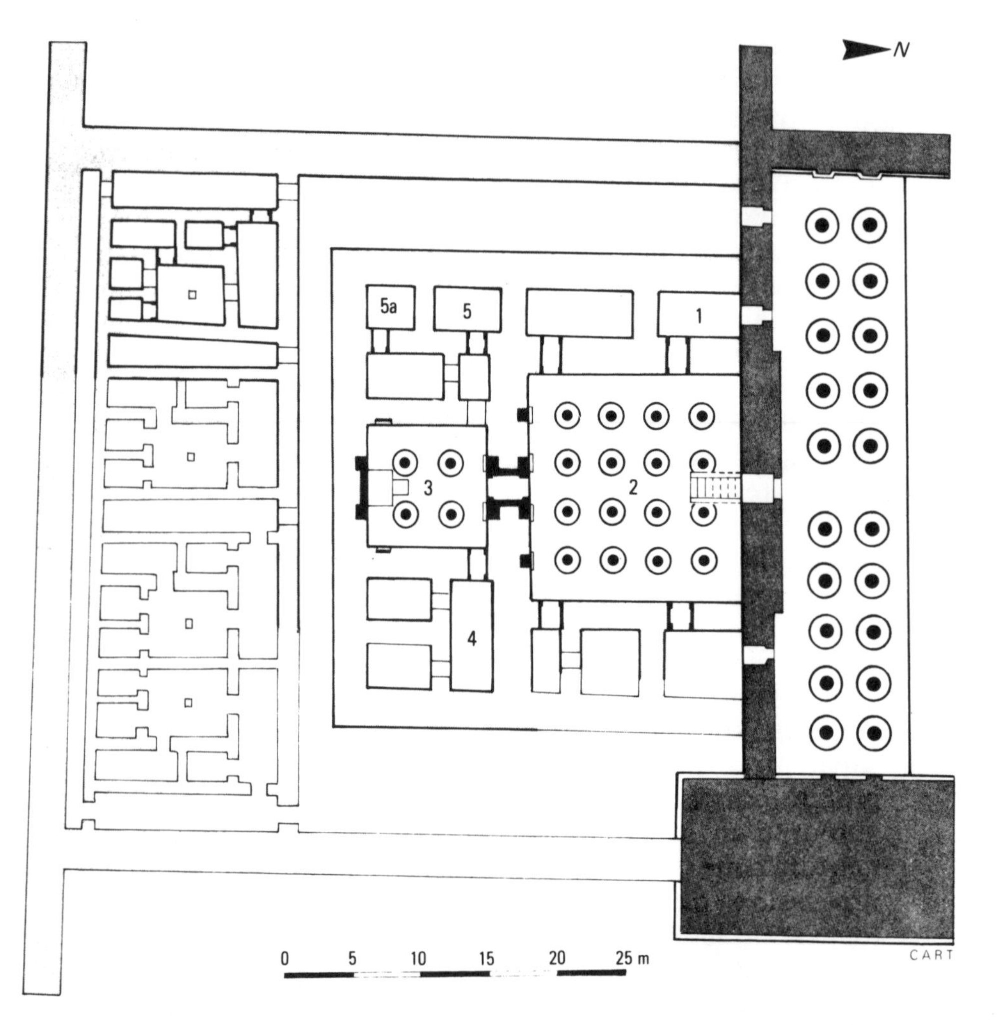

Plan du palais de Ramsès II attenant à l'avant-cour du Ramesseum, son grand temple funéraire à Thèbes-Ouest. De la salle centrale à colonnades, des marches conduisent à un balcon pour les apparitions officielles, ombragé par le portique sud du temple. A l'opposé, une salle du trône à quatre piliers et les pièces annexes ainsi qu'un ensemble de suites pour les membres de la famille royale.

ques et ses colosses), devant un temple à grandes colonnades et d'imposants sanctuaires construits par Aménophis III. Une fois par an, lors de la grande fête d'Opet, Amon voyageait de Karnak à Louxor sur sa grande barque d'apparat et effectuait le chemin inverse dans le même appareil quelque trois semaines plus tard. Ainsi que nous l'avons vu, Ramsès II respecta la coutume et assista à la fête d'Opet en l'an 1, et probablement très souvent ensuite.

La rive gauche était — et est toujours — dominée par les falaises désertiques de la « Montagne Ouest ». Le long de la bordure de sable, s'étirait l'alignement des temples des plus grands rois de l'Empire, celui de Ramsès II (le Ramesseum) s'élevant au centre même, avec ses pylônes, ses cours, ses colonnades et ses salles, et son colosse d'un millier de tonnes. Les tombes des nobles ornaient la face de la Montagne Ouest de leurs sombres portes. A l'intérieur de chacune d'elles se trouvait une salle ou une suite décorée de couleurs éclatantes, avec des scènes dépeignant le propriétaire et sa famille, des compositions religieuses nécessaires à la vie après la vie, et parfois des représentations relatant leur carrière et des inscriptions d'intérêt particulier. Amon traversait également le Nil une fois par an dans sa barque d'or pour célébrer la « belle Fête de la Vallée » dans le temple mémorial de Ramsès (ou dans un autre), tandis que les familles de Thèbes organisaient un festin nocturne dans les chapelles tombales, vivants et morts unis en une seule célébration. De grandes cérémonies avaient lieu dans les temples, des processions avançaient à la lueur des torches et des bouquets étaient offerts aux hauts dignitaires : ces deux journées consacrées aux réjouissances étaient la fête traditionnelle à Thèbes. Enfin, derrière les falaises désertiques se trouvaient les Vallées secrètes des rois et des reines au nord et au sud du grand rideau de pierres. Un renfoncement de la colline, au sud-ouest du Ramesseum abritait avec discrétion le village (Deir el-Médineh) de la communauté des ouvriers de la Tombe Royale, dont nous reparlerons plus tard.

Homère chanta « Thèbes aux Cent Portes, où brillet les lingots d'or », mais les fiers poètes thébains consacrèrent des hymnes à « Thèbes la Victorieuse », le modèle des autres cités :

> « Plus forte que toute autre cité est Thèbes,
> Elle donna par ses victoires un maître à la Terre ;
> Elle qui prit l'arc et saisit la flèche
> Nulle ne l'égale par la grandeur de son pouvoir.
> Thèbes est un modèle pour toute cité,
> La terre et le fleuve étaient siens depuis les premiers temps.
> Le sable délimita ses champs,
> créa son sol sur la première motte lorsque la terre apparut.
> Les hommes s'élevèrent d'elle pour fonder toute cité d'après son nom véritable,
> Puisqu'elles se nomment (toutes) " Cité ",
> A l'instar de Thèbes, l' " Œil de Rê ". »

L'éblouissante Pi-Ramsès

A Memphis et à Thèbes, jusqu'ici les sièges jumeaux de la vie en Égypte, Ramsès II eut l'ambition d'ajouter un tout nouveau centre, qu'il créerait lui-même, en utilisant le berceau familial d'Avaris dans le delta est, là où son père avait installé son palais d'été. La nouvelle capitale fut conçue de manière ambitieuse pour rivaliser avec — et même éclipser — les gloires de Memphis et de Thèbes, ainsi que le chantaient les scribes :

> « Sa Majesté s'est construit une Résidence dont le nom est " Grande en Victoires ",
> Elle s'étend entre la Syrie et l'Égypte,
> riche de nourriture et de provisions.
> Son plan s'inspire de celui de Thèbes en Haute Égypte,
> sa durée de celle de Memphis,
> Le Soleil se lève à son horizon, et (même) se couche en lui
> Chacun a quitté sa ville et s'installe dans ses environs. »

L'impatient Ramsès s'intéressa de très près à la décoration de sa nouvelle cité et il était toujours à l'affût de nouvelles ressources. Ainsi, tandis qu'il marchait dans le désert près d'Héliopolis en l'an 8 (décembre 1272 avant J.-C.), le pharaon au regard perçant repéra plusieurs affleurements de pierre tout à fait propres à la taille de statues royales pour les temples de Pi-Ramsès, Memphis et Héliopolis. Il harangua ses ouvriers et leurs chefs, et passa avec eux un précoce « contrat de productivité » :

> « Vous, ouvriers élus, vaillants hommes aux talents manifestes ... artisans en pierres précieuses, familiers de la quartzite, qui avez l'expérience du granit..., bons camarades, infatigables et vigilants dans le travail quotidien, qui exécutez vos tâches avec énergie et art!... D'abondantes provisions sont devant vous... Je suis celui qui vous approvisionne constamment : les marchandises (qui vous sont attribuées) sont plus lourdes que le travail, grâce à mon désir de vous nourrir et de vous choyer! Je sais que vous œuvrez avec ardeur et grand talent et que le travail est un plaisir lorsque l'estomac est satisfait. Les greniers gémissent sous le poids du grain qui vous est destiné... Les entrepôts regorgent de pain, de viande, de gâteaux, pour vous soutenir; de sandales, de vêtements, d'assez d'onguents pour oindre vos têtes tous les dix jours, afin que vous persévériez dans votre tâche quotidienne. Aucun d'entre vous (n'éprouvera le besoin) de maugréer durant la nuit sur sa pauvreté. J'ai ordonné à de nombreuses personnes de vous approvisionner : les pêcheurs vous apporteront des poissons, d'autres dans les jardins vous fourniront en légumes (?), un potier fabriquera des cruches destinées à rafraîchir l'eau dans la chaleur estivale... »

Le palais d'été de Séti Ier, avec ses édifices militaires et sa verrerie, constituait la pièce maîtresse de la nouvelle cité. Ramsès II l'enrichit et l'agrandit. Entre d'austères murs blancs, des dallages peints menaient vers les appartements royaux et les salles d'audience et de réception qui scintillaient de carreaux vernissés aux couleurs chaudes et riches : des jaunes et des bruns, des touches de bleu, de rouge et de noir sur fond gris. Le décor des marches et de l'estrade d'honneur du trône représentait des étrangers assujettis sur un dé de plantes des marais en bleu ; le dernier degré de l'escalier montrait le lion royal dévorant un infortuné ennemi — tout en faïence vert clair et bleu. Les encadrements des portes, les murs et les balcons portaient les titres de Ramsès en grands hiéroglyphes, blancs sur bleu, et bleus sur blanc, ainsi que des scènes triomphales en rouge vif, bleu, marron, jaune et noir. Dans les appartements royaux, plus intimes, cette magnificence laissait la place à des scènes plus gaies, dont les acteurs étaient des oiseaux et des animaux des marais, des femmes du harem, ainsi que Bès, ce drôle de petit dieu du foyer et de la maison. Ainsi, contrastant avec les murs et les plafonds enduits de blanc, les sols des parties principales du palais, qu'elles soient publiques ou privées, étaient recouverts de scènes éclatantes et de riches motifs colorés. Nul ne s'étonnera des louanges et du lyrisme des scribes à l'égard de Pi-Ramsès : « Les magnifiques balcons, les éblouissantes salles en lapis et en turquoise. » L'armée n'était certes pas absente de cet ensemble, et il est probable que les garnisons, disséminées dans différents quartiers, veillaient sur la ville. Car, Pi-Ramsès était aussi « le poste de commandement de vos chars, le lieu de rassemblement de votre infanterie, le point de mouillage de votre flotte ».

Autour de la résidence royale s'élevaient d'autres bâtiments publics, administratifs et religieux. Non loin du palais, se trouvaient les bureaux et les résidences des hauts fonctionnaires du gouvernement — dont le Quartier Général du Nord du vizir thébain Paser. Mais les demeures des dieux dominaient l'ensemble. La ville originale d'Avaris, avec le temple de Seth, partenaire d'Horus, celui qui aide Rê, était située au sud. Le grand temple de Rê, au nord du quartier du palais, faisait face à celui d'Amon. Devant lui se dressaient au moins quatre, voire six, paires d'obélisques. A cet endroit et dans les cours, on trouvait également deux sanctuaires de grès et une série de statues royales, ainsi que quatre ou six grandes stèles de granit commémorant poétiquement la puissance du roi. A la limite nord de la nouvelle cité, les temples de Ptah et de Sekhmet constituaient des structures plus modestes. C'est peut-être à proximité de celles-ci que Ramsès II éleva, dans les années trente de son règne, les grandes Salles du Jubilé pour la célébration de la fête Sed, commémorant la renaissance de la royauté. Cet édifice était placé sous le patronage de Ptah-Tatenen, dispensateur des jubilés, et de Rê-Atoum, le dieu-soleil, avec lequel Ramsès prétendait entretenir une relation privilégiée. Un portail de granit massif d'une hauteur de douze mètres, menait à la salle hypostyle, dont les quatre colonnes centrales mesuraient environ dix mètres de hauteur et les dix colonnes périphériques, six mètres, permettant ainsi à la lumière de s'infiltrer par les hautes croisées qui comblaient la différence de niveau des toits, comme à Karnak et dans la Salle Ouest de Memphis. Au-delà, se trouvait une seconde salle, avec six colonnes de six mètres de hauteur, qui débouchait sur d'autres salles. Trois paires de hauts obélisques de granit précédaient naguère ces puissantes Salles du Jubilé et il n'est pas impossible que d'autres s'élevassent devant d'autres portails. D'énormes colosses de granit rose et gris décoraient également les alentours. Ramsès II étant impatient de voir cette massive construction prête pour ses jubilés, contraignit les ouvriers à réaliser ces colonnes sans délai ; ceux-ci utilisèrent donc certaines colonnes provenant de quelques vieux temples abandonnés, ce qui était plus rapide que de faire exécuter le travail à Assouan.

Le long des côtés nord et ouest de la cité principale coulaient les « eaux de Rê », le bras est du Nil, qui se dirigeait ensuite au nord-est. Le long des côtés sud et est de la cité passait un canal secondaire, vraisemblablement « les Eaux d'Avaris », lequel constituait peut-être le prolongement du « Lac de la Résidence ». Les eaux, tant naturelles qu'artificielles, accordaient ainsi leur protection à la cité. Pi-Ramsès disposait d'un très beau port intérieur, que l'on pouvait atteindre rapidement de la Méditerranée, et qui permettait de contrôler tous les bateaux circulant vers le sud, jusqu'à Memphis et au-delà. Les petites maisons de la population laborieuse, les bassins et les quais côtoyaient les entrepôts destinés à emmagasiner les tributs et les impôts : Pi-Ramsès, une « ville-entrepôt » au sens où l'entend la Bible (*cf.* Exode 1, 11).

Cette cité se trouvait non seulement aux portes du désert, à l'est, mais encore près d'un riche arrière-pays agricole, où le poisson et le gibier pullulaient. Les jours de fête, la population se précipitait pour acclamer le pharaon qui se rendait en grande pompe du palais aux temples de Seth ou de Rê :

> « Les jeunes gens de " Grande-en-Victoires " portent les vêtements des jours de fêtes, leurs cheveux sont huilés et

> coiffés. Ils se tiennent debout près de leur porte ; leurs mains ployent sous la verdure et sous les feuillages de la Maison d'Hathor... Le jour où Ramsès II, Montou des Deux Terres, entra dans la ville, le matin de la fête Khoiak, c'était à qui présenterait ses requêtes. De douces chanteuses de l'école de Memphis (attendent)... »

Les allées et venues du roi, qu'il soit en campagne en Syrie ou en tournées d'inspection en Égypte ou à Thèbes, constituaient un grand événement dans la vie des capitales et donnaient lieu à des préparatifs élaborés. Le récit d'un scribe nous donne une idée de l'ampleur de ces grands mouvements ; les ordres étaient les suivants :

> « Travaillez afin que tout soit prêt pour l'arrivée du Pharaon... Faites cent anneaux pour les bouquets de fleurs, cinq cents paniers de nourriture. Liste des provisions à préparer : mille pains de farine fine, ... dix mille biscuits *ibshet*, deux mille miches de *tjet*, ... gâteaux, cent paniers, ... soixante-dix plats, ... deux mille mesures. .... Viande séchée, cent paniers de trois cents morceaux... Lait, soixante mesures, crème quatre-vingt-dix mesures, caroubes, trente bols. Raisins, cinquante sacs ; grenades, soixante sacs ; figues, trois cents chapelets et vingt paniers... »

Et la liste se poursuit ainsi, aromates, oies cuites, miel, concombres, poireaux, encens, huiles douces, toutes sortes de poissons et de gibiers, haricots, boissons diverses. Et un imposant déploiement de serviteurs, de chars brillamment décorés, et d'armes pour l'escorte militaire. Ainsi, tout fut prêt pour accueillir le roi dans le plus pur style de Pi-Ramsès. C'est là qu'avait choisi de vivre Ramsès II, « celui qui brisa les terres étrangères, taureau puissant aimé du Droit ».

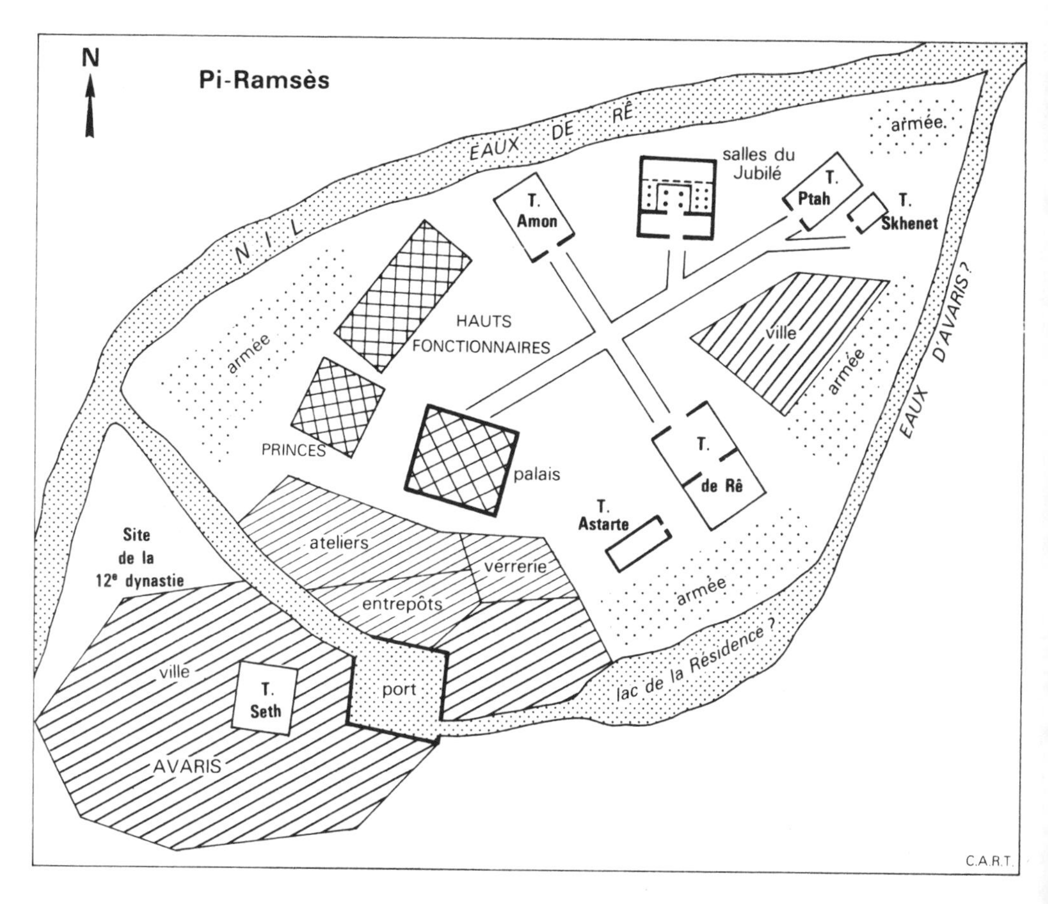

Reconstitution du plan de Pi-Ramsès, la Résidence de l'est du Delta créée par Ramsès autour du palais d'été de son père au nord de la ville d'Avaris.

CHAPITRE VII

LES COULISSES DU POUVOIR, LA VIE ET LES LETTRES

LES VIZIRS ET LA LOI

Paser, le vizir modèle

Le pharaon n'était pas seulement la personne sur laquelle se concentrait la splendeur de ses capitales, mais encore la source de toute autorité et de tout pouvoir. En revanche, et en dépit de toutes les bénédictions des dieux, cet homme n'aurait pu gouverner seul ses vastes domaines. Il était donc contraint de déléguer son autorité. Ramsès II disposait, comme ses prédécesseurs, d'un corps de ministres d'État, dirigé par les vizirs du Sud et du Nord.

Paser, vizir thébain de Séti Ier, fut maintenu à ce poste pendant un quart de siècle sous le règne de Ramsès II. Son dynamisme lui valut d'administrer sa province avec souplesse et efficacité. Ramsès ne prit jamais en défaut son dévoué Premier ministre. Bien que d'origine nordique (memphite) par sa mère, Paser éprouvait une profonde attirance pour Thèbes, ses grands monuments, son apparat et son emplacement splendide, il décida d'y faire édifier sa belle chapelle tombale (no 106). Son père avait fini ses jours à Thèbes comme grand prêtre d'Amon. Les grandes responsabilités de Paser le retenaient la plupart du temps au nord, près du roi. Mais à Thèbes, il veillait tant à l'ardeur qu'aux besoins de ses contemporains. Il était le supérieur immédiat de la communauté des ouvriers de la Tombe Royale. Il s'entendait à réussir dans ses entreprises ainsi qu'en témoignent encore aujourd'hui les merveilleuses sépultures de Séti Ier, de Ramsès II et celles de leurs proches, mais il y parvint surtout grâce au souci qu'il avait de ses ouvriers. Il était en très bons termes avec le Scribe de la Tombe, Ramose, et tous deux jouissaient d'une grande popularité. Nous n'en voulons pour preuve que les représentations sur des tombes et sur des stèles retrouvées en ce lieu. Une lettre du maire (un autre Ramose) de Thèbes-Ouest, adressée aux travailleurs et à leurs deux chefs d'équipe met en évidence l'attitude de Paser :

> « Le Maire de Thèbes-Ouest, Ramose, salue les Chefs des Ouvriers et l'équipe (entière ?), (nommément) le Chef Ouvrier Nebnufer et Qaha avec toute l'équipe, comme suit : ...
>
> « Or voyez, le gouverneur et vizir Paser m'a envoyé ceci, disant : " Que l'on donne leurs dûs aux ouvriers de la Tombe Royale, c'est-à-dire des légumes, du poisson, du bois de chauffe, des jarres de bière (?), des victuailles et du lait. Qu'il n'en subsiste pas une miette... (Que je) ne trouve aucun reste de ce qui leur est dû sur la balance. (Et) vous-même devez (y) veiller... " »

Paser ne voulait en aucune façon que ses travailleurs fussent frustrés de leur récompense, et le message était scrupuleusement respecté. Ce qu'ils obtenaient était, en fait, considérable.

Quoi qu'il en soit, la charge des ouvriers, celle du mobilier, et parfois celle des fêtes des temples d'Amon ne représentaient qu'un aspect des maints devoirs de Paser. Doté d'un sens aigu de l'histoire, il fit graver très tôt dans sa chapelle funéraire une copie des traditionnelles « Adresses Royales au Vizir » vieilles de plusieurs siècles. Cette « Adresse » était déjà ancienne à l'époque de Paser à maints égards. Mais ses deux parties — conseil royal relatif à la nomination et surveillance des devoirs — reprenaient les grands idéaux de stricte impartialité et de justice publique. L'étendue des devoirs et des responsabilités du vizir embrassait divers domaines : les ministères de la justice, du trésor, des forces armées, des affaires intérieures, de l'agriculture, des communications gouvernementales (liaisons centrale et locale), etc. S'il se trouvait dans la capitale, il devait adresser un rapport quotidien au pharaon, et procéder à une vérification avec le chef du Trésor. Il rendait justice en tant que magistrat supérieur dans toute sorte de procès et avait la responsabilité des tributs et des impôts. Aussi les visites à Thèbes (même justifiées par son travail) durent-elles souvent lui sembler des diversions bien venues... au regard de ses activités dans les cités capitales du Nord.

Un jour vint toutefois où Paser sentit peser le poids des ans, et attendit qu'on le déchargeât de ses fonctions. A la mort de Nebwenenef, grand prêtre d'Amon, en l'an 12, Ramsès avait nommé un certain Wennofer comme successeur, le père de son compagnon d'enfance, Amen-eminet. Ce dernier était passé de la carrière militaire à la carrière diplomatique pour devenir chef des travaux de tous les monuments royaux, et en particulier du Ramesseum situé sur l'autre rive du Nil. Wennofer mourut vers l'an 27, laissant vacant le poste de grand prêtre. La fidélité de Paser fut récompensée : il fut nommé pontife d'Amon, un poste occupé une génération plus tôt par son père. Paser assuma les fonctions moins prenantes de grand prêtre lors des grands cérémoniaux jusqu'à son décès qui survint une décennie plus tard. Les détails du culte quotidien et des fêtes de moindre importance étaient pris en charge par le clergé régulier, à la tête duquel se trouvaient le deuxième et le troisième prophète d'Amon, tels que Bakhenkhons et Roma, et les grands domaines d'Amon étaient administrés par des fonctionnaires tels que Setau.

La Loi en action : petit différend domestique

De nombreuses affaires étaient bien sûr réglées sur le plan local et n'atteignaient jamais la haute cour du vizir. Mais leurs récits illustrent souvent de manière vivante les détails du mode de vie de l'époque, comme le montre le scénario suivant (à Thèbes-Ouest). Vers l'an 9 du règne de

Ramsès II, l'officier de district Simout prit pour femme Irynofret. Pendant sept ans, la ménagère active s'acquitta elle-même du travail domestique (un serviteur se chargeait des travaux extérieurs pénibles), elle confectionnait ses propres vêtements, etc. Puis, un jour de l'an 15, l'opportunité de moins travailler et d'échapper aux tâches les plus fastidieuses se présenta à elle. Le marchand Raia frappa à sa porte et lui proposa d'acheter la merveille des merveilles : une jeune esclave syrienne, qui n'était encore qu'une gamine. Irynofret et Raia marchandèrent donc, se mirent d'accord sur le prix (4 *deben*, 1 *kite*, sur la base de l'argent) et l'affaire fut conclue. Irynofret nomma sa nouvelle acquisition *Gemni-hir-amenti*, « Je l'ai eue dans l'Ouest », et trouva certainement de quoi l'occuper. Il est évident que, dans une société où les pièces de monnaie n'existaient pas, et où l'échange de biens de consommation contre un étalon d'or/d'argent/de cuivre en fonction du poids, était la règle, notre digne ménagère ne règle pas sa dette en argent pur. Elle rassembla en fait l'équivalent de cette somme. Il s'agissait de robes en toile de lin, d'un linceul et d'une couverture qu'elle avait confectionnés elle-même et qui représentaient à peu près la moitié du prix (2 *deben* 2/3 *kite*). Elle obtint l'autre moitié en donnant au marchand un incroyable lot de vaisselle de cuivre et d'ustensiles de cuisine en bronze acquis à prix connu chez diverses voisines à ce moment, ou plus vraisemblablement avant pour disposer le cas échéant de « monnaie d'échange » pour de tels imprévus.

Ainsi, Irynofret, son mari et la petite Gemni-hir-amenti s'installèrent-ils chacun dans leurs habitudes. Mais cela ne dura guère... Une voisine jalouse, Bakmout, prétendit qu'Irynofret avait payé sa domestique avec certains de ses biens — elle exprimait donc des prétentions sur cette fille ! Son époux, le soldat Nakhy, était prêt à la soutenir. Aucune des parties ne voulant céder, le différend empira.

En conséquence, la dame Irynofret dut se défendre devant la cour locale de Thèbes-Ouest, contre l'accusation déposée par Nakhy au nom de Bakmout. Ceci se déroulait probablement au cours de l'an 16. Les magistrats ordonnèrent que leur soient relatés les faits. Irynofret s'exécuta sans timidité :

« Je suis la femme de l'officier de district Simout. Nous avons fondé une maison, je travaillais... et confectionnais (même) mes (propres) vêtements. Or en l'an 15, sept ans après notre union..., le marchand Raia m'approcha avec cette esclave syrienne..., une gamine, et me dit : " Achète cette fille à son prix "... Alors je cite le prix que je l'ai payée, devant (vous) les magistrats : *(Suit une liste de vêtements, en toile de lin, d'ustensiles de métal, et l'endroit où elle les avait acquis ainsi que leur prix)* — total équivalent à 4 *deben* 1 *kite* en argent de toute provenance... Cette liste ne mentionne aucun objet ayant appartenu à la dame Bakmout... »

A ce moment, les magistrats invitèrent Irynofret à prêter serment. « Le banc des magistrats dit à la dame Irynofret » :

« Prêtez serment au nom du Souverain, et dites ceci : " Si des témoins établissent à mon encontre qu'une des propriétés de la dame Bakmout était comprise dans l'argent que j'ai payé pour cette esclave, et que j'en ai dissimulé (le fait), alors je serai passible de cent coups et je perdrais (la fille). " Irynofret jura comme il se doit. »

On demanda à Nakhy de présenter des témoins afin de justifier les allégations de Bakmout. Ceux-ci forment un groupe intéressant. Il y avait d'abord Min-inwy, un ancien sergent de la garde de la Tombe Royale ; le maire de Thèbes-Ouest, Ramose (que nous avons déjà rencontré) ; le frère aîné de Simout ; la sœur aînée de Bakmout, et trois autres dames. Chacun des témoins donna à son tour sa version des faits.

Et... c'est ici que se termine notre papyrus ! La dernière partie particulièrement intéressante est perdue. Se trouve-t-elle encore enfouie dans les sables égyptiens, ou le temps, ou l'homme l'ont-ils détruite ? Irynofret gagna-t-elle son procès ? Si ce document a fait partie de ses dossiers personnels, il se peut qu'il ait constitué son titre de propriété pour son esclave.

La Loi en action : la querelle de cent ans

Le différend d'Irynofret avec la loi n'était en réalité qu'une bien petite affaire comparée au procès épique qui se déroulait alors dans les cours suprêmes et locales du Nord, à Héliopolis, à Memphis et à Pi-Ramsès.

Quatre siècles auparavant, aux jours héroïques ou Ahmosis Ier mit fin au régime des Hyksos et réunifia l'Égypte, celui-ci avait récompensé ses principaux partisans en leur faisant don de terres. Neshi, superintendant du Sceau et amiral, avait reçu une propriété près de Memphis, qu'on nomma « La colonie de Neshi ». Au fil des siècles, les héritiers de Neshi s'accrochaient fermement à ce legs foncier et en bénéficiaient tous ensembles, la propriété en elle-même étant indivise. Les choses en restèrent là jusqu'à « l'époque de l'Ennemi résidant à Akhet-Aton* » comme l'appelaient les Ramessides), et de la dame Sheritre. Ses descendants semèrent le trouble durant le grand règne d'Horemheb, — et de la jalousie entre les frères et les sœurs résulta un *premier* procès : « Un partage de propriété fut prononcé pour Wernuro et ses frères et sœurs par la Grande Cour Judiciaire... une division dûment réalisée..., et Wernuro fut nommée administratrice au nom de ses frères et sœurs. » Ainsi, la sœur aînée avait-elle réussi à maintenir l'indivision de la propriété, les parts de ses cohéritiers étant clairement définies. Elle avait donc remporté la première manche.

Mais pas pour longtemps. Sa sœur Takhuru était insatisfaite et revendiquait sa « part du gâteau » (son arpent de terre) ; elle entama donc un *second* procès. Un officier de la loi fut dépêché sur les lieux : « et chaque personne dut reconnaître sa part ». L'autorité de Wernuro était-elle quelque peu émoussée ? Quoi qu'il en soit, elle et son fils, le scribe Houy, entamèrent rapidement un *troisième* procès, pour reconquérir leurs droits administratifs sur la propriété indivise. Les interminables procédures se poursuivirent après la mort de sa mère et Houy put « cultiver ses terres comme il le souhaitait année après année... (et) recevoir la récolte de ses champs ». La vie continua donc

* C'est-à-dire le pharaon Akhenaton à Amarna. (N.d.E.).

jusqu'à la mort de Houy, qui laissait une veuve, la dame Nubnofret, et un petit garçon, Mose. Les autres membres de la famille virent leur chance poindre. A leur instigation, l'huissier Khay expulsa la veuve et son fils. Mais fidèle à l'appétit insatiable de la famille pour les litiges, ceux-ci firent immédiatement appel. Ainsi s'ouvrit le *quatrième* procès. L'affaire fut portée devant le vizir d'Héliopolis en l'an 18 (?) du règne de Ramsès II. Nubnofret invoqua alors les documents officiels :

> « Que l'on m'apporte les registres (des impôts) du Trésor, ainsi que ceux du bureau du Grenier du Pharaon. Car, je déclare avec assurance que je suis la descendante de Neshi... l'Agent Khay ne connaît pas mes droits ! »

De toute évidence, les déclarations de revenus de son défunt mari devaient prouver ses droits à l'héritage. Un officier chargé de rapporter les registres à la cour fut donc envoyé à Pi-Ramsès, accompagné de Khay. Devant la cour, les grands rouleaux furent déroulés et examinés page après page, par le regard exercé des vizirs et des clercs.

> « Le vizir s'adressa à Nubnofret : " Qui est l'héritier dont tu te réclames parmi les héritiers mentionnés dans les deux registres qui se trouvent devant nous ? " Un étrange silence pesait sur la cour assemblée ; Nubnofret dut confesser : " Il n'y en a aucun dans ceux-ci ! " " Alors tu es dans le faux " déclara le vizir. »

Une lueur d'espoir brilla lorsqu'un second officier s'offrit à revérifier les registres pour elle, mais elle s'évanouit lorsqu'il rapporta : « Tu n'es pas inscrite dans les registres. » Alors Khay jubilant accompagna l'officier avec qui il s'était rendu à Pi-Ramsès, pour réclamer sa part du partage (illégal) de la propriété entre les héritiers. Les deux hommes s'étaient en effet mis d'accord, en faisant route vers Pi-Ramsès : si l'officier pouvait « falsifier » les registres des impôts afin que Houy disparaisse des listes, ils y gagneraient tous les deux. Ils laissèrent une Nubnofret ahurie, se demandant ce qu'il avait pu advenir de toutes les déclarations d'impôts, gardées au fil des ans par son mari, puis par elle-même...

Mose atteignit sa maturité vers le milieu du règne de Ramsès II, devenant (comme son père) scribe du trésor du Temple de Ptah, à Memphis. Durant toutes ces années, sa mère, aigrie, lui avait sans doute parlé de l'injustice de leur perte, de la perfidie de Khay et de ses compères et de la nécessité impérieuse de reconquérir un jour leurs droits. Mose déposa lui-même une plainte devant la Grande Cour de Justice. Il provoquait ainsi l'ouverture du *cinquième* procès où Mose était le plaignant et Khay, le défendeur. Mose résuma brièvement l'affaire et présenta ensuite sa double accusation : 1) il était (comme ses parents) le descendant véritable de Neshi, et donc l'héritier de la propriété ancestrale ; 2) Khay et ses complices avaient falsifié les registres dans lesquels les noms de ses parents n'apparaissaient plus. Khay, pour sa part, revendiqua simplement ses droits et le *fait accompli*. La question cruciale de la preuve se posa alors. Les registres étant falsifiés, Mose fit appel à ses voisins et à ses compagnons pour établir sa notoriété et sa légitimité.

Après la réponse de Khay, chacun prêta serment :

> « Comme Amon persiste, comme le prince persiste, c'est la vérité que je dirai et non le mensonge ! Et si je dis le mensonge, alors que mes oreilles et mon nez soient coupés, et que je sois envoyé en Nubie ! »

Puis sous la foi de ce serment, chaque témoin déclara et reconnu que le père de Mose, Houy, était bien le fils de Wernuro et qu'il avait cultivé les terres, objet du litige, et que Wernuro était bien la descendante de Neshi. Tous réitérèrent le même témoignage. Même Khay admit la dure réalité de la descendance de Mose. Ce point établi, Mose présenta divers anciens documents écrits. La notoriété de Mose et la validité de ses prétentions s'imposaient aux magistrats ainsi que les procédés peu scrupuleux de l'huissier Khay.

Alors, la cour rendit son verdict, et le vizir l'annonça de la manière la plus traditionnelle qui soit : « Mose a raison ; Khay a tort ! » Mose exultait devant l'officier de la cour et les juges. Une scène endommagée, découverte dans la chapelle tombale de Mose perpétue ce moment de délire face au succès. Mose n'avait pas l'intention de poursuivre plus loin cette *cause célèbre** puisqu'il avait maintenant recouvré ses droits. Plus riche, il s'offrit une chapelle tombale décorée à Memphis. Il fit graver le récit de ce litige, qui avait duré un siècle, sur le mur intérieur nord de sa petite cour, et (sur un autre mur), la liste de quelques-uns des principaux documents produits à titre de preuve. Et bien sûr, la scène de triomphe final. Ces représentations ne servaient qu'un propos : faire qu'à l'avenir aucun doute ne fut permis quant à la légitimité de ses droits. Ainsi se termina l'une des plus longues affaires certainement jamais connue dans toute l'histoire de l'Égypte, commencée sous Horemheb et close dans les dernières années du règne de Ramsès II.

CHEFS DU TRÉSOR ET ESCROCS FINANCIERS

Les racines de la prospérité

La richesse du grand royaume de Ramsès II était estimée en fonction des produits de la terre et du nombre de personnes actives. L'étalon de poids d'or/argent/cuivre variable servait à estimer ces produits. Les terres arables et les pâturages étaient en théorie à la disposition du roi, régent des dieux sur terre. Mais en pratique, à l'époque de Ramsès, les réalités de la vie étaient beaucoup plus complexes. Il y avait tout d'abord les terres très vastes de la Couronne (c'est-à-dire de l'État) dont les produits et le bétail fournissaient tout à la fois l'approvisionnement en nourriture, les « salaires » et l'entretien général de l'administration du pharaon et de ses ministères. A travers ces domaines fonciers et ces terres, exploités par les cultivateurs et les pâtres (qui gagnaient ainsi leur vie), diverses institutions jouaient le rôle d'unités économiques, telles que les harems royaux de Memphis ou de Miwer. Les propriétés « privées » étaient peu nombreuses, à l'exception

* En français dans le texte. (N.d.T.)

des propriétés individuelles du roi et des membres de la famille royale — mais celles-ci bien sûr devaient subvenir aux besoins de toute la maison et aux « dépenses » n'incombant pas aux hommes du peuple.

Venait ensuite, une autre catégorie de « propriétaires fonciers » : les temples des dieux. Amon de Thèbes était à cette époque le plus opulent d'entre eux, ses immenses domaines à travers l'Égypte étaient producteurs de revenus importants (en grain, en bétail, etc.) qui à leur tour permettaient de subvenir aux besoins de l'impressionnant personnel : prêtres du temple, ouvriers spécialisés, serviteurs, ainsi qu'à l'entretien d'un culte d'une splendeur convenant à son rôle de dieu impérial. Ces énormes revenus servaient également à nourrir les cultivateurs eux-mêmes (assurés d'une existence modeste mais stable). Du simple paysan au dieu le plus puissant, chacun en Égypte était soumis au paiement d'impôts en nature au trésor central ; tant que l'Égypte jouissait d'un gouvernement équitable et efficace, dirigé par des fonctionnaires intègres à tous les niveaux du gouvernement et de la société, et tant que la terre était convenablement irriguée et cultivée, sa richesse et sa prospérité étaient assurées. Seule la crue du Nil posait problème chaque année : une crue insuffisante entraînait la famine et une crue excessive dévastait les terres.

Panehsy et Souty, Maîtres du Trésor

Les différents chefs du Trésor étaient extrêmement proches des vizirs dans la hiérarchie du gouvernement égyptien. Ces hauts fonctionnaires et le grand vizir échangeaient des rapports quotidiens sur l'état du pays et sur leurs départements. Cette entrevue se déroulait en présence du pharaon lorsqu'ils étaient tous réunis dans la capitale. Le chef du Trésor avait naturellement une responsabilité considérable quant à l'impôt et à la vérification des revenus tant réels que prospectifs. Plusieurs hommes occupèrent ce poste durant le long règne de Ramsès II. Au début, ce fut Neb-iot, et à la fin, Pay-tenhab ; mais aucun de ces deux hommes ne marqua son époque. Dans les années intermédiaires, Panehsy et Souty nous offrent un aperçu des revenus des temples et de l'état. La copie supposée d'une lettre adressée de Memphis par Panehsy à Hori, un prêtre d'Amon à Thèbes nous donne une remarquable perspective de l'immense richesse d'Amon de Thèbes vers le milieu du règne de Ramsès.

> « Le scribe royal et chef du Trésor... dans la région du Nord, Panehsy (salue le prophète) d'Amon dans la ville du Sud, Hori :
>
> « Salutations ! Cette lettre vous informe de l'état des Domaines d'Amon qui sont sous mon autorité dans la région Nord, ... allant jusqu'aux extrémités du Delta, sur les trois bras du Nil appelés le Grand Fleuve, le fleuve de l'Ouest et les Eaux d'Avaris.
>
> « ... (J') envoie par la présente les listes de chaque homme leur appartenant, avec leurs femmes et leurs enfants... J'ai établi leurs impôts, ... en l'an 24, le 21e jour d'Été (avril 1256 avant J.-C.) sous la Majesté du Roi (Ramsès II)...
>
> « Informant le prophète Hori à leur sujet, de chaque homme en fonction de son occupation (?). *Résumé*... Cultivateurs, 8 760 hommes, produisant 200 sacs d'orge par boisseau. Vachers, (...) hommes, avec bétail en troupeau, chaque homme (s'occupant) de 500 bêtes. Chevriers, 13 080 hommes, ... (Gardiens de) volailles, 22 430 hommes, ayant chacun 34 230 volatiles. Pêcheurs, ... leur (produit) est évalué à 3 *deben* d'argent par an. Les âniers, 3 920 hommes, (ayant chacun ?) 2 870 bêtes. Les muletiers (?) 13 227 hommes, ayant chacun 551 bêtes...
>
> « C'est ainsi que j'ai procédé avec eux. Alors, j'ai pris des hommes, et je leur ai ordonné de construire un grand grenier pour le camp de travail (?) de Memphis, auquel est assigné 10 *arourae* (environ 7 acres). J'ai fait des coffres à avoine sur les quatre côtés faisant un total de 160 coffres à avoine. J'ai collecté ? les biens dus au trésor, une richesse d'argent, d'or, de cuivre, de vêtements, de linges (...). »

L'approvisionnement en grains et les possessions en bétail d'Amon étaient effectivement impressionnants : un revenu d'1 million 3/4 de sacs d'orge chaque année ; des possessions s'élevant à 6 millions de bovins et autant de chèvres ; des millions de gibiers à plumes pullulant dans le vaste Delta, dans les marécages des bras des rivières de la vallée et dans les lagunes ; et de surcroît 11 millions

1/4 d'ânes et 7 millions 1/4 de mulets (?). Ces chiffres ne relèvent pas tous de la pure fantaisie. Ainsi, le revenu en grains s'élevant à 1 million 3/4 de sacs (Delta et nord de la Moyenne Égypte), pour l'*ensemble* des temples thébains d'Amon est sensiblement comparable au cinquième de celui que Ramsès III accorderait un siècle plus tard à son propre temple funéraire et à quatre très petits temples. Et une production de 200 sacs par cultivateur est très modeste comparée aux quantités plus importantes mentionnées dans d'autres papyrus (1 600 sacs par homme dans certains cas). De la même manière, 500 vaches ou 551 mules (?) confiées aux soins d'un individu est vraisemblable. On trouve en effet trace sous Ramsès II d'un document annonçant 634 bêtes par gardien pour cinq troupeaux du temple d'Amon. Certains de ces chiffres reflètent donc étroitement la réalité, et ne sont pas dus à l'imagination délirante de quelque étudiant scribe.

Environ une décennie plus tard, dans les années 30 du règne, Souty succéda à Panehsy. Nous avons connaissance d'un rapport qu'il fit à Ramsès II concernant les allocations annuelles en nourriture accordées à la communauté des ouvriers de la Tombe Royale :

> « Le scribe royal et chef du Trésor, Souty, salue Pharaon : Salutations ! Cette lettre doit informer mon bon Maître de ses affaires florissantes au sein de la Place de la Vérité, c'est-à-dire de sa force de travail, et de leurs dépenses annuelles :
>
> « Miches cuites dans des pots, 31 270 ; pains de *kyllestis*, 22 763 ; haricots en boisseaux, 250 sacs ; (autres grains), assortis en boisseaux, 132 sacs ; poissons divers, 32 700 ; ... légumes frais, 43 150 (bottes) ; poisson-*tapy*, des réserves (??), 50 sacs ; viande séchée et marinée (*cf.* bœuf en conserve), 60 blocs ; ...bétail divers, 33 bêtes ; morceaux de viande, flanchet (?) 218 ; morceaux de viande, filets, 200 ; entrailles, 10 poignées...
>
> « C'est celui qui est grandement favorisé... grandement aimé dans le Palais, ... le Vizir Khay du Sud et du Nord (qui a porté ce rapport à votre connaissance)... »

Ces quantités qui sont de prime abord impressionnantes ne sont en fait nullement disproportionnées puisqu'elles devaient être réparties pendant un an entre les membres d'une équipe de quarante à cinquante hommes (et leurs familles). Un ouvrier recevait en moyenne trois pains par jour (chaque chef d'équipe et le Scribe de la tombe, six) ; quelque cinq cents poissons divers étaient alloués à chacune des deux équipes pour deux périodes de dix jours et moins pour la troisième ; chaque ouvrier avait droit à deux ou trois bottes de légumes frais par jour. La viande n'entrait pas dans la composition des repas quotidiens ; elle était réservée aux grandes occasions. Mais cinq blocs de viande « en conserve », deux ou trois bêtes sur pied et seize à dix-huit « côtes » ou « filets » de viande, par mois, constituaient somme toute une provision honnête pour les fins de semaine, les vacances et les fêtes tout au long de l'année.

Impôts sur le revenu et scandales financiers

De tous temps et sous toutes les latitudes, la levée des impôts a été contestée. Les fonctionnaires procèdent à des estimations « statistiques », et les citoyens respectables ne manquent pas de s'apercevoir que les chiffres sont trompeurs. Ceci vaut, qu'il s'agisse du XXe siècle après J.-C. ou du XIIIe siècle avant. Un contribuable irrité présentait ainsi sa requête une décennie après la fin du règne de Ramsès II :

> « L'un de mes subordonnés vint et me rapporta que votre estimation (de l'impôt) sur l'orge de mon champ situé dans le district du village-de-Rê était excessive. Que signifie cette manière de me léser ainsi ? *JE* suis bien celui que vous avez choisi de pénaliser, parmi tous les contribuables ! Comme c'est courtois ! Je suis un proche du pharaon, un de ses intimes. Je n'irai pas vers vous pour présenter ma plainte. J'irai vers quelqu'un... (de bien plus haute autorité !). »

La voix de ce courtisan influent n'était d'ailleurs pas la seule à s'élever du chœur des contribuables, que ce soit à l'époque de Ramsès II ou à la fin de l'Empire.

Mais la nature humaine était prompte à former

d'autres projets financiers plus troubles, motivés par l'avidité et menés par la ruse.

Ramsès II organisa, vers la trentième année de son règne, le premier de sa longue série de jubilés pour la renaissance de la royauté, lequel s'accompagna de grands préparatifs et de grandes cérémonies dans le Nord. On n'avait rien vu de semblable depuis les jours heureux d'Aménophis III, un siècle auparavant. Mais des esprits moins soucieux de leur devoir se laissaient séduire par des idées de pillage tandis que l'attention officielle se portait sur l'organisation et la tenue des grands cérémoniaux. A Thèbes et probablement sur la rive gauche, un haut fonctionnaire était responsable des magasins et des entrepôts des divers temples : il découvrit que « transférer » les biens des dieux de *leurs* entrepôts vers les siens ou vers ceux de son père était une entreprise aisée. Son épouse et sa fille demeurèrent à Thèbes lorsque vers l'an 29 ou 30, il fut nommé à un autre poste, tout aussi important (inspecteur des troupeaux dans les riches pâturages du nord du Delta). Elles agirent donc en son nom, continuant froidement à pénétrer dans deux entrepôts (l'un appartenant au temple du vieux Thoutmosis Ier) et « transférant » les biens vers l'entrepôt particulier du mari ! L'époux n'avait évidemment pas parlé de son départ dans le Nord, laissant donc à sa femme et à sa fille toute liberté de continuer leur manège en son absence. Cependant la hardiesse de la femme causa sa propre perte :

> « Le scribe Hatiay porta plainte en disant : " Pourquoi fréquente-t-elle si souvent l'entrepôt du pharaon à l'insu des contrôleurs ? " »

Eu égard aux proportions du " transfert " de propriété, il en résulta ceci :

> « Elle fut conduite à la Grande Cour de Justice, devant le prince héritier et les grands dignitaires. On lui demanda : " Que signifie le fait que (vous) ayez ouvert deux salles de l'entrepôt du domaine (royal) à l'insu du contrôleur ? " Elle répondit : " Ces endroits dans lesquels j'étais (étaient ceux) que mon mari contrôlait. " Les juges

de la cour lui dirent : “ Votre mari était (auparavant) dans le domaine, pour l'administrer. Mais il n'occupe plus cette fonction, il a été nommé à un autre poste, à l'inspection du bétail dans le nord de sa terre. Vous avez commis un méfait ! ” — C'est ce qui fut prononcé. »

Deux listes du « pillage » indiquent l'ampleur des « conversions frauduleuses » du couple : des vins divers ; toute une variété de vêtements en toile de lin, un lot de 424 pièces pour être précis ; 440 sandales de cuir ; 1 300 blocs de minerai de cuivre ; des animaux de pied dont 30 taureaux, 10 chèvres, 30 oies ; 30 chars (!) et le harnachement correspondant ; et 20 000 boisseaux de grain.

Naturellement, le fonctionnaire indélicat fut convoqué à la cour pour répondre aux accusations, au même titre que sa femme et sa fille. L'acte qui lui fut lu mentionnait également l'arrestation des femmes et montrait comment la plainte de Hatiay avait finalement atteint les instances les plus élevées du pays :

> « Or, voyez, le pharaon envoya un officier du transport... et deux hommes quérir votre femme et votre fille. Elles furent amenées par un chef de la Grande Écurie de Ramsès II (à l'époque du ?) Jubilé, conformément à la copie du document qui (avait été envoyé ?) au pharaon. Or voyez, votre femme avait ouvert les entrepôts du temple du roi Thoutmosis Ier... (Elle) a subtilisé deux cents *deben* de cuivre, trois cents rouleaux de laine, cinq jarres de vin de grenade ; dix flacons en cuivre, quatre pioches en cuivre ; trois chaudrons en cuivre... Elle les a placés dans votre entrepôt. Elle est recherchée et jamais plus elle ne connaîtra la liberté ! »

Un autre passage de cette accusation est encore plus pittoresque :

> « (Les faits sont à présent connus ?) grâce aux documents, qui se trouvaient dans vos dossiers (à votre) domicile. Cette liste mentionne ceci : 20 000 sacs de grain... (etc.) sel, également 1 200 sacs... (etc.). »

Mais notre fonctionnaire « concussionnaire » n'éprouva nul embarras : il nia les faits sous serment et porta une contre-accusation contre les subordonnés du pharaon !

« (Il prêta serment) par le Seigneur devant les hauts dignitaires, disant : “ Si quoi que ce soit devait être trouvé (en la possession de) mon père dans un entrepôt (à cette époque de ?) la fête, j'en paierai le double ! S'il est établi que le déficit est en sa possession, les biens seront apportés ce jour dans les quatre Grandes Salles (du Jugement) ! Mais les gardes des biens du pharaon s'en sont saisis tous autant qu'ils étaient. Je parlerai d'eux au pharaon mon bon Maître, lorsqu'il apparaîtra à la fête du Jubilé, car déjà l'année dernière, ils ont agi à mon encontre. ” Ils se saisirent de sa déclaration et procédèrent au contre-interrogatoire des gardes. »

Nos sources disparaissent soudain à ce point palpitant de l'affaire... La vérité éclata sans doute. Une fois les scandales particuliers éclaircis, les scélérats furent dûment contraints de rendre des comptes. Le personnage le plus important qui siégeait au banc des juges lors de ce procès n'était pas le vizir mais l'Héritier présomptif. Ce fait suffit à prouver que Ramsès II était résolu à aller jusqu'au bout d'une affaire si grave. Il s'agissait vraisemblablement du prince Ramsès, fils de la reine Istnofret. Ce cas témoigne non seulement de l'audace d'un fonctionnaire peu scrupuleux qui parvint (presque) à s'enfuir avec son immense « butin » accumulé à la faveur d'un relâchement de la vigilance, mais encore de l'intégrité des fonctionnaires de rang inférieur, tel Hatiay, et de surcroît de la détermination avec laquelle Ramsès II et sa cour confondaient les escrocs.

VICE-ROIS, OR ET SÉISMES

Séisme à Abou Simbel

Le vice-roi Iouny avait assisté au début des grands travaux des temples rupestres d'Abou Simbel, en Nubie, durant les dix premières années du règne de Ramsès II. Héqanakht avait ensuite surveillé leur achèvement et probablement leur inauguration vers l'an 24. Le vice-roi Paser lui succéda probablement peu de temps après. Malgré l'homonymie Paser n'appartenait pas à la même famille que le célèbre vizir. L'envoyé Houy, rendu célèbre par le mariage hittite, occupa ce poste durant une brève période (de 34 à 38 environ). Ce fut ensuite Setau qui prit la relève pendant un quart de siècle (des années 38 à 63 environ). Les régimes d'Iouny et Héqanakht furent dans l'ensemble tranquilles. Il n'en alla pas de même de ceux de Paser, Houy et Setau.

Paser dut en partie sa nomination au poste de vice-roi au fait qu'il appartenait à la remarquable famille d'Amen-em-inet, le compagnon d'enfance de Ramsès II. Son oncle, Pen-nest-tawouy, avait été commandant des troupes en Nubie ainsi que son fils, Nakht-Min, un cousin de Paser. Tout alla sans doute pour le mieux au début. L'an 30 dut voir les cérémonies commémoratives du Premier Jubilé à Abou Simbel, ainsi que dans d'autres temples. Mais une catastrophe s'abattit sur Abou Simbel (an 31[1]). Une soudaine et violente secousse sismique envoya une onde de choc à travers les déserts de grès de Basse Nubie et ébranla dans leurs fondations les fières structures d'Abou Simbel. L'effet fut cataclysmique : à l'intérieur du grand temple, les puissants piliers cédèrent et s'effritèrent ; le deuxième d'entre eux et la statue royale de l'aile nord s'effondrèrent ainsi que le montant nord de l'entrée principale. A l'extérieur, le bras sud du colosse situé juste au nord de l'entrée s'écroula tandis que (ce qui était pire) dans un grondement de tonnerre, toute la moitié supérieure du colosse — tête, épaules et torse — situé au sud de l'entrée mordit la poussière dans l'avant-cour, provoquant un vacarme qui dut retentir à des kilomètres à la ronde.

Le plus grand sanctuaire nubien de Ramsès devait à première vue évoquer de vilaines ruines, dont les morceaux de grès peints et brisés jonchaient le sol alentour. En dépit de sa consternation, Paser ne pouvait se permettre de s'attarder sur un tel spectacle. Il organisa immédiatement les travaux de restauration. Il est probable qu'il adressa un message au roi (se trouvant à 1700 kilomètres en aval) dès qu'il eut compris que ses efforts avaient quelque chance d'aboutir. Les piliers de la grande salle furent donc étayés et maçonnés (cette surface accueillerait en l'an 33 les bénédictions de Ptah) et le pilier abattu fut redressé et restauré. Le montant de la porte fut reconstruit mais demeura à l'état brut, tandis que le bras sud du colosse situé au nord de l'entrée était restauré à l'aide de blocs de soutènement où titres de Ramsès II étaient gravés. Restait le colosse effondré. Là, Paser ne put faire autre chose que de déblayer et de laisser les morceaux les plus volumineux à l'endroit où ils étaient tombés (nul n'a d'ailleurs fait mieux depuis). Il érigea deux statuettes dont l'une a son effigie dans le Grand Temple réparé en souvenir de ces travaux. Il semble que l'autre temple n'ait pas été aussi endommagé.

Vers l'an 34, Ramsès songea que mieux valait se séparer de Paser. A l'occasion de son mariage avec le pharaon,la même année, la princesse hittite avait été escortée en Égypte par (entre autres) un ancien militaire et fonctionnaire diplomatique, Houy. Naguère lieutenant des Conducteurs de Chars et commandant de la forteresse de Silé, il était à présent envoyé royal dans toutes les terres. Fier de son rôle, il se décrira plus tard comme « celui qui vint de la terre du Hatti et en ramena sa Grande Dame, celui qui raconta tout ce qui a jamais existé à ce propos ! — le scribe royal Houy. »

Impressionné par la conduite de Houy, Ramsès le nomma très vite vice-roi de Nubie, mais même Houy ne put faire plus pour Abou Simbel que son prédécesseur, eu égard à son âge, sa retraite suivit quelques années plus tard.

Le vice-roi Setau, arriviste et chercheur d'or

Son successeur était un homme jeune, dynamique et énergique, qui tenait de l' « enfant prodige ». C'était Setau, promu vers l'an 38, alors qu'il faisait rapidement graver une stèle impressionnante à Abou Simbel. Durant les vingt-cinq années qui suivirent, il encombra littéralement sa province de monuments à l'instar de son royal maître ! Setau dut sa nomination au fait qu'il avait déjà servi le royaume en affichant un zèle énergique. On lit sur sa grande stèle autobiographique :

« Je fus quelqu'un que son maître fit instruire... comme pupille du palais. J'ai grandi dans la résidence royale... On me fournissait tout, le pain et la bière de tous les repas royaux. Je (?) devins ensuite véritablement (?) scribe de l'école... Étant jeune, je fus nommé Premier Scribe du Vizir ; je répertoriai le pays entier sur un grand rouleau, étant à la hauteur de la tâche (?). J'étais surveillé (?), quelqu'un prenant note de tout ce que je faisais. Toutes ces bonnes actions étaient entreprises au nom du Maître-de-Tous (le roi). Il me remarqua alors que je faisais des offrandes aux dieux. J'en fis plus... pour faire le bien. Leurs trésors regorgeaient (?) de richesses... Mon maître remarqua mon efficacité... (à faire prospérer) les œuvres et les champs par myriades. Je fis en sorte que les greniers soient pleins à craquer de revenus... Je n'agissais pas pour un père contre son enfant ; je fis en sorte que leurs enfants louent Sa Majesté.

« (Sa Majesté me promut) au rang de Superintendant d'Amon. Je (servis Amon) en tant que Superintendant du Trésor et Chef de la Fête d'Amon, une paire de brûle-parfum en or dans les mains pour les lui offrir... »

Nommé vice-roi, Setau consacra toute son énergie à la levée des forces de travail et à celle des impôts, étendant la souveraineté égyptienne et poursuivant la construction des temples :

« Mon maître constata ma valeur... Je fus alors nommé vice-roi de Nubie... Je dirigeai les serfs par milliers et dizaines de milliers et les Nubiens par centaines de milliers. Je doublai toutes les taxes de la terre de Koush, j'obligeai les gens à venir (se soumettre), ce qu'aucun vice-roi n'avait fait depuis une éternité. Irem offrit son tribut... et le chef Akuyata avec son épouse et ses enfants, et sa suite...

« Je fus ensuite chargé de construire le Temple de Ramsès II dans le domaine d'Amon ; une œuvre destinée à la postérité qui devait être élevée dans la montagne de l'Ouest. De nombreuses personnes y travaillaient, des esclaves de Sa Majesté. Les entrepôts regorgeaient de marchandises empilées jusqu'au ciel... J'ai reconstruit les temples des maîtres de cette terre de Koush qui étaient tombés en ruines, restituant leur splendeur au grand nom de Sa Majesté, ainsi qu'en attestent les inscriptions éternelles. »

A la stèle de Setau s'en ajouta une autre, celle de l'officier Ramose qui date certaines des dernières entreprises — la construction du temple de Ramsès II à Ouadi-es-Seboua et ses dons de captifs — de l'an 44 (novembre-décembre 1236 avant J.-C.) :

> « An 44 : Sa Majesté ordonna à son homme de confiance, le vice-roi de Nubie Setau, et aux soldats de la compagnie de Ramsès II, " Amon protège son fils ", de prendre des captifs libyens afin de bâtir le temple de Ramsès II dans le domaine d'Amon ; (le roi) ordonna aussi à l'officier Ramose de lever (?) une force armée — ainsi Ramose. »

Impatient de faire construire ses temples dans les délais les plus brefs et au moindre coût, Ramsès II autorisa donc un raid dans les oasis du sud de la Libye, peut-être celles de Kourkour et de Dounkoul voire de Sélima. Il força les malheureux captifs à le servir et à travailler le grès et la brique en faisant preuve de la même *insouciance* vis-à-vis d'eux que celle qu'il avait affichée une génération auparavant à l'égard des Hébreux (Exode 5). Cette attitude contrastait avec la grande attention qu'il portait aux ouvriers égyptiens ainsi qu'en témoignent la stèle de l'an 8 et les documents de Deir el-Medineh (ouvriers de la Tombe Royale).

Setau fut le dernier vice-roi de Ramsès II. La qualité des temples qu'il construisit — Ouadi-es-Seboua et Gerf Hussein — laisse à désirer. Le grès mou dans lequel ces édifices étaient taillés n'en porte pas seul la responsabilité. Les meilleurs artisans retournèrent probablement en Égypte pour continuer les grands travaux dès l'achèvement d'Abou Simbel. Setau ne disposait plus alors que de piètres ouvriers ainsi que de médiocres scribes si on en juge d'après le style épouvantable et la mauvaise orthographe de sa grande stèle.

Les courtisans en action

En plus des vizirs, des chefs du trésor, des vice-rois de Nubie et de quelques autres tels que les chefs des greniers de l'État, certaines personnes à la cour de tout pharaon impérial avaient des fonctions officielles limitées mais exerçaient un pouvoir réel. Parmi elles, se trouvaient les échansons royaux (homologues du « sommelier du pharaon » dans la Genèse) qui de par leurs fonctions quotidiennes servaient le vin au roi, devenaient ainsi ses confidents fidèles et se voyaient confier les secrets d'État les plus importants. Le pharaon les utilisait parfois pour pallier le « fonctionnarisme » de l'administration ou les investissait de son autorité pour qu'ils remplissent une mission spécifique. Nous en avons déjà rencontré un, Ramsès Asha-hebsed, qui supervisa les travaux du Sinaï aux noms de Séti Ier et du prince régent Ramsès (II). On lui avait confié de surcroît l'inauguration des travaux d'Abou Simbel, et il était l'aide du prince Méry-Atoum. Certains serviteurs personnels de Séti Ier et de Ramsès II, tels que Paser et Khay s'élevèrent aux fonctions de vizirs de Thèbes, puis vers la fin de leur vie à celles de grand prêtre d'Amon et de Ptah.

La situation de grand intendant du roi était également très enviable. Ce personnage administrait les biens personnels du pharaon, les terres et les revenus y afférant. La gestion des propriétés du Ramesseum incombait parfois au grand intendant du roi. Rien n'interdit d'avancer que cette double fonction échut au général Ourhiya sous Ramsès II. A l'époque de la bataille de Kadesh, son fils Yupa n'était qu'un adolescent employé dans les écuries de course. Un demi-siècle plus tard, Yupa s'était élevé au poste de grand intendant du roi et du Ramesseum ; il eut l'honneur de proclamer le neuvième jubilé du souverain en l'an 54 (1226-1225 avant J.-C.). Hatiay, le fils de Yupa, devint, à l'instar d'Amen-em-inet) un chef de la milice Medjay et aida le grand prêtre d'Amon, Bakenkhons, à construire le temple est à Karnak. Les frères, le neveu et le second fils de Yupa entrèrent tous dans les ordres et devinrent prêtres-lecteurs au service des grands dieux.

Les savants lettrés

D'autres encore devinrent des scribes ou des médecins illustres ou servirent en tant qu'experts dans l'administration royale. Au nord, Tjunuroy de Memphis fut « directeur de tous les monuments du roi » ; il remplissait également ces fonctions à Pi-Ramsès dans la résidence du Delta. De retour à Memphis, il proclama sa dévotion à la lignée royale et sa fidélité et son goût pour les études historiques en inscrivant dans sa chapelle une liste de près de soixante rois égyptiens depuis les temps les plus reculés jusqu'à Ramsès II lui-même. Celle-ci n'avait rien à envier aux traditionnelles listes royales des deux temples d'Abydos. Le frère de Tjunuroy, Nakht, travaillait également dans les services royaux : il était Scribe de table du roi et Superintendant du Harem de la reine.

A Thèbes, le chef dessinateur Simout avait un fils intelligent, Amen-wah-su, qui devint scribe des Écritures sacrées au temple d'Amon, et un petit-fils, Khaemopet, qui devint scribe des Écritures sacrées du roi ; c'est lui qui inscrivit les annales de tous les dieux dans la « Maison-de-la-Vie ». La Maison-de-la-Vie était le département universitaire du temple ou du palais, où des scribes érudits recopiaient les précieux papyrus, composaient de nouveaux ouvrages sur la théologie et autres sujets, et formaient des individus à des tâches plus spéciales et plus difficiles.

La famille du lecteur et administrateur Iouny (qu'aucun lien n'unissait avec celle du vice-roi portant le même nom) était encore plus remarquable. Originaire de Siut en moyenne Égypte, il devint (à l'instar de son père Amenhotep) lecteur et scribe royal et entra dans l'administration sous Séti Ier. Ses enfants furent tous médecins : son fils Houy étant médecin chef et son petit-fils Khay médecin chef attaché à la résidence de la reine. La vie dans l'administration de l'État n'était pas toujours de tout repos à cette époque. Des officiers de l'armée réclamaient des hommes à Iouny : ils tentaient semble-t-il d'enrôler des paysans. Iouny protesta vigoureusement ; le commandant du régiment, le porte-étendard Mai-sutekh, adressa alors une circulaire officielle aux commandants des garnisons du Delta :

> « J'ai entendu dire que vous interveniez dans les affaires du personnel du dieu dans l'île d'Amon (qui se trouve) sous l'autorité du scribe royal Iouny. Que signifie une telle action de votre part ? Par Amon et par le souverain, si (j')entends dire que vous intervenez à nouveau dans les affaires du personnel du dieu qui se trouve dans vos districts, je vous promets alors de sérieux ennuis ! Les notables du pharaon ne m'épargnent pas !
>
> « Je vous enjoins donc de remplir votre devoir. Ne négligez pas cette lettre que je mets entre vos mains. Veillez également à son contenu, ne le négligez pas !... Lorsque cette missive vous parviendra, ne permettez pas que le service du dieu demeure suspendu, car vous seriez alors jeté en prison ! Souvenez-vous-en ! »

L'armée : défense et terrain d'entraînement

L'Égypte pouvait aligner en campagne trois ou quatre divisions entières de cinq mille hommes chacune (pour ne rien dire des réserves) et un formidable déploiement de chars. L'infanterie était organisée en « régiments » de deux cents hommes, dirigés par des porte-étendards ; ces régiments comprenaient quatre « compagnies » de cinquante hommes ayant chacune à leur tête un « chef des cinquante ». Mais les chars constituaient le corps d'élite ; les conducteurs qui se distinguaient s'élevaient jusqu'au rang d'Envoyé royal, puis jusqu'aux postes administratifs du pays. Les forces les plus importantes étaient stationnées en Haute et en Basse Égypte. Le haut commandement comprenait les lieutenants-commandants des chars et les superintendants des écuries ; les échelons les plus élevés étaient ceux de commandant des troupes, de général et de généralissime.

Les généraux et les militaires de carrière de Ramsès II (à l'exception de ceux qui se rendirent en Nubie) n'ont laissé que peu de traces sur les monuments et n'ont guère marqué leur époque. Après la débâcle de Kadesh, nombre de « gros bonnets » furent probablement limogés et le roi accorda moins volontiers ses faveurs aux militaires à moins qu'ils n'aient prouvé leur valeur. Mais un certain nombre de dignitaires utilisèrent l'armée comme terrain d'entraînement pour développer leurs compétences, lesquelles leur valurent par la suite une promotion dans des carrières civiles prometteuses. Parmi eux, nous avons déjà rencontré le chef du trésor Souty et le grand intendant Ourhiya (d'anciens généraux) ; Houy, vice-roi de Nubie après avoir été « envoyé royal » lors du premier mariage hittite ; Amen-em-inet, chef des travaux, qui avait été Conducteur de char et chef de la milice Medjay, etc. Ainsi, en temps de paix, l'armée ne jouait-elle qu'un rôle secondaire dans la vie nationale. Maints jeunes gens entrés dans l'armée y firent sans aucun doute une carrière ordinaire. Le poste le plus prestigieux était indibutablement celui d'Envoyé royal, lequel voyageait entre les cours et les capitales étrangères ; il exerçait un attrait irrépressible sur les jeunes gens, au grand désespoir des scribes chargés de leur éducation.

LA VIE SCOLAIRE ET LA VIE ESTUDIANTINE

Le bas de l'échelle

Les vizirs, les vice-rois, les trésoriers, les érudits et les généraux — tous ces grands valets de l'État avaient un passé. Ils avaient été jeunes un jour, enfants choyés et corrigés, aimés et soignés par leurs parents, à cette époque comme aujourd'hui.

L'écriture était la porte d'une « réussite » éventuelle ainsi que les scribes professeurs ne se lassaient jamais de le souligner. Les parents tentaient donc d'envoyer leurs petits garçons à l'école (vers l'âge de cinq ans) à chaque fois qu'ils le pouvaient. Dans les grandes capitales, les écoles des scribes dépendaient des temples importants, du palais (ou de son administration) voire de quelque ministère. Dans les villes principales des provinces, l'instruction était probablement rattachée au temple et à l'administration locaux ; ailleurs, le scribe du village instruisait sans doute quelques adolescents lorsque l'occasion s'en présentait.

Pendant quatre ou cinq ans, les garçons allaient à l'école pour apprendre l'écriture courante (« hiératique ») — les hiéroglyphes en tant que tels n'étant étudiés que plus tard ; mais il est assez étonnant de constater que leurs premiers exercices d'écriture ne se fondaient pas sur la copie de travaux contemporains, mais sur l'écriture de courts passages d'anciens textes classiques, tous rédigés dans la langue morte qu'était le Moyen-Égyptien. Ils commençaient par étudier des travaux vieux de sept cents ans, débutant par le *Kémyt,* un manuel de « phrases utiles » datant d'environ 2000 ans avant J.-C. écrit en colonnes verticales et divisé en groupes de mots. Ils passaient ensuite à d'autres ouvrages de la douzième dynastie — ceux qu'on nommaient *Satire des Métiers,* un enseignement qui plaçait la profession de scribe au-dessus de toute autre vocation, l'*Enseignement d'Amenemhat Ier,* et l'*Hymne au Nil.* Il se pourrait que ces ouvrages n'aient eu qu'un seul auteur/éditeur, Khety, fils de Duauf. Ils travaillaient ensuite sur la fameuse *Histoire de Sinuhe, la Prophétie de Néferty,* et sur les enseignements loyalistes à l'intention de la couronne. A ces classiques s'en ajoutaient parfois d'autres, tels que l'*Enseignement de Hardjedef.* Les enfants ne comprenaient pas ce qu'ils copiaient dans ces vénérables travaux et leurs erreurs étaient grossières. Cela importait peu, l'essentiel étant de maîtriser l'écriture : la compréhension du texte viendrait plus tard. La discipline se fondait sur le vieil adage « qui aime bien, châtie bien », comme l'explique un professeur :

> « Écris avec ta main, lis avec ta bouche, suis le conseil de tes pairs... Ne te complais pas dans l'oisiveté ou tu seras battu. L'oreille d'un garçon est en vérité dans son dos, et seuls les coups le forcent à être attentif. Fais attention, écoute mes paroles et tu en recueilleras les bénéfices. »

Vie estudiantine et lettres

Au début de leur adolescence, les garçons poursuivaient leur formation par l'étude de l'écriture du Nouvel Empire et de la langue de leur époque. Ils quittaient leurs classes et était rattachés par petits groupes aux écuries de course et à divers services administratifs de l'État, à des temples ou à des bureaux du palais. Les étudiants parvenus à la fin de leur adolescence devenaient souvent « clercs » chez des fonctionnaires ; ces derniers étant déjà des scribes expérimentés parachevaient leur éducation. Les jeunes étaient en général soumis à une épreuve pratique, celle de la Lettre satirique : une composition vivante dans laquelle un scribe, Hori, accablait sans merci son collègue, Amen-em-ope, pour son ignorance et son incompétence. (Ce travail fut probablement introduit dans le cursus au début du règne de Ramsès II, époque à laquelle les compositions contemporaines devinrent obligatoires). Avec une verve rare, Hori dépeint les mésaventures imaginaires de son collègue jouant le rôle d'un conducteur de char ou d'un envoyé royal :

> « Vous êtes un guerrier passé maître dans l'art des hauts faits !... L'étroit ravin est infesté de bédouins, tapis dans les sous-bois, (hommes) dont la taille atteint 1,80 m et 2,50 m, à l'apparence féroce. Ils sont redoutables et sans compassion. Vous êtes seul, nul ne peut vous aider, nulle multitude armée à vos côtés... Vous hâtez le pas et poursuivez votre route bien que vous ne la connaissiez pas. Des tremblements s'emparent de votre personne ; vos cheveux se dressent sur votre tête ; (vous) risquez votre vie. Votre chemin est semé de blocs de pierre et de cailloux. Pas le moindre passage libre. Le sol est recouvert de hautes herbes, d'arbrisseaux épineux, de « ronces » (?), etc. Les abysses s'ouvrent d'un côté et la montagne domine de l'autre. Vous poursuivez coûte que coûte. Votre char se renverse... Vous imaginez alors que l'ennemi est sur vos talons et vous prenez peur ! Vous arrivez à Joppa où vous découvrez les prairies à leur meilleure saison : vous vous enfoncez dans l'un de ces prés et trouvez une jolie fille qui surveille les jardins : elle vous séduit et vous goûtez à son étreinte. Mais vous êtes surpris, vous avouez et êtes jugé comme un soldat ; vous êtes contraint de vendre votre belle chemise de lin (pour payer l'amende)...

Vous vous endormez épuisé. Un pauvre hère vous dérobe votre arc, votre couteau à gaine et votre carquois. Les rênes (de votre char) sont cisaillées dans la nuit, votre cheval s'enfuit (tel) un fuyard sur le sol glissant de la route s'étirant devant lui. Il détruit votre char... Vos armes choient sur le sol et se perdent dans le sable. »

Telle est la description moqueuse qu'Hori donne de la prétendue maladresse de son collègue. Cette caricature espiègle couronne et conclut une série de stéréotypes : l'incompétence de Amen-em-ope à présenter par écrit des arguments ; son ignorance totale en ce qui concerne le tracé de la construction des rampes et le déplacement des obélisques, l'érection de statues colossales, le ravitaillement de l'armée. On lui rebat les oreilles de la géographie des villes et des routes de Syrie et de Palestine. Cette forme d'instruction « débridée » et amusante permettait aux futurs scribes d'apprendre les usages littéraires, l'essentiel de la géographie des provinces et des États ainsi que l'orthographe des noms étrangers.

Ces travaux malicieux ne suffisaient cependant ni à occuper le temps de l'étudiant ni à l'intéresser à ses études. Les fonctionnaires de l'administration donnaient au moins trois sortes de sujets écrits à leurs «clercs ». Le plus fastidieux de tous était la copie de listes de mots concernant le monde naturel, les noms géographiques, les occupations humaines, etc. Tous les exercices n'étaient pas aussi ennuyeux. Le fonctionnaire dénichait dans ses dossiers de vieilles correspondances et autres documents et les dictait ou les faisait recopier à ces jeunes espoirs à raison de trois ou quatre pages par jour. Ce matériel de travail présentait l'avantage de refléter les nécessités et les situations de la vie réelle. Venaient finalement les « Enseignements » dont les administrateurs se servaient pour encourager leurs élèves à s'accrocher à la carrière de « cols blancs », le parcours donnant accès aux plus hautes fonctions. En s'inspirant de la vieille *Satire des Métiers,* ils faisaient miroiter les avantages du scribe :

« Soyez scribe ! Vous échapperez ainsi à un travail harassant et serez exempté de toute sorte de travaux.

Vous ne manierez ni la houe ni la pioche et vous ne porterez jamais un panier. Vous ne toucherez nulle rame et serez épargné du tourment de la soumission à l'autorité d'une infinité de maîtres et de chefs... Le scribe dirige tout le travail sur cette terre. »

Ou : « Soyez vigilants : les professions sont là devant Vous. Le laveur passe son temps à aller et venir ; il s'échine chaque jour à blanchir le linge de ses voisins... Le potier est maculé de terre comme s'il portait le deuil d'un parent ; l'argile recouvre ses mains et ses pieds. Le savetier mélange le tan (?), dont l'odeur persiste ! »

Et : « Voyez, je vous forme... à maintenir avec adresse la palette (du scribe) pour faire de vous un conseiller du roi, pour que les trésors et que les greniers s'ouvrent à vous ; pour que vous receviez (les livraisons) des navires, sur le seuil du grenier et pour que vous puissiez remettre les offrandes sacrées lors des jours de fête, pour que vous soyez vêtus de beaux draps de lin ; pour que vous possédiez des chevaux, votre bateau sur le fleuve et des subordonnés qui vaquent à leurs occupations et qui vous servent. Pour qu'on bâtisse à votre intention une villa dans la cité, puisque vous tenez un poste de pouvoir de par la nomination du roi. Les esclaves... errent autour de vous ; les paysans des propriétés que vous faites prospérer serrent votre main... Ouvrez votre cœur à l'art du scribe, protégez-vous des tâches épuisantes et soyez un notable respectable. »

Tels étaient les encouragements et les « perspectives d'avenir ». Les scribes tentaient également d'empêcher les étudiants d'abandonner leurs études pour poursuivre quelque rêve impossible et de les dissuader d'opter pour une carrière militaire. Une réprimande maintes fois recopiée, adressée à un étudiant rebelle, dit :

« Je viens d'apprendre que tu as abandonné tes études et que tu te perds dans les plaisirs, que tu erres de rue en rue, et que (l'endroit) empeste la bière lorsque tu le quittes. La bière détruit l'homme et perd son esprit ; tu deviens (alors) semblable à un bateau ivre... On raconte que tu as escaladé les murs après avoir cassé les tabourets, que des hommes se sont enfuis parce que tu les avais blessés. Si seulement tu comprenais que le vin est une malédiction, tu renoncerais à la cuvée de grenade, tu ne songerais plus à la bière... Tu as appris à jouer de la flûte, à jouer de la lyre... Tu t'assois dans la maison des prostituées... Tu te tiens devant la fille, enduit d'onguents, tes parures de fête autour du cou frappent ton ventre. Tu chancelles, tu t'effondres et tu te couvres d'immondices. »

Les fonctionnaires, sans pour autant se désintéresser de ces égarements individuels, s'attachaient surtout à jeter le discrédit sur la vie militaire et à mettre en garde leurs élèves prometteurs contre les dures réalités de la vie d'un soldat :

> « Qu'as-tu dit ? Être soldat est une situation plus enviable que celle de scribe ? Viens et laisse-moi te décrire la vie et les tourments d'un soldat. Jeune garçon, il est emmené au loin et vit cloîtré dans des baraquements. Son corps est roué de coups, ses arcades sourcillières saignent et sa tête n'est qu'une plaie. Il est renversé et battu comme un papyrus. Voici à ton intention le récit de son voyage en Syrie. Il va à pied à travers les collines ! Il porte son pain et son eau sur l'épaule. Son cou est marqué comme celui d'un âne, comme celui d'une bête de somme.
>
> « Il ne boit que tous les trois jours, une eau saumâtre et nauséabonde ; son corps atteint (de) dysenterie souffre le martyre. Les ennemis arrivent, ils le cernent de leurs (jets) de flèches, tout (espoir de) vie s'évanouit ! Il parvient à rentrer en Égypte, mais il est vidé de sa substance, malade, saisi de prostration. Il voyage à dos d'âne. Des pillards volent ses vêtements et son serviteur s'enfuit. Scribe, ne songe plus que le métier de soldat vaut mieux que celui de scribe. »

Même l'ardent jeune conducteur de char n'était pas jugé plus chanceux. Il fait trotter ses chevaux et « ils le jettent dans les buissons d'épines, ses jambes s'échappent du harnais, des aiguillons mordent son flanc... » Inutile de dire que la vie militaire (malgré tous ces périls) n'était pas si désespérante, faute de quoi elle n'aurait jamais suscité une tentation justifiant de telles contre-attaques.

Mais en définitive, à qui les portes de l'écriture et de l'éducation ouvraient-elles les brillantes carrières promises par les scribes, et dont les vizirs et les vice-rois étaient les exemples vivants ? Alors que l'usage favorisait l'hérédité, ce qui signifie qu'un fils succédait souvent à son père dans une charge (à l'instar d'Horus et d'Osiris) la capacité et l'aptitude prévalaient encore à cette époque. Le statut social de la famille du jeune homme n'avait guère d'importance. Le dernier grand prêtre de Thinis, Onhurmose, s'écriait peu après le décès de Ramsès II :

> « J'étais un enfant estimable, aussi habile qu'un adolescent, aussi intelligent qu'un garçon, aussi capable qu'un pauvre homme. J'étais pauvre, j'ai été accepté à l'école sans difficulté (?), j'y fus remarqué et j'obtins (une promotion). »

Il était en fait le fils d'un petit fonctionnaire, mais sous l'empire, la nouvelle tradition voulait que l'avancement soit fonction de la capacité personnelle (surtout en ce qui concernait le service du roi — je n'en veux pour exemple que le cas du vizir Paser), ainsi qu'en témoignent le grand nombre de « provinciaux » qui atteignirent les postes les plus élevés. L'époque ramesside offrait ainsi l'opportunité de faire leur chemin à ceux qui avaient la volonté de réussir. Leur persévérance, leurs capacités, leur intégrité — parfois certaines « influences » — étaient les clés de leur succès.

Un mode de vie raffiné

L'idéal égyptien — qu'il s'agisse de celui de Ramsès II dans ses palais étincelants ou de celui du plus humble de ses sujets perdus aux confins de quelque minuscule hameau — était centré sur la famille, le foyer et la maisonnée : « Si vous souhaitez être un homme estimable, fondez une famille, prenez pour épouse une femme douée de bon sens et engendrez un fils », disait le vieux sage Hardjedef à l'époque des premières pyramides, treize siècles avant la naissance de Ramsès. Et le sage Aniy, contemporain de notre héros, prodiguait le même conseil :

> « Prends une femme tandis que tu es jeune, car elle te donnera un fils... Apprends-lui à être un homme. Heureux est celui dont les gens sont nombreux : il est honoré pour ses enfants. »

Ces préceptes simples et d'autres encore étaient respectés avec grande attention par tous, riches ou pauvres, vizirs ou laboureurs. Le mode de vie des hauts fonctionnaires de l'État — tels que le vizir Paser ou le vice-roi Setau — était réellement « raffiné ». Dans les grandes cités-capitales de Memphis, de Thèbes ou de Pi-Ramsès, un notable possédait une maison, probablement située dans un quartier proche du palais ou des ministères. En outre, il disposait parfois d'une villa avec des jardins entourés de murs, une remise pour le char, une écurie, etc. Une villa dans une banlieue-jardin était un bungalow riche en coins et recoins. Des arbres et des fleurs entouraient une pièce d'eau où nageaient des lotus et des poissons. Après avoir gravi quelques marches et franchi une porte d'entrée et un « hall », on pénétrait dans la pièce principale : une salle aux murs légers soutenus par deux ou quatre colonnes d'un brun rougeâtre. Là, le maître de maison et son épouse, vêtus de belles robes plissées en toile de lin, portant de lourdes perruques et un brillant collier floral se levaient des élégantes chaises de bois ou d'un divan de briques recouvert de coussins pour accueillir le visiteur. Les enfants ne portaient pas autant de vêtements (les très jeunes allaient nus). Venaient ensuite les chambres aux lits de bois bas, dont les sommiers étaient formés par un réseau de cordage tressé, recouverts de plusieurs draps de lin et disposant d'un « appui-tête » aux lieu et place d'oreiller. Le maître conservait ses papyrus dans des coffres de bois (ses « dossiers »), et sa femme faisait de même avec ses draperies. Des tabourets pliants, une petite table, quelques lampes à pieds complétaient le mobilier principal. Derrière cette pièce, se trouvait la salle de bains dallée, où un seau servait pour la « douche » et la toilette. Retournons dans la salle principale. La vaisselle de poterie était courante. Les maisons cossues s'enorgueillissaient de « services de table » en superbe albâtre crémeux, d'ustensiles en faïence bleue et de récipients de verre multicolores — voire d'un élément en or ou en argent lesquels étaient le privilège de la royauté. La coiffeuse (en fait un coffre) de la dame des lieux accueillait des articles semblables qui contenaient les onguents, les ombres à paupières et autres cosmétiques, ainsi que des miroirs de bronze et d'argent élégamment montés.

N'étant probablement pas entourée de jardin, située dans des rues plus populeuses, la maison urbaine n'était guère différente de la villa, mais elle était plus élevée. Un escalier partant de la salle principale menait du rez-de-chaussée au premier étage, où se trouvaient les chambres et les appartements privés. Elle était pourvue d'un toit plat, de coffres à grains et de volets d'aération. Dans la maison urbaine comme dans la villa, les pièces principales n'étaient éclairées que par des fenêtres grillagées aménagées très près du plafond. Ainsi, les rayons du soleil implacable n'indisposaient-ils pas la famille. En hiver, le chauffage intérieur consistait en de simples appareils portables destinés à brûler des charbons ardents.

Les distractions extérieures incluaient la pêche à la ligne et au bâton, alors que la pêche et la chasse au harpon étaient passées de mode. Les hauts fonctionnaires étaient tenus de participer au cérémonial des grandes fêtes et de s'y présenter avec des bouquets spéciaux. Le petit peuple acclamait les grandes processions des dieux sur le fleuve. On organisait à l'intérieur des demeures des banquets ou des réunions : la famille ou les invités du maître de céans s'assemblaient autour de délicieux repas (canard rôti, bœuf ou mouton, pain et gâteau, raisins, grenades, dattes, figues, miel) et les vins et la bière coulaient à flots. Les hôtes et les invités prenaient place sur des chaises et sur des tabourets garnis de coussins ou sur des matelas de paille. Des cônes d'onguents placés sur les têtes des dames fondaient, coulaient le long de leurs perruques et de leurs vêtements, et exhalaient leur parfum dans toute la pièce. Le son des harpes et des flûtes accompagné des frappements de mains (exécutés en général par des jeunes femmes) couvraient les bavardages et les cancans, tandis que des danseuses divertissaient l'assistance de leurs gracieuses circonvolutions ou qu'un chanteur reprenait la chanson favorite du moment. Des instruments ou des chants étrangers enrichissaient parfois le répertoire. Des guirlandes de fleurs et des bracelets décoraient les brillantes robes blanches et les lourdes perruques noires tout en adoucissant la complexion des visages. Les serviteurs allaient et venaient en offrant des bouquets, du parfum ou des boissons. Ces réjouissances n'étaient cependant pas le lot quotidien. Les repas étaient en général plus frugaux ; le pain, les légumes, les gâteaux, le lait, l'eau et la bière entraient dans leur composition. Il en allait de même des passe-temps de tous les jours ; il s'agissait surtout de jeux de société évoquant d'assez loin il est vrai nos actuels jeux de dames et d'échecs. Ainsi, les Grands du royaume menaient une vie confortable, voire luxueuse. Mais à une époque aussi prospère que celle de Ramsès II, nombre de fonctionnaires de rang inférieur, d'artistes et d'artisans, de prêtres et d'officiers jouissaient eux aussi d'un train de vie satisfaisant. Et les « bons Nils » permettaient même à la paysannerie de vivre à l'abri du besoin après les passages du collecteur d'impôts et des propriétaires terriens. Les légumes de leurs jardins amélioraient leur alimentation de base ou servaient de monnaie d'échange.

Contes et tourisme dans l'Égypte ramesside

Les Égyptiens du XIIIe siècle avant J.-C. qui avaient reçu une éducation possédaient un sens aigu de la longue histoire de leur pays. Jeunes ou vieux, riches ou pauvres ne se lassaient pas d'écouter les contes des *Merveilles des Magiciens,* des récits qui se déroulaient dans les cours des bâtisseurs des pyramides de Djeser à Khéops ; celui du *Général Sisenet,* une histoire de détectives se passant à l'époque de Pépi II, dernier pharaon de l'Age des Pyramides ; les descriptions des terrains de sports sous les monarques du Moyen Empire ; la relation de l'expulsion des Hyksos ; celle des hauts faits des guerriers à l'époque de Thoutmosis III, qui évoque pour nous le conte d'Ali Baba *(Capture de Joppa)* et même des histoires concernant les notables de l'époque tels que Har Min, Chef du Harem de Séti Ier à Memphis.

Des scribes érudits tiraient fierté de leurs connaissances des grands auteurs du passé : « Y a-t-il quelqu'un comme Hardjedef, y a-t-il un autre Imhotep ? Il n'y a plus de Néferty parmi notre peuple, ni de Khety, pour ne citer qu'eux. Je vous rappelle les noms de Ptah-em-Djed-Thuty et de Kha-Kheperre-sonb. Y a-t-il un autre Ptah-hotep ou un autre Kairos ? » L'auteur satirique des écoles se moquait de son rival : « Tu m'as cité un dicton de Hardjedef, tu ignores s'il est vrai ou faux, ni dans quelle partie de ses écrits il se situe. » Des érudits tels que Tjunuroy firent graver dans leur chapelle une liste des rois ou une « galerie » des hommes célèbres, allant de l'époque d'Imhotep jusqu'à celle de Ramsès II.

En outre, bien avant et longtemps après les visites archéologiques du prince Khaemwaset sur le site des pyramides de Saqqarah et de Gizeh, les scribes égyptiens (ainsi que des professeurs et leurs élèves) visitaient les tombes et les temples des anciens rois : ils furent les premiers touristes du monde. Leurs motivations étaient des plus diverses : « admirer la beauté » des anciens monuments, présenter leurs respects aux anciens rois déifiés et invoquer la bénédiction de ces médiateurs des grands dieux. Près de la pyramide du roi Khendjer (environ 1740 avant J.-C.) datant de la fin du Moyen Empire, on a découvert ceci :

> « Le scribe Nashuyu se rendit dans le district de la Pyramide de Téti-aimé-de-Mout et de la Pyramide de Djeser-qui-a-découvert-le-travail-de-la-pierre. Il dit : " Sois gracieux, ô Roi... " à tous les dieux de Memphis-Ouest, et : " Que je sois proche de toi, car je suis ton serviteur ! " An 34, jour de la fête de Ptah, vingt-quatrième jour du quatrième mois d'été..., Maître de Memphis, quand il apparaît à l'extérieur du Temple (?) le soir. (Écrit) par le scribe Nashuyu. »

Déjà à l'époque de Ramsès II, le roi Djeser (environ 2700 ans avant J.-C.) jouissait de la même réputation (de premier bâtisseur ayant recouru à la pierre) que celle dont il jouit de nos jours. A l'intérieur de la grande enceinte de son mausolée on lit :

> « Vingt-cinquième jour du deuxième mois d'été, an 47 (janvier 1232 avant J.-C.), le scribe du Trésor Hednakht, fils de Tjenro et Tewosret, se promena à l'ouest de Memphis accompagné de son frère Panakht, Scribe du Vizir. Il dit : " O vous, tous les dieux de Memphis-Ouest, ... morts glorieux, ... accordez-nous une longue vie afin que nous

puissions servir votre bon plaisir, des vieux jours heureux et des funérailles dignes des vôtres ! " Écrit par le scribe du Trésor du Roi, Hednakht et par le scribe Panakht. »

Il en allait de même à Thèbes. Le vizir Paser visita en l'an 17 de Ramsès II, la tombe de Khéti, haut fonctionnaire du grand Mentouhotep II (2040 avant J.-C.), vieille de sept cents ans, pour admirer le monument de « son ancêtre ». Il s'extasia en une autre occasion devant l'exquise scène des musiciennes représentée sur les parois de la tombe de Qenamon et il y griffonna son appréciation : « Très beau ! »

Ainsi que tant d'autres aujourd'hui, les Égyptiens de l'époque de Ramsès II admiraient les œuvres merveilleuses de leurs ancêtres et ils éprouvaient pour eux un profond respect, allant même (dans le cas de Khaemwaset) jusqu'à entreprendre des recherches « archéologiques » occasionnelles. Ces hommes furent les précurseurs de l'archéologie.

Héritage culturel

Les riches avaient, dans le domaine de l'art, l'apanage de la joaillerie magnifique, du mobilier élégant, de la statuaire et de la peinture. Mais tout un chacun pouvait accéder à d'autres aspects de la richesse culturelle de l'Égypte, tels que la littérature, par l'entremise des conteurs et de la tradition populaire.

Les récits historiques, anciens ou nouveaux, côtoyaient des contes, œuvres de pure imagination, tels que la *Légende des deux Frères*, la *Légende du Dieu de la Mer*, *Vérité et Mensonge* (une allégorie), une *Histoire de Fantôme* et le *Conte du Prince condamné à mort*. Ce dernier offrait tous les délices traditionnels d'une fantaisie aventureuse et féerique. Il y est question d'un merveilleux pays lointain :

> « Il était une fois un roi qui n'avait pas de fils. Il en était très affecté et il priait les dieux de lui en envoyer un. Après quelque temps, son vœu fut exaucé... Les (sept) Hathors (les fées) vinrent le visiter et dès qu'elles virent le nou-

veau-né, elles déclarèrent : " Son destin est de mourir à cause d'un crocodile, d'un serpent ou d'un chien ! "

« Lorsque le roi entendit cette prédiction, il fut bouleversé. Tremblant pour le petit prince, il décida de le conduire en un lieu où rien ne pourrait lui arriver. Mais un beau jour, le jeune garçon vit un homme suivi d'un chien. Il demanda à l'un de ses serviteurs : " Quel est cet animal ? " " C'est un chien ", répondit le domestique. Le garçon dit alors : " Fais en sorte que j'aie moi aussi un chien ! " Le serviteur alla trouver le roi et lui rapporta les paroles du jeune prince. Et Sa Majesté dit : " Trouve un chiot et apporte-le à mon fils de peur que son cœur ne s'attriste. " Puis le jeune homme en eut assez de vivre cloîtré et demanda à son père de le laisser jouir de la vie et de faire face à son destin. Le roi accéda au désir de son fils, lui donna un cheval, un char et un page. Le prince partit chercher l'aventure en Syrie, avec son chien fidèle, et atteignit Naharin, la terre de Mitanni au nord de la Syrie.

« Or le souverain de Naharin avait une fille unique, pour qui il avait fait bâtir une tour dont les fenêtres s'ouvraient à une hauteur de 70 coudées (environ 30 mètres). Il avait ensuite convoqué tous les princes syriens et leur avait dit : " Celui qui atteindra la fenêtre de ma fille, la recevra en mariage ! " Mais nul n'y parvint.

« A ce moment apparut notre héros. Les jeunes princes lui racontèrent pourquoi ils essayaient d'atteindre la fenêtre. L'étranger voulut tenter sa chance. Et à sa grande surprise, il atteignit la fenêtre de la princesse ; lorsqu'elle le vit, elle fut si charmée de sa belle tournure qu'elle l'étreignit et lui donna des baisers. Le roi, ayant appris que l'un des jeunes gens avait réussi l'épreuve imposée, fut indigné d'apprendre qu'il s'agissait d'un simple Égyptien errant et il tenta de chasser le jeune homme. La princesse le serra sur son cœur et dit : " Par le Dieu-Soleil, si vous voulez le prendre, je ne mangerai ni ne boirai plus jamais. Je me laisserai mourir ! " Après une nouvelle tentative de son père et une nouvelle menace, elle obtint ce qu'elle désirait : ils devinrent mari et femme. Après la noce, le prince raconta à sa jeune épouse les trois sorts. Elle veilla donc sur lui.

« Or le jeune homme s'endormit, vaincu par la fatigue. Sa femme remplit alors une jarre de vin et une autre de bière. Puis un gros serpent se glissa dans la chambre et tenta de mordre le prince, mais sa femme ne dormait pas. Les jarres étaient là pour le serpent. Celui-ci but tant et tant qu'il s'enivra et il lui fut bientôt impossible de faire un mouvement. La jeune femme tua le serpent, réveilla son époux et lui dit : " Regarde, Dieu t'as rendu plus puissant que l'un de ses propres arrêts de mort. Il fera de même pour les deux autres. » Le prince fit alors des offrandes au Dieu-Soleil et le loua.

« Une autre fois, le jeune homme se promenait sur ses terres, son chien le poursuivit. Il fuit et se précipita dans la gueule d'un crocodile! Le reptile le relâcha sous certaines conditions... »

Le papyrus n'en dit pas davantage et nous ne saurons jamais comment le prince échappa aux menaces du destin. Mais un fait demeure certain, Ramsès II, les fonctionnaires et les conteurs des places de marché connaissaient tous la fin du conte depuis leur plus jeune âge.

D'autres genres littéraires traitent du romantisme à l'époque ramesside. Les poèmes lyriques racontent les affaires de cœur avec autant d'habileté et de tact qu'ils dépeignent les danseurs et les banquets. Des musiciens chantaient parfois ces mêmes poèmes en s'accompagnant à la harpe, à la flûte ou au luth. « Frère » et « Sœur » étaient les termes que les amoureux utilisaient pour parler l'un de l'autre.

La fille invoquait ainsi son amoureux absent :

I

(Je me languis) de ton amour, jour et nuit,
Durant des heures, je demeure éveillée allongée jusqu'à l'aube!
Mon cœur brûle pour toi,
Mon désir tend (tout entier) vers toi!
C'est ta voix qui dispense la force à mon corps.

Et en aparté, elle rêve :

II

(Je saurais bien comment dissiper) sa (lassitude);
Et, je dirai : « Où (est-il parti)?
(Personne) ne le satisfera mieux que moi!

Elle reprend :

III

Ton amour, je le désire
... comme le beurre et le miel.

(Tu m'appartiens),
Comme (le meilleur onguent) sur les membres des notables,
Comme la plus fine toile de lin sur les membres des dieux.
Comme l'encens au nez du (Maître de Tout).

Elle rêve :

Il est comme les herbes fines dans la main de l'homme,
Il est comme un gâteau de dattes plongé dans la bière,
Il est comme (une jarre de bière), agrémentant le pain.

Il apparaît et répond :

IV

Ma compagnie sera de (tous) les jours,
Satisfaisante (même) dans le vieil âge.
Je serai avec toi chaque jour,
pour te donner (... toujours mon amour).

L'amour du jeune homme force sa « bravoure » :

V

L'amour de ma sœur est sur cette rive-là ;
La rivière tourbillonne autour de mes jambes ;
Un Flot puissant lors de (l'inondation) !
Un crocodile est tapi sur la rive de sable,
Comme je descends dans l'eau,
Je me promène dans le torrent,
Mon esprit est absorbé par la rive lointaine.
Le crocodile me semblait (à peine plus gros) qu'un rat d'eau,
et l'eau n'était qu'une terre sèche à mes pieds !
C'est son amour qui me rend fort,
Car elle jettera un sort à l'eau pour moi.
Je vois l'élue de mon cœur,
qui m'attend sur l'autre berge.

La jeune fille invite le jeune homme :

VI

Mon souhait est de descendre dans l'eau,
et de me baigner devant toi,
Afin que tu admires ma beauté,

Dans les plus beaux tissus royaux, ointe d'huile parfumée,
(Dans un bassin ceint) de roseaux,
Je descendrai avec une carpe rouge luisant entre mes doigts,
(J'inviterai) mon frère : « Viens me voir ! »

Où le jeune homme se languit de son amour inaccessible.

VII

Je voudrais être la négresse,
qui la sert.
...
Elle me confierait ses espoirs,
Elle me révélerait volontiers la complexion de son corps.

Je voudrais être le blanchisseur des linges de ma sœur,
ne serait-ce qu'un mois !
Je serais tellement impatient de me saisir de (tous les tissus) qu'elle aurait portés,
Si j'étais celui qui lavait les huiles,
Se trouvant sur ses vêtements.
J'essuyerais mon corps avec les vêtements (?)
Qu'elle aurait rejetés,
(Puis j'éprouverais) la joie et l'exultation,
et mes membres recouvreraient leur vigueur.

Je voudrais être le témoin de son arrivée,
(Afin que je puisse) voir (sa beauté).
Je ferais une fête au dieu qui l'empêcherait de repartir !
Qu'il m'accorde (ma) dame aujourd'hui, et qu'elle ne reparte jamais !

Maints poèmes charmants mettaient ainsi en scène des jeunes gens galants et des jeunes filles éblouissantes « qui ensorcelaient tous les hommes » ; ces tourtereaux roucoulaient dans un jardin ensoleillé ou sous un clair de lune. Hier comme aujourd'hui, le jeune homme tombait amoureux et la jeune fille se languissait du garçon de ses rêves. En matière d'amour, peu importent les différences culturelles, la nature humaine a de tous temps été égale à elle-même.

CHAPITRE VIII

TEMPLES ET FÊTES DES DIEUX

Respecte ce Dieu,
Un Dieu aimant la Vérité,
Dont l'abomination est
le Mensonge !

Comme tu aimes le
Dieu de ta cité...
Un Dieu qui aime
les hommes,
dans les terres
lointaines.

Les bâtiments les plus impressionnants en Égypte à l'époque de Ramsès n'étaient ni les villages ni les communes ni les villas des hauts fonctionnaires ni même les splendides palais du pharaon lui-même. Il ne s'agissait pas non plus des demeures des morts creusées dans la roche ou surmontées de modestes chapelles. Les constructions les plus imposantes étaient les temples des dieux, surtout ceux des grands dieux d'Égypte ou ceux de l'Empire ou encore ceux des cités principales. Leurs ruines pittoresques comptent au nombre des monuments les plus spectaculaires que le visiteur puisse admirer le long de la Vallée du Nil. Ces énormes entreprises architecturales, preuves massives de la piété des puissants rois, nous impressionnent toujours.

Les demeures des dieux

Une aura de mystère pare dans l'imagination populaire, les temples égyptiens ainsi que l'ancienne religion. Il en était de même, tout au moins en partie, des grands temples à l'apogée de l'empire, mais pour des raisons radicalement différentes. Des gigantesques temples des dieux de l'État ou des métropoles le commun des mortels ne vit jamais qu'un immense mur en briques séchées ceignant un district sacré, et percé en de très rares intervalles de portes d'entrée monumentales construites en pierre. Ce n'était qu'à la faveur d'une brève ouverture des portes extérieures que l'homme de la rue apercevait les sommets des grands pylônes, les toits de quelque grande salle, les pointes dorées des obélisques, la tête d'une statue colossale d'un pharaon. Ces mêmes portes étaient parfois flanquées de colosses du roi. Ce n'était pas au temple que les citoyens ordinaires faisaient leurs dévotions, mais ils assistaient parfois à de brèves oraisons près des grandes portes ou au culte du roi (lequel se fondait précisément sur ses statues). Au sein de ces vastes enceintes monacales, les dieux étaient adorés *pour* l'Égypte et pour tous les Égyptiens au nom du roi — mais pas *par* l'Égyptien ordinaire.

Le temple de tel ou tel grand dieu n'était en aucune façon un lieu de culte ouvert au public, mais la demeure et presque la résidence privée du dieu à qui il était dédié. Le temple évoquait en fait la configuration et la nature d'une maison. Ceux qui par leur position s'occupaient du dieu et de sa maison, ceux qui fréquentaient ses salles et ses cours étaient ses serviteurs qu'on nommait les prêtres. Joignons-nous pour les besoins de notre propos à une procession pénétrant dans le temple par le portail extérieur. Cette initiative nous permettra de comprendre ce qu'était un grand temple d'État sous l'Empire, quelles étaient les idées qu'il exprimait et son mode de fonctionnement.

Une fois cette porte franchie, une avenue, bordée de sphinx menait aux deux tours jumelles et à l'entrée (pylône) du temple même. A l'instar des longs murs des cours, des salles et des appartements privés, cette façade offrait une vue stupéfiante dans la clarté du doux soleil égyptien. Ces aveuglantes surfaces de plâtre blanc accueillaient maintes scènes sculptées peintes de couleurs brillantes évoquant des dieux et des rois. Sur la façade du pylône, Pharaon apparaît triomphant de ses adversaires — les ennemis de l'*Égypte* — tandis que le dieu lui accorde l'épée de la victoire. Des scènes de telle ou telle bataille importante (Ramsès II en Syrie par exemple) décoraient les murs extérieurs des cours et des salles. Viennent ensuite d'innombrables représentations du souverain faisant des offrandes aux dieux et des scènes en apparence identiques ayant souvent pour sources d'inspiration les rituels du temple. A la guerre, le pharaon était le défenseur de l'Égypte pour les dieux et pour le peuple. Au temple, le pharaon offrait (au nom de l'Égypte) de riches présents aux dieux afin que ceux-ci accordent bénédiction, paix et prospérité à l'Égypte et honorent leur régent sur terre. Il est probable que de hauts obélisques dont les pointes captaient les premiers et les derniers rayons du soleil et que de colossales statues des rois précédaient le pylône.

On pénétrait ensuite dans une avant-cour cernée de colonnades qui ménageaient une zone d'ombre. Les murs intérieurs accueillaient eux aussi des scènes de campagnes victorieuses ou d'adoration royale ou de grandes fêtes. Au-delà des avant-cours, une nouvelle grande entrée débouchait sur une vaste salle de colonnes ou « salle hypostyle ». L'architecture de l'allée centrale permettait à une lumière fraîche et diffuse d'éclairer les merveilleux décors des colonnes les plus proches du centre alors que l'obscurité enveloppait peu à peu les plus excentrées.

Les esplanades, les avant-cours et les salles hypostyles étaient les « salles publiques » de la maison du dieu : son temple où il apparaissait lors de la procession pour son fils le roi et pour ses serviteurs, les prêtres, les jours de grandes fêtes. Les hauts fonctionnaires de l'État, auxquels le roi déléguait parfois ses pouvoirs, y avaient accès.

Les appartements privés du dieu se trouvaient au-delà ; ils étaient plongés dans une obscurité toujours plus profonde. De faibles rayons de lumière s'infiltraient à travers de petites ouvertures pratiquées dans le toit, éclairant ici et là un mur ou un pilier peint, voire quelque meuble d'or étincelant. On arrivait ensuite à une pièce longue et étroite au centre de laquelle se trouvait un piédestal supportant la barque portable du dieu, dotée d'une cabine centrale qui dérobait aux regards du public la statuette du maître de céans. C'était sous cette forme que le dieu voyageait sur les épaules de ses prêtres vêtus de robes blanches lors des processions et des fêtes, tant à l'intérieur des enceintes qu'à l'extérieur. On pénétrait, au sortir de cette pièce, dans l'ultime sanctuaire qui abritait l'autel et la statue officielle de culte du dieu. De petits autels consacrés à la déesse conjointe et à leur fils divin se dressaient également en ce lieu si le temple était consacré à une triade de dieux. De sombres couloirs et des pièces de service s'ouvraient tout autour ; tous les objets du culte (tribunes, vases, encensoirs, encens, etc.) et les principales richesses du dieu étaient conservés là. Seules quelques rares personnes étaient admises ici : le grand prêtre (ou le plus souvent son délégué) et les prêtres serviteurs qui célébraient le culte quotidien et les rites ponctuels des grandes fêtes.

En rebroussant chemin à travers le dédale des salles et des cours, le visiteur s'apercevait que l'enceinte n'abritait pas seulement le grand temple. D'autres plus petits étaient dédiés à des dieux et à des déesses associés d'une quelconque façon à la déité principale. Il y avait certainement un lac sacré, source d'eau sainte (pour le bain rituel et les libations), qui servait par ailleurs de décor aux rites spectaculaires au cours desquels de petites barques évoluaient à la surface de l'eau. Venaient ensuite les demeures des prêtres, de nombreux magasins et autant d'ateliers en briques. Les revenus en grains et les marchandises diverses étaient stockés dans les magasins, tandis que dans les ateliers les fabricants et les artisans satisfaisaient les besoins matériels du culte, réalisaient les estrades pour les offrandes en or, les encensoirs, les colliers, les statuettes, les sandales et les vêtements en toile de lin. Des basses-cours, des abattoirs, et des jardins complétaient la communauté établie à l'intérieur des murs d'enceinte.

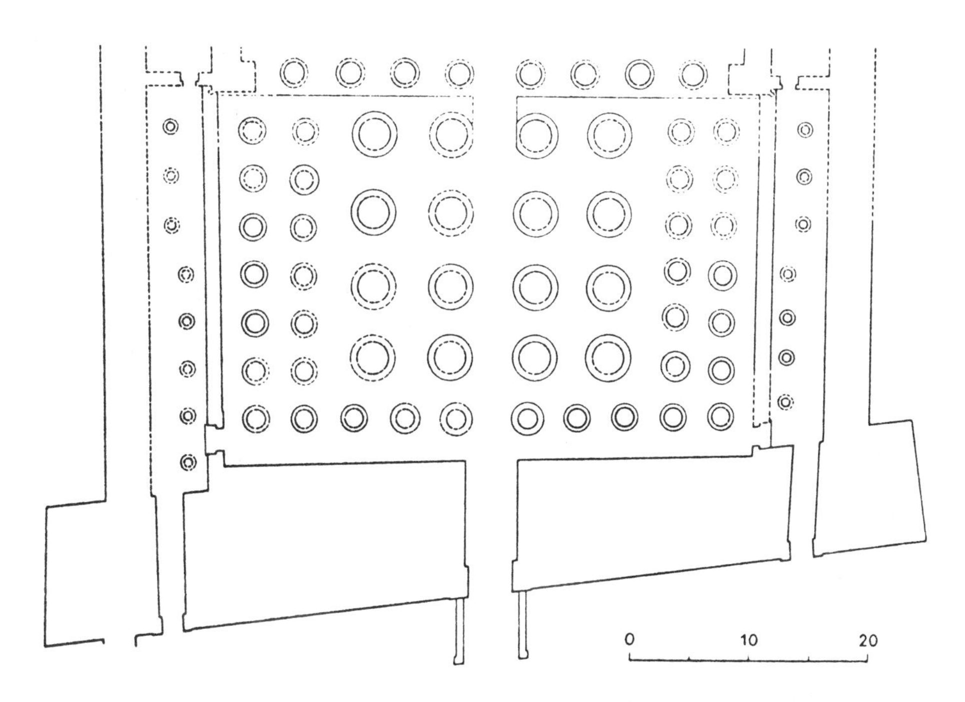

Plan au sol de la salle Ouest de Ramsès II
dans le temple de Ptah à Memphis.

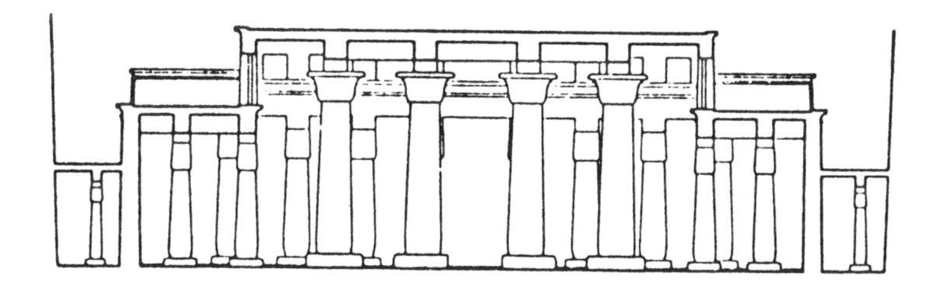

Coupe de la salle Ouest de Memphis de Ramsès II.

Le service des dieux

La clarté éclatante de l'extérieur et l'obscurité mystérieuse de l'intérieur renfermaient donc le principe essentiel voulant qu'un temple soit la maison du dieu, sa demeure terrestre. Mais en quoi consistait cette religion et qui officiait ? Les reliefs montrent le pharaon présentant maintes offrandes aux dieux en échange de leur bénédiction. La religion des grands temples d'Égypte se caractérisait par des rites formels et par des cérémonies ayant pour objectif de se concilier la faveur des dieux. L'essence des rites était inspirée du mode de vie quotidien.

Le dieu s'éveillait chaque matin à l'instar de tout Égyptien, déjeunait, avait ses occupations du jour, prenait plusieurs repas et se reposait le soir venu. Les ateliers et les magasins s'emplissaient dès l'aube de personnes affairées à préparer les offrandes du service du matin : une provision fraîche de pain, de gâteaux et de bière, un pichet de vin, des légumes et des fruits frais, de la viande (gibier sauvage, veau, et taureau pour les premiers jours du mois et pour les jours de fêtes) et des bouquets de fleurs. Les prêtres attachés au service quotidien se baignaient pour la purification rituelle. Ils effectuaient ensuite un parcours immuable à travers les cours et les salles du temple, accompagnés de porteurs d'offrandes et précédés d'un prêtre brûlant de l'encens et d'un autre arborant une petite statuette représentant le Roi dans la pose adoptée pour la consécration des offrandes — puisque celui-ci était le véritable officiant devant les dieux.

Dès que les offrandes étaient disposées sur les tables et sur les autels, les rites du matin commençaient par un hymne visant à réveiller la déité. Le prêtre faisait jouer la serrure du reliquaire, ouvrait les portes pour révéler l'image sacrée et procédait à la « toilette » de la statue du dieu — en lui offrant de l'encens et une libation, en changeant les bandelettes de lin, en oignant la statue et en replaçant les insignes de la royauté. Il présentait ensuite à l'image quelques offrandes représentatives de nourriture, le « petit déjeuner ». Tout était accompli au cours d'une succession de cérémonies longues et compliquées et de rites oraux. Les autres dieux du temple recevaient au même titre que la divinité principale leurs offrandes matinales. On considérait que le dieu, en tant qu'entité spirituelle, habitait sa statue et on supposait qu'il bénéficiait de l' « essence » des offrandes.

Puis se déroulait la seconde partie du service. Le reliquaire du dieu était refermé et les prêtres se retiraient. Au cours d'une « Première Réversion des Offrandes », celles-ci étaient présentées selon des rites spéciaux à l'auguste compagnie des rois précédents (élevés dorénavant au rang de dieux), en l'honneur du pharaon régnant. Celui-ci était ainsi, pour le passé et pour le présent, lié de manière irréversible aux cultes des dieux à travers les siècles. Toutes les offrandes étaient en fin de compte transportées dans les salles principales. Après un second rite de « Réversion des Offrandes Divines », ces nourritures étaient distribuées aux prêtres : « Tous ceux qui servent l'autel font partie de l'autel », ainsi qu'il sera dit en d'autres temps et en d'autres lieux.

Le service du matin était le plus important les jours ordinaires ; une brève offrande à midi servait de « déjeuner » et une autre le soir tenait lieu de « souper » (probablement lors du coucher du soleil). Des rites mineurs étaient célébrés dans le temple à chaque heure du jour et de la nuit. Lors des phases de la lune (et surtout à la nouvelle lune), des offrandes supplémentaires étaient prescrites, ainsi que lors des fêtes purement religieuses célébrées *intra muros*. Le dieu recevait ses offrandes et l'Égypte en escomptait de larges bénéfices.

Mais qui donc était l'officiant de cette représentation quotidienne ? Le grand prêtre ou « Premier Prophète » du dieu se trouvait à la tête de la hiérarchie (en tant que principal représentant du pharaon). Il portait parfois des titres spéciaux (tels que « le grand visionnaire » à Héliopolis). Le grand prêtre officiait probablement en personne lors des fêtes et des occasions particulères ; le reste du temps, il s'occupait de la bonne marche de l'établissement sacré, de son administration, de ses biens, des nouveaux bâtiments et des réparations. Il s'agissait très rarement d'une personne préparée à la prêtrise. C'était plutôt un individu nommé par le roi — un de ses proches ou un vizir à la retraite ou encore quelque personnage qui s'était distingué et à qui on avait accordé cet honneur... Un prince de sang royal assurait parfois le service, tel Khaemwaset à Memphis.

Quels que fussent ses antécédents, le grand prêtre était secondé par les deuxième, troisième et quatrième prophètes ou par un ecclésiastique de rang équivalent (un prêtre Sem à Memphis) et par un collège des « Pères du Dieu ». En tant que prêtres, ces hommes veillaient à l'accomplissement des rituels quotidiens et périodiques et à celui des fêtes de moindre importance. Le Premier Prêtre-Lecteur était un érudit, expert dans tous les sujets ayant trait au rituel, un savant en théologie qui connaissait le déroulement exact de tous les rites inscrits sur les papyrus ; il s'occupait probablement de l'organisation du travail des scribes sur les manuscrits religieux dans la « Maison-de-la-Vie », le « Département universitaire » du temple.

Le corps principal des « frères convers » était toutefois les « purs » (*wab* ou *weeb*), qui servaient au temple par roulement d'un mois, trois fois par an. Ils ne demeuraient jamais inactifs. Lorsqu'ils n'étaient pas de service, ils travaillaient selon leurs aptitudes personnelles dans la maison du dieu et dans les ateliers ou encore sur ses domaines comme cultivateurs. Ils se soumettaient à la purification rituelle pour pouvoir reprendre leur service : un bain trois fois par jour. Les femmes n'étaient par ailleurs pas exclues des activités. Les épouses des fonctionnaires, qu'ils soient supérieurs ou non, servaient comme « chantresses » de telle ou telle divinité. Leur rôle consistait à accompagner musicalement les offices, en chantant des hymnes du matin au soir, en jouant du sistre, du tambourin, etc. C'étaient également elles qui apportaient des bouquets de fleurs et qui assistaient parfois les officiants lors des rites des offrandes. La fille ou la femme du grand prêtre était souvent grande prêtresse, un titre qui faisait d'elle la première musicienne.

Il est évident que la vie de la communauté du temple ne reposait pas sur les seules offrandes. Les pharaons octroyaient aux temples et à leurs dieux de grandes étendues de terres cultivables, de pâturages et de marais (pour le poisson et le gibier). Ces dons assuraient le bon fonctionnement du temple. Il existait des dons permanents et des dons « temporaires »; ces derniers étaient accordés pour la durée du règne de tel pharaon (et retournaient ensuite à la Couronne). Les terres qui n'étaient pas cultivées retombaient également dans le domaine de la Couronne en vue d'une redistribution. Il semble que les temples aient été soumis à des impôts sur les revenus de leurs terres et que des arrangements compliqués aient régi la location des terres entre les temples. Les bateaux chargés de grains transportaient leurs précieux chargements venus des divers domaines des temples dispersés sur tout le territoire vers les enceintes du temple principal et vers ses greniers. Ainsi chaque temple disposait-il non seulement d'un personnel de moines et de cultivateurs, mais encore d'un grand intendant, d'un trésorier et d'autres fonctionnaires chargés de vérifier les détails de ses possessions temporelles en collaboration avec le grand prêtre et avec le Premier Trésorier de l'État.

Dans l'économie agricole et le mode de vie des Égyptiens, les dieux, par l'intermédiaire des temples, étaient les employeurs les plus importants à tous égards. Sur le plan théologique, les temples étaient par ailleurs des microcosmes de l'Égypte et symbolisaient les « demeures du pouvoir » par lesquelles la faveur des dieux était transmise au roi et à la nation, en échange des offrandes.

Les dieux chez eux

Qui étaient ces grands dieux dont les bénédictions étaient recherchées tant par le roi que par le peuple? Le traité de paix liant Ramsès II et les Hittites parle des « mille dieux » de l'Égypte et du Hatti. Entretenir des relations avec un tel panthéon semble être une entreprise difficile. Mais parmi la population divine de l'Égypte ramesside, certaines déités jouissaient d'une popularité plus grande aux yeux du pharaon et de ses sujets.

Les *grands dieux de l'État,* protecteurs du pharaon, se trouvaient à la tête de l'Égypte et du panthéon. Le plus illustre était Amon, dieu de l'air et des pouvoirs cachés de la génération (fertilité et virilité) qui résidait à Thèbes. En tant que dieu de l'Empire, il dispensait la victoire aux pharaons-guerriers ; après la réaction d'Akhenaton contre ses prétentions autoritaires, Séti Ier et Ramsès II restaurèrent sa prééminence mais limitèrent ses prétentions à l'exclusivité en honorant également Rê et Ptah. La physionomie d'Amon était impressionnante : il était représenté sur les monuments comme un homme portant un casque plat garni de deux hautes plumes. Les plus grands temples de Thèbes lui appartenaient. Mout était sa conjointe, une déesse liée à d'autres telles qu'Hathor, Bastet et Sekhmet. Khons, le dieu thébain de la lune était le fils d'Amon et de Mout au sein de leur triade.

Venait ensuite Rê, le dieu-soleil. Il était représenté avec un corps d'homme à visage humain ou à tête de faucon surmonté du disque solaire. Révéré depuis longtemps à travers toute l'Égypte, sa résidence principale se trouvait à Héliopolis. Ses théologiens étaient les plus renommés de toute l'Égypte. Maints dieux s'octroyaient le rôle cosmique et universel de Rê en ajoutant son nom à leur titulature — même Amon de Thèbes est souvent nommé Amon-Rê. Le soleil qui voit tout devint très tôt ici comme ailleurs le patron de la Justice. La déesse Maât était la « fille de Rê » ; elle personnifiait la norme idéale de la vie — justice, droit, vérité, ordre — à laquelle *tous* les dieux, le pharaon et ses sujets devaient se conformer. Le dieu de l'orage Seth, de l'est du delta (la terre natale de Ramsès), devint l'assistant de Rê, celui qui repoussait le serpent malin à la proue du vaisseau de Rê lors de la traversée quotidienne du ciel. La déesse Hathor apparaît souvent près de Rê. Lui qui est Khépri au soleil levant (« celui qui vient à l'existence ») et Atoum au soleil couchant (une ancienne forme du créateur et du dieu soleil). Les hauts obélisques élancés dont les pointes d'or captaient les premiers et les derniers rayons du soleil étaient consacrés à Rê.

Ptah, de Memphis, ancien dieu des artisans, était le troisième parmi les plus grands dieux. Il était souvent représenté sous forme humaine, la tête rasée, et serrée dans une gaine comme une momie ; il était considéré à l'origine comme le créateur du monde, le dieu de la terre et le patron des jubilés royaux. Sa conjointe était l'ardente déesse-lion Sekhmet ; Néfertoum, le lotus, était leur fils. Le principal « collègue » de Ptah à Memphis était Sokar, le dieu à tête de faucon, patron des morts disposant de grands pouvoirs. Il était souvent associé à Osiris et à Ptah (Ptah-Sokar-Osiris), sous la forme d'Osiris, le maître de l'Au-Delà.

Le cycle d'Osiris exerçait un impact puissant sur le peuple égyptien à l'époque de Ramsès. Osiris était le modèle même du bon roi, celui qui avait apporté la civilisation à l'Égypte dans les premiers temps. La légende veut qu'il ait été tué par son frère jaloux, Seth ; Isis, sa femme (une grande déesse de la magie) rassembla son corps démembré afin qu'il soit momifié par le dieu embaumeur à tête de chacal, Anubis. Ressuscité, Osiris régna désormais sur les morts et sur le royaume de l'au-delà. Son fils Horus disputa la souveraineté à Seth et succéda à son père. Abydos (située à quelque deux cents kilomètres au nord de Thèbes) était depuis des siècles le lieu du culte d'Osiris. C'est dans cette ville que Ramsès et son père construisirent leurs plus beaux temples. Osiris était représenté sous l'aspect d'une momie, les bras croisés sur la poitrine, tenant d'une main un sceptre et de l'autre un fouet, et portant une haute mitre blanche garnie de deux plumes. Isis était souvent représentée sous l'aspect d'une femme portant sur sa perruque un disque solaire et les cornes de la déesse Vache. Horus (assimilé depuis longtemps au faucon Horus) est représenté sous la forme d'un homme à tête de faucon. Le principe de la royauté égyptienne repose sur la légende osirienne ; à l'instar d'Horus qui donna une sépulture à son père Osiris, chaque successeur d'un pharaon défunt qui accédait au trône légitimait sa souveraineté de nouvel Horus en accordant une sépulture convenable à son prédécesseur défunt comme (un) Osiris. Mais l'attrait d'Osiris s'exerçait également en d'autres domaines, car les Égyptiens avaient depuis longtemps placé en lui leurs espoirs d'une heureuse après-vie. Un Égytpien défunt devenait « l'Osiris (Untel) ».

D'importants dieux locaux avaient leurs adorateurs dans leurs propres fiefs ; en sus de leurs rôles particuliers et sur un plan pratique, ces dieux servaient de dieu suprême pour le peuple dans leurs districts. Les plus connues de ces divinités étaient Neith, la vieille déesse guerrière de Saïs (à l'ouest du delta) ; Bastet, l'amicale déesse à tête de chat de Boubastis (à l'est du delta) ; Herishef à tête de bélier de Ninsu près du Fayoum et Sobek à tête de crocodile dans cette province-jardin. Plus au sud, en remontant la vallée du Nil, Hermopolis était la demeure de Thot, homme à tête d'Ibis, le dieu des hiéroglyphes, de la sagesse et de la lune, tandis que Siut honorait le dieu à tête de loup, Oupouaout, le surveillant des chemins du désert. Au sud toujours, Min, le dieu de la virilité avec ses hautes plumes régnait à Akmin et à Koptos (situées respectivement au nord et au sud-est d'Abydos). Min, très proche d'Amon, était en outre le patron des explorateurs du désert. La capitale provinciale de Thinis adorait Onouris et Onouris-Shu, « fils de Rê », personnage héroïque comme Horus. Entre Abydos et Koptos, la déesse à tête de vache, Hathor, gouvernait à Denderah ; patronne de l'amour, de la maternité, de la gaieté, elle était quelque peu apparentée à Bastet au nord. Mais plus au sud, elle entretenait une relation privilégiée avec le dieu faucon Horus d'Edfou, à qui elle rendait visite chaque année en grande pompe, pour les rites du « mariage sacré ». Le dieu de la guerre à tête de faucon, Montou, était honoré à Thèbes et dans ses environs ainsi qu'à Armant, sa ville d'origine. A Nekheb, la déesse vautour Nekhbet était la maîtresse de la Haute Égypte, correspondant à Ouadjet, déesse-cobra, patronne du Royaume du Delta en Basse Égypte. Le dieu Khnoum à tête de bélier (la roue de son tour de potier avait crée l'humanité) régnait à Esna aux environs d'Edfou, et à Assouan en tant que maître de la cataracte et que « source » mythique du Nil à cet endroit. Les Égyptiens reconnaissaient également l'ancien dieu nubien Dedoun et une infinité de dieux faucons dans les principaux centres établis au bord du Nil : « Horus de Baki », « ... de Miam » ; « ... de Bouhen », etc. Les dieux étatiques Amon, Rê et Ptah supplantèrent en Nubie les dieux locaux sous le règne de Ramsès II. Pour conclure citons également le « dieu local » commun de tous les habitants de l'Égypte : Hapi, le Nil, dont les crues assuraient la prospérité. Tout Égyptien lui vouait une adoration illimitée. C'est dans les gorges étroites de Silsila que Ramsès II (à l'instar de son père) décréta que de riches offrandes seraient attribuées deux fois par an au Nil. Une coutume que ses successeurs, Merenptah et plus tard Ramsès III, observeraient.

Les prisonniers de guerre, les commerçants, les diplomates et autres voyageurs venus de Syrie et de Palestine pénétrèrent en Égypte avec leurs *dieux étrangers*. Certains furent assimilés aux dieux égyptiens, ainsi Baal, le dieu de la tempête, fut-il identifié à Seth, ou de par la similarité des noms Horon à Horus. Resheph, dieu du tonnerre, et Anath et Astarte (« Ashtoreth » de l'Ancien Testament), les déesses lascives de l'amour et de la guerre, conservèrent leurs caractéristiques distinctes.

Le culte des animaux était l'un des traits les plus pittoresques de la religion égyptienne. Maints animaux et maints oiseaux devinrent les attributs des dieux et des déesses : l'ibis et le babouin ceux de Thot, le chat celui de Bastet, le bélier celui de Khnoum, le crocodile celui de Sobek, le bélier et l'oie ceux d'Amon, le faucon celui d'Horus, la vache celui d'Hathor, etc. L'animal incarnait souvent une qualité particulière de la déité, que ce soit dans la réalité ou dans la mythologie. Mais à cette époque, on accordait une grande importance aux animaux sacrés qui « régnaient » et se succédaient les uns après les autres, tels que les taureaux Apis de Ptah à Memphis (soignés par le prince Khaemwaset) et le taureau Mnevis à Héliopolis toute proche. En dehors des rôles spécifiques qu'ils avaient à remplir, ces animaux servaient d'« images vivantes » que le dieu adaptait selon son bon plaisir et par l'intermédiaire desquelles il dispensait des oracles. Ils étaient donc honorés en conséquence.

Rites, Hymnes et Théologie

Au cours des siècles, les cérémonies religieuses des grands temples donnèrent naissance à une « littérature spécifique » : hymnes du matin ou du soir pour éveiller le dieu ou pour en prendre congé ; longs livres d'office renfermant d'interminables « incantations » et des rites de célébration exécutés par les officiants. Ces ouvrages étaient contemporains des grands hymnes littéraires aux dieux ; ces derniers étant vraisemblablement utilisés en des occasions particulières. Certains de ces écrits nous permettent de mieux comprendre en quoi consistait la réalité des services des temples, des hymnes et de la littérature théologique à l'époque de Ramsès II.

La déité s'éveillait chaque jour au son de l'hymne du petit matin chanté par l'officiant et (peut-être) par le chœur des chantresses accompagnées de leurs sistres et de leurs tambourins. La déesse Mout recevait ainsi à Thèbes la sérénade en un hymne qui l'identifiait à ses égales parmi les déesses.

> « Éveille-toi en paix, éveille-toi en paix, O *Flame* ;
> Que ton éveil soit paisible !
> Éveille-toi en paix, éveille-toi en paix, O *Neith* ;
> Que ton éveil soit paisible !
> Éveille-toi en paix, éveille-toi en paix, O *Ouadjet* ;
> Que ton éveil soit paisible !
> Éveille-toi en paix, éveille-toi en paix, O *Menhet* ;
> Que ton éveil soit paisible !
> Toi qui sans repos traverse les déserts et court
> dans les prairies...,
> Puisses-tu entendre ce mot prononcé par le roi... »

L'hymne majestueux se poursuivait en une litanie répétitive aussi vieille que les premières pyramides et consacrée par un usage vieux comme le monde.

Dans le temple principal d'Amon à Karnak, et surtout lors des grandes fêtes, un hymne matinal plus élaboré et nouveau, entonné par le prêtre et par le chœur du temple accueillait le dieu de l'empire :

> *Hymne à Amon, chanté le matin près des berges des Deux Fleuves :*

« Les portes du Sanctuaire sont ouvertes, l'autel est ouvert dans la Résidence.
Thèbes est en liesse, Héliopolis est en joie, Karnak se réjouit.
L'allégresse (emplit) le ciel et la terre...
Les chants sont destinés à ce noble dieu Amon-Rê, Maître des Trônes du Double Pays, et à Amon, Maître de Louxor.
Son parfum baigne la Grande (Mer) Verte,
Ciel et Terre affichent sa beauté, l'or de ses rayons les nimbe... »

Un texte accompagnait chaque acte du rituel. Cette « incantation », riche d'allusions à la mythologie égyptienne — et lourde de sens pour les Égyptiens (en particulier pour les prêtres instruits) — est beaucoup moins claire pour un lecteur moderne. Voici par exemple les instructions du livre d'offrande en ce qui concerne l'ouverture des portes de l'autel. Cet extrait concerne le dieu-soleil Rê :

Incantation pour déverrouiller la porte :
« Ainsi le doigt de Seth est-il retiré de l'œil d'Horus, c'est bien !
Le doigt de Seth est retiré de l'œil d'Horus, c'est bien !
Osiris est délivré de la corde, le dieu est délivré de la maladie.
O Rê-Harakhté, reçois tes deux plumes blanches, celle de droite sur le côté droit, celle de gauche sur le côté gauche.
Que celui qui est nu, soit vêtu ; que celui qui est bandé, soit bandé.
Car je suis en vérité le prophète, c'est le roi qui m'a ordonné de voir le dieu.
Je suis ce grand phénix d'Héliopolis, j'ai pacifié celui qui est dans le Lac de l'Au-Delà... »

Le « menu » de base pour la présentation des offrandes dans le livre d'offrande se fondait sur des sources très anciennes et se poursuivait ainsi (pour Amon de Thèbes lors des jours de fêtes) :

Menu de fête pour Amon-Rê... à réciter :
« Vin, deux plats : ô Amon, prends pour toi l'œil d'Horus *, avec lequel ta bouche est ouverte.

* « Œil d'Horus » est le nom symbolique de l'offrande.

Gâteaux-*shayet,* vingt : ô Amon, prends pour toi l'Œil d'Horus, il ne suintera pas.
Viande rôtie, un plat : ô Amon, prends pour toi ce rôti ! »

Et ainsi de suite. Outre les actes de présentation de nourriture et les invocations du menu, le livre d'offrande prévoyait des rubriques pour le prêtre-lecteur :

A réciter par le prêtre-lecteur qui dit l'invocation :
« O prêtre-Sem, dis l'invocation de l'offrande royale à Amon... :
" Approche avec le pain ! " »
Le prêtre-lecteur apporte les offrandes (pour) ce dieu. Réciter :
« Venez, ô Serviteurs ! Apportez les offrandes destinées à la Présence, apportez les offrandes (pour) Amon... ».

La première « Réversion des Offrandes » avait lieu en temps voulu. Le dieu les abandonnait à l'utilisation des esprits du roi régnant et à ceux de tous ses ancêtres défunts, tous les pharaons antérieurs. Le livre du rituel ne les nommait pas tous de manière exhaustive. L'énumération commençait par le souverain actuel et remontait dans le temps jusqu'aux anciens rois :

« Approchez serviteurs ! Apportez les offrandes destinées à la Présence, apportez les offrandes destinées au roi, Maître de la Double Terre..., Ramsès II ;
pour Séti Ier, pour Ramsès Ier, pour Horemheb, pour Aménophis III, pour Thoutmosis IV, pour Thoutmosis III, pour Thoutmosis II, pour Thoutmosis Ier, pour Aménophis Ier, pour Ahmosis, pour Kamès, pour Sésostris Ier, pour Mentouhotep II ;
— et pour tous les rois de la Haute et de la Basse Égypte... coiffés des Couronnes,... afin qu'ils adorent Rê. »

Ces rituels élaborés et majestueux étaient célébrés dans les ténèbres des vastes salles et des sanctuaires avec la plus grande magnificence au bénéfice des dieux et du roi et pour la prospérité de l'Égypte.

De splendides hymnes littéraires furent composés sous l'Empire qui exaltaient le pouvoir créatif des principaux dieux ainsi que leur souci de l'humanité. D'aucuns les présentaient comme s'ils constituaient les aspects ou les facettes d'un seul et unique dieu (précisons que le monothéisme ne fut jamais effectif). Le dessinateur Méri-Sekhmet, un contemporain de la fin du règne de Ramsès II chantait :

« *Louange à toi,* O Amon-Rê-Atoum, Horus des Horizons ! Celui qui parla par sa bouche, et voici qu'apparuent, les hommes et les dieux,
le bétail et le gibier et tout ce qui vole et tout ce qui se pose.

Tu es le créateur des terres natales et des régions lointaines,
C'est toi qui a peuplé leurs villes,
C'est toi qui fis les prairies verdoyantes nourries des Eaux de l'Inondation qui apportèrent
Les innombrables bienfaits pour le soutien de la vie.

Tu es vaillant comme le Berger qui les fait paître pour l'éternité.
(Leurs corps) sont remplis de ta beauté, (leurs) yeux voient par les (tiens).
Ils te respectent et leurs cœurs s'inclinent vers toi.
Ta bonté est éternelle, le peuple vit en te voyant.

Chacun dit : " Nous t'appartenons ! "
Le brave et le craintif ne font qu'un, le riche et le pauvre sont unis.
Ta douceur les gagne tous, nul n'est dépourvu de ta beauté.

Les veuves ne disent-elles pas : " Tu es notre époux ! " et les nouveau-nés : " Notre père et notre mère ? "
Le riche envie ta beauté, le pauvre (adore) ton visage.
Le prisonnier se tourne vers toi, l'homme riche t'invoque. »

Maints vers nobles et maints autres poèmes existent en plus de celui-ci en l'honneur d'Amon et d'autres divinités.

A travers les âges, les théologiens ont non seulement évoqué les légendes des dieux et des déesses et les récits locaux de la création, mais encore (à l'époque de Ramsès II), tentaient-ils de relier entre elles les différentes versions des mythes de la création en « ajustant » les rôles des dieux principaux en une image globale d'une étrange complexité. A l'instar de la plupart des sujets de Ramsès, nous nous contenterons d'un simple aperçu.

Au commencement, il n'y avait rien que les eaux de l'océan primitif. Le Créateur en émergea qui selon son identité procéda de diverses manières à la création des dieux et des hommes, le monde habité. Ainsi à Memphis, la terre s'éleva d'abord des eaux et le créateur en tant que Ptah-Tatenen donna naissance à tous les autres êtres y compris au soleil... Mais sur l'autre berge du Nil, à Héliopolis, on pensait que c'était le dieu-soleil qui émergea d'abord des eaux, créant ensuite les dieux et les hommes. Les théologiens « ajustèrent » plus tard leurs versions divergentes en arguant par exemple que le dieu-soleil était immanent dans la terre originale qui s'éleva au commencement — Ptah et Rê ne faisant qu'un. A Hermopolis, ils affirmaient qu'un lotus s'élevant des eaux s'ouvrit et laissa apparaître le dieu-soleil, etc. Amon de Thèbes pouvait donc prétendre être le dieu premier grâce à une habile adaptation des mythes préexistants.

On pensa ensuite, avec à propos, que les dieux gouvernèrent l'Égypte successivement, telle une dynastie : Rê retourna au ciel lorsque l'humanité se rebella et envoya immédiatement la déesse Hathor pour dominer les hommes, puis, grâce à un stratagème, il l'empêcha de les anéantir. Osiris apporta des éléments à la civilisation, fut assassiné et supplanté par Seth. Le jeune Horus devint le souverain de l'Égypte tandis que son père Osiris devenait le maître de l'Au-Delà. Vint ensuite la dynastie des esprits et des demi-dieux, puis la longue lignée des pharaons lors de l'union de la Haute et de la Basse Égypte sous Ménès. Celle-ci s'étirait à cette époque sur près de vingt siècles d'histoire tumultueuse.

Les mythologies individuelles des dieux locaux de l'Égypte de Ramsès étaient aussi nombreuses que les dieux eux-mêmes. Cela va sans dire, l'histoire et le temps ne nous les ont pas toutes transmises et nombre de celles dont nous avons connaissance demeurent quelque peu nébuleuses. Quoi qu'il en soit, il est certain que, déjà à cette époque, maints détails étaient le secret des prêtres alors que certains mythes étaient connus du commun des mortels, en particulier celui d'Osiris.

Les dieux et les grandes fêtes

« Le travail sans la détente abrutit. » Cette vérité première valait déjà à l'époque de Ramsès. A tous les niveaux de la société, des interruptions de travail régulières étaient désirées et appréciées — comme nous le verrons, les humbles ouvriers de la Tombe Royale à Thèbes disposaient de leurs « fins de semaine ». Tous les sujets de Ramsès avaient leurs grandes fêtes annuelles : celles des grands dieux ou celles des dieux locaux. Certaines étaient célébrées à travers tout le pays, d'autres étaient des affaires purement locales. Au jour dit, l'image du dieu concerné sortait du temple et se mettait en route, cachée dans un petit autel placé sur une barque portable en or et portée sur les épaules des prêtres en une procession magnifique où se mêlaient la musique, l'encens et les ovations de la foule en liesse.

Ainsi à la fin de l'année civile (en juillet sous Ramsès II), les cinq derniers jours de l'année ainsi que le jour du Nouvel An et le lendemain étaient-ils fériés. Il va de soi que dans tous les temples, les offrandes de ces jours-là étaient conséquentes. Mais les fêtes en l'honneur d'Amon ou d'Osiris ainsi que celles des récoltes jouissaient d'un renom considérable.

A l'époque de Ramsès, Abydos était réputée depuis des siècles pour ses célébrations annuelles des « Mystères » d'Osiris, un rite observé partout où cette divinité était honorée. A Memphis et à Thèbes, on vénérait Sokar, un dieu souvent identifié à Osiris. A Abydos, les événements mythiques de la mort, de la résurrection et du triomphe de ce dernier étaient reconstitués avec une grande ferveur durant plusieurs jours dans le courant du 4e mois de l'Inondation (vers octobre/novembre sous Ramsès II). Le premier jour, une procession sortait de l'enceinte du temple. Les insignes de Oupouaout, « celui qui ouvre le chemin », précédaient la barque d'Osiris, la *Neshmet*, portée par les prêtres. Le peuple entourait la barque et simulait le « Repoussement de l'ennemi » ; des groupes rivaux personnifiaient les adversaires et les partisans d'Osiris. Venait ensuite la « Grande Procession » pleurant l'assassinat d'Osiris par Seth. Les autres rituels reconstituaient la préparation de la tombe du dieu dans le district de Peqer à proximité d'Abydos, son embaumement dans le temple et son inhumation. La « Grande Bataille » se déroulait alors à Nédyt (« Banc de Sable ») et s'achevait par la défaite des ennemis d'Osiris. Le dieu ressuscité entreprenait un retour triomphal vers son temple en naviguant sur le canal dans sa barque. La fête atteignait son paroxysme ; la foule en délire donnait libre cours à sa joie.

Les fêtes de Sokar intervenaient durant le même mois à Memphis et à Thèbes. Elles étaient célébrées en partie à l'intérieur des temples. Mais les vingt-cinquième et vingt-sixième jours du quatrième mois de l'Inondation en marquaient le point culminant. Le soir du vingt-cinquième jour, les fidèles de Sokar portaient des guirlandes d'oignons et faisaient des offrandes à leurs défunts inhumés dans les chapelles familiales. A l'aube du vingt-sixième jour, une procession triomphale promenait la spectaculaire barque d'or du dieu autour des murs de l'enceinte du temple à Thèbes ou autour de l'ancienne ville aux « Murs Blancs » à Memphis sous les acclamations du peuple qu'encourageait un porteur de la masse et du fléau de cérémonie.

Les deux plus grandes fêtes se tenant dans la Thèbes impériale étaient celle d'Opet et celle de la Vallée, toutes deux dédiées à Amon. La première était la plus importante. A l'époque de Ramsès II, elle commençait par les rites préliminaires du temple le soir du dix-huitième jour du deuxième mois de l'Inondation et se terminait quelque trois semaines plus tard, le douzième jour du troisième mois de l'Inondation, occupant donc presque tout le mois de septembre. Les pharaons assistaient depuis longtemps à la fête d'Opet — ainsi Ramsès II y fut-il présent la première année de son règne et très souvent par la suite.

Le dix-neuvième jour du deuxième mois d'Inondation, les barques de Mout et de Khons (renfermant leurs images) rejoignaient celle d'Amon dans son immense temple de Karnak — probablement dans la salle Hypostyle construite par Séti Ier et Ramsès II. La procession précédée de musiciens et de danseurs se dirigeait vers les quais du temple pour embarquer sur la grande barque d'or Userhat-Amon. Celle-ci était halée le long d'un chenal jusqu'au fleuve où une flotille de vaisseaux la rejoignait — une corde de halage était passée au navire amiral du roi, dirigé par les hauts fonctionnaires du pays. La véritable force motrice venait des cordes de halage qui reliaient la barge d'Amon et les autres navires à la rive et des épaules musclées des paysans et des soldats. Ce cortège magnifique remontait le cours du fleuve sur les quelque trois kilomètres séparant Karnak de Louxor (Opet Sud). Les musiciens, les chanteurs et la foule joyeuse du petit peuple suivaient sur la berge. Le pain et la bière étaient disponibles en abondance. Des chants louant le dieu et le roi s'élevaient du brouhaha :

> « Tu brilles merveilleusement, ô Amon-Rê, tandis que tu es dans ta barque Userhat !
> Ton peuple te loue, le pays tout entier est en liesse.
> Car ton fils aîné et héritier t'emmène sur son bateau jusqu'à Louxor.
> Accorde l'éternité au roi des Deux Terres.
> Accorde-lui vie, stabilité et autorité,
> Accorde-lui d'apparaître dans la gloire du Souverain.
> Joyeux... »

A Louxor, on descendait les barques portables d'Amon, de Mout et de Khons ; une nouvelle procession était formée pour pénétrer dans le temple d'Opet Sud à Louxor, précédée de musiciens, de danseuses acrobatiques et de prêtres brûlant de l'encens. Sur tout le parcours, des baraques contenant de la nourriture et des boissons étaient installées pour régaler les participants fatigués mais heureux. Les trois divinités demeuraient ensuite au temple de Louxor pendant près de trois semaines. Les rites secrets (de la célébration d'un mariage sacré ?) se déroulaient à l'intérieur du temple tandis que les profanes vaquaient à leurs occupations habituelles et que le pharaon et les dignitaires décidaient des affaires de l'État. Amon donnait, en ces occasions, des oracles. Le jour de son retour, les foules joyeuses couraient surexcitées le long de la berge, tandis que la flotille d'apparat et la barque d'or retournaient à Karnak.

La Fête de la Vallée, célébrée lors de la nouvelle lune

quelque six mois plus tard (le deuxième mois d'été, avril) était plus courte mais tout aussi impressionnante. Amon voguait à nouveau en grande pompe dans sa barque d'or et se dirigeait cette fois de l'autre côté du Nil vers l'ouest de Thèbes et le long des canaux pour remonter vers la bordure désertique. Autrefois, une procession précédée par la barque d'Amon remontait l'une des chaussées de la vallée de Deir el-Bahari jusqu'au temple funéraire de Mentouhotep II ou jusqu'à celui de la reine Hatchepsout. Amon fut souvent invité plus tard à passer la nuit dans le temple funéraire du roi régnant. Ainsi sous Ramsès II, les prêtres d'Amon transportaient-ils sa barque dans les vastes cours et dans les salles de *son* temple, le Ramesseum, afin qu'il se repose dans son immense salle hypostyle, la « salle de repos du Maître des Dieux lors de la merveilleuse Fête de la Vallée », comme le disent les textes. Des offrandes fastueuses étaient présentées à Amon et les participants pouvaient les admirer. Des bouquets de fête et de belles toiles de lin étaient distribués aux fonctionnaires et aux prêtres ayant participé à la préparation des festivités. Notre vieil ami Paser s'enthousiasmait en ces termes :

> « O mon Maître, dieu de la cité, Amon Maître de Karnak ! Accorde-moi la grâce d'être comme l'un des ancêtres, ceux qui sont bénis, que je puisse louer Ta Majesté lorsque je visite le côté Ouest, que je sois le premier parmi tous ceux qui te suivent dans ta Belle Fête de la Vallée, que je reçoive un vêtement pur et que je repose aux côtés des anciens, ainsi que tous ceux qui reçurent la grâce ! »

Mais ces cérémonies du temple ne représentaient que la moitié de la fête. La tradition voulait que, ce soir-là, les grandes familles de Thèbes se rendent en procession à la lueur des torches jusqu'à leurs magnifiques chapelles et jusqu'à celles de leurs ancêtres, chargées d'abondantes provisions. Elles y célébraient durant la nuit la visite d'Amon dans l'Ouest Merveilleux (donnant la vie aux morts) en compagnie de ceux qui étaient partis avant eux. L'un des grands hymnes d'Amon raconte que :

> « La bière est brassée pour lui (le) jour de la fête, les individus veillent dans la beauté de la nuit. Son nom

s'élève au-dessus des toits, tous les chants sont siens à la tombée du jour. »

C'était avec une humilité plus grande que les ouvriers de Deir el-Médineh (de « la Tombe Royale ») observaient les mêmes rites dans leurs brillantes petites chapelles dominant le village. Amon refranchissait le fleuve le lendemain après les derniers rites et retournait vers la solitude de Karnak. Les Thébains, quant à eux, réintégraient leurs demeures et reprenaient leurs occupations terrestres.

Les provisions (et les dons) pour ces fêtes étaient plus fastueuses dans les temples. Au Ramesseum, la Fête d'Opet durait trois semaines et les provisions allouées comprenaient plus de 11 400 pains et gâteaux, 385 gobelets de bière, et une multitude d'offrandes diverses (bœuf, gibier, vin, fruits, encens, etc.). La Fête de Sokar qui durait dix jours recevait plus de 7 400 pains et gâteaux, 1 372 gobelets de bière et jusqu'à 30 mets différents pour une journée. Les festivités de Karnak et de Louxor (du moins pour Opet) devaient être organisées de manière encore plus somptueuse. Il est inutile de dire que ces offrandes pléthoriques ne profitaient pas seulement au dieu et au haut clergé. En effet, à la faveur de la seconde « Réversion et Offrandes », ces largesses atteignaient tout le personnel du temple ainsi que tout individu ayant participé à l'organisation de la fête, quel que soit son rang. Les dieux s'improvisaient donc les hôtes de leur peuple avec une magnificence difficile à imaginer.

Serviteurs des dieux

Dans le nord, à Memphis et à Héliopolis, les hommes les plus divers servirent en tant que grands prêtres de Ptah et de Rê. Ramsès nomma très tôt un des chefs des conducteurs de char de la résidence, Bak, au poste de grand prêtre du dieu-soleil à Héliopolis : il s'agissait vraisemblablement de récompenser un sujet fidèle. Un certain Amenemopet lui succéda (vers les années 10 à 26) ; il ne laissa nulle marque impérissable mais il appartenait à la famille omniprésente d'Amen-em-inet. Ramsès II fit de Méri-Atoum, son seizième fils, le « Grand Visionnaire »* (dans les années 26 à 46 du règne ?) ; charge qui échut au vizir du nord Prehotep le Jeune dans les dernières années ainsi que nous le verrons.

Les hommes qui se succédèrent à Memphis au poste de grand prêtre de Ptah étaient pour la plupart apparentés les uns aux autres. Il est probable que ce fut Houy qui officia en l'an 16 lors de l'enterrement du premier taureau Apis du règne. Vint ensuite Pahemneter, à qui succédera son fils aîné Didia et dont le plus jeune fils était le futur vizir Prehotep le Jeune. Le royal collègue de ce dernier, le fameux prêtre Sem, le prince Khaemwaset, occupa ce poste suprême pendant un certain laps de temps jusqu'à sa mort vers l'an 55. Le vizir Prehotep le Jeune devint grand prêtre de Ptah et de Rê jusqu'à ce que Hori, le petit-fils du vieux pharaon, le remplace. Tout laisse à penser qu'il officia également pendant les règnes ultérieurs.

En Haute Égypte, en remontant le cours du Nil et en dépassant nombre des honorables sanctuaires des capitales de provinces, nous arrivons d'abord à Thinis puis à Abydos. Thinis était le siège de Onouris-Shu, « fils de Rê », un héros guerrier, qui (dans la légende) ramena en Égypte la déesse « Œil de Rê » (souvent identifiée à Mout, Sekhmet et à d'autres). La grande prêtrise y était tenue — avec celle d'Hathor de Denderah — par Nebwenenef en l'an 1 du règne de Ramsès II qui le nomma à Thèbes. Son fils demeura à Denderah, mais un homme nouveau et plus âgé fut nommé pour le poste de Thinis, Hori. Son fils, le très compétent Minmose, lui succéda et remplit les temples de Thinis de ses monuments ; il entretint des relations amicales avec la famille du vizir du nord Prehotep l'Ancien (de Ninsu, qui devint son beau-frère) et avec son successeur et homonyme, Prehotep le Jeune (d'Abydos et dont Minmose devint le beau-père). Minmose ne fonda pas de dynastie en dépit d'une carrière des plus satisfaisantes. Un « homme nouveau » arrivé par lui-

* Titre du grand prêtre d'Héliopolis (N.d.T.).

même, Onhurmose, fut nommé ultérieurement sous Ramsès II et occupait toujours ce poste sous Mérenptah.

A Abydos même, emplacement des superbes temples que Ramsès et son père avaient dédiés à Osiris, une remarquable « dynastie » de six grands prêtres d'Osiris domina. Le premier, To, sous Horemheb voire sous Ramsès Ier, ne laissa aucun fils mais transmis pour un court laps de temps son poste à son beau-frère, Hat (époque de Séti Ier), auquel succéda son propre fils, Méri. Celui-ci fut témoin de la fin du règne de Séti Ier et de la première décennie de celui de Ramsès II, ainsi que de l'achèvement substantiel des deux grands temples funéraires de ces rois. Le quatrième membre de la lignée, le fils de Méri, Wennufer, s'illustra particulièrement. Son pontificat prospère dura près de trente-cinq années (de 15 à 50 du règne de Ramsès II environ). Cet homme fut un grand bâtisseur : il érigea des statues de lui-même — certaines de ses parents et de sa famille — des stèles, voire une chapelle à Abydos. Il dressa fièrement dans cette chapelle la liste des dates (ans 21, 33, 33, 33 + x, 39, 40, 47, 48 ?) auxquelles il avait fait exécuter des statues du roi (dont certaines étaient en cuivre), peut-être avec des dons. La première dut suivre la signature du traité hittite et la plupart des autres durent être réalisées pour commémorer les nombreux jubilés. Wennufer, toujours fidèle, louait Osiris dans une autre inscription : « Prêtez longue vie à Ramsès II votre fils et accordez-lui la gloire sur le trône d'Horus, distinguez-le (dans la réussite de la royauté des Deux Terres), tandis qu'il vit pour l'éternité ! — Ainsi le grand prêtre d'Osiris, Wennufer. » Un vœu qui fut en grande partie concrétisé. Wennufer appartenait à une grande famille. Son frère devint vizir du nord (Prehotep l'Ancien), son contemporain dans la même province fut son beau-frère (Minmose le grand prêtre d'Onouris de Thinis) et sa propre femme était la fille d'Œni, chef des greniers du sud et du nord. Une stèle élevée à Abydos en l'an 42 (1237-1238 avant J.-C.) les célèbre tous. Wennufer rejoignit Osiris dans l'au-delà en abandonnant son haut poste à son fils, Hori. Le fils de celui-ci, Yuyu, hérita ensuite de la grande prêtrise.

En dépassant Denderah et Koptos (où un autre Minmose était grand prêtre de Min et d'Isis et un proche parent d'Amen-em-inet !), nous accostons à nouveau à Thèbes, la « cité d'Amon ». Vers l'an 40 du règne de Ramsès II, la grande prêtrise d'Amon avait changé plusieurs fois de titulaire. Nebwenenef décéda vers l'an 12 et l'inévitable père d'Amen-em-inet, l'autre Wennufer, occupa ce poste des années 12 à 27 environ. Puis le vieux vizir thébain Paser lui succéda des années 27 à 38. Pendant à peu près une année, un vieil homme, Roma (deuxième prophète d'Amon à la retraite), servit peut-être de « remplaçant », secondant son propre fils Bakenkhons, le second prophète du moment et auparavant troisième prophète, Père du Dieu qui avait servi depuis les dernières années de Séti Ier. Or vers l'an 39, Ramsès II ne pouvait plus ignorer le long service et la dévotion de Bakenkhons. Ce dernier fut donc promu grand prêtre d'Amon, nomination couronnant sa carrière exemplaire. Il occupa ce poste presque jusqu'à la fin du règne de Ramsès II. Bakenkhons âgé laissa une inscription remarquable sur une statue le représentant. Elle relate les différentes étapes de sa carrière depuis son enfance jusqu'à la fin de son pontificat et précise qu'il avait également été premier architecte des travaux d'Amon :

> « Je fus un bon père pour mes subordonnés, élevant leurs jeunes gens, tendant la main à celui qui était dans le besoin, assurant la survie de ceux que la pauvreté frappait, réalisant de bonnes actions dans le temple (d'Amon). J'ai construit à son intention le temple de Ramsès II-Qui-Entend-la-Prière au Haut Portail du Temple d'Amon. J'y ai élevé des obélisques de granit dont la beauté atteignit les cieux, et devant eux un portique face à la ville de Thèbes et des bassins et des jardins plantés d'arbres. J'ai fait deux gigantesques vantaux de portes (plaqués) d'électrum qui réfléchissaient le ciel. J'ai fait deux très grands mâts de pavillon que j'ai élevés dans la cour devant son temple. J'ai construit de grands vaisseaux pour Amon, Mout et Khons. »

Bakenkhons fut aidé dans ces prestigieux travaux. L'un des fils du grand intendant Yupa et petit-fils du vieux général Ourhiya, le chef de la milice Medjay, Hatiay, prétendait à cette époque au titre de « celui qui érigea les grands mâts de pavillon dans le temple d'Amon ». Nous apprenons ainsi que Hatiay seconda Bakenkhons à Thèbes. Nous connaissons par ailleurs l'identité du principal artisan qui réalisa la riche décoration en or et en électrum des portes et des barques sacrées pour Bakenkhons : le surintendant des charpentiers et chef des orfèvres, Nakht-Thuty. Dans sa chapelle tombale (nº 189) à Thèbes-Ouest, cet homme fit graver avec fierté les représentations de nombre de ses « chefs-d'œuvre » :

> « Première Porte (d'or), seconde Porte d'Or, troisième Porte d'Or de l'avant-cour d'Amon... Porte de Khons... ; Double Portail d'Or de Mount... »,

etc. Il dressa la liste des travaux entrepris pour Amon dans son inscription bibliographique :

> « Ma réputation était celle d'un expert. (J'ai forgé... des travaux) d'or, des grandes portes à Karnak, des barques (pour naviguer sur le fleuve), exécutant le noble travail de celui qui est dévoué à son art... Je maîtrisais mon art et nul ne m'instruisit. J'ai dirigé divers travaux... en or, en argent, en véritable lapis-lazuli, en turquoise. »

La renommée de Nakht-Thuty était telle que vers la fin du règne de Ramsès II d'autres temples du sud de la Haute Égypte firent appel à ses services. Il excellait dans l'art de réaliser les barques portables des dieux, en bois doré à l'or fin :

> « J'ai obéi à l'appel de la barque portable d'Isis... J'ai obéi à l'appel de la barque portable de Khnoum d'Esna en l'an 55... J'ai obéi à l'appel de la barque de Seth... en Haute Égypte en l'an 58. »

D'aucuns affirment qu'il est l'auteur de vingt-six barques portables ! Sa renommée atteignit Memphis où son nom figure dans la « galerie des grands » de la tombe d'un dignitaire.

Quoi qu'il en soit, le nom de Bakenkhons demeura à jamais lié au temple de Ramsès II à Karnak-Est. Nous n'en voulons pour preuve que le fait que les générations ultérieures nommeront son portail « Grand Portail de Baky », abréviation du nom du pontife. En ce qui concernait la prêtrise et l'administration du temple, Bakenkhons jouissait de la même autorité que le maire de Thèbes (Haunefer) et que le grand intendant du roi Yupa (dont on sait que le fils Hatiay aida à Karnak-Est) ainsi qu'en atteste la correspondance de l'époque. Dans le cas de différends concernant les affaires du temple, Bakenkhons occupait la place principale sur le banc des juges à la cour de justice de Thèbes. Une telle séance intervint en l'an 46 du règne de Ramsès II. Il s'agissait d'un procès opposant deux héritiers. Le scribe de table Néfer-abet assigna en justice son cohéritier Nia (représentant de tous les cohéritiers) afin qu'il reconnaisse ses droits et qu'il cesse de lui refuser les revenus de sa terre — puisqu'il devait alors abandonner *sa* part au temple de Mout et obtenir une allocation de *cette* institution. Le grand prêtre Bakenkhons, le deuxième prophète de User-Montou, le troisième prophète Roma (-roy), le chef prophète de Mout, Wennefer, le chef prophète de Khons et quatre autres prêtres d'Amon, ainsi que le secrétaire auprès de la Cour composaient le tribunal. Ce fut Néfer-abet qui en l'occurrence gagna le procès. D'autres disputes semblables arrivèrent devant les cours thébaines à cette époque. L'une d'entre elles impliquait le scribe thébain et comptable du Bétail, Simout dit Kyky (tombe n° 409), un homme très dévoué à la déesse Mout puisqu'il lui fit don de ses biens personnels se contentant vraisemblablement de l'usufruit et déshérita sa famille. Nous ignorons les raisons qui l'incitèrent à agir ainsi.

Quoi qu'il en soit, Bakenkhons fut en fin de compte récompensé dans les toutes dernières années du règne de Ramsès II. Le vieux roi nomma le fils de Bakenkhons Roma-roy au poste de grand prêtre, qu'il occuperait sous trois souverains successifs, ainsi qu'il aimait à le rappeler :

> « J'ai grandi dans le temple d'Amon... (Amon) me fit connaître au roi, et mon nom fut prononcé devant les courtisans... (en présence) du roi lui-même, Ramsès II, ... qui répéta l'estime qu'il éprouvait à mon égard... et il me fit grand prêtre d'Amon, chef du temple. »

Au-delà de Thèbes, d'autres servirent aussi les dieux d'Armant à la Haute Nubie, mais rares sont ceux qui marquèrent l'histoire comme le firent Bakenkhons et Nakht-Thuty. C'était en général de hauts fonctionnaires qui jouissaient de l'honneur de conduire la fête du dieu concerné aux côtés du clergé, et qui représentaient le roi lorsque celui-ci ne pouvait assister à quelque grande fête à Thèbes ou à Memphis.

Culte du roi et les jubilés

En tant que Pharaon d'Égypte, Ramsès II occupait une fonction unique. Sur le plan humain, il demeurait un mortel soumis aux joies et aux peines de l'existence comme tout un chacun — en dépit du fait que sa position faisait de lui le premier de tous les hommes et leur médiateur officiel auprès des dieux. Mais en devenant pharaon, Ramsès (à l'instar de ses prédécesseurs et de ses successeurs) devenait aussi *ex officio* l'un des dieux égyptiens. Depuis le début de l'histoire égyptienne, chaque souverain personnifiait Horus, le dieu faucon, et adoptait un nom spécial puisqu'il était l'incarnation d'Horus — celui de Ramsès II était « Taureau Puissant, Aimé de la Vérité ». En ces temps très anciens, il est possible que le roi ait été le dépositaire des pouvoirs de la divinité. A la faveur des modifications théologiques intervenues lors de l'Age des Pyramides, le dieu-soleil Rê atteignit la prééminence, et les rois devinrent alors « Fils de Rê » : d'une certaine manière ils demeuraient sacrés, mais ils étaient désormais *subordonnés* à la divinité complète. Une distinction nette en résulta entre l'être humain assis sur un trône matériel et l'« éternel », poursuivant le travail de roi qu'il avait un jour exercé. Lors de son décès la nature duelle du roi se résolvait en faveur de la déité. La croyance en une vie après la mort existait en Égypte depuis les temps les plus reculés. Nous n'en voulons pour preuve que les dons faits au défunt et l'emplacement où les offrandes devaient être déposées dans la tombe. Les pyramides disposaient de temples réservés au *culte* du roi mort (devenu divinité), lequel devait être maintenu pour

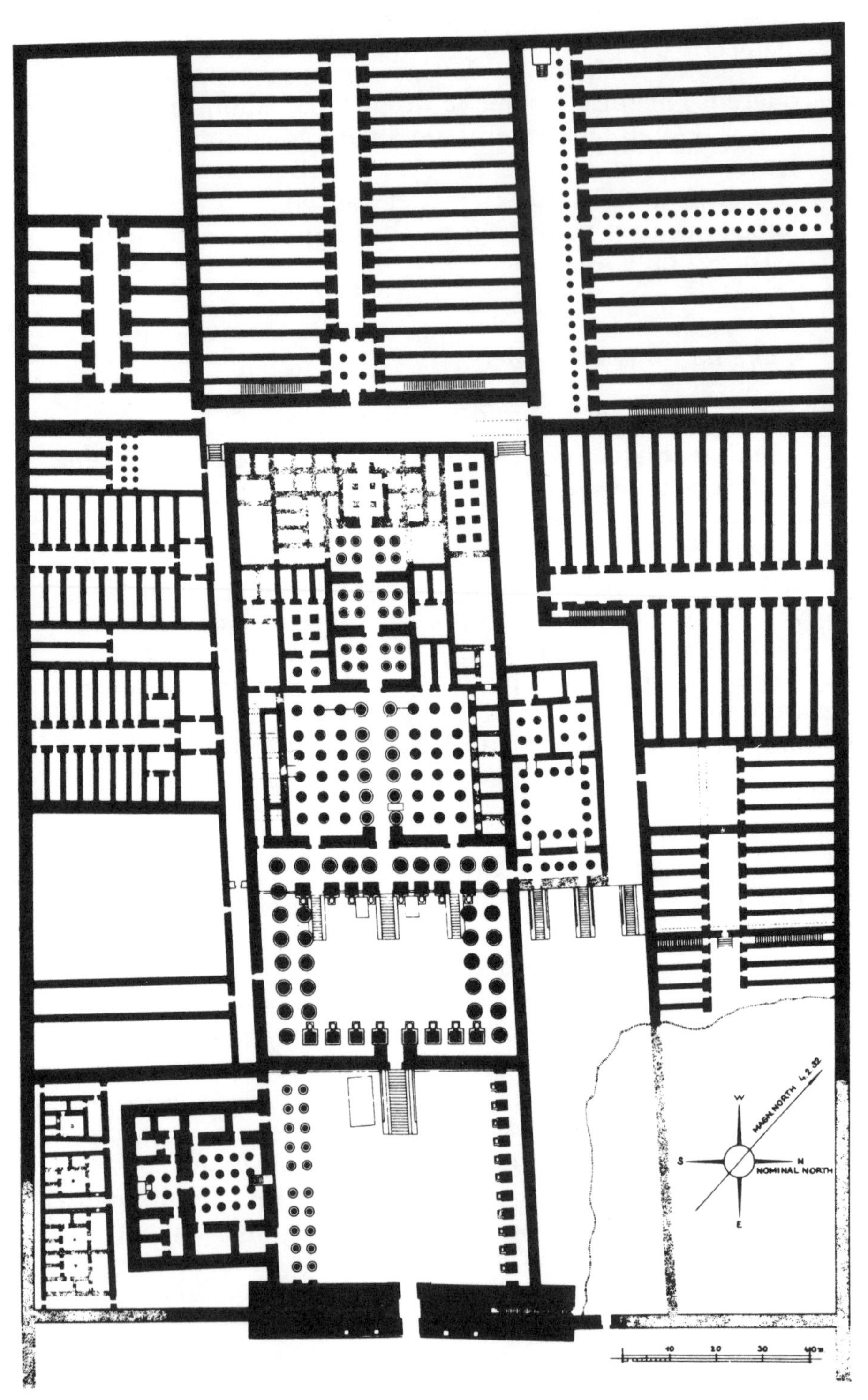

Plan au sol du Ramesseum.

l'éternité par des prêtres et par des donations. Un homme qui, de par sa nature, occupait un poste divin durant toute sa vie, rejoignait le panthéon des dieux à sa mort, et surtout l'auguste compagnie des rois précédents, les « ancêtres royaux ». Il devenait à sa mort un Osiris ou ne faisait plus qu'un avec lui, tandis que son successeur qui l'ensevelissait devenait un nouvel Horus.

Les relations entre le roi et les dieux continuèrent à évoluer à l'apogée de l'Empire. Le rôle d'Amon, qui dispense la victoire à son fils, devint à la longue trop autoritaire et donna l'impression (aux rois) de mettre en péril l'importance centrale de la monarchie. C'est ainsi que les rois de la XVIIIe dynastie tentèrent de rétablir l'équilibre avec fermeté et discrétion. Ils accordèrent donc plus d'importance aux cultes de Rê et de Ptah en Égypte et en Nubie en rattachant le roi aux dieux des temples et en instituant le culte du roi régnant : non pas de l'être humain en tant que tel, mais de sa souveraineté. Ainsi *Neb-ma-re* Aménophis III établit-il deux formes de cultes royaux. En Nubie, le grand temple de Soleb était en grande partie dédié au culte de *Neb-ma-re Maître de Nubie,* l'aspect divin d'Aménophis III en tant que souverain du pays. L'autre forme du culte royal en Égypte même déifiait également un aspect de la souveraineté du pharaon : elle était incarnée par les statues colossales qui se trouvaient à l'entrée des temples, et qui portaient les noms de l'un ou l'autre de ces aspects déifiés, lesquels se prêtaient à l'adoration du peuple. Ainsi à Karnak, Aménophis III éleva-t-il un colosse à l'entrée sud de l'enceinte d'Amon, dit *Neb-ma-re, Montou* (dieu de la guerre) *des Souverains,* et ailleurs d'autres colosses nommés *Neb-ma-re, Soleil des Souverains* et *Neb-ma-re, Souverain des Souverains.* Puis vint le cataclysme. Aménophis IV/Akhenaton, qui n'avait aucune patience pour de telles subtilités, écarta Amon et les autres dieux et se proclama incarnation d'Aton, le dieu-soleil. Son épouse et lui-même serviraient Aton alors que le peuple adorerait Aton à travers lui. Mais à sa mort, la force de vingt siècles de coutumes et de traditions — éclipsée durant quelque temps — resurgit et participa à la restauration des anciens dieux sous ses successeurs — y compris (sous Toutankhamon) les aspects déifiés du roi, tout au moins en Nubie.

Séti Ier et Ramsès II renouèrent avec la tradition d'Aménophis III (et de Toutankhamon d'une certaine manière). Ramsès alla encore plus loin en « gommant » les excès d'Akhenaton. Ils renouèrent tout d'abord avec la tradition thébaine en construisant leurs tombes dans la Vallée des Rois et leurs temples funéraires — Gourna et le Ramesseum — le long de la bordure désertique. Ces temples funéraires étaient dits « la Demeure des Millions d'Années » du roi... « dans le domaine d'Amon ». Tout comme les temples des pyramides, ils étaient destinés à tout jamais au culte du roi-dieu défunt. A Thèbes, il y avait également des temples d'Amon, avec lesquels le culte de Karnak était lié. Dans cette ville, c'était Amon (plus qu'Osiris) qui gouvernait l'Ouest. Chacun de ces temples avait ainsi sa propre forme locale d'Amon : au Ramesseum, « Uni-à-Thèbes », il était « Amon habitant dans " Uni-à-Thèbes " ». Mais la barque portable et sacrée dans laquelle cet Amon partait en procession était en fait celle de Ramsès II ! La mort avait fait des rois défunts des Osiris pendant des siècles ; à Thèbes, ils devenaient, en tant que dieux, les formes locales d'Amon. Le culte du « roi-Amon » fut institué par Ramsès II dès l'entrée en fonction de son temple.

Eu égard aux temples funéraires de Thèbes, le Ramesseum formait un curieux mélange de traditions et d'innovations. Tous les temples de ce type présentaient une succession de vastes avant-cours précédant le temple de pierre proprement dit. Ce dernier consistait en général en une cour à ciel ouvert hérissée de colonnes, en deux ou trois salles hypostyles et en un sanctuaire entouré de pièces annexes. Le temple de Séti Ier respectait ce plan.

Mais Ramsès II ennoblit ces grands espaces ouverts. Un puissant pylône aussi large que le bâtiment constituait l'entrée du temple. Deux cours à colonnades lui faisaient suite. L'addition d'un petit palais (pour les visites royales périodiques) sur le côté sud de la première cour était une démarche plus traditionnelle. Mais les colosses assis du roi qui surplombaient cette cour étaient une idée nouvelle. La seconde cour débouchait sur une salle hypostyle, dont les dimensions étaient légèrement inférieures à celle de Karnak. Une nouveauté intervenait également dans la décoration de cette salle et dans celle de la seconde cour : représenter sur les murs du fond les processions des fils et des filles du souverain. Au-delà de la salle hypostyle, la tradition reprenait ses droits avec une succession de salles à colonnades plus petites, le sanctuaire et les pièces annexes. Les temples dédiés aux reines Touya et Nefertari, la mère et la grande épouse de Ramsès II, se dressaient le long du milieu du mur nord. Des rangées de galeries, de magasins en briques, de maisons des prêtres les entouraient — et l'ensemble était ceint d'un mur de briques séchées protégeant les temples magnifiques et les bâtiments satellites du monde extérieur.

Thèbes ne jouissait d'aucun monopole, bien qu'elle possédât les principaux temples funéraires des rois de l'Empire. Des temples et des chapelles funéraires, affiliés aux cultes de Rê et de Ptah, avaient été construits à Memphis et à Héliopolis et recevaient des donations de la part des rois. De petites chapelles de cette nature étaient elles aussi rattachées aux principaux temples des villes provinciales telles que Ninsu. Les splendides temples de Ramsès et de Séti remplissaient une fonction similaire à Abydos, où ces rois étaient identifiés à Osiris. Le grand temple d'Abou Simbel dans la lointaine Nubie était, selon les mots de Asha-hebsed, une « Demeure des Millions d'Années, creusée dans la Montagne ». Sous la protection d'Amon et de Rê, le temple tel qu'il était exécuté devint, au fil des ans, plus celui de Rê que celui d'Amon, et finalement celui de Ramsès II lui-même sous la forme de Rê, puisque la barque portable de Ramsès II était probablement installée dans le sanctuaire devant les dieux de l'Empire sculptés dans la roche : Ptah, Amon, Rê et Ramsès II, Rê recevant le titre de « résidant dans la propriété de Ramsès II, la colonie ». Ainsi Abou Simbel devint-il le plus grand temple funéraire du roi en Nubie et Ramsès II une forme du dieu-soleil Rê.

On renoua également avec d'autres formes du culte royal. A l'instar d'Aménophis III, Ramsès II dédia un temple nubien à une statue symbolisant sa souveraineté : à Akcha, à « Ramsès II, Grand Dieu, Maître de Nubie ». A l'autre extrémité de l'Empire, à Pi-Ramsès dans le Delta, il institua toute une série de statues de lui-même comme centres de culte de la souveraineté divine : Ramsès II étant « Montou des Deux Terres », « le Dieu », « Apparaissant parmi les Dieux », « Aimé d'Atoum », et « Soleil des Souverains » et « Souverain des Souverains ». Une autre série était destinée à « Ramsès II Efficace » pour Amon, Atoum, Seth et Rê. Ces colosses étaient élevés aux portes des principaux temples de la ville à la vue de tous ; d'autres furent installés à Thèbes et ailleurs et reçurent certains de ces mêmes noms en tant que « manifestations locales » des aspects divins de la souveraineté de Ramsès II. A Pi-Ramsès, ces colosses firent l'objet de l'adoration populaire, surtout pour les troupes en garnison dans la ville. En Nubie, quelque temps après l'achèvement d'Abou Simbel, on creusa dans la roche à Derr le « Temple de Ramsès II dans le domaine de Rê », en aval sur un méandre du Nil. Plus tard encore, le vice-roi Setau dut construire deux autres temples : l'un dédié à Amon (Ouadi-es-Seboua) et l'autre à Ptah (Gerf Hussein). Amon, Rê et Ptah étaient donc ostensiblement adorés dans ces trois temples, mais (comme à Abou Simbel) la barque-image qui se trouvait dans le sanctuaire était en fait celle de Ramsès II, déifié sous la forme de Rê, sous celle de « Amon de Ramsès » et sous celle de « Ptah de Ramsès ». Ces temples étaient donc des temples funéraires annexes du roi. Les dieux de Ramsès étaient nombreux, citons parmi eux : Seth, Hérishef, ainsi que les déesses Ouadjet, Hathor, Nephtys et Anath de Canaan. Ramsès II modifia sa titulature vers la fin de son règne. Il devint : « Grande-Ame-de-Rê-Harakhté », joignant cet épithète à Pi-Ramsès ; cela fit apparemment de lui une manifestation du dieu-soleil sur terre. Ainsi dans les cultes des temples, par l'entremise des grandes statues qui recueillaient la dévotion populaire et par celle des idéations religieuses liant de manière étroite et mutuelle les dieux et la monarchie, Ramsès II tenta-t-il d'ancrer la monarchie restaurée au centre de la foi et de la pratique religieuse égyptiennes.

« Maître des jubilés comme son père Ptah-Tatenen »

Une tension inexprimée existait depuis longtemps entre la réalité brutale d'un roi mortel qui vieillissait et qui s'éteignait et le concept élevé de l'éternité de la royauté. Depuis les toutes premières dynasties, un rituel magique particulier avait été élaboré afin de renouveler les pouvoirs du roi régnant : il s'agissait du *heb-sed* ou « Fête Sed » mentionné par maintes inscriptions et auquel on se réfère souvent en employant le terme moderne de « Fête du Jubilé ». Sous l'Empire (probablement à l'exemple de la XIIe dynastie), un roi célébrait en général son « Premier Jubilé » en fêtant le trentième anniversaire de son avènement au trône. Une multitude d'inscriptions formelles et stéréotypées souhaitaient ou promettaient à de nombreux rois « des milliers de Jubilés » au nom des dieux, mais en fait rares sont les pharaons de l'Empire qui régnèrent trente ans et célébrèrent donc des « Jubilés ». Thoutmosis III et Aménophis III fêtèrent chacun un Premier (an 30), un Second (an 34) et un Troisième Jubilé (an 37).

Mais après Aménophis III (si l'on excepte les célébrations « non canoniques » d'Akhenaton), il est probable qu'aucun pharaon ne vécut suffisamment longtemps pour fêter un jubilé. Ramsès II atteignit sa trentième année de règne en 1250 avant J.-C. Le prince Khaemwaset proclama le premier Jubilé à Memphis (centre traditionnel pour de tels rites) et répandit la nouvelle à travers le pays, jusqu'à la Première Cataracte. La véritable célébration eut lieu à Pi-Ramsès où notre héros avait élevé une superbe Salle de la Fête, placée sous la protection conjointe de Ptah-Tatenen et du dieu-soleil Rê-Atoum, dont les immenses colonnes s'élevaient à plus de dix mètres de hauteur, et qui devait être décorée au fil des ans de statues et d'obélisques. La cérémonie en elle-même était des plus traditionnelles et des plus formelles, évoquant à maints égards l'époque des premiers rois. Les réjouissances duraient deux mois ; des rites précédaient et suivaient l'anniversaire de l'avènement du roi. Au cours du premier mois, on procédait à l'installation du pilier Djed, emblème de la stabilité et de la renaissance de la royauté ; puis venaient les rites de l'illumination du dais et la présentation des grands dignitaires au roi. Le jour anniversaire de l'accession au trône, le premier jour de l'an 30, le roi apparaissait dans le temple et participait à une infinité de rites complexes, dont les cérémonies du couronnement pour la haute et la basse Égypte en présence des images des dieux égyptiens que leurs grands prêtres accompagnaient à cette occasion. L'existence permanente fut conférée à ce concept lorsque Ramsès II installa dans les salles du jubilé des statues à son effigie et à celles d'une infinité de divinités. Le roi, la famille royale, les prêtres, les dignitaires et maints acteurs (musiciens, danseurs, etc.) assistaient à cet événement.

A l'instar d'Aménophis III, Ramsès II répéta ses jubilés, ou reconnaissances de la souveraineté, à intervalles réguliers. Ce furent le prince Khaemwaset et le vizir Khay qui proclamèrent le deuxième jubilé en l'an 33 (célébré en 33-34) et le troisième en l'an 36 (célébré en 36-37). Ramsès eut de nombreux jubilés et aucun roi de toute l'histoire pharaonique ne l'égala jamais. Le quatrième intervint en l'an 40 et le cinquième en l'an 42-43 (proclamés par Khaemwaset et par Khay), le sixième en l'an 45-46 (Khay). Nous ne possédons aucune information quant au septième (probablement en l'an 48-49) et au huitième (probablement en l'an 51-52). Le grand intendant Yupa proclama le neuvième en l'an 54 (célébré au cours de l'année 54-55). Un nouveau vizir thébain, Néferronpet, proclama le dixième en l'an 57 (pour l'an 57-58) et le onzième en l'an 60 (pour l'an 60-61) voire même les suivants. Le vieux roi célébra un douzième jubilé (an 61-62 ou 62-63), un treizième (an 63-64 ou 66-67) et peut-être le quatorzième (an 65-66 ?) peu avant son décès survenu en l'an 67. Rien n'interdit d'avancer que la tension engendrée par ces cérémonies répétitives épuisa les forces faiblissantes du vieil homme plus qu'elle ne lui procura quelque profond réconfort.

Alors que les rites principaux se déroulaient à Pi-Ramsès selon la volonté du roi, des commémorations parallèles étaient menées dans d'autres grands temples, en particulier à Memphis où la superbe Salle de l'Ouest pourrait avoir été une seconde grande salle du Jubilé, une assurance pour le clergé de Ptah que son lien privilégié avec les jubilés n'était pas oublié.

Des jubilés royaux résultaient de surcroît d'importantes conséquences sur un plan plus vaste ; la tradition faisait d'eux de bons présages pour les crues du Nil et donc pour la prospérité. Nous n'en voulons pour preuve que ce poème datant de l'année 30 du règne de Ramsès II :

> « (Voyez) une grande inondation pour le Premier Jubilé de Ramsès II ! (le fleuve) apporte la coudée, il n'est aucune digue pour y résister, les montagnes regorgent de poisson et de gibier... ! »

Tous ne songeaient pas aux crues du Nil ou à la renaissance de la royauté cette année-là ; ainsi que nous l'avons déjà vu, la « brigade des fraudes » entra en action à Thèbes-Ouest. Quoi qu'il en soit, ces événements touchaient d'une certaine manière grands et petits. Un ouvrier de la Tombe Royale nommé Amek écrivait une lettre à sa mère et se plaignait du fait qu'un soldat rappelé dans le Nord pour le Jubilé lui avait laissé en garde une paire de sandales en cuir :

> « Il me donna les sandales et dit : " Garde-les-moi. " Et par Ptah, il fila dans la nuit vers le Nord !... Que signifie son départ vers le Nord pour le Jubilé ? »

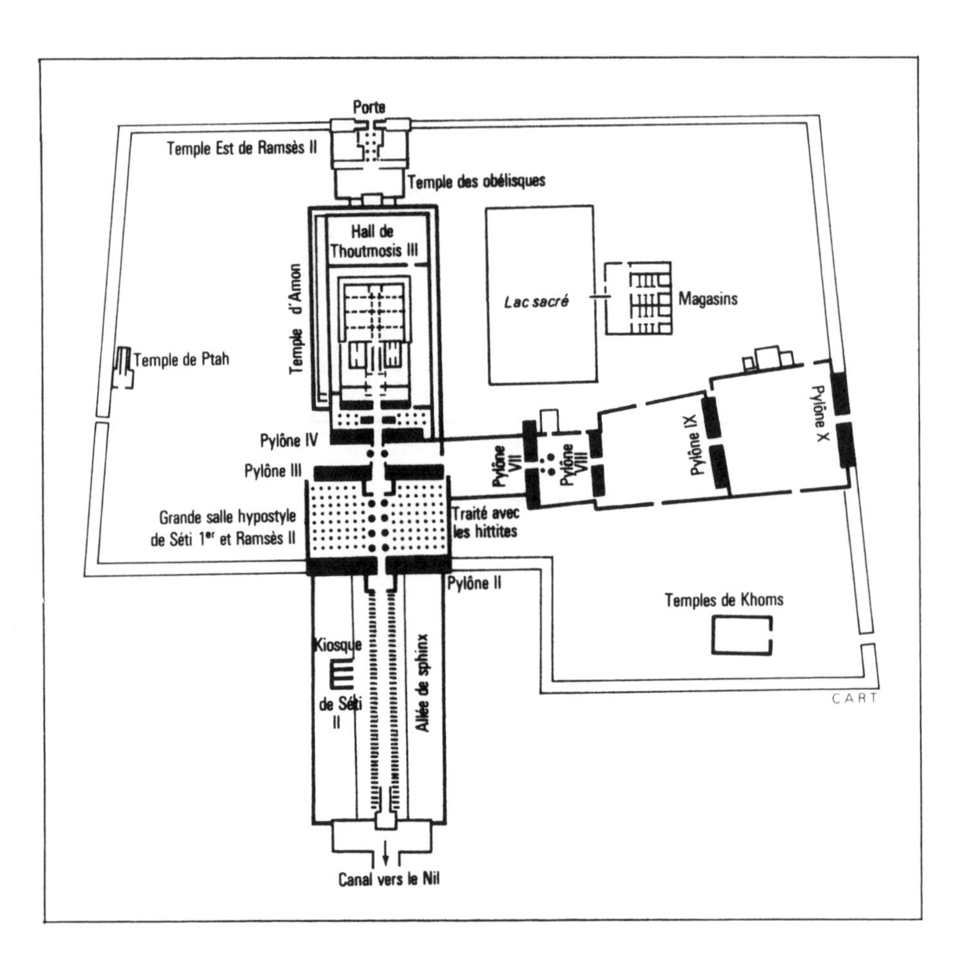

Le Temple d'Amon à Karnak XIXe dynastie.

CHAPITRE IX

LA VIE QUOTIDIENNE SOUS RAMSÈS LE GRAND

Un homme se tenait à la tête de l'Égypte: le pharaon. Immédiatement après lui venaient les deux vizirs du Sud et du Nord, puis les hauts fonctionnaires de l'État. Ensuite, ministère après ministère, province après province, on trouvait les cohortes de petits scribes, de fonctionnaires locaux, de personnel des temples mineurs, et ainsi de suite jusqu'aux clercs du village. A côté des fonctionnaires de rangs moyen et inférieur, s'inscrivaient des spécialistes en tout genre: artistes, sculpteurs, joailliers, verriers, travailleurs des métaux, charpentiers, tanneurs, tisserands, potiers, et bien d'autres encore dont les efforts contribuaient à la vie de tous. La hiérarchie se retrouvait tout naturellement à l'armée, du général à la simple recrue engagée pour la défense ou pour les aventures étrangères.

Mais l'ensemble de cette pyramide sociale grandiose requérait une base vaste et puissante pour fonctionner: en un mot, il convenait de l'*alimenter.* La terre constituait la vraie richesse de l'Égypte antique, et plus spécifiquement la terre inondée annuellement par le Nil, puis cultivée par l'homme. Sous Ramsès II (comme à d'autres périodes) la plus grande partie de la population égyptienne était occupée par les travaux agricoles fournissant la base de la vie à la communauté entière.

La vie aux champs

Le travail de la terre était toujours pénible et ingrat. Une bonne inondation signifiait l'abondance pour tous, y compris pour les fermiers; mais une mauvaise année signifiait les mêmes taxes à acquitter et nul grain à vendre pour honorer les impôts ou satisfaire les estomacs affamés. Les scribes ne se lassaient jamais d'évoquer les maux des fermiers à leurs élèves pour les inciter à étudier; il les invitaient à se souvenir de:

> « L'état du paysan confronté à l'enregistrement de l'impôt sur les récoltes, quand le serpent en a pris la moitié, et l'hipopotame l'autre. Les souris dévastent les champs, les locustes s'y abattent et le bétail termine la besogne. Les passereaux ruinent le fermier. Les restes (de la récolte) (tombent) aux mains des pilleurs... L'officier de l'impôt accoste sur la berge du fleuve pour percevoir la taxe avec les cerbères portant le bâton et les Nubiens les palmes. Ils disent: " Donnez le grain! " bien qu'il n'y en ait pas. Ils frappent (le paysan)... Ils le jettent la tête la première dans un puits... Ainsi, disparaît le grain... »

Durant la saison de l'inondation (de juillet à septembre) le paysan n'ayant pas de travail pouvait être recruté pour diverses corvées ou pour participer à des « travaux forcés » sur d'autres projets: main-d'œuvre dans les carrières, manœuvre pour transporter la pierre sur les sites ou dans les briqueteries, etc. Mais quand les eaux du Nil se retiraient, la terre devait être labourée, les gros blocs de boue fertile broyés, les graines semées puis ensevelies dans le sol (parfois par des cochons). Ensuite, mois après mois, les paysans devaient se charger des soins des récoltes futures et de l'irrigation incessante par des canaux partant de bassins de retenue et transportés par de simples élévateurs d'eau d'un fleuve ou d'un canal dans des canaux et dans les champs. Puis, au printemps (mars, avril), les assesseurs mesuraient les récoltes sur pied pour déterminer les montants que les cultivateurs (et les « sociétés » qui les employaient) devaient payer au Trésor de l'État, avant que le grain ne soit récolté. Lorsque le travail sur les aires était terminé, le grain était embarqué vers les greniers des institutions propriétaires des terres et vers le Trésor, laissant le surplus au fermier. Celui-ci disposait aussi d'un potager avec des laitues, des concombres, des melons, etc., en plus du grain, du lin et du fourrage que les terres lui fournissaient. Les pêcheurs lui apportaient en outre régulièrement d'énormes quantités de poissons.

La vie du fermier était laborieuse, mais nullement misérable; les paysans sagaces apprenaient à survivre face à toutes les difficultés. Contrastant avec la propagande des scribes, les peintures des tombes présentent le côté idyllique de la vie à la ferme : de bonnes crues du Nil, des récoltes abondantes, un bétail sain, et un ouvrier agricole prospère. De manière plus significative, les Égyptiens ayant des modes de vie différents (tel Sennudjem, un ouvrier de la Tombe royale) se présentent comme bénéficiant des récoltes prodigieuses de la vie après la mort, une activité louée dans le *Livre des Morts* (et auparavant dans les *Textes des Sarcophages*). L'agriculture était donc largement reconnue comme constituant la base réelle de la vie de la communauté. Le *Conte des Deux Frères* atteste également du statut modeste mais satisfaisant du paysan et communique de manière pittoresque le sentiment qu'éprouvait l'ancien fermier pour ses bêtes.

> « Il était une fois deux frères... L'aîné se nommait Anup et le benjamin, Bata. Anup avait une maison et une épouse, et son jeune frère vivait tel un fils auprès de lui. C'était lui qui confectionnait les vêtements de son frère, qui suivait les bêtes aux champs pour les labours. Et (Bata) était celui qui moissonnait et qui se chargeait, pour lui, de tous les travaux des champs... Il rentrait à la maison tous les soirs chargé de légumes, de lait, de bois et de tous les autres produits fermiers ; et il les déposait devant son frère aîné, qui s'asseyait auprès de sa femme. (Bata) mangeait et buvait, et dormait dans l'étable avec son bétail...
>
> « (Jour après jour), il conduisait son troupeau paître dans les champs... Et ils lui disaient : “ Le pacage est bon à tel (ou tel) endroit ! ” Et il suivait leur conseil et conduisait ses bêtes à l'endroit où ils le désiraient. Les troupeaux qui lui étaient confiés prospéraient de façon merveilleuse et se reproduisaient de même.
>
> « Ainsi, à la saison des labours, son frère aîné lui dit :

" Tiens prêt le couple de bœufs puisque les eaux de l'inondation refluent et que les champs sont bons à labourer à présent ! Et rapporte le grain aux champs car nous commencerons dans la matinée. " »

Les Égyptiens étaient très fiers de leurs vaches et leur donnaient souvent des noms. A Deir el-Médineh, une scène de labourage dans la tombe-chapelle du scribe Ramose représente son serviteur Ptah-seankh lui disant : « Les récoltes seront excellentes et le grain abondant, puisque tu es à nos côtés — puisque tu es bon, de même que " dispensateur du droit " et " De Bonnes Crues Arrivent " ! » En un autre lieu et à une autre époque, on enjoint avec gentillesse à ses vaches : « Quelle belle herbe, mange-la ! »

Tout n'était pas idyllique, même dans le monde rose des peintures des tombes. Nous découvrons, dans la chapelle (nº 16) du prêtre thébain Panehsy, une scène significative. Deux animaux sont attelés ; l'un d'eux, épuisé de tirer sans relâche la charrue, se couche sur le sol et refuse de bouger ! Un homme lui administre des coups de bâtons, tandis que d'un œil large et chargé de reproches, l'animal jette un regard timide au laboureur Préhotep, qui hurle : « Debout ! bouge, cesse de faire le mort, sale bête ! »

LES OUVRIERS DU PHARAON : LA VIE À DEIR EL-MÉDINEH

Tandis que la plupart de leurs contemporains passaient des jours ensoleillés à labourer modestement et obscurément dans la boue noire et la végétation dense des vastes cultures en terrasses, un petit groupe d'hommes et leurs familles vivaient retirés dans leur village derrière une colline sablonneuse à Thèbes-Ouest, à un kilomètre et demi du plus proche lieu cultivé. En contraste frappant avec les paysans cultivateurs de la plaine, ces hommes traversaient les falaises sèches et arides derrière le village pour travailler sous le sol dans une vallée totalement stérile et dénuée du moindre signe de vie naturelle : la Vallée des Rois.

Le village

Ces hommes étaient les « Ouvriers de la Tombe royale » (également appelés « Serviteurs du Lieu de Vérité »), une communauté fondée au XVIe siècle avant J.-C. par Aménophis Ier, qui était toujours leur protecteur trois cents ans plus tard. Son successeur, Thoutmosis Ier, avait construit le village niché derrière la colline de Gurnet Murrai près de l'extrémité sud de Thèbes-Ouest — ses habitants nommaient simplement cette implantation « le Village », il est connu aujourd'hui sous le nom de Deir el-Médineh. Une extension avait déjà été bâtie, sur le côté ouest, à la fin de la XVIIIe dynastie. Puis, vraisemblablement dans les premières années du règne de Séti Ier, un autre bloc de dix ou douze maisons fut ajouté du côté sud — le village entier était enclos comme dans un long rectangle par ses murs extérieurs. Un tel habitat « très dense » était une tradition séculaire pour ces ouvriers.

La porte principale du village — sa seule entrée et sortie « officielle » — se situait à l'extrémité nord, d'où une simple rue ou allée étroite courait, en son milieu, vers le sud ; des maisons « à terrasses » la bordaient sur toute la longueur. Une allée secondaire faisait le tour des maisons datant de la fin de la XVIIIe dynastie par l'ouest, et un double tournant dans la « rue » principale menait à l'extension sud construite sous Séti Ier. Les maisons du village, toutes bâties en briques séchées sur des fondations en maçonnerie grossière, suivaient un plan de base et ne présentaient que de légères variations individuelles. Étant rassemblées dans un espace minimum, elles étaient longues et étroites. Chaque maison donnait sur la rue ou sur une allée. Le visiteur qui avait franchi la porte d'entrée descendait au « parloir », après avoir dépassé les réserves d'eau. Au-delà se trouvait la pièce principale dont le toit surélevé (supporté par une colonne) permettait à la lumière de filtrer. Un escalier descendait de l'une de ces pièces vers une cave souterraine, parfois au-dessous (ou à proximité) du banc bas de briques ou « divan » sur lequel s'étendait le maître de maison lorsqu'il était présent — il gardait ainsi les biens de la famille conservés dans la cave ! La pièce principale donnait également accès à une pièce de travail-chambre et à une arrière-cuisine à ciel ouvert avec un mortier et un pilon pour moudre le blé et un four pour cuire le pain. Un petit escalier raide menait au toit — un espace à vivre utile sous le climat ensoleillé et sec de la Haute Égypte.

De petites niches étaient aménagées dans les murs blanchis à la chaux pur recevoir l'image des dieux locaux du foyer et de la famille. Une chambre spéciale dans le mur du parloir était dédiée à Bès et aux divinités domestiques de la féminité ; il est possible qu'il s'agisse d'une pièce isolée, réservée aux accouchements et où les enfants naissaient sous la protection de Bès, Toueris, Isis et Hathor. Le mobilier était des plus simples : tabourets bas, tapis de paille, de nombreuses poteries (que les ménagères du village paraissaient casser souvent !), quelquefois des lits bas en bois dont le sommier était fait de ficelles, et parfois un fauteuil en bois. La famille avait l'usage, outre des poteries, de charmants paniers en paille tressée. Les biens familiaux devaient inclure les outils personnels de l'ouvrier (tels que le fil à plomb et l'équerre de Sennudjem) — par opposition aux outils fournis par l'État et qui demeuraient sa propriété —, des réserves de vêtements en toile de lin, et peut-être un récipient ou deux en cuivre ou en bronze, et quelques bijoux de verre coloré. Les niches pour les dieux de la maison ou pour les bustes des chers disparus pouvaient être fabriquées dans du calcaire, gravées d'inscriptions hiéroglyphiques invoquant la faveur des dieux pour le maître de maison, son épouse et ses enfants. L'entrée principale de la maison s'ornait parfois de chambranles et d'un linteau de pierre annonçant les noms et les titres du maître de céans et de sa famille.

Le village n'était pas isolé dans sa petite vallée. Face à son long mur ouest s'élevaient, le long du flanc de la colline, terrasse après terrasse, les tombes-chapelles des ouvriers et de leurs familles : des cours entourées de

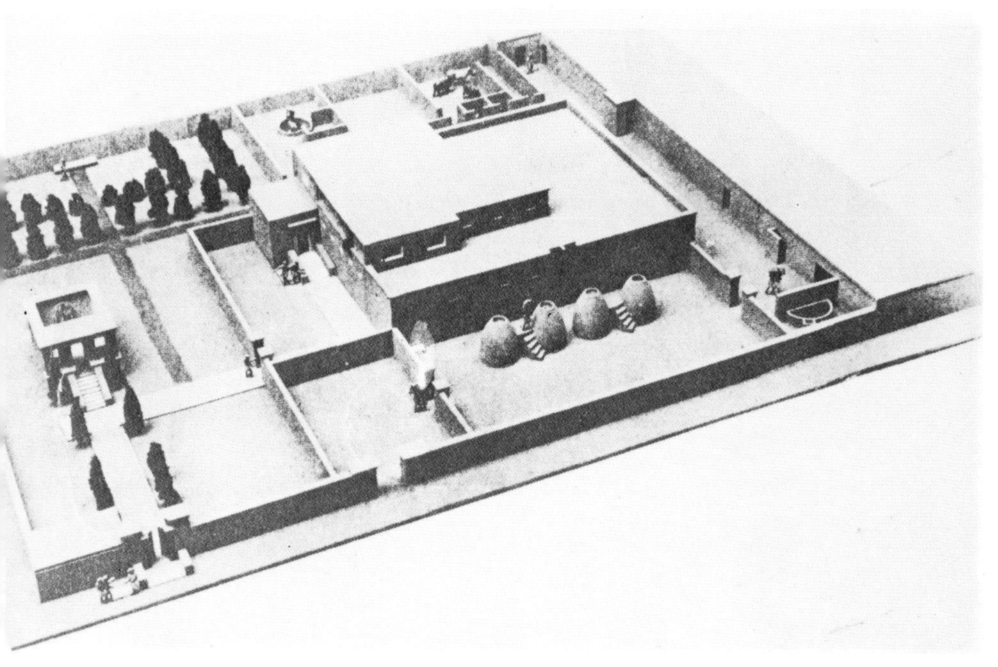

Modèle d'une villa égyptienne, période d'Amarna. Le bungalow avec son hall d'entrée, ses pièces à vivre, ses chambres et ses dépendances, entouré par une enceinte.

Maison urbaine égyptienne d'un ancien modèle.

Troubles à la ferme. Un laboureur désemparé par une vache en grève ! (Thèbes, tombe n° 16.)

Travail dans le Trésor d'Amon. A droite, Néferronpet enregistre le récit des artisans tandis qu'à gauche, des serviteurs transportent les biens dans les caves du Trésor. (Thèbes, tombe n° 178.)

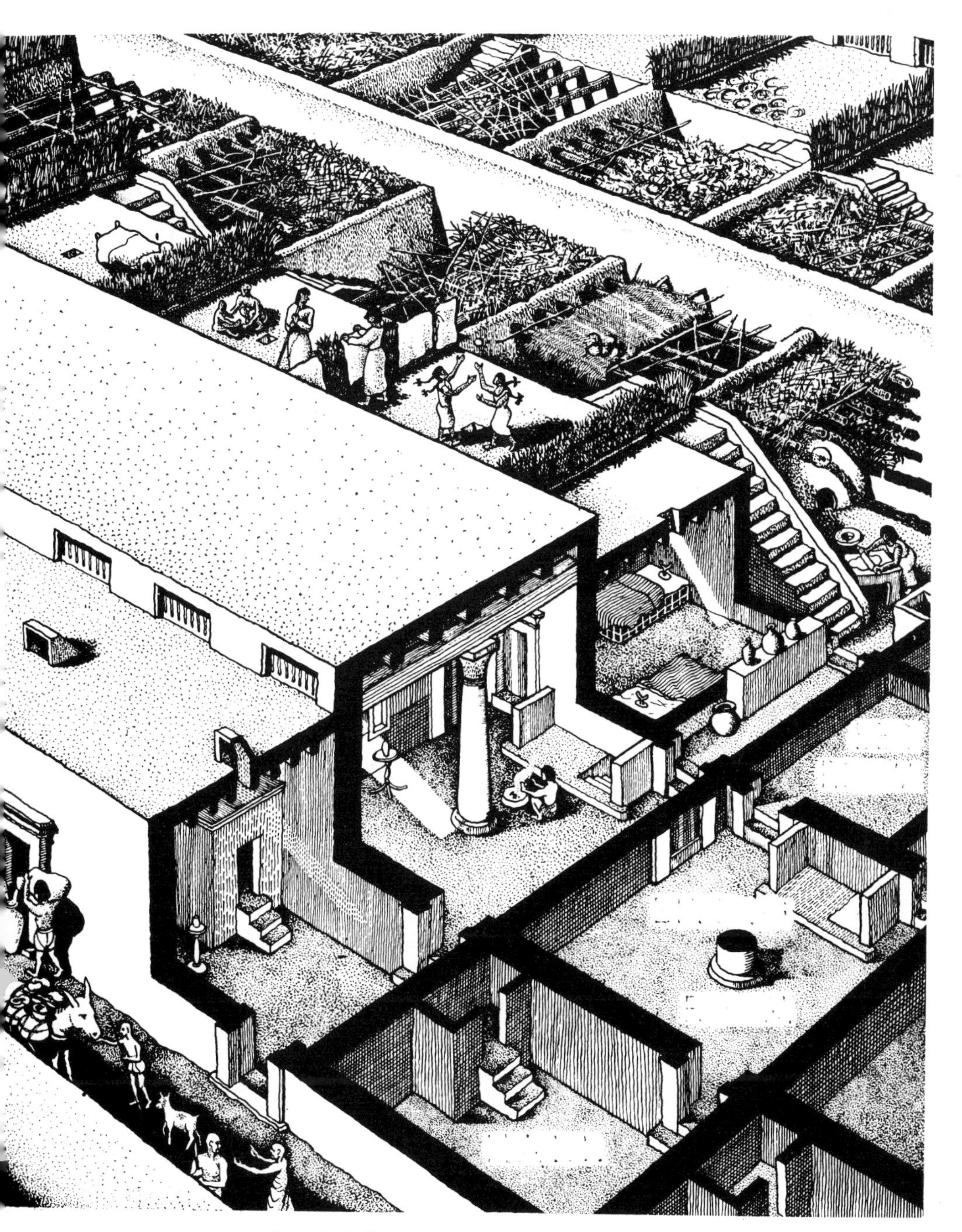

Deir el-Médineh, reconstitution de l'habitat.

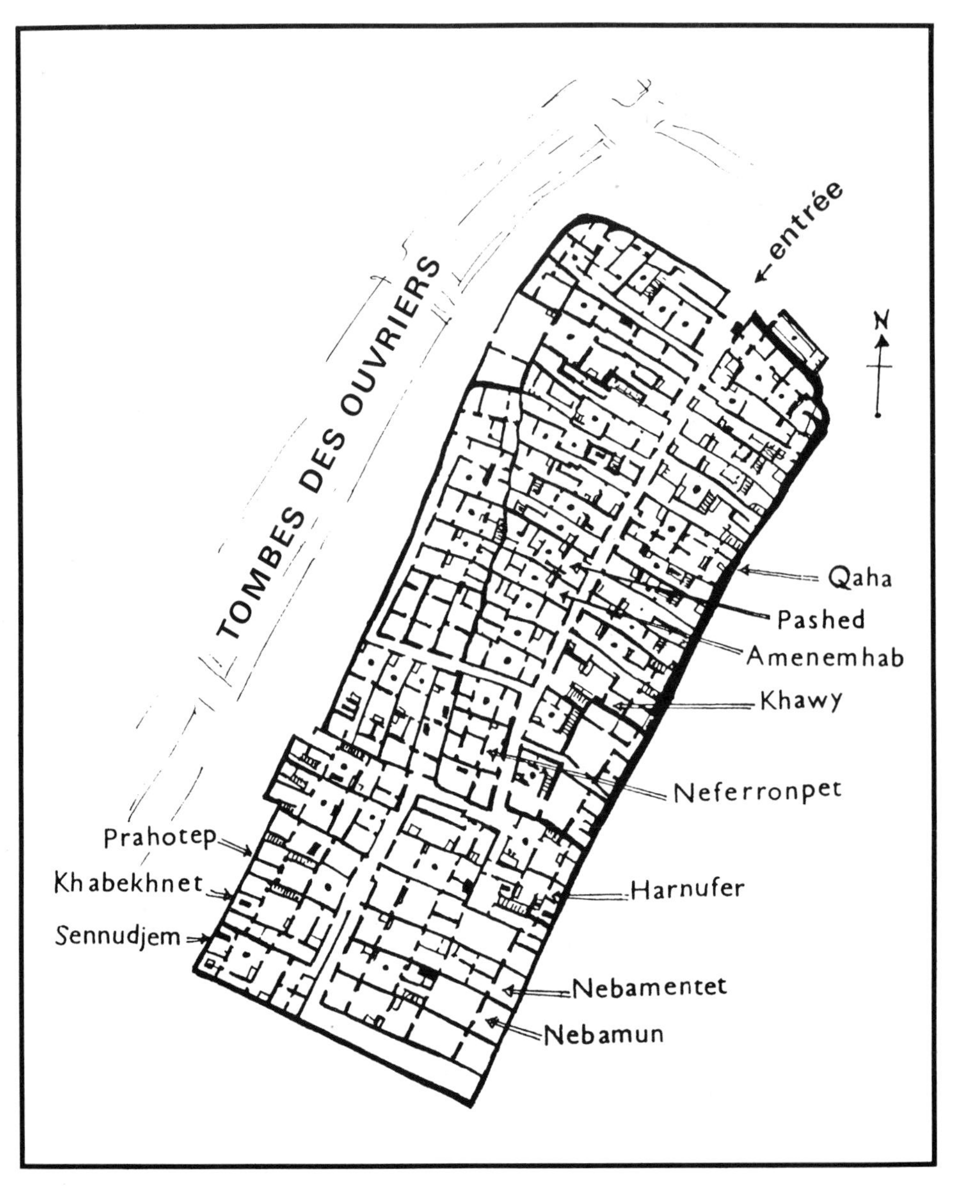

Deir el-Médineh, le village des ouvriers, plan au sol.

Stèle endommagée montrant Ramsès II (à gauche) accueillit par le vizir Paser (au centre) et par le scribe Ramose de Deir el-Médineh (à droite).

Les blanchisseurs au travail. (Thèbes, tombe n° 217.)

Deir el-Médineh, tombes des ouvriers surplombant le village.

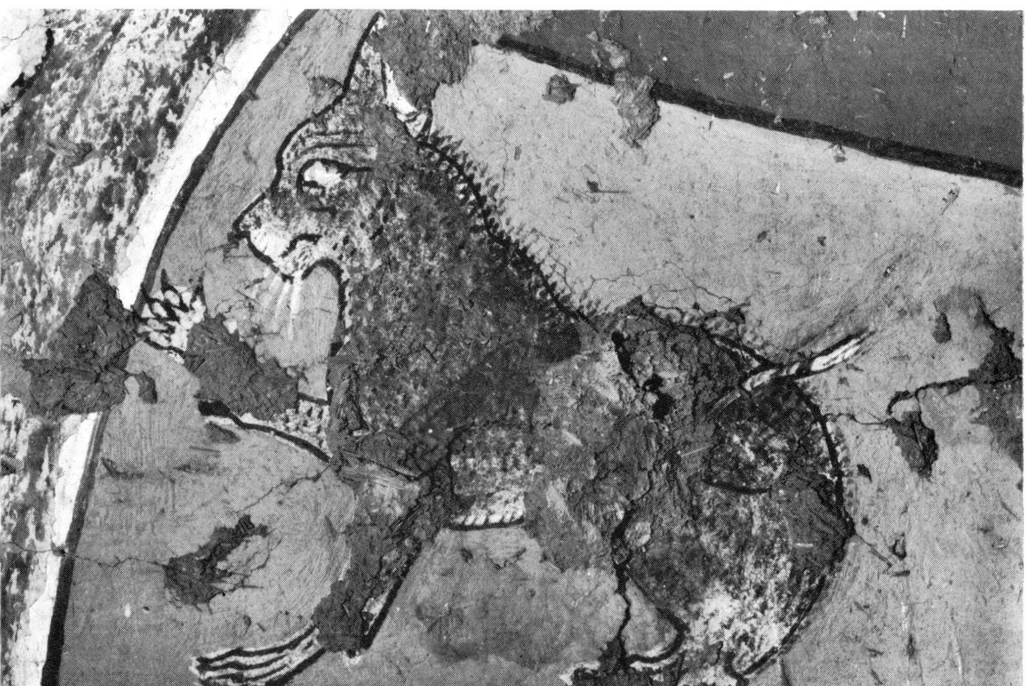

Les chats d'Ipuy. (Thèbes, tombe n° 217.)

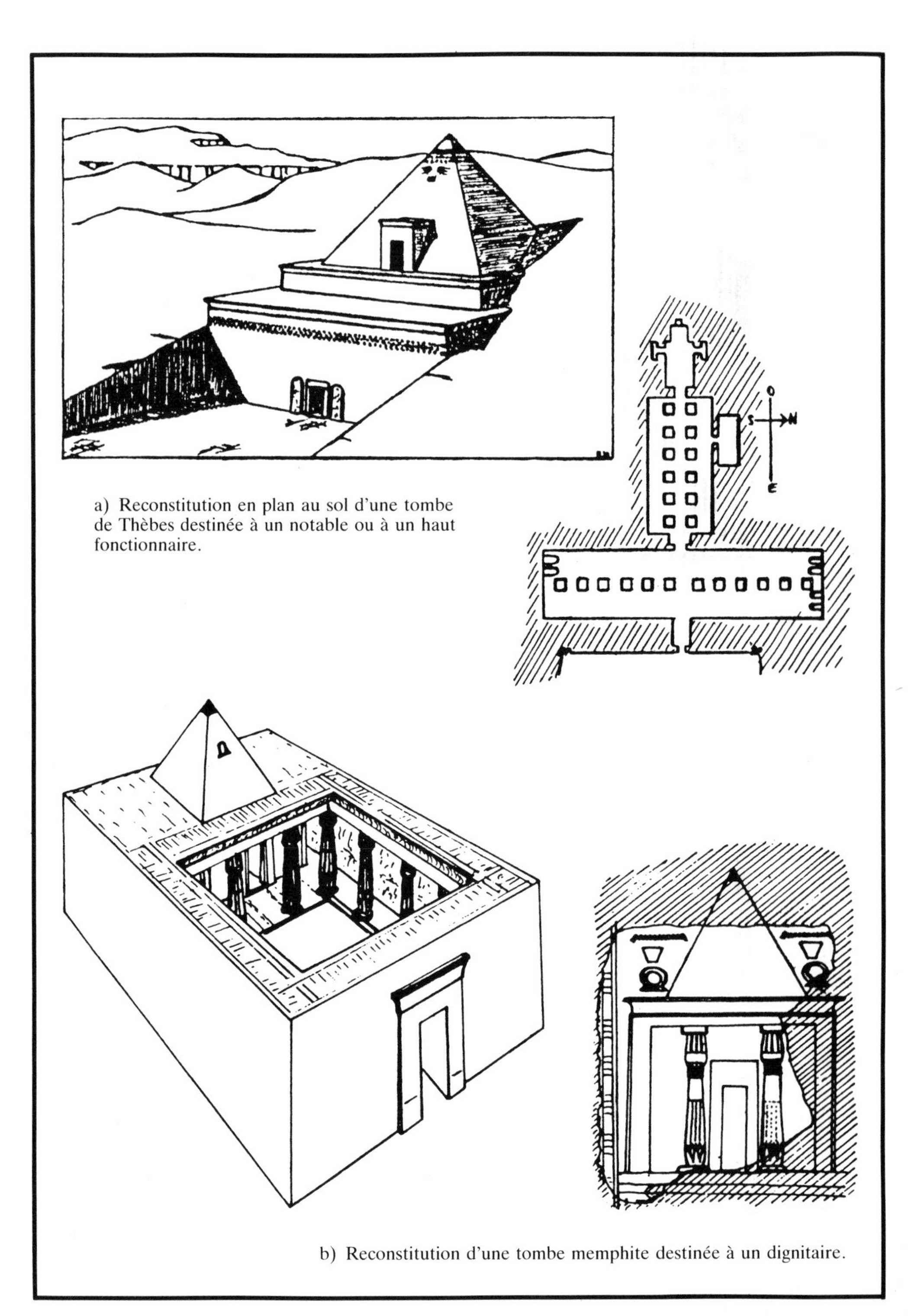

a) Reconstitution en plan au sol d'une tombe de Thèbes destinée à un notable ou à un haut fonctionnaire.

b) Reconstitution d'une tombe memphite destinée à un dignitaire.

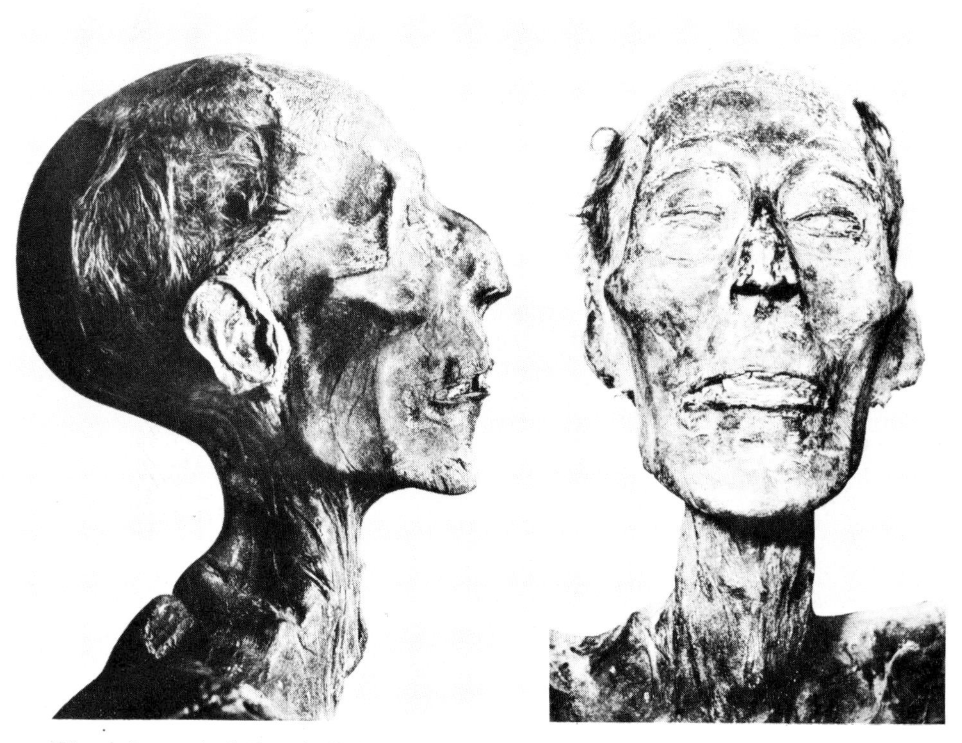

Tête de la momie de Ramsès II, face et profil. Les traits montrent un vieillard fier et digne. (Le Caire.)

Statuette funéraire (oushebti) de Ramsès II. (Brooklyn Museum, New York.)

Ascalon se soumet au pouvoir égyptien, celui de Mérenptah plutôt que celui de Ramsès II. (Temple d'Amon, Karnak.)

Offrandes de Ramsès III à la barque sanctuaire de Ramsès II, auquel il dédia une chapelle dans son grand temple funéraire de Médinet Habou.

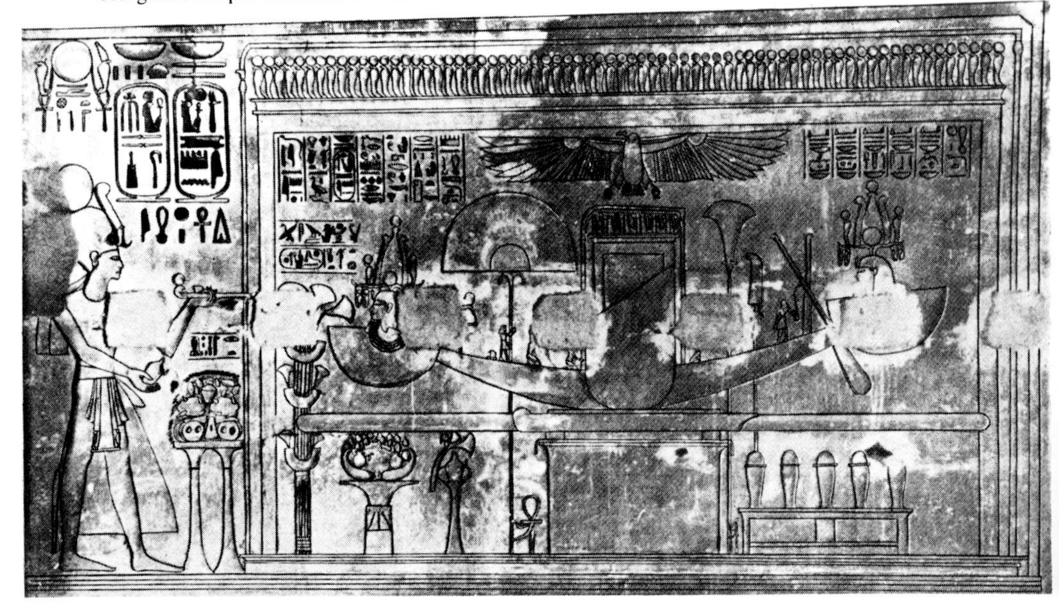

La stèle dite « de Bentresh » datant des années 300 avant J.-C. et sa pieuse légende glorifiant le dieu Khons qui avait guéri une princesse étrangère. Inspirée par les relations égypto-hittite sous Ramsès II mille ans auparavant. (Musée du Louvre.)

Statue de Mérenptah, fils et successeur de Ramsès II. Provenant du temple funéraire de Mérenptah à Thèbes-Ouest. (Musée du Caire.)

Le colosse « ozymandien » de Ramsès II au Ramesseum.

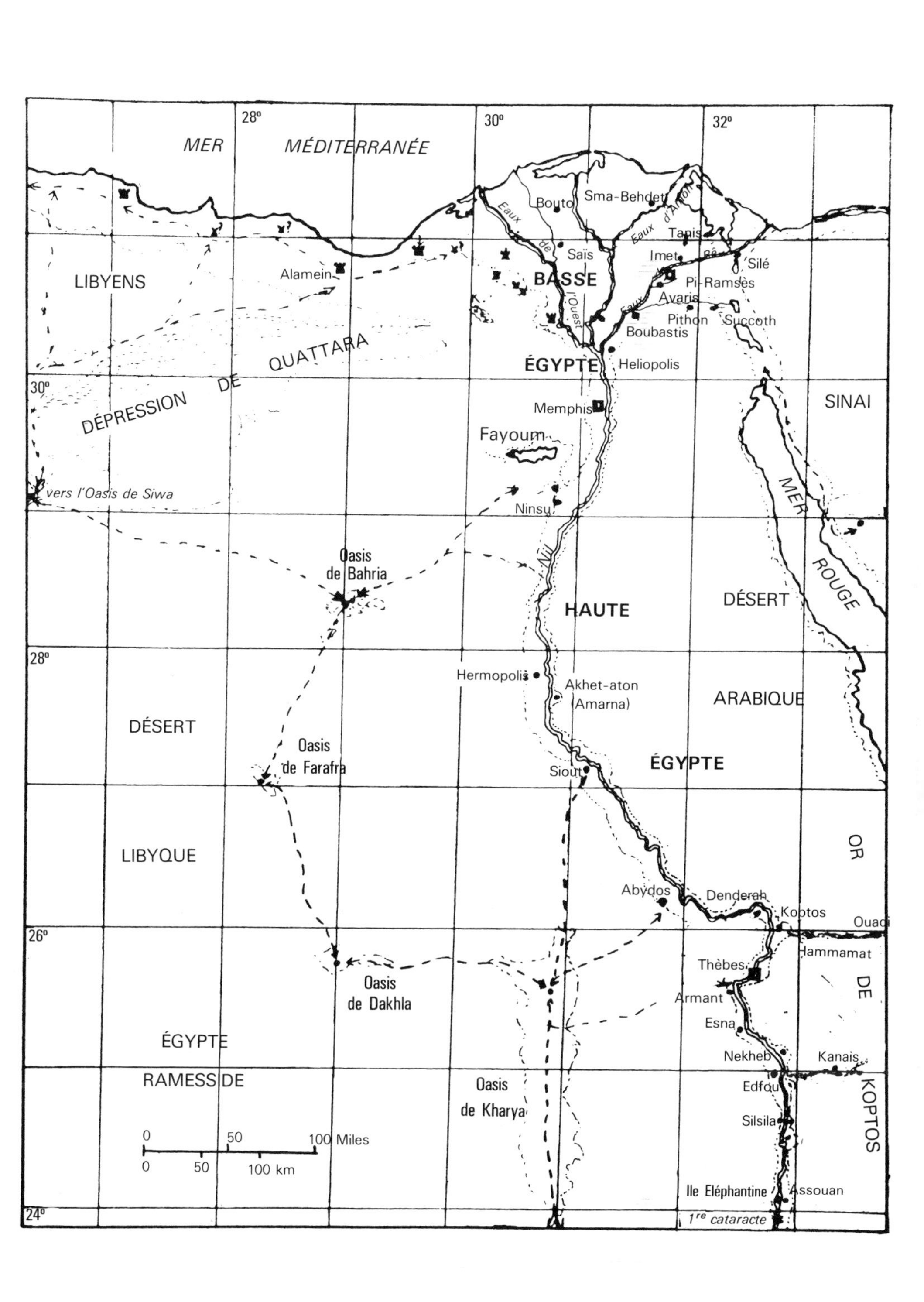

28°
30°
32°
MER MÉDITERRANÉE
LIBYENS
Alamein
DÉPRESSION DE QUATTARA
30°
vers l'Oasis de Siwa
Bouto
Sma-Behdet
Eaux d'Amon
Tanis
Imet
Saïs
Eaux de l'Ouest
BASSE
Silé
Pi-Ramsès
Avaris
Pithon
Succoth
Boubastis
ÉGYPTE
Heliopolis
SINAI
Memphis
Fayoum
Ninsu
MER ROUGE
Oasis de Bahria
Nil
HAUTE
DÉSERT
28°
Hermopolis
Akhet-aton (Amarna)
ARABIQUE
DÉSERT
Oasis de Farafra
Siout
ÉGYPTE
LIBYQUE
OR
Abydos
Denderah
Koptos
26°
Ouadi
Hammamat
Thèbes
DE
Armant
Oasis de Dakhla
Esna
ÉGYPTE
Nekheb
Kanais
RAMESSIDE
Edfou
KOPTOS
Oasis de Kharya
Silsila
0 50 100 Miles
0 50 100 km
Ile Eléphantine
Assouan
24°
1re cataracte

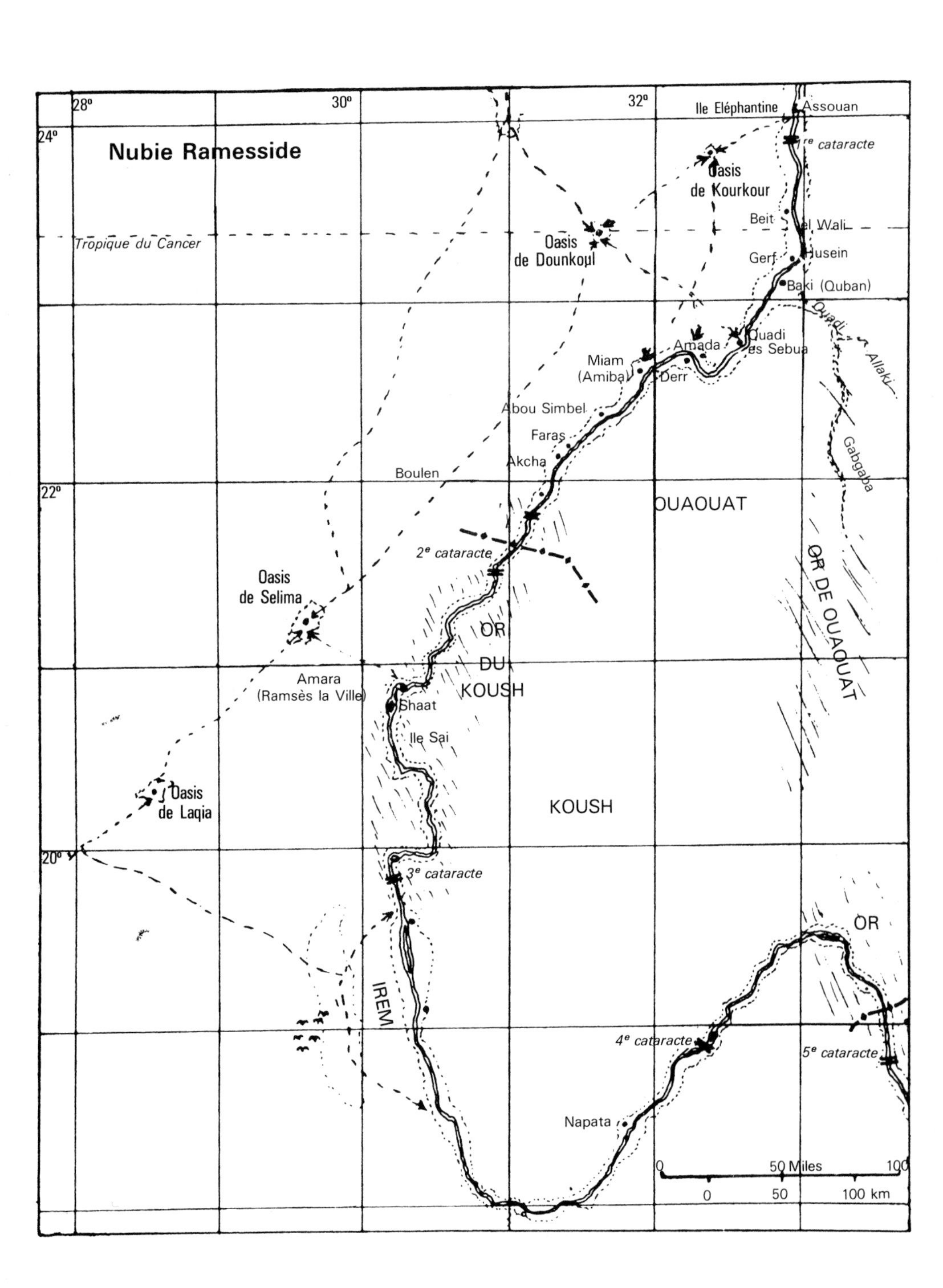

Nubie Ramesside
28°
30°
32°
24°
22°
20°
Ile Eléphantine
Assouan
1re cataracte
Oasis de Kourkour
Tropique du Cancer
Oasis de Dounkoul
Beit el Wali
Gerf Husein
Baki (Quban)
Quadi Allaki
Quadi es Sebua
Amada
Miam (Amiba)
Derr
Abou Simbel
Faras
Akcha
Boulen
Gabgaba
OUAOUAT
OR DE OUAOUAT
2e cataracte
Oasis de Selima
OR DU KOUSH
Amara (Ramsès la Ville)
Shaat
Ile Sai
Oasis de Laqia
KOUSH
3e cataracte
IREM
OR
4e cataracte
5e cataracte
Napata
0 50 Miles 100
0 50 100 km

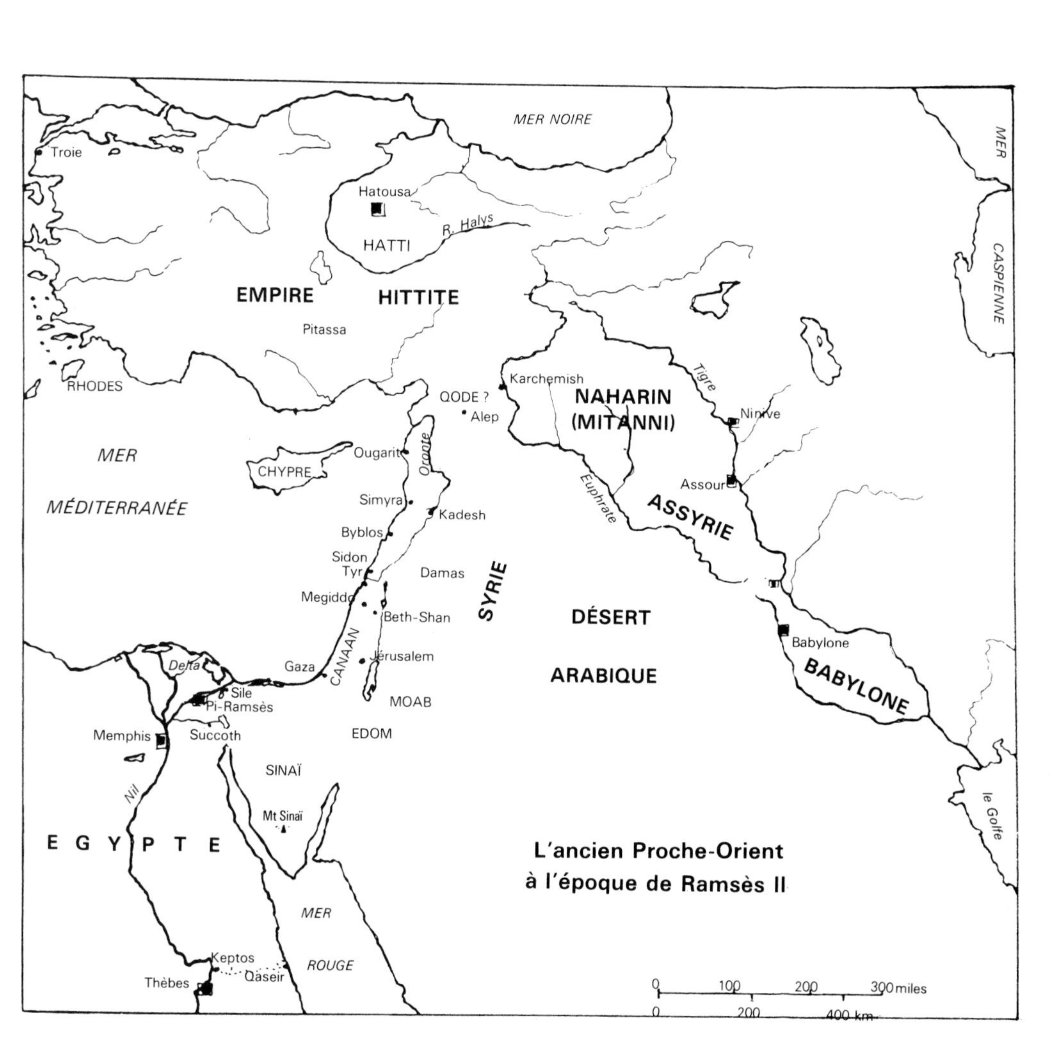

L'ancien Proche-Orient à l'époque de Ramsès II

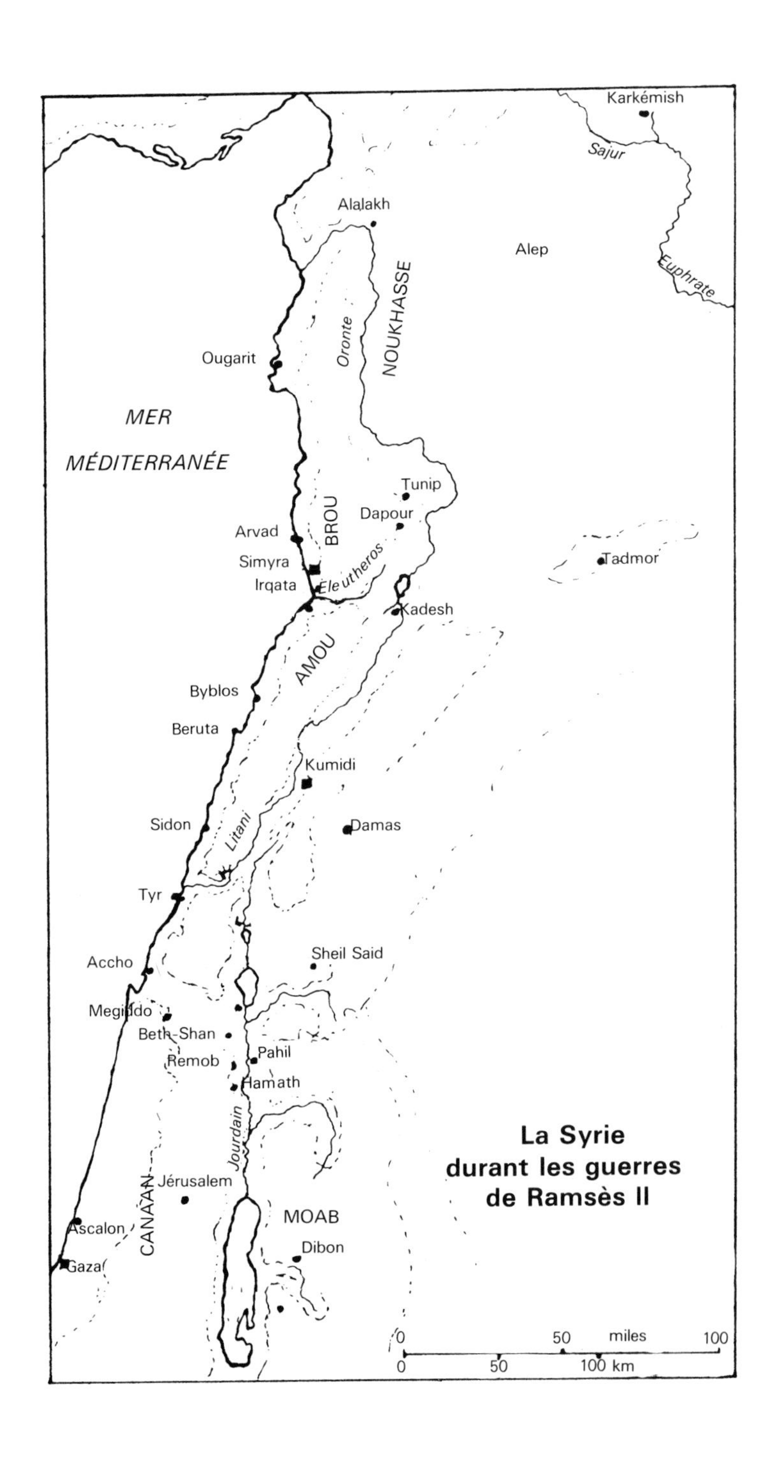

La Syrie durant les guerres de Ramsès II

murets, des chapelles de briques peintes à la chaux surmontées de petites pyramides, élevées dans un alignement impressionnant, alors qu'au-dessous (dérobé à la vue) se déployait un dédale de galeries et de chambres mortuaires. Passées l'extrémité nord du village et la grande citerne d'eau, était rassemblée toute une série de petits temples de briques séchées et de chapelles pour les dieux. Ils possédaient des avant-cours, des murs extérieurs, des sanctuaires intérieurs, des bancs pour les fidèles et une collection d'objets votifs présentés aux dieux, en particulier de petites stèles de pierre, sur lesquelles étaient souvent inscrits des remerciements. Enfin, au-delà des limites nord et sud de la région se dressait un « poste de police » pour surveiller les allées et venues — après tout, cette communauté était implantée à l'écart pour servir la vallée royale et les tombes secrètes des pharaons ; les contacts et les bavardages sur ces sujets n'étaient certes pas à encourager.

Rencontrons les villageois !

Mais pas tous à la fois. Des quelque soixante-dix maisons du village, près d'une douzaine sont connues aujourd'hui (soit trente-trois siècles plus tard) pour avoir appartenu à tel ou tel personnage. Ainsi, en flânant vers le sud le long de la rue principale ou allée, en dépassant sur la droite une douzaine de portes et sept sur la gauche (est), nous atteignons, sur notre gauche, une porte particulière légèrement en retrait, à l'encadrement de pierre peint en rouge. C'est l'entrée d'une maison (aujourd'hui N.-E., VIII) plus spacieuse que les autres — elle compte non seulement un petit « salon », deux salles de séjour à colonnades, trois chambres/ateliers et un escalier de cave, mais encore deux pièces latérales — cuisine (avec deux fours) et une salle de passage. Les hiéroglyphes peints en rouge sur la porte d'entrée proclament fièrement qu'il s'agit de la demeure du chef des ouvriers, Qaha, et de sa femme, Touy. Les vastes pièces étaient certainement nécessaires puisque le couple avait huit enfants, parmi lesquels Onhur-khaw, en qui Qaha voyait son successeur.

Environ trois portes plus loin, sur la droite (ouest), vivait probablement le contemporain de Qaha, Maai-nakhtef, dessinateur et peintre, fils de Pashed, dont c'était la maison (N.-O., XV) à l'époque de Séti Ier. Quelques portes plus loin, sur le côté gauche, nous rencontrons Khawy, « Gardien de la Tombe royale », et sa modeste demeure de trois pièces (N.-E., XV). Encore quelques portes plus bas, sur la droite, se trouve la spacieuse résidence (C, II) du sculpteur Néferronpet, dont le vaste salon ouvre sur deux petites suites de deux pièces chacune. Nous ignorons quels étaient ses goûts, mais son confrère Ipouy devait être un ami des animaux — un chat et une chatte veillent sur lui dans sa tombe-chapelle (no 217), et sur une statuette à son effigie apparaissent un chat et un singe !

L'allée principale du village s'incurve ensuite vers la droite, puis vers la gauche, dans le nouveau quartier du sud. Sur la gauche court un couloir commun, qui dessert deux petites maisons de trois pièces (S.-E., II, III), l'une ayant appartenu à l'ouvrier Harnufer. Neb-amentet et son fils Neb-amon occupaient trois portes plus loin des demeures adjacentes de cinq pièces (S.-E., VII, VIII). Face à eux vivait plus modestement le dessinateur et peintre Prehotep (S.-O., IV), qui exerçait la même profession que son père Pay et que son frère Nebre. Enfin, les deux dernières maisons (S.-O., V, VI) voisines de celle-ci, appartenaient à l'ouvrier Kha-bekhnet et probablement à son frère Khons (elles avaient été héritées de leur père Sennudjem contemporain de Séti Ier).

Il ne s'agit que de quelques personnages du village mais déjà nous connaissons plusieurs ouvriers, un garde, un sculpteur, deux dessinateurs-peintres et un chef des ouvriers, tous employés par le « Pharaon, leur maître » (Ramsès II) par l'intermédiaire du vizir pour la taille et la décoration des tombes royales dans les Vallées des Rois et des Reines. La force de travail comprenait deux équipes, « tribord » et « bâbord » ou côtés droit et gauche, qui correspondaient peut-être aux côtés droit et gauche du long couloir des tombes dans lequel ils travaillaient. Chaque équipe, comptant peut-être plus de 30 ouvriers sous Ramsès II, était dirigée par un chef des ouvriers ou

« contremaître » ; chacun de ces deux hommes avait un adjoint. Outre ces deux chefs et leurs adjoints, l'équipe comptait deux scribes de la Tombe royale — responsables auprès du vizir de tout ce qui concernait l'administration du village et des tombes royales, exactement comme les contremaîtres l'étaient de la progression des travaux. Il convient d'ajouter, aux deux équipes d'ouvriers, aux chefs, aux adjoints et aux scribes, les spécialistes : les dessinateurs-peintres qui traçaient les premiers contours des scènes et des inscriptions dans les tombes et qui, plus tard, peignaient les reliefs gravés par les sculpteurs à partir de leurs esquisses. Il y avait également les gardiens (Khawy, par exemple) qui surveillaient les magasins où étaient rangés les outils en cuivre, l'équipement léger et les vêtements, etc. Mentionnons encore, les « services extérieurs » parmi lesquels on trouvait les porteurs d'eau, une équipe de « serfs » (qui approvisionnaient la communauté en poissons, légumes, bois de chauffage, farine, etc.), les laveurs, des servantes pour moudre le grain et trois gardiens des portes utilisés comme messagers et intendants pour vérifier les provisions commandées. Un petit escadron de police commandé par un officier, un médecin et un guérisseur de morsures de scorpion complètent le tableau.

Pour un village ainsi enclavé dans un environnement désertique, toutes les provisions devaient venir de l'extérieur et il était vital que le système de livraison fût efficace. Ainsi, l'eau, la nourriture, etc., étaient apportés par l' « équipe extérieure » grâce à un système de relais. Les porteurs d'eau étaient constamment contraints d'emprunter ou de louer des ânes pour éviter de devoir porter eux-mêmes les récipients sur les deux ou trois kilomètres qui séparaient le village du fleuve et des canaux — une pratique qui entraînait souvent des disputes. La « semaine » de travail comptait dix jours (trois « semaines » ou décades par mois). Le dizième était jour de repos ; c'est alors qu'étaient distribuées les nouvelles provisions de nourriture. Les contremaîtres percevaient un « salaire » deux fois supérieur à celui des ouvriers. A l'époque de Ramsès II, la tradition des « week-ends » prolongés avait déjà commencé — les 9e et 10e jours étaient chômés.

Travail dans la Vallée des Rois

Les gigantesques sépultures des rois thébains forcent toujours notre admiration — des salles vastes et brillamment décorées, des couloirs qui s'enfoncent profondément au cœur de la montagne. Comment ont-ils été construits? Par qui? Nous avons déjà répondu à la deuxième question. Ce fut, pour l'équipe de droite: les contremaîtres Neferhotep l'Ancien, Nebnufer et Neferhotep le Jeune, tous pères et fils; et pour l'équipe de gauche: Qaha et son fils Onhur-khaw — sans oublier les soixante hommes sous leur autorité conjointe qui taillèrent la vaste tombe de Ramsès II. Les sculpteurs et les dessinateurs que nous avons rencontrés dans le village; des scribes tels que Ramose, Qen-hir-khopshef, Amenemope et Houy, firent les récits de ce travail. Les mêmes personnes travaillèrent aux superbes tombes de la Vallée des Reines pour Nefertari, Bint-Anath et les autres.

Quelles étaient les méthodes utilisées? Dès que le comité très puissant du vizir thébain Paser et des autres notables avait décidé (avec l'accord royal) de l'emplacement approprié de la tombe, les ouvriers royaux prenaient en main la suite des opérations. Les consignes et les outils étaient distribués au commencement de la « semaine ». Les outils étaient pesés avec minutie pour éviter toute disparition du métal, ainsi que la graisse utilisée pour les mèches de lampes — il s'agissait d'une graisse comestible très appréciée des ouvriers, mais qui n'était pas destinée à la consommation. Les hommes partaient, dûment équipés, vers l'ouest du village. Puis ils grimpaient sur leur droite (l'ouest) par un étroit chemin accroché au flanc de la montagne. Ils se dirigeaient ensuite au nord, laissant le village très en dessous et poursuivaient le long d'un chemin rocailleux bordé à l'ouest par la Cime, leur déesse Meresger, alors qu'à l'est (sur leur droite), ils avaient une vue dégagée sur les collines des Tombes des Nobles, les temples funéraires des rois et la verte plaine, jusqu'au Nil et Thèbes-Ouest, ses temples, sa plaine et la chaîne montagneuse du désert arabique, qui se découpait sur l'horizon.

Juste sous la Cime sacrée se trouvait une halte, le

« col », avec des huttes de pierres grossières construites par les ouvriers et de petits sanctuaires dédiés à la déesse Meresger et aux dieux. De là, le chemin des ouvriers descendait rapidement le long des pentes désertiques de la Vallée des Rois. Durant leurs 8 ou 9 jours de besogne, les ouvriers ne retournaient pas chaque soir au village, mais passaient les nuits dans les quelques petites huttes de pierre de la Vallée elle-même, ou dans celles du « col ». Ils ne rentraient chez eux que le week-end.

Sous le commandement de leurs chefs, les ouvriers creusaient la roche argileuse à l'aide de pics de cuivre ou de bronze ; les pierres brisées étaient alors enlevées dans des paniers par leurs épouses. Mais les galeries succédant aux galeries et s'éloignant toujours plus de la lumière du jour, l'éclairage artificiel devint nécessaire. Ils utilisaient pour ce faire de longues mèches graissées (confectionnées à partir de vieux vêtements) qui brûlaient dans des bols avec de l'huile. Une « batterie » de ces lampes dispensait un éclairage clair, non fumant, suffisant pour creuser, enduire, dessiner, graver et peindre les murs du cœur de la montagne. Un document de l'époque ramesside résume ainsi la comptabilité stricte qu'on faisait des graisses et des mèches :

> « (Compte des) mèches sorties du magasin le (... jour) du 3e mois de l'été : 528 mèches.
>
> « Compte de la consommation de graisse ce jour : 118 mèches.
>
> Reste : 410 (mèches). »

Donc, dans les froides profondeurs de la tombe royale, en ce chaud jour d'été, à raison de 2 à 3 mèches par lampe, plus de cent (peut-être pour 40 lampes) mèches furent utilisées complètement alors que 400 autres (suffisamment pour quelque 150 lampes) purent être réutilisées. Cette quantité prodigieuse permettait d'obtenir un éclairage suffisant, faible dans les couloirs d'accès et intense dans les pièces qui étaient creusées ou décorées.

Dès que le premier couloir était « grossièrement » taillé et tandis que les ouvriers allaient de l'avant, la pièce nouvellement créée était adoucie par les ciseleurs et les sculpteurs, les murs enduits de chaux sulfatée et égalisés à nouveau. Les dessinateurs tels que Nebre et Prehotep pouvaient alors commencer à travailler sur ces belles surfaces, les mettre d'équerre et esquisser en fins traits rouges les scènes complexes et les inscriptions hiéroglyphiques des livres royaux de l'autre monde ; le maître-dessinateur retouchait leur travail en noir, ici et là. Venait ensuite le tour des sculpteurs — Qen, Néferronpet, Ipouy, etc. — qui gravaient ces tableaux et ces inscriptions en bas-reliefs délicats, de la plus belle qualité. Ensuite, les dessinateurs-peintres retournaient ajouter des couleurs vives aux textes et aux scènes achevées. Le travail progressait ainsi, chacun des groupes se succédant salle après salle, décade après décade, mois après mois, année après année. On suivait la même méthode de travail dans la Vallée des Reines, que l'on atteignait par un autre chemin creusé au sud et à l'ouest du village.

Travail et jeu à Deir el-Médineh

On a retrouvé dans le site du village, dans ses tombes et en particulier dans une fosse voisine, une énorme quantité de « notes » (plusieurs milliers), sur des fragments de calcaire et de vaisselle : des *ostracons,* ainsi que les nomment nos contemporains érudits. Il s'agit de témoignages providentiels concernant tous les aspects de la vie et du travail quotidiens des villageois : lettres, recettes, journaux des travaux, jugements, oracles, hymnes, conjurations contre la maladie, extraits d'œuvres littéraires (classiques et contemporaines), scènes artistiques ; en fait des documents de toute nature portant pour la plupart sur les quatre siècles de l'histoire du village (de 1500 à 1100 avant J.-C.), en particulier sur la seconde moitié du règne de Ramsès II ; le plus grand nombre concerne toutefois la fin du règne de Ramsès III et celui de ses successeurs immédiats. Une sélection remarquable de documents est pourtant l'œuvre des citoyens de Deir el-Médineh de l'époque de Ramsès II — témoignages aussi évocateurs que d'autres plus tardifs et plus nombreux.

Le travail

Durant leurs 8 ou 9 jours de besogne, certains ouvriers adressaient des messages à leur famille demeurée au village de l'autre côté de la colline pour leur réclamer l'une ou l'autre chose — en général de la nourriture ! Ainsi, un jeune ouvrier demanda-t-il à sa mère :

> « Nebneteru à sa mère Henut-nofret :
> " Fais-moi parvenir de toute urgence du pain et ce que tu peux avoir par-devers toi ! Qu'Amon t'en remercie et que tu jouisses de sa faveur. Puisses-tu jouir de sa protection et que la paix te soit accordée ! " »

Une autre requête émane d'un dessinateur à l'intention de son oncle (appelé « frère » de manière amicale) :

> « Le dessinateur Khay à son frère le dessinateur Pré-em-hab : " Apporte-moi un petit oiseau et quelques figues de Sycomore ! " »

Cette missive était écrite sur un morceau de papyrus si petit (4 cm sur 8 cm ; et 2 cm sur 0,5 cm quand il était roulé) qu'il aurait pu être transporté par un « pigeon voyageur ». S'il en est ainsi, espérons que l'oiseau ne transportait pas son propre arrêt de mort !

Quelquefois, les individus recrutés pour aider les ouvriers s'avéraient être des « incapables », ainsi que le rapporte un dessinateur à son père :

> « Le scribe Pabaki à son père, le dessinateur Maaninakhtef :
> " J'ai tenu compte de ce que tu m'as dit (c'est-à-dire) : ' Travaille avec Ib. ' Et maintenant vois, il passe toute la journée, soi-disant, à aller chercher de l'eau, et ne remplit aucune tâche. Il n'observe pas ton conseil que je lui ai transmis. Que feras-tu, aujourd'hui ?... Vois, à présent le soleil décline, et il n'est pas encore revenu ! " »

Les archives de Deir el-Médineh ne mentionnent plus jamais ce bon à rien de Ib et il ne fait aucun doute que sa longue journée de « tire-au-flanc » sur les berges du Nil avec son pot d'eau (dont les dessinateurs avaient tellement besoin dans le désert) lui valut rapidement son congé.

Cependant d'autres « additions aux équipes » étaient d'un tout autre acabit. Ce fut le dixième jour du 3e mois de l'Inondation de l'An 5 (fin septembre 1275 avant J.-C.), seulement quelques mois avant que Ramsès II ne s'engage dans la campagne qui se termina à Kadesh, qu'un nouveau scribe fut nommé à Deir el-Médineh : Ramose. Fils d'un messager, il s'était révélé un jeune scribe prometteur attaché au trésor du temple funéraire du roi de la XVIIIe dynastie depuis longtemps décédé, Thoutmosis IV, sis au bord du désert, près du Ramesseum. S'élevant rapidement dans l'administration de l'ancien temple, il avait attiré l'attention du vizir thébain Paser et (à la faveur de la vacance du poste) Ramose rejoignit l'équipe de la Tombe royale et résida à Deir el-Médineh.

Il est possible qu'il ait été maintenu dans certaines de ses anciennes fonctions et qu'il ait en outre partagé avec son collègue Houy l'administration de la Tombe royale. Ramose a été nommé : « L'homme le plus riche qui eut jamais vécu à Deir el-Médineh. » Nul, durant les quatre siècles de l'existence du village, n'y laissa autant de monuments commémoratifs que Ramose : d'abondantes stèles dédiées aux dieux dans leurs chapelles, non pas une mais *trois* tombes et chapelles (no 7, 212, 250) et une infinité de souvenirs qui portent encore son nom — statues, tables d'offrandes, son siège personnel en haut du « col », etc. Ramose était tout aussi heureux dans ses relations personnelles. Il associa son nom à celui de son bienfaiteur et chef, le vizir Paser, sur de nombreux monuments. Il ne fait aucun doute que les deux hommes entretenaient d'excellentes relations lors des visites d'inspection périodiques de Paser pour surveiller le village, vérifier les comptes et constater la progression du travail dans les tombes des vallées royales. Ils étaient, par ailleurs, appréciés et respectés par les contremaîtres et les ouvriers ; plusieurs d'entre eux, dont le sculpteur Qen et les ouvriers Penbuy et Kasa, inclurent l'un ou l'autre dans les scènes peintes qui décoraient leurs tombes et leurs chapelles personnelles — une marque de respect dont bénéficiaient peu d'officiels de leur rang. Ramose reprit une scène le représentant en compagnie du roi et de Paser dans la chapelle (nº 7). Il s'entendait à merveille avec son collègue Houy et est d'ailleurs représenté l'honorant dans la chapelle de ce dernier (nº 336). Le gardien Khawy montra le roi et Paser sur une de ses stèles personnelles.

La vie et la carrière de Ramose furent cependant obscurcies par un regret : il n'avait pas de fils pour lui succéder, en dépit de sa grande dévotion à Hathor : il avait construit avec Paser un nouveau temple à la déesse, au nom de Ramsès II, et en l'an 9, il avait établi une donation pour la statue du roi. Il avait également adressé de ferventes prières à Min et à Touéris mais en vain. Confronté à ce problème insoluble, Ramose rechercha une autre solution. Lui et sa femme, Moutemwia, adoptèrent un jeune garçon, Qen-hir-khopshef, fils de Panakht, à qui il enseigna son art. Ainsi, sur ses derniers monuments personnels, Qen-hir-khopshef appelle aussi souvent Ramose que Panakht, son « père ». Vers l'an 40 du long règne de Ramsès, le jeune Qen-hir-khopshef semblait capable de succéder à Ramose et fut donc nommé « Scribe de la Tombe royale ». Il ne possédait toutefois pas le talent de son père adoptif. Il fut maintenu dans cette fonction bien après la mort de Ramsès II. Mais il n'avait pas hérité du caractère droit et attachant de son professeur. Il prit l'habitude de divertir indûment les ouvriers de leur travail pour satisfaire ses projets personnels (creuser sa tombe par exemple). De telles pratiques avaient toujours été tolérées si elles demeuraient raisonnables. Il s'intéressait à la littérature, recopiant pour lui-même des passages du poème de la bataille de Kadesh. Il possédait un manuel d'interprétation des rêves et écrivait des charmes. C'était certainement un arriviste (assez grossier avec le vizir Khay) guère apprécié par la communauté du village. Le dessinateur Préhotep ayant été traité sans considération par ce scribe, lui adressa la missive suivante :

> « Le dessinateur-peintre Préhotep salue son chef, le Scribe du Lieu de Vérité, Qen-hir-khopshef :
> Salutations. Que signifie la façon lamentable dont tu m'as traité ?

Je ne vaux pas un âne à tes yeux.
Quand il y a du travail (à faire) ils vont chercher un âne, quand il s'agit de manger, ils vont chercher un bœuf.
Quand il y a de la bière, tu ne veux pas (de moi).
Quand il y a du travail, tu viens (me) chercher!
Si tu me (considères comme) un homme de mauvais caractère à cause de la bière, alors ne fait plus appel à moi. Écoute bien ce que j'ai à te dire, dans le domaine d'Amon-rê, Roi des Dieux (béni soit-il!).
P.S. : Je suis un homme dans la maison duquel il n'y a pas de bière; je cherche à remplir mon ventre de cette seule lettre. »

Rien n'interdit de supposer que Qen-hir-khopshef avait rayé Préhotep de sa « liste d'invités » et avancé comme excuse le fait que celui-ci ne supportait pas la boisson — alors qu'il était par ailleurs très heureux de profiter de ses talents. Mais le dessinateur ne l'entendait pas ainsi.

La bière dépendait des approvisionnements du village désertique, ainsi que les « dus » ou paiements que les ouvriers attendaient à certaines époques de l'année lors des préparatifs des festivités. Tout se déroulait toujours très bien sous le régime efficace de Paser. Son successeur, le vizir Khay se heurta peut-être à des difficultés plus sérieuses durant les années 29 à 46. La proclamation et l'organisation des six premiers jubilés de Ramsès II, très rapprochés, devaient l'occuper énormément. Ainsi, de temps en temps, Khay harassé recevait-il des rappels à l'ordre polis des ouvriers de Deir el-Médineh, réclamant leurs « allocations ». Il les rassurait en leur répondant qu'ils les toucheraient bientôt! Ainsi trouvons-nous le dessinateur Siamon adressant force compliment au vizir avant d'en venir à l'essentiel :

« ... Salutations à mon maître — que mon maître veille sur ses ouvriers et leur accorde leurs rations! »

Le fils du contremaître Qaha, Onhur-khaw, écrit lui aussi une belle lettre et exprime ensuite son désir de recevoir des couleurs minérales pour ses fresques :

« Salutations à mon maître — nous travaillons aux endroits desquels mon maître a dit : " Qu'ils soient exécutés avec grand art ! "... Qu'un courrier soit adressé au (super)intendant de Thèbes, au grand prêtre d'Amon, au deuxième prophète d'Amon, au maire de Thèbes, et aux contrôleurs chargés du trésor de Pharaon pour leur réclamer ce dont nous avons besoin — pour l'information de mon maître : ocre jaune, gomme, orpiment (jaune), réalgar (rouge), ocre rouge, lapis-lazuli (bleu foncé), fritte verte, graisse fraîche pour l'éclairage, vieux vêtements pour les mèches. Ainsi nous pourrons réaliser toutes les tâches dont mon maître a parlé. »

Le vizir Khay répondit un jour (peut-être irrité par de telles requêtes) :

> « Le Porteur de l'Éventail du Côté Droit du Roi, le Scribe Royal, le Gouverneur de la Cité et le vizir Khay s'adresse au Chef des Ouvriers, Nebnufer en ces termes :
> " Cette lettre vous est adressée pour la raison suivante. Soyez extrêmement vigilant et réalisez parfaitement toutes les tâches de la Grande Place du Pharaon où vous vous trouvez. Ne permettez à quiconque de vous gêner. Mais informez-moi aussi des ' dus ' de l'équipe qui vont vous parvenir du Trésor du Pharaon. N'en laissez rien perdre, parce que le contrôleur de la Tombe Royale s'est adressé à moi en disant : ' Que ceci leur soit porté ! (à l'équipe). ' Je vais rejoindre à présent le Pharaon dans le Nord et je l'informerai de vos demandes. Je suis sur le point d'envoyer mon Chef Scribe Pesiur à Thèbes quand il reviendra vers vous, au Fort de (la Tombe Royale ?), vous pourrez le rencontrer et vous pourrez alors l'envoyer vers nous avec vos nouvelles. " »

Pendant ce temps, l'équipe travaillait jour après jour dans la Vallée des Rois — mais pas toujours à plein rendement, l'un ou l'autre membre était parfois absent pour une raison quelconque. Les Scribes consignaient avec soin les absences et les présences. Un grand document de l'an 40 du règne de Ramsès II illustre cet aspect de la vie quotidienne ; en regard du nom de chaque ouvrier apparaissent les dates et les raisons de son absence :

> « Pendua : 14e jour du 1er mois de l'Inondation — a bu avec Khons...
> Haremwia : Les 21 et 22e jours du 3e mois de l'Inondation — avec son chef (contremaître) ; 8e jour du 2e mois de l'Hiver — brasse la bière ; les 17, 18, 21e jours du 3e mois de l'Été — malade.

Wennefer : 14e jour du 1er mois de l'Hiver, 4e jour du 4e mois de l'Été — fait des offrandes à son dieu.

Houynefer : 7 et 8e jours du 2e mois de l'Hiver — malade ; 3e et 5e jours du 3e mois de l'Été — mal aux yeux ; 7 et 8e jours — malade.

Amenemwia : 15e jour du 1er mois de l'Hiver — embaume Harmose ; 7e jour du 2e mois de l'Hiver — absent ; 8e jour — brasse la bière ; 16e jour — renforce la porte...

Seba : 17e jour du 4e mois de l'Inondation — piqué par un scorpion ; 25e jour du 1er mois de l'Hiver — malade.

Khons : 7e jour du 4e mois de l'Inondation, 25 — 28 — malade, 8e jour du 4e mois de l'Hiver — adore son dieu ; ... 14e jour du 1er mois de l'Inondation — sa fête ; 15e jour : sa fête.

Anuy : 24e jour du premier mois de l'Hiver — cherche des pierres pour Qen-hir-Khopshef ; 7e jour du 2e mois de l'Hiver — *ditto* ; 17e jour — absent ; 24e jour — absent ainsi que le scribe... »

D'autres entrées mentionnent quelqu'un « préparant des médicaments » avec Khons ou Haremwia, ainsi que les maladies de mères, d'épouses ou de filles, et diverses pratiques religieuses (libations, « enterrement » d'un dieu). Les motifs précédemment cités montrent la variété des incidents. Des congés étaient octroyés pour brasser la bière lors des grandes fêtes ou des fins de semaines et, cela va sans dire, pour les maladies. Particulièrement remarquable est le cas du pauvre Seba, piqué par un scorpion — cinquante ans plus tard, il y aura une véritable épidémie de ce style d'incidents, durant les premières années du règne du roi Siptah. La référence à la momification de Harmose est très importante — son décès est par ailleurs rapporté dans un autre document, ainsi que nous le verrons. Il en va de même des troubles des yeux d'Houynefer (probablement partagés par Nakhtamon, non cité) : « voir les ténèbres le jour » était considéré comme une punition des dieux à cette époque. Il était permis de rendre hommage à un dieu protecteur — et selon toute apparence de fêter son anniversaire. On remarque également les nombreux jours d'absence « en compagnie du chef », quand un ouvrier aidait un contremaître à d'autres travaux — y compris travailler à la tombe et à la chapelle de celui-ci ; on rencontre souvent le scribe Qen-hir-khopshef profitant lui-même de ces « combines ».

Les « services extérieurs » et les épouses des ouvriers étaient occupés à des activités plus domestiques pendant que les travaux se poursuivaient dans les Vallées Royales. Il y avait un « service de laverie » desservant tant de ménages par jour. Mais déjà à cette époque, les laveries à l'extérieur posaient problème. Ainsi, un scribe de la Tombe Royale (Ramose ?) écrivit-il irrité une brève note à Amenemope, son égal attaché à ces services extérieurs :

> « Au Scribe Amenemope :
> Quant aux 8 (ménages) que vous avez faits (en disant) " Assigne 4 maisons par homme aux laveurs ", et non les (6) (ménages par homme) prévus par le Pharaon.
> Maintenant, voyez, on lui a assigné 6 ménages comme travail pour deux jours, ce qui fait 3 par jour... C'est une excellente décision, félicitation ! Quant à Nakht-Sobki, je n'ai pas trouvé de natron (c'est-à-dire de " savon ") en sa possession — vous lui (en) donnerez... Quand vous connaîtrez la (quantité) manquante, ils chercheront le natron pour les vêtements et vous ne (permettrez) plus à l'avenir de telle défaillance. Puisque le Pharaon vous a assigné du natron — il est hors de question qu'il ne l'ait pas attribué ! Et ils mettront en lumière votre duperie. Voilà, vous connaissez maintenant un côté (de la question) ! »

Les épouses demeurées au village échangeaient parfois des billets entre elles, avec leurs conjoints dans le désert et avec des femmes vivant dans d'autres villages. Ainsi une dame adressa-t-elle une missive brève et incisive à une quelconque jeune personne qu'elle employait :

> « Nub-hir-maât, sœur de Nebt-Iounu dit : Salutations. Et encore : Veillez à me procurer le vêtement. Dépêchez-vous de rassembler les légumes que vous me devez ! »

La dame Wernuro, cherchant à obtenir une seconde chance pour le frère de Houynefer, Khay, recourt aux effusions :

> « Wernuro au Scribe Huynefer :
> Salutations. Qu'Amon-rê, Roi des Dieux t'accorde sa faveur. Vois, j'ai demandé à tous les dieux et à toutes les déesses du district de l'Ouest que tu sois robuste, chaleureux et que tu bénéficies chaque jour de la faveur du Pharaon, ton bon maître. »

Puis elle en vient à sa requête :

> « Encore. S'il te plaît, prends ton frère en considération, ne l'abandonne pas ! Et mon autre message est pour (ta sœur) Nefert-khay : songe à ton frère Khay, ne le délaisse pas ! »

Un petit document très triste a été rédigé par un homme moins chanceux (et moins méritant) que Khay, vraisemblablement quelques décennies après le règne de Ramsès II. En voici la teneur :

> « J'ai perdu ma femme maintenant. Est-elle vraiment ma femme ? Elle termina ce qu'elle avait à dire et sortit en laissant la porte ouverte... (Son père dit) : " Je ne suis pas (en général) quelqu'un qui te dira ' Regarde ce que tu as fait à ta femme ' ou ' Tu es aveugle au point de me déranger et de taire ce crime (devant) Horus ! C'est une abomination aux yeux de Montou '. " (Sa mère dit) : " Je te montrerai ces adultères que ta (...) t'a infligés ! " »

Divertissement, loi et religion

La vie n'était pas consacrée qu'au travail dans les tombes et aux tâches domestiques. Chaque « week-end » était chômé. La communauté recevait des provisions pour la décade suivante, chacun travaillait pour soi ou pour aider les autres. Les habitants du village célébraient les fêtes de leurs dieux et de leur saint patron, ou rendaient la justice dans leur propre tribunal ou devant l'oracle de l'une ou l'autre image de « saint Aménophis Ier » leur protecteur. Parmi celles-ci (fondées sur des cultes-statues des aspects du roi), leur favorite était celle d'Aménophis Ier, patron du village, *l'* Aménophis de *leur* village. Plusieurs fêtes étaient célébrées au cours de l'année en son honneur quand les ouvriers eux-mêmes remplissaient les fonctions de prêtres, de « Serviteur du Lieu de Vérité » ; ceux qui étaient désignés portaient l'image du dieu en une joyeuse procession. Ces jours-là, les mets et les boissons étaient abondants, des offrandes étaient déposées dans la chapelle du dieu et l'ambiance était à la gaieté. Un ostracon concernant la « Grande Fête » du vingt-neuvième jour du troisième mois de l'hiver (février) rapporte que :

« ... L'équipe était joyeuse depuis quatre jours; tous buvaient avec leurs épouses et leurs enfants — soixante personnes du village et soixante personnes de l'extérieur. »

Sur la base d'une colonne de l'autel du dieu, une dizaine de villageois inscrivirent leurs noms rappelant qu'ils avaient été prêtres de « leur » Aménophis Ier — le dessinateur Nebre servit comme lecteur, conduisant les rites; Apehty portait l'éventail; le sculpteur Qen était « servant »; les autres, de simples prêtres.

Les ouvriers avaient également congé lors des autres fêtes, par exemple les jours d'ouverture de la Fête d'Opet et de la Fête de la Vallée dédiées à Amon entre autres. En ces jours joyeux, ils échangeaient quelquefois des présents, gages d'amitié. Un homme adressa ce message à un autre :

« Voici ce que je t'adresse par l'intermédiaire du gardien Pasaro (est) : 12 gâteaux, deux lots d'encens de 5 mesures chacun, le jour de l'offrande que tu as faite à Amon à l'occasion de la Fête de la Vallée. Elles ne proviennent pas des présents que tu m'as adressés. »

Par cette dernière remarque, l'auteur semble se protéger de toute accusation de mesquinerie quant à l'origine de son présent!

Les ouvriers de Deir el-Médineh n'étaient en aucune façon les seuls à recourir aux oracles d'Aménophis Ier à Thèbes-Ouest. Dans la chapelle-tombe (numero 19) à l'extrémité nord de cette région, Amenmose, un prêtre d'Aménophis Ier, évoque avec fierté — en mots et en images — une occasion au cours de laquelle il remplit la fonction d'officiant.

C'était un jour de fête : tentes remplies de nourritures alléchantes et de boissons — pain, gâteaux, raisins, légumes, etc. — offrandes pour le saint, nourriture pour régaler les adorateurs. Deux hommes, Heqanakht, et le serviteur Ramsès-nakht étaient en désaccord et comparurent donc devant Aménophis Ier alors que les prêtres transportaient son image brillante en procession. Un précédent jugement divin avait été rendu pour Ramsès-nakht, mais la décision d'Aménophis serait peut-être différente. Amenmose, grand prêtre d'Aménophis Ier, exposa donc les faits à son dieu :

> « ... " Mon bon Maître, ... le dieu a vraiment dit que Ramsès-nakht avait raison et que Heqanakht avait tort ". Le dieu (Aménophis Ier) approuva de grand cœur en disant : " Ramsès-nakht est (vraiment) dans son droit ! " »

Réjoui par cette seconde décision en sa faveur, Ramsès-nakht s'exclama :

> « A mon Dieu, qui a vu dans les cœurs de tes (sujets !) »

Près de là, se tenaient les dames, qui grattaient leurs sistres, jouaient des castagnettes et de la flûte, ainsi qu'un trompettiste, pour la musique de la fête. Comment l'image d'Aménophis disait-elle « oui » (ou « non »)? Pour « oui », ses porteurs exécutaient un mouvement vers l'avant ; pour « non », un mouvement vers l'arrière — indiquant ainsi l'approbation du dieu ou son désaccord ; la question soumise à son agrément était soit orale soit écrite.

Retournons à Deir el-Médineh ou de nombreuses petites stèles étaient déposées dans les autels d'Amon, d'Aménophis, d'Hathor, de Thot, de Meresger et d'autres dieux. De brèves inscriptions témoignent de la dévotion que les ouvriers égyptiens et les scribes éprouvaient pour leurs dieux, les priant de leur accorder leurs bienfaits et leur aide. Leur respect se mêlait de crainte — telle ou telle mauvaise fortune était souvent interprétée comme une punition divine pour quelque méfait que le mécréant confessait en implorant le pardon de la divinité offensée. Sur l'une de ces multiples stèles, le scribe Ramose chante les louanges de la déesse Mout, épouse d'Amon :

> *Prière à Mout, Dame des Cieux, Maîtresse de la Maison d'Amon :*
> « Tes belles mains portent le sistre, Douce Voix.
> O chanteurs, réjouissez-vous de ses paroles agréables à mon cœur. »

Nebre, dessinateur et peintre, avait plusieurs fils. L'un d'eux, Nakhtamon, tomba malade et fut accusé d'avoir offensé Amon. Aussi son père Nebre et son frère Khay intercédèrent-ils auprès d'Amon pour obtenir sa guérison. Leur plainte fut entendue et ils élevèrent une stèle remarquable à la gloire d'Amon pour le remercier de son intervention :

« En louant Amon :
Je ferai des hymnes en son Nom.
Je chanterai ses louanges aux cieux et sur la terre.
Je dirai sa puissance à celui qui navigue, au Nord ou au Sud.

Méfiez-vous de Lui !
Parlez de lui au fils et à la fille, aux grands et aux petits.
Parlez de lui, génération après génération, et à celles à venir.
Parlez de lui aux poissons du fleuve, et aux oiseaux du ciel.
Parlez de lui à ceux qui le connaissent et à ceux qui l'ignorent.

Méfiez-vous de Lui !
Tu es Amon, Maître de l'homme silencieux.
Celui qui répond à l'homme pauvre.
Je t'appelai quand j'étais dans la détresse.
Tu vins et me délivras.

Fait par le dessinateur et peintre Nebre, dans le Lieu de Vérité.

Devant la terre entière, il implora sa clémence, car le dessinateur Nakhtamon se trouvait au seuil de la mort.
Une mauvaise action avait attiré sur lui les foudres d'Amon.

Il (Nebre) dit :
Alors que le serviteur incline à faire le mal,
le Seigneur est disposé à la clémence.

Il dit :
J'élèverai cette stèle en son Nom,
et j'y graverai cet hymne.
Puisque tu as délivré le dessinateur Nakhtamon à ma demande
— je t'ai fait cette promesse et tu m'as entendu.
Et maintenant, vois, j'ai tenu ma parole. »

Maintes autres personnes partageaient le respect de Nebre pour les dieux thébains. L'ouvrier Néférabou chantait les louanges de la déesse locale Meresger (la Cime, qui gardait le village et les Vallées Royales). Puni pour ses erreurs et guérit lui aussi, il s'exclama :

« En louant la Cime de l'Ouest :
(J'étais) un ignorant et un fou
un homme qui ne discernait pas le bien du mal.
J'ai offensé la Cime,
et elle m'a donné une leçon.

Méfiez-vous de la Cime !
Car un lion s'y trouve,
Il frappe avec la force d'un lion enragé.

J'invoquai ma Dame
Elle vint à moi dans un souffle doux
Elle se tourna vers moi avec miséricorde... »

En une occasion, Néfer-abou confesse sa faute.

« Il dit :
Je suis un homme qui jura faussement par Ptah,
Seigneur de la vérité.
C'est la raison pour laquelle je vis les ténèbres en plein jour. »

S'agissait-il d'une cécité temporaire ou de problèmes oculaires semblables à ceux invoqués par Houynefer et Nakhtamon dans le registre des absences de l'an 40 du règne de Ramsès II, précédemment cités ? Était-ce quelque perte de conscience ? Nous l'ignorons toujours.

Les stèles et les statues n'étaient en aucun cas les seuls présents que les ouvriers offraient à leurs dieux, outre les oblations des jours de fête. Il va de soi que ces gens ne pouvaient octroyer d'offrandes aussi splendides que celles des grands temples d'État avec leurs riches bouquets de fleurs fraîches renouvelés tous les jours. Ils offraient néanmoins de jolis bouquets taillés dans le bois ou dans du calcaire et peints pour imiter les fleurs fraîches et leur feuillage.

Cette dévotion personnelle pour les dieux n'était nullement l'apanage des travailleurs de la Tombe Royale. Le même souffle animait les petits chants de louanges à Amon qui rendait justice aux pauvres — chants écrits non seulement par des Thébains mais encore par des scribes du nord de Memphis :

« Amon-rê, Premier des Rois, Premier dieu, Vizir des pauvres, qui n'accepta aucun présent coupable...

Vers l'Occident merveilleux

Les ouvriers de la Tombe Royale à Thèbes-Ouest devaient se préoccuper, bien sûr, de leurs propres sépultures. Sur le flanc de la colline s'élevant à l'ouest du village, ils creusaient leurs caveaux souterrains par-dessus lesquels ils construisaient des chapelles peintes à la chaux et aux murs intérieurs décorés de peintures brillantes. Elles étaient précédées d'avant-cours et les chapelles souvent surmontées de petites pyramides et de stèles. Le vizir, au nom du roi, assignait aux familles les emplacements des tombes. La possession d'une tombe (ou d'une maison) était une question vitale. L'enregistrement de l'assignation de telles propriétés était donc préservé avec un soin jaloux.

Tôt ou tard, comme leur maître royal, les ouvriers venaient occuper leurs demeures éternelles. Leurs croyances étaient identiques à celles de tous les autres Égyptiens, riches ou pauvres. Le corps momifié (ainsi que la statuaire fournissait une « demeure » matérielle à l'âme. La tombe remplissait la même fonction pour le corps et pour l'âme (la nuit). La décoration de la tombe incluait, outre les scènes d'adoration des dieux funéraires appropriés, des scènes de réunions de famille (par exemple, un banquet), afin que les parents soient unis dans l'après-vie. Des versets du *Livre des Morts* procuraient la sécurité et des provisions pour la vie après la vie.

Un court document nous permet d'assister au trépas de l'un des ouvriers et aux préparatifs des funérailles :

« Le scribe Piay, et le jeune de la Tombe Royale, Mahuhy, au Chef des Ouvriers, Neferhotep et à l'ouvrier Pennub :

« Salutations. Et encore :

« Maintenant, qu'as-tu dit ? " Si quelqu'un meurt ici,

iras-tu mener une enquête à ce propos ? " Est-ce que cela ne vaut pas pour cet homme ?

« Cet homme est mort dans la maison de Horemheb qui m'a averti de son décès. J'y suis allé accompagné de Mahuhy, et (nous) avons constaté (qu'il en était ainsi). Nous avons alors pris des dispositions pour lui, et nous sommes allés chercher (l'entrepreneur) en disant : " Prenez grand soin de lui — nous nous occuperons de (ses affaires). " (Nous ?) pousserons des cris aigus quand vous décréterez (le deuil)... »

Il ne fait aucun doute que les embaumeurs firent de leur mieux pour Harmose, compte tenu des moyens modestes de son (et de ses) collègue(s). Le grand « registre » des absences nous a déjà appris que ce décès était intervenu au cours de l'an 40 du règne de Ramsès II (hiver 1239-1240 avant J.-C.). Nous ignorons les détails de la vie de Harmose, si ce n'est qu'il était peut-être le grand-père de l'ouvrier Pennub, mentionné dans la lettre de Piay.

Il est certain que ce fut à l'époque de Ramsès II que la communauté de Deir el-Médineh connut sa plus grande période de prospérité. Jamais encore ses membres n'avaient été capables de s'offrir de nouvelles tombes et chapelles telles que celles qui furent construites sous ce règne. Les générations suivantes se firent enterrer dans les mêmes tombes, utilisées comme des caveaux de famille ; les stèles de pierre et les statues se faisaient également de plus en plus rares. Ainsi, avec l'échec final de l'empire ramesside, Deir el-Médineh connut des jours maigres jusqu'à ce qu'en définitive le village soit abandonné sous Ramsès XI, et que les ouvriers soient dirigés vers le district du grand temple funéraire de Ramsès III à Médinet Habou, qui était toujours le centre administratif de Thèbes-Ouest à la fin de l'Empire. Après un siècle et demi de déclin, le petit groupe fut réduit à néant suite à l'achèvement de tous les grands travaux de Thèbes-Ouest vers 950 avant J.-C.

QUATRIÈME PARTIE

LE ROI EST MORT... VIVE LE ROI !

CHAPITRE X

MORT ET SURVIVANCE ÉTERNELLE DE RAMSÈS II

Les dernières années

Ramsès II qui approchait la quarantaine quand il signa la paix hittite en l'an 21 de son règne (1259 avant J.-C.) était toujours un homme dynamique. Il était demeuré actif durant la décennie des deux mariages royaux hittites (années 34-44, 1246-1236 avant J.-C.) et jusqu'à la fin de la soixantaine. En l'an 46 de son règne (1234 avant J.-C.), il avait probablement fêté son 70e anniversaire. Rares étaient les personnes encore en vie qui se souvenaient des dernières années du règne de Séti Ier ou de l'accession au trône du Prince-Régent en tant que monarque absolu, ou encore du grand exploit du pharaon à Kadesh en l'an 5 — deux générations s'étaient succédé depuis cette date.

Ramsès vieillissant régna encore trois décennies avec la splendeur d'un dieu. Dans les années cinquante de son règne, il s'identifia au — ou se rapprocha de plus en plus du — dieu-soleil Rê. Il ajouta les épithètes « Dieu, Souverain d'Héliopolis » (la ville de Rê) à sa titulature officielle et joua le rôle de « Grande Ame de Rê-Harakhte », épithète qu'il ajouta au nom de la Résidence du Delta, Pi-Ramsès (en lieu et place de « Grande-des-Victoires »). Ainsi, régnant comme le soleil, il prétendit dans une certaine mesure être une forme ou une manifestation particulière du dieu-soleil.

L'Égypte baignait, pendant ce temps, dans une prospérité générale, qui favorisait la poursuite des gigantesques programmes architecturaux. Ils modifièrent le paysage religieux de la vallée du Nil, en Égypte comme en Nubie – aucun ennemi et aucune guerre à l'étranger n'épuisait les ressources du pays qui profitait de bonnes crues du Nil et donc de récoltes suffisantes. Des hommes compétents se trouvaient à la tête de l'administration, tels que le dernier vizir thébain Néferonpet, et les quatre vizirs qui se succédèrent au nord : Pramessu, Séti, Préhotep l'Ancien et Préhotep le Jeune. L'Égypte n'était pas une terre de rêve, mais elle bourdonnait d'une activité débordante dans les champs, dans les carrières, dans les ateliers, dans les bureaux de l'État et dans les enceintes des temples.

Comme nous l'avons vu, Ramsès chercha, à partir de l'an 30 de son règne, un renouveau magique de ses pouvoirs royaux dans les rites de jubilés qui intervenaient d'abord tous les trois ans et furent peut-être plus fréquents ensuite. Il ne fait aucun doute que, lors des cinq ou six premiers jubilés, le pharaon a supporté avec facilité et confiance les rituels longs et complexes ; mais lors des célébrations suivantes son grand âge s'est fait de plus en plus sentir. Durant les dernières années (les années 60 du règne) il s'obstina à être présent lors des rites, assisté par des personnes dévouées, tel le prince Mérenptah.

La mort de Ramsès II

Ramsès demeura probablement dans l'un de ses grands palais, durant l'an 66 de son règne, après la célébration du quatorzième jubilé, en l'été 1214 avant J.-C. ; d'abord à Pi-Ramsès, puis à Memphis ou dans le Fayoum à Mi-wer. Thèbes était à présent trop lointaine pour que le vieil homme s'y rende, même pour profiter de son hiver chaud et ensoleillé. Le pharaon qui avait été un jeune homme suffisamment impétueux pour vaincre apparemment seul l'armée hittite à Kadesh était désormais, après son 90e anniversaire, un grand vieillard digne à la prestance majestueuse.

Au printemps de 1213 avant J.-C., le roi et sa cour, profitant du temps plus clément, retournèrent probablement à Pi-Ramsès — la création du vieux roi, vaste et splendide, au cœur de la terre prospère de ses souvenirs d'enfance dans l'est du delta baigné par les « eaux de Rê ». S'il devait échanger bientôt le rôle d'Horus, roi des vivants sur la terre, pour celui d'Osiris, roi de l'après-vie, il entendait que cela se passe sur la terre de son enfance, parmi les scènes de ses triomphes et sous la protection de son héritier désigné, le fidèle prince Mérenptah.

Ramsès demeura dans son grand palais durant le printemps et l'été; en juin 1213 avant J.-C., l'an 67 de son règne commençait — peut-être prévoyait-on un quinzième jubilé pour l'année suivante. Peut-être devait-il être proclamé pendant l'hiver ? Il ne le fut pas. Les forces de Ramsès déclinèrent rapidement alors que la chaleur torride de l'été augmentait de juin à août 1213 — aucun document ne nous est parvenu concernant cette période. Ainsi, soixante-six ans et deux mois après avoir accédé au trône d'Égypte en tant que monarque absolu et soixante-quinze ans après avoir été nommé régent, *Usi-ma-re*, Élu de Rê, Ramsès II, aimé d'Amon, n'était plus. Son esprit voyageait déjà sur les chemins des royaumes de l'Ouest et d'Osiris. « Le Roi est mort : longue vie au Roi ! » A sa place se tenait maintenant le nouveau souverain, le fils aîné (le treizième) et héritier désigné de Ramsès, un homme de noble prestance déjà âgé d'une soixantaine d'années, le prince-régent Mérenptah. Après avoir annoncé officiellement la mort de son père, il fut peut-être conduit dans la grande salle du trône du palais et apparut avec les couronnes et les sceptres en tant que pharaon — Roi du Double Pays, *Bai-en-re* (« Manifestation de Rê »), Aimé d'Amon, Fils de Rê, *Mérenptah,* Celui qui aime la Vérité.

Départ pour la vie après la vie

La mort de l'ancien roi et l'accession au trône du nouveau furent promptement annoncées en Égypte. Durant une quinzaine de jours, de diligents messagers remontèrent le Nil en crue pour communiquer ces nouvelles à

Thèbes-Ouest. Sur la rive gauche, à Deir el-Médineh, les ouvriers pleurèrent le roi défunt et acclamèrent son successeur. Les préparatifs commencèrent immédiatement afin que la grande tombe de Ramsès II dans la Vallée des Rois fût prête à l'accueillir deux mois plus tard. Bientôt, le très puissant « comité de sélection » arriverait pour choisir l'emplacement de la tombe du nouveau roi ; et ainsi le cycle de travail reprendrait une fois de plus.

Dans le Nord, la dépouille de Ramsès II fut soumise aux soixante-dix jours de rites pour l'embaumement et la momification. Les organes internes, putrescibles, furent prélevés pour être placés séparément dans un ensemble de quatre récipients (« vases canopes » selon la terminologie moderne), tandis que le corps était desséché à l'aide de natron et de sel. Dûment drainé et sec, il pouvait alors être traité avec des épices et de la résine. On plaçait sous la peau un « rembourrage » visant à conférer une apparence de vie à l'ancien roi — pour le préparer à l'éternité — et on l'enroulait dans de fines bandelettes de lin. Dans ces plis sans fin toute une série d'amulettes (d'or incrusté de verre coloré et de pierres semi-précieuses) était incluse, assurant une protection magique au corps du roi. Ainsi, Ramsès II fut-il prêt à être déposé dans un ensemble de cercueils — d'or et de bois doré peut-être — pour demeurer à jamais dans sa grande tombe. Enfin, au milieu ou à la fin du mois d'octobre 1213 avant J.-C., une importante flottille de bateaux, précédée par la grande barque royale du pharaon Mérenptah, fit voile vers le sud afin d'accompagner pour la dernière fois Ramsès II à Thèbes.

Depuis des temps immémoriaux, les Égyptiens avaient des idées bien arrêtées sur la vie après la mort — celles-ci ont pu être stimulées, à l'origine, par l'état de préservation des corps enterrés dans les premières tombes et desséchés naturellement par la chaleur du soleil. Ils en avaient conclu très tôt que la personnalité essentielle survivait à la mort du corps et qu'elle pouvait encore habiter l'enveloppe charnelle. Ils conçurent la prochaine vie en fonction de celle-ci (la seule qu'ils connaissaient) — une Égypte plus grande et meilleure avec des champs de grains et un Nil. Ils considéraient que les besoins des morts étaient analogues à ceux des vivants — c'est la raison pour laquelle ils devaient disposer de vaisselle, de nourriture, d'outils, d'armes et de vêtements. Des moyens magiques leur auraient permis d'utiliser et de jouir de ces objets dans l'après-vie — et de l'essence des offrandes que leur faisaient les survivants. Les dimensions des tombes augmentant, le dessèchement naturel par le soleil devint impossible. On le provoqua donc de manière artificielle et on enroba la dépouille de bandelettes afin de la préserver. La valeur des présents funéraires augmenta ainsi que le rituel des offrandes. Le développement de la peinture, de la sculpture et des inscriptions hiéroglyphiques signifia qu'une personne pouvait être représentée sur les murs de sa chapelle-tombe avec toutes les « choses » qu'elle pouvait désirer ou dont elle pouvait avoir besoin ; son nom passait à la postérité grâce à l'écriture, et de longues listes d'offrandes la soutenaient magiquement, même lorsque nul n'en apportait plus de vraies dans la chapelle.

Les rois montraient l'exemple en ce domaine ; on n'en veut pour preuve que les premières pyramides apparues treize siècles avant Ramsès. Elles exprimaient matériellement la vie après la vie du roi. Le monarque devait gravir un escalier (pyramide à degrés) ou une rampe formée des rayons du soleil ou encore une échelle, jusqu'au ciel pour y devenir chef, ou pour le traverser dans la barque sacrée du dieu-soleil Rê. Ses sujets étaient toujours ses sujets, même si leur vie après la vie se déroulait sur et dans la terre. Le culte du dieu Osiris offrait une perspective attirante pour le commun des mortels à la fin de l'Age des Pyramides, puis pendant le Moyen Empire et le Nouvel Empire, et jusqu'à la fin de l'histoire égyptienne. Les gens ordinaires devenaient des « Osiris » lors de leur décès ; ils pouvaient s'identifier à lui et, de ce fait, gagnaient l'accès à leur « nouvelle vie ». Ils étaient soumis au jugement du Tribunal d'Osiris (les 42 assesseurs). Une condamnation entraînait l'annihilation, mais l'acquittement octroyait l'entrée dans le royaume d'Osiris et des dieux.

Sous le Nouvel Empire, les nobles, les fonctionnaires et tous ceux qui en avaient les moyens se faisaient construire des chapelles-tombes au-dessus de leur caveau — taillées dans le roc à Thèbes, maçonnées à Memphis. La personne décédée s'attendait à ce que son « âme » ait la liberté de mouvement dans la terre ensoleillée des vivants le jour et à ce qu'elle rejoigne le corps dans le caveau la nuit. Là, dans l'Outre-Monde quand le Soleil Nocturne voyage dans la barque, elle recevait également lumière et subsistance lorsque le dieu Soleil passait. Une « littérature » spéciale fleurit concernant ces divers au-delà célestes et terrestres, et reprenant les nécessaires incantations et offrandes magiques. Une grande série de sorts était inscrite dans les pyramides des anciens rois de l'Age des Pyramides *(Textes des Pyramides)*, reflétant les rites de l'enterrement du roi et visant à lui conférer ainsi qu'à sa pyramide une protection magique ; il y avait également des formules lui permettant de rejoindre le dieu-soleil dans sa barque ou de s'identifier à Osiris, etc. Certaines de ces formules furent adoptées sous le Moyen Empire par les gens du peuple et maintes autres leur furent ajoutées. Les nouvelles furent inscrites sur les cercueils eux-mêmes et sont aujourd'hui connues sous le nom de *Textes des Sarcophages.* Ensuite, sous le Nouvel Empire, fleurit une nouvelle sélection de formules pour le bien-être dans l'au-delà ; certaines anciennes (comme précédemment), mais d'autres nouvelles. Les nouvelles anthologies furent en général consignées sur des rouleaux de papyrus destinés à être enterrés avec le mort ; mais certains extraits furent inscrits sur les murs des chapelles et des chambres funéraires. Ils sont aujourd'hui connus sous la dénomination (erronée) de *Livre des Morts.*

La tombe et la destinée éternelle de Ramsès II

On pouvait considérer, au début du Nouvel Empire, que les pyramides avaient échoué à remplir leur rôle de protection du mort royal — puisque la plupart avaient été pillées durant les jours obscurs entre l'Ancien et le Moyen Empire et entre le Moyen et le Nouvel Empire. C'est pourquoi Aménophis Ier opta pour une tombe taillée dans la roche, cachée au loin dans les collines de Thèbes-Ouest, séparée de son temple funéraire en bordure du désert. Son successeur, Thoutmosis Ier, logea non seulement la nouvelle équipe spéciale de la Tombe Royale dans le village de Deir el-Médineh, mais encore prit la décision de faire tailler sa sépulture dans la vallée désertique et inviolée derrière les collines thébaines — la Vallée des Rois. Chacun de ses successeurs suivit son exemple durant les quatre siècles suivants ! Lui et tous les rois ultérieurs continuèrent (à l'instar d'Aménophis Ier) à construire leurs temples funéraires aux portes du désert ; Ramsès II ne fit donc que se conformer à la tradition, mais avec plus de splendeur.

D'importants changements intervinrent, en parallèle avec le nouveau style des sépultures secrètes des rois, dans la décoration, laquelle se fondait désormais sur le travail des nouveaux théologiens qui cherchaient à assurer au pharaon un maximum de bénéfices harmonieux pour la vie dans l'au-delà tant par rapport au dieu-soleil Rê qu'au royaume de l'autre monde d'Osiris. Ils affirmaient avec audace que, la nuit, Rê était Osiris et Osiris, Rê — les deux ne faisant qu'un. A chaque coucher du soleil, le dieu-soleil disparaissait au-dessous de l'horizon, à l'occident, et naviguait ensuite pendant les douze heures de la nuit dans sa barque nocturne à travers les douze régions de l'autre monde, apportant lumière et soutien à ses habitants. Le dieu-soleil lui-même devenait Osiris durant ce voyage, jusqu'à ce qu'enfin, à l'aube, le soleil renaisse, par l'acte de la « nouvelle création », pour débuter triomphant la journée et naviguer dans la barque diurne à travers les cieux. Chaque pharaon mort partageait pour l'éternité cette haute destinée, son *corps,* enfermé en sécurité dans ses cercueils dans la tombe souterraine, devenait celui d'Osiris et du Soleil nocturne. Il voyageait également en esprit avec (et identifié à) Osisirs-Rê à travers les douze heures et divisions de la nuit de l'autre monde, recevant les hommages de ses anciens sujets. Ensuite, et toujours pour l'éternité, il devait renaître chaque matin à l'aube, avec le dieu-soleil, pour naviguer dans les cieux à ses côtés. Le culte terrestre du roi mort en tant que dieu était célébré dans son temple funéraire (le Ramesseum dans le cas de Ramsès II) durant « des Millions d'Années », tandis que son corps dormait dans l'or de la tombe de la Vallée et que son esprit tournait jour et nuit et nuit et jour comme Osiris et Rê dans l'Outre-Monde, et dans les cieux de toute éternité. Telle était la destinée imaginée pour un pharaon du Nouvel Empire tel que Ramsès II.

Cet ensemble de concepts nécessitait bien sûr une expression et un support pratiques. Ainsi, les grandes tombes de la Vallée devinrent-elles le modèle du passage du dieu-soleil à travers les douze heures nocturnes, tout en étant la demeure éternelle du corps du roi. Les murs de ces grandes tombes étaient décorés par une série de « livres » spéciaux — les nouvelles compositions théologiques, en mots et en images, inspirées du voyage nocturne et de la renaissance matinale de Rê-Osiris et du roi. L'un de ces livres était les *Écritures de la Chambre Cachée,* mieux connues aujourd'hui sous le nom de *Am-Douat,* « Ce qu'il y a outre-tombe ». Y était décrit le voyage dans l'au-delà du dieu-soleil à travers les douze heures-divisions, accueilli par des babouins en adoration, distribuant des poissons aux morts, traversant comme un navire-serpent le domaine de Sokar, puis repoussant le serpent Apopi et donnant la lumière et les instructions dans l'autre monde avant de renaître à l'aube. Ce texte était écrit comme un énorme papyrus jauni dans les chambres funéraires de Thoutmosis III et d'Aménophis II, jusqu'à Toutânkhamon (chapitre 1 uniquement). Tout aussi ancien était le texte de la *Litanie de Rê,* prière au dieu-soleil dans ses 74 formes le liant à Osiris et au roi. Plus tard, sous la XVIIIe dynastie, parut le *Livre des Portes,* qui comme l'*Am-Douat,* montrait le trajet du soleil dans l'Outre-Monde, cette fois à travers les douze portes de ses divisions. *Le Livre de la Vache Céleste* raconte la légende de la rébellion de l'homme contre le dieu-soleil, la punition que celui-ci infligea à l'humanité, et son retrait aux cieux ; elle reprend diverses formules magiques qu'on considérait chargées d'une valeur essentielle pour le défunt. Toutes ces grandes compositions de textes et d'images trouvèrent place sur les murs des tombes royales à partir de Séti Ier et de Ramsès II, à côté des scènes montrant le roi accueilli par les dieux et d'autres textes rituels.

Dans la Vallée des Rois, la grande tombe (nº 7) de Ramsès illustre le schéma de cette destinée éternelle par sa décoration et par sa configuration. Il y avait d'abord un court escalier taillé dans la roche qui conduisait à la porte principale — « le premier passage du dieu Rê qui se trouve sur le parcours du Soleil » ainsi que la nommaient les Égyptiens. Deux couloirs s'enfonçaient ensuite au cœur de la colline, « les 2e et 3e passages du dieu », retraçant toujours le parcours du dieu-soleil dans l'Outre-Monde. Ici, on voyait Ramsès II adorant Rê, et tous les murs de ces couloirs étaient sculptés de superbes hiéroglyphes relatant la *Litanie de Rê* pour l'accueillir. Dans le couloir suivant (« le 4e passage du dieu »), étaient représentés la 4e et la 5e heures du voyage du Soleil dans l'Outre-Monde d'après *l'Am-Douat*— la barque-serpent traversant le royaume de Sokar, dieu des morts. Ensuite, une pièce carrée — « La Salle d'Attente » — décorée de scènes représentant le roi et les dieux. Rien n'interdit de penser que la momie du roi devait se soumettre ici à des rites particuliers avant de poursuivre vers la chambre funéraire. Immédiatement derrière s'ouvrait une vaste salle à quatre piliers avec un plan incliné qui descendait vers le reste de la tombe, et deux pièces attenantes sur la droite. C'était la « Salle du Char ». C'était là que devaient être placés les chars du roi — afin qu'il puisse aider Rê à repousser ses ennemis dans l'au-delà. Les deux salles annexes étaient destinées à contenir les équipements royaux — l'une d'elles portait vraisemblablement la décoration des 9e, 10e et 11e heures de l'*Am-Douat* : le dieu-soleil donnant des directives et des provisions dans l'autre monde, et Horus présidant à la destruction des ennemis de Rê, d'Osiris et du Roi.

Au-delà de la Salle du Char, deux autres couloirs s'enfonçaient dans les entrailles de la montagne. Ils étaient nommés « les 1er et 2e passages de l'Ouverture » (?) — une appellation qui se référait peut-être aux grands cérémoniaux de l' « Ouverture de la Bouche », qui ornaient leurs parois. Ces rituels élaborés étaient en général réalisés sur la statue et sur la momie du défunt, pour restaurer de manière magique ses facultés — à savoir voir, entendre, manger et se mouvoir, etc. ; ils incluaient le revêtement de parures ; des listes d'offrandes assuraient l'approvisionnement. Ces couloirs débouchaient sur une large pièce, « La Salle de la Vérité » (où le roi était accepté comme « justifié ») s'ouvrant sur la droite. Enfin, une porte à son extrémité droite conduisait à l'immense « Maison de l'Or » — la salle funéraire à colonnades du roi où il reposait dans un sarcophage massif. C'était le centre de ce vaste palais souterrain. Les murs de la Salle portaient les deux premiers portiques du *Livre des Portes,* le troisième se trouvant dans une pièce mitoyenne à gauche. Le *Livre de la Vache Céleste* occupait une pièce mitoyenne opposée. Les autres murs de la grande salle portaient le titre initial et les première et deuxième heures de l'*Am-Douat* : le dieu-soleil accueilli dans l'Au-Delà et partageant les fruits des cultures entre les morts, indépendamment des offrandes faites sur terre. Une seconde pièce latérale à droite portait la 8e heure, au cours de laquelle le dieu-soleil illuminait les cavernes des habitants de l'Au-Delà tout en naviguant, tandis que dans la seconde pièce latérale sur la gauche, la 12e heure de l'*Am-Douat* relatait la renaissance triomphante du dieu-soleil à l'aube et donc celle du roi — l'apothéose. Ensuite, derrière la Salle, deux portes conduisaient aux dernières suites. Celle de l'arrière, située à gauche, ouvrait sur une pièce entourée de bancs et décorée de fresques représentant les 6e et 7e heures — l'une représentant la réunion du dieu-soleil et de son corps pour la renaissance de la 12e heure, et l'autre, la victoire sur le serpent Apopi qui tentait d'arrêter le soleil. Celle de droite conduisait dans une pièce identique ornée (probablement de la 3e heure) de l'*Am-Douat* du 5e portique du *Livre des Portes.* De là deux dernières pièces débouchaient sur l'extérieur, l'ultime renfermant des bancs de pierre.

Ces suites de quatre petites pièces latérales et de quatre pièces arrière entourant la grande salle funéraire étaient « les Trésors de la Main Droite et de la Main Gauche » et « la Place des Serviteurs » (*ourhebtis* en égyptien) et « le Lieu de Repos des (Images des) Dieux ». Elles renfermaient donc de nombreux objets funéraires spéciaux d'usage protecteur et magique pour le bienfait du roi dans l'Au-Delà. Tout ce nécessaire fastueux — en or, en

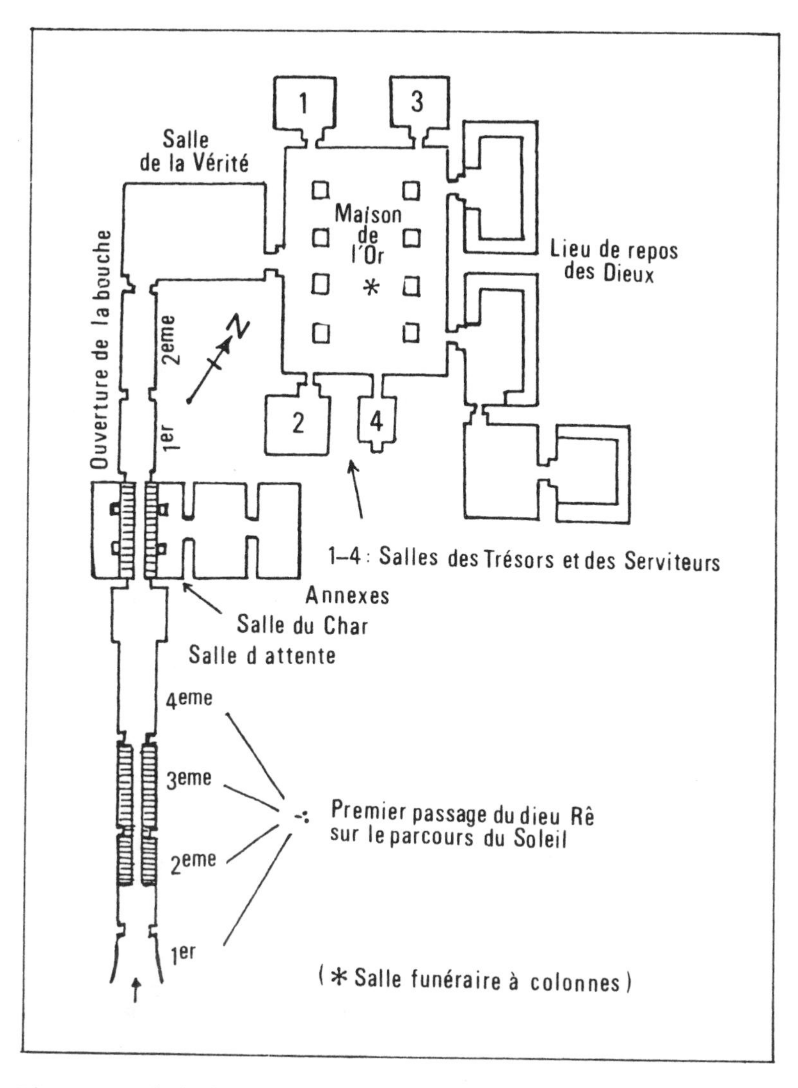

Plan au sol de la tombe de Ramsès II dans la Vallée des Rois (tombe no 7).

bois doré, souvent de facture superbe — devait être terminé et prêt, ou sorti du magasin et installé dans la tombe pour le jour des funérailles.

L'adieu ultime

Enfin, après quinze jours ou trois semaines de navigation au départ de Pi-Ramsès et de Memphis, la grande flottille royale accosta à Thèbes, et le pharaon Mérenptah prit toutes les dispositions finales quant aux prochains jours. Le grand cortège s'ébranla : les prêtres et les hauts fonctionnaires, la momie de Ramsès II dans ses cercueils sur une civière tirée par des bœufs, la famille royale conduite par Mérenptah, et une multitude d'accompagnateurs portant les biens personnels et funéraires pour l'enterrement. Sur la rive gauche, le premier port d'escale était probablement le Ramesseum, où Ramsès était désormais un dieu parmi les dieux. Un ou deux jours après ces rites de circonstance venait le dernier voyage de Ramsès alors que la longue procession se dirigeait vers le bord du désert, puis tournant à l'Ouest, remontait le ravin désertique et atteignait enfin la Vallée des Rois.

Là, en tant que nouvel Horus enterrant son père Osiris-Ramsès, Mérenptah conduisit et supervisa les tout derniers rites, y compris « l'Ouverture de la Bouche » de la momie à l'entrée de la tombe. Enfin, couloir après couloir, salle après salle, la lumière vacillante des torches éclairait les murs couverts de peintures représentant les dieux, les démons gardiens et les textes mystérieux de l'Outre-Tombe. La momie dans ses cercueils d'or venait se reposer dans la Maison d'Or, en cette splendeur secrète tandis que son esprit glorifié participait pour l'éternité au cycle d'Osiris et du Soleil.

Les officiants et les pleureuses se retiraient et remontaient à la surface vers la lumière du jour ; la porte de la tombe était condamnée avec de la maçonnerie, scellée et recouverte de moellons pour toujours, du moins l'espérait-on. Ramsès II était désormais un membre de l'auguste compagnie des Ancêtres Royaux, un membre du conclave des grands dieux.

CHAPITRE XI

LES CONSÉQUENCES : L'ÉGYPTE APRÈS RAMSÈS II

LE DÉCLIN ET LA CHUTE DE L'EMPIRE

Mérenptah et la fin de la dynastie

Bien qu'étant déjà un vieil homme (voire un septuagénaire ?), Mérenptah ne manquait pas d'énergie. En l'an 2 de son règne (1212 avant J.-C.), il retourna à Thèbes et chargea le dignitaire Ioti de conduire « une grande inspection de tous les dieux et déesses du Sud et du Nord » — il s'agissait probablement d'un recensement des biens et des mobiliers des temples. Une statue du roi fut érigée à Karnak lors de sa visite ; il avait renouvelé les offrandes du Nil à Silsila en l'an 1.

Mais des crises extérieures commençaient à obscurcir les vastes horizons de l'Égypte, pour la première fois depuis plus d'un demi-siècle. Entre l'an 2 et l'an 5, Mérenptah mobilisa son armée pour une brève campagne ou une démonstration de force, à Canaan et au sud de la Syrie. Des révoltes naissantes furent rapidement étouffées à Canaan — à Gezer et Ascalon dans le sud, à Yenoam dans le nord de Canaan, ainsi qu'aux bordures occidentales des monts palestiniens, où vivait un peuple nouveau, Israël.

Mais moins au nord, la paix était encore en vigueur avec les Hittites gouvernés à présent pas Toudkhalia IV ou par Arnuwandas III. Les possessions septentrionales de l'Égypte demeuraient pratiquement intactes. Un « registre postal » de l'an 3 rapporte les allées et venues régulières entre l'Égypte et Canaan, d'envoyés portant des plis émanant des (ou adressés aux) cabinets du ministère des Affaires extérieures à Pi-Ramsès, à présent dirigé par Tjay l'ancien secrétaire personnel de Mérenptah, qui fit représenter son lieu de travail dans sa tombe, à Thèbes. Pendant ce temps, l'empire hittite se débattait dans des crises de plus en plus nombreuses — vassaux indifèles, conflits à l'est et à l'ouest, récoltes catastrophiques — alors que la prospérité régnait toujours en Égypte. Mérenptah, respectueux de « l'ancienne alliance », « envoya du grain par bateau pour soutenir le Hatti ». Pour l'Égypte, la menace réelle venait de l'ouest du Delta. En Libye, des immigrants originaires de la mer Égée et de l'Est méditerranéen étaient venus grossir les rangs des tribus libyennes agitées et en mal de terres. Ainsi, en l'an 5 du règne de Mérenptah, les Libyens et leurs alliés décidèrent une invasion de l'Égypte pour satisfaire leurs besoins et leurs ambitions. Ils avaient déjà pénétré au sud dans les oasis les plus septentrionales telles que Farafra, débordant la vallée du Nil à l'ouest. En outre, ils avaient auparavant dépêché des émissaires secrets (via les oasis) au sud en pays nubien pour encourager une révolte contre l'Égypte qui détournerait l'attention de Mérenptah à la veille de leur propre attaque dans le Delta. Mais vers la fin de l'an 5 de son règne (été 1209 avant J.-C.) Mérenptah, ayant eu vent de la mobilisation libyenne, prépara ses propres troupes en 14 jours et les envoya à la rencontre de l'ennemi. L'Égypte remporta la victoire après un combat de six heures ; les captifs et le butin furent présentés triomphalement au pharaon âgé. La nouvelle d'une révolte en Nubie lui parvint — les Nubiens avaient observé leur pacte avec les Libyens mais avaient agi trop tard pour affecter les plans du pharaon. Les Libyens vaincus, Mérenptah ordonna un châtiment exemplaire des rebelles nubiens. Après soixante-dix ans de paix en basse Nubie (Wamat), il comptait faire un exemple pour assurer la paix dans les dominions du Sud.

Ainsi, dès l'an 6 de son règne, Mérenptah avait-il réaffirmé la mainmise de l'Égypte sur son vaste empire — il n'entendait pas céder du terrain, même si le grand Ramsès n'était plus présent. Ces mesures énergiques assurèrent la paix extérieure à l'Égypte pour encore une génération. L'administration, sur le plan interne, demeura également vigilante. Le vieux roi savait que son règne ne serait pas aussi long que celui de son père. Il était donc urgent qu'il s'occupe de ses monuments personnels, s'il voulait réaliser une œuvre substantielle de son vivant. Sa tombe imposante fut excavée rapidement et il pressa les artistes chargés de sa décoration. Le vizir Panehsi inspecta l'avancement des travaux pendant les années 7 et 8 de son règne (1207-1206 avant J.-C.). Mérenptah avait vu grand pour son temple funéraire — bien que la longueur de ce dernier représentât à peine la moitié de celle de son vaste prédécesseur, le Ramesseum. Pour accélérer la construction de ce monument, les ouvriers purent disposer des pierres des parties du grand temple d'Aménophis III, qui tombait déjà en ruines. Les œuvres de Mérenptah dans d'autres régions d'Égypte furent plus modestes, mais il ajouta souvent son nom et des dédicaces à des statues à et à des monuments préexistants, afin que la postérité sache qu'il s'était montré actif pour les dieux et donc pour l'Égypte.

Quoi qu'il en soit, lorsque mourut Mérenptah (en 1204 avant J.-C.), après un règne d'une décennie, l'Égypte connut une crise de succession inattendue. Mérenptah avait associé au trône son fils, le prince héritier Séti-Mérenptah : « Héritier des Deux Terres, Généralissime et Prince Aîné. » Cet homme, qui devait avoir la cinquantaine, était destiné à régner. Pourtant, le pharaon suivant ne fut pas Séti... mais un parfait inconnu : Amonmesses. Il convient de remarquer que la mère du nouveau souverain (Takhat Ire) fut simplement nommée reine-mère — elle ne fut ni une princesse ni une grande épouse royale durant le règne de Mérenptah. La compagne de Amonmesses, la reine Bekenwerel, n'était pas non plus une princesse. Que s'était-il passé ? Cette question demeure un mystère. Mérenptah était plus que probablement décédé durant une absence du prince héritier Séti (en voyage d'affaires officiel ?), et le fils d'une des femmes du harem avait promptement saisi l'opportunité de devenir roi en arrangeant et en conduisant les funérailles de Mérenptah — Amonmesses régna donc. Le prince Séti devait se contenter de ruminer des projets de vengeance et d'attendre son heure. Le règne d'Amonmesses fut bref et passa inaperçu ; une tombe fut bâtie dans la Vallée des Rois, quelques inscriptions formelles furent gravées à Karnak et jusqu'à Amara-Ouest en Nubie. Son règne fut marqué par des troubles à Deir el-Médineh (et une diminution des jours de congé).

Amonmesses mourut durant la quatrième année de son règne (en 1200 avant J.-C.). Le roi suivant fut cette fois Séti II ; il s'agissait fort probablement du prince Séti, fils de Mérenptah. Les formalités de légitimation des funérailles d'Amonmesses accomplies, Séti II s'empressa de faire disparaître le nom d'Amonmesses de tous les monuments d'Égypte. Ses six ans de règne ne furent marqués par aucun événement marquant ; les inscriptions pompeuses qu'il ajouta sur d'autres monuments ne correspondent pas ou peu à la réalité. Séti II eut probablement trois reines, outre les dames du harem. La première, Takhat II, fut une princesse royale ; elle n'apparut que sur les statues de son royal époux. La deuxième, Tewosret, lui donna peut-être son fils aîné, un autre Séti-Mérenptah, considéré comme héritier présomptif. La troisième, Tio, donna au roi un fils qui fut baptisé Ramsès-Siptah en honneur du puissant grand-père de Séti II, cette naissance se produisit probablement durant ses dernières années de règne de Ramsès II. Une fois de plus, la succession ne suivit pas la ligne logique. L'héritier (Séti-Mérenptah « junior ») mourut avant son père et c'est Ramsès-Siptah qui accéda au trône sous la double tutelle de la reine-douairière Tewosret et du puissant chancelier Bay, « faiseur de roi » et courtisan syrien. Le jeune roi modifia son nom, durant la troisième année de son règne, et adopta celui de Mérenptah-Siptah ; mais il mourut dès l'an 6, ne laissant aucun héritier. Ce fut donc la reine Tewosret qui lui succéda à part entière en tant que femme-pharaon — seules trois autres femmes avaient connu un tel honneur au cours du millénaire précédent. Elle mourut deux ans plus tard (vers 1187 avant J.-C.). La lignée directe issue de Ramsès II cessa donc de régner sur l'Égypte.

Les derniers Ramessides : la XXe dynastie

Le trône des pharaons échut à Setnakht, qui déclara vouloir restaurer la grandeur de l'Égypte après des années de déclin et de corruption — une allusion aux souverains faibles qui succédèrent à Mérenptah — et écarter l'« arriviste » syrien, probablement le chancelier Bay. Nous ignorons tout des origines de Setnakht — était-il lié d'une manière ou d'une autre aux descendants de Ramsès II. A sa mort — précoce — il légua le trône à son puissant fils, Ramsès III (de 1185 à 1154 avant J.-C.). Ce roi choisi pour modèle Ramsès II, tant pour ses entreprises guerrières que pacifiques. Mais les temps avaient changé. L'Égypte était désormais sur la défensive. Le monde est-méditerranéen était plongé dans la confusion politique ; l'empire hittite, dirigé par son dernier souverain héroïque (Souppilouliouma II), cédait à la poussée d'invasions venant de l'ouest et de l'est. A Canaan et en Syrie, des incursions de nouveaux groupes contribuèrent à démanteler les États de la fin de l'Age du Bronze. Ramsès III mobilisa et renforça rapidement ses troupes. Au cours de trois conflits épiques — en l'an 5 en Libye, en l'an 8 sur mer et sur terre sur les côtes du Delta du nord-est et à Canaan, et en l'an 11 à nouveau en Libye — Ramsès III vainquit les Libyens et les « Peuples de la Mer », conservant peut-être une maîtrise ténue sur les côtes de Canaan et sur ses routes.

Ainsi Ramsès III connut-il, à une époque de chaos international, des victoires aussi prestigieuses que celles de Ramsès II, mais beaucoup plus vitales. Il les célébra en plusieurs séries de bas-reliefs et de textes poétiques inscrits sur les murs de son énorme temple funéraire à Thèbes-Ouest (aujourd'hui, Medinet Habou), monument de la même ampleur que le Ramesseum et qui en était considérablement inspiré tant au niveau de sa disposition que de nombreux détails décoratifs. Il fit de même dans des temples moins importants de Karnak. Ces monuments thébains furent les *seules* grandes œuvres de Ramsès III. Il réalisa de nombreuses constructions à travers l'Égypte, mais aucune n'avait la superbe d'Abou Simbel ; il ne fit aucune addition monumentale à Memphis, à

Héliopolis ou à Pi-Ramsès, etc. Qui plus est, l'Égypte ne comptait plus parmi son administration des hommes aussi marquants qu'à l'époque de Ramsès II. Certains officiels de hauts rangs obtenaient désormais des pouvoirs abusifs dans l'État, et les intrigues à la cour débouchèrent même sur une tentative d'assassinat du roi. Les failles dans l'administration thébaine eurent pour conséquences que les ouvriers royaux de Deir el-Médineh restèrent plusieurs semaines sans toucher de salaire ; ils furent donc acculés au désespoir et organisèrent des grèves à Thèbes-Ouest! Le règne se termina dans des ténèbres qui eurent été inimaginables à l'époque de Ramsès II.

Une longue lignée de rois régna par la suite — *régner* est un grand mot ; tous se nommèrent invariablement Ramsès, du IVe au XIe. Ramsès IV pria pour que lui soit octroyé un règne de soixante-six ou soixante-sept ans, à l'instar de celui de Ramsès II ; il affirmait avoir fait plus pour les dieux que son illustre prédécesseur au cours de ses quatre premières années de règne ! Ses prétentions étaient exagérées (pour le moins) et sa prière ne fut pas entendue par les dieux ; il mourut au cours de sa septième année. Les règnes de Ramsès V, VI, VII et VIII furent marqués par des crues insuffisantes du Nil, une pénurie de nourriture, une inflation galopante et — sous Ramsès IX — par la famine. L'administration était désormais tellement pervertie que, lorsque le pharaon désirait quelque chose de particulier, il « court-circuitait » souvent les filières régulières en dépêchant un échanson royal. La corruption sévissait désormais. Il fallut dix ans pour démasquer un scandale concernant le détournement du grain d'un temple. A Thèbes, le contrôle des propriétés et des biens d'Amon était passé aux mains d'une nouvelle famille de grands prêtres. Le pillage des tombes à grande échelle n'épargna ni la Vallée des Rois ni celle des Reines (il s'agissait de l'œuvre de certains des derniers ouvriers de Deir el-Médineh !) et même les grands temples funéraires eurent à en pâtir — de l'or fut volé au Ramesseum. Cette situation perdura sous les règnes de Ramsès IX, X et XI.

A cette époque, les dominions syriens étaient perdus

depuis longtemps. La Nubie ne tarda pas à suivre l'exemple syrien, laissant l'Égypte réduite à ses frontières naturelles, d'Assouan à la Méditerranée. Une « Renaissance » politique fut proclamée sous Ramsès XI, avec l'organisation d'un triumvirat : Smendes gouvernait la Basse Égypte, Herihor, la Haute Égypte *et la Nubie* (une combinaison pour le moins surprenante), et le pharaon était leur seul maître. Herihor, et son beau-fils Piankh assumèrent sans difficulté le pouvoir à Thèbes, mais en Nubie, le vice-roi précédent, Panehsi, n'accepta pas de se faire déposer et dressa la région contre les hommes nouveaux visant à le déloger ; la Nubie était donc bel et bien perdue pour l'Égypte. A Thèbes-Ouest, Herihor dut réparer les dégâts de pilleurs de tombes — mêmes les vastes tombe de Séti Ier et de Ramsès II en avaient été victimes et il dut renouveler leurs funérailles du vivant même de Ramsès XI. Le souverain des Deux Terres — de la Haute et Basse Égypte — Ramsès XI mourut en l'an 1070-69 avant J.-C. Il fut peut-être le dernier à être enterré dans la Vallée des Rois, lieu de moins en moins sûr. Avec lui, s'éteignit le Nouvel Empire, et le royaume ramesside.

DÉCADENCE, DISSENSION, RENAISSANCE

Stagnation tanite (vers 1070-945 avant J.-C.)

La fin des Ramessides ne marqua pas celle de l'Égypte. Le souverain du nord, Smendes, fonda une nouvelle dynastie (la vingt et unième), établie à Memphis et dans son siège familial de Tanis, à quelques kilomètres à peine au nord de la moribonde et décadente Pi-Ramsès. Il parvint rapidement à un accord avec son homologue du sud, Pinedjem I, nouveau grand prêtre d'Amon de Thèbes et gouverneur du Sud : chacun reconnut le statut de l'autre, respectivement en tant que pharaon et que souverain du Sud, et consentit au respect mutuel des droits de succession dans ces sphères. Il était impossible, dans de telles circonstances, d'entreprendre de grandes aventures dans ou hors des limites de l'Égypte, qui s'assoupit en tant que propriété d'Amon, gouvernée par ses représentants à Tanis et à Thèbes. Entre-temps, les pillages de tombes avaient pris de telles proportions à Thèbes, qu'un plan fut élaboré pour protéger les pharaons. En l'an 10 du règne de Siamon (vers 970 avant J.-C.), le grand prêtre d'Amon et son clergé rassemblèrent les corps des grands pharaons de l'Empire éteint — parmi lesquels celui de Ramsès II — et les mirent à l'abri dans des caveaux groupés, nettement plus faciles à garder que trente tombes éparses. Certains furent dissimulés dans la Vallée même, dans la tombe d'Aménophis II. Mais la plupart — quelque quarante dépouilles de rois et de leurs proches (parmi lesquels Ramsès II) — furent conservées dans une tombe secrète se présentant sous la forme d'un puit et d'un corridor creusé dans un anfractuosité rocheuse au sud des temples de Deir el-Bahari, avec les vestiges de leurs trésors funéraires. Pendant ce temps, de nouvelles puissances voyaient le jour en Égypte — en particulier une famille de chefs d'origine libyenne à Boubastis, entre les deux capitales de Memphis et de Tanis. Cette famille établit des liens étroits avec la lignée royale et avec les grands prêtres de Memphis, et à la mort de Psusennes II en 945 avant J.-C., le trône passa à la nouvelle famille, personnifiée par l'homme fort du jour : Sheshonq.

Des orages libyens (vers 945-715 avant J.-C.)

Fondateur de la XXIIe dynastie libyenne, Sheshonq Ier fut sans doute l'homme le plus habile qui accéda au trône depuis Ramsès III, sinon depuis Ramsès II lui-même. Il prit rapidement des mesures pour réunifier et raffermir l'Égypte, soumettant fermement Thèbes à son contrôle — son second fils y fut nommé grand prêtre. Durant les premières années de son règne, les vieilles familles de prêtres thébains fermèrent finalement le caveau collectif du sud de Deir el-Bahari, contenant le corps de Ramsès II et de tant d'autres. Cette fois, Ramsès et ses compagnons furent abrités du pillage pendant quelque vingt-huit siècles, jusqu'à l'époque moderne... L'intérêt de Sheshonq Ier se porta non vers le Sud mais vers le Nord. A la mort de Salomon, il encouragea la séparation du grand royaume hébreu en deux parties, Israël et la Judée en 930 avant J.-C., et cinq années plus tard (en 925 avant J.-C.), il organisa un raid sur la Palestine et revint triomphalement en Égypte avec son butin (cf. *Premier Livre des Rois* 14: 25-26; *Deuxième Chronique* 12: 2-9)). Pendant une brève période, l'Égypte put croire à la renaissance d'un grand Empire, surtout lorsque Sheshonq ordonna la construction d'une vaste cour dans le temple d'Amon de Karnak à Thèbes, le plus grand monument en son genre depuis les ouvrages de Séti Ier et de Ramsès II lui-même. Mais l'espoir fut de courte durée... l'année suivante, en 924 avant J.-C., Sheshonq mourut, et avec lui s'éteignirent ses grands projets.

Ses successeurs n'eurent ni sa fermeté ni sa sagacité. Son successeur, Osorkon Ier, ne fut qu'une pâle imitation de son père, et (suite au décès de son propre héritier, Sheshonq II) le trône échut à un être insignifiant, Takeloth Ier, qui laissa échapper les rênes du pouvoir; la charge de grand prêtre redevint héréditaire à Thèbes, ce qui contribua à semer les graines de la discorde nationale. Osorkon II essaya d'endiguer cette déchéance en attribuant à sa propre famille le pontificat de Thèbes et de Memphis. Il entreprit de rehausser la splendeur de Tanis et de Boubastis en se lançant dans des constructions d'une magnificence ramesside — il utilisa pour ce faire les pierres des grandes constructions de Ramsès II à Pi-Ramsès, désormais abandonnée dans une grande mesure. Le cataclysme se produisit sous Takeloth II. Son fils, le prince Osorkon, s'efforça de faire valoir son droit au titre de grand prêtre d'Amon à Thèbes, mais une opposition locale déboucha sur une guerre civile, qui perdura pendant le reste du règne (850 à 825 avant J.-C.), sapant les fondations mêmes du royaume. A l'étranger, une nouvelle ombre venait obscurcir l'horizon libyen — l'Assyrie. Osorkon II encouragea les États palestiniens à contrer cet envahisseur potentiel.

La dissolution était irrévocable. Ce ne fut pas le prince Osorkon qui accéda pas au trône, mais un certain Sheshonq III qui abandonna le prince à son pontificat contesté. En 818 avant J.-C., Sheshonq fut à son tour contraint de partager son trône avec Pédubast Ier, qui se nomma lui-même copharaon dans la proche Léontopolis, et fonda la XXIIIe dynastie. Les dissidents thébains reconnurent aussitôt cette nouvelle lignée, au lieu et place de l'ancienne. Il y avait désormais deux pharaons, pourquoi pas plus ? Vers 730 avant J.-C., l'Égypte comptait deux lignées principales de pharaons à Tanis et à Léontopolis, deux pharaons de moindre importance en Haute Égypte (à Ninsu et à Hermopolis), un prince-régent et quatre grands chefs de Ma dans le Delta, une série de notables locaux un peu partout — et un prince de l'Ouest à Saïs — il s'agissait à l'époque de Tefnakht. Lorsque ce dernier essaya d'étendre sa suprématie au sud, il suscita un nouveau pouvoir — les rois locaux de Nubie revendiquèrent leur droit à Thèbes, et leur prince Piye (« Piankhy ») déferla avec ses troupes dans le Nord pour soumettre l'Égypte et Tefnakht — puis se retira aussi rapidement vers la Nubie, laissant l'Égypte livrée à sa foule bigarrée de souverains locaux et à la lignée de Tefnakht (XXIVe dynastie). Et Ramsès ? Même à Thèbes, le nombre des derniers prêtres de son grand temple, le Ramesseum, se réduisit — pour être quasiment inexistant vers 700 avant J.-C. ; à partir de cette époque le Ramesseum fut livré à l'abandon et Medinet Habou lui-même fut réduit à un simple centre administratif local, l'exercice du culte se concentrant dans son petit temple d'Amon.

Renaissance nubienne et saïte

En 715 avant J.-C., Shabako, le successeur de Piye, déferla sur l'Égypte, supplantant Bakenranef, le successeur de Tefnakht. L'Empire assyrien contrôlait maintenant presque tout le Levant jusqu'aux portes de l'Égypte. Shabako eut la sagesse de maintenir une position neutre, mais ses successeurs complotèrent stupidement avec les Philistins et avec la Judée contre l'Assyrie. Les Assyriens, excédés, attaquèrent l'Égypte : ce fut la première véritable invasion extérieure depuis celle des Hyksos, un millénaire auparavant. Le butin dut être prodigieux lors du sac de

Thèbes en 663 avant J.-C. La XXVe dynastie (nubienne) encaissa le coup et se retira vers le sud pour ne plus jamais revenir en Égypte. Cette dernière était désormais soumise à l'emprise assyrienne ; elle fut divisée en principautés locales — une situation apparemment désespérée.

Une vie nouvelle émergea toutefois de la ville de Saïs, dans le Delta Ouest. Le dernier successeur de Tefnakht, le prince de l'ouest, Psammetique Ier, de Saïs, se soumit à l'Assyrie (663 avant J.-C.) et, en tant que vassal, se vit accorder le contrôle total du Delta, puis (par alliance) de la Moyenne Égypte. En définitive, en l'an 9 (656 avant J.-C.), sa souveraineté fut reconnue par Thèbes ; il restaura donc l'unité extérieure du pays. Il la transforma progressivement, au cours des décennies suivantes, en une unité réelle et durable qui survécut aux chocs ultérieurs. Ainsi, débuta la XXVIe dynastie ou dynastie Saïte, qui se maintint jusqu'en 525 avant J.-C. Le deuxième roi de cette lignée, Nechao II, assista à la chute de l'Assyrie, défaite par les Mèdes et les Babyloniens. Cette situation nouvelle culmina dans l'empire de Nebuchadrezzar II de Babylone, auquel Nechao II se heurta pour la possession de la Judée. Par la suite il se garda, ainsi que Psammetique II, de renouveler cet affrontement ; Apries n'eut pas cette sagesse et se mêlà à la rébellion judéenne contre Babylone en 588 avant J.-C., qui se termina par le sac de Jérusalem en 587-586. Apries fut remplacé, après de nouvelles défaites en Libye et en Cyrénaïque, par un homme nouveau, Ahmosis II ou Amasis (570-526 avant J.-C.), qui fit la paix avec l'envahisseur potentiel Nebuchadrezzar. Mais la situation évoluait au Proche Orient. Bientôt le pouvoir médique devint l'Empire perse de Cyrus qui conquit Babylone (539 avant J.-C.). Peu après, Psammétique III, le successeur d'Amasis, fut renversé par Cambyse, qui annexa l'Égypte à la Perse en 525 avant J.-C. Les rois saïtes avaient restauré l'unité politique de l'Égypte ; ils étaient allés chercher leur modèle bien plus loin que l'époque ramesside, jusqu'aux temps glorieux de l'Ère des Pyramides et du Moyen Empire, rompant ainsi avec les imitations tanite et libyenne des traditions impériales.

L'empire perse et les pharaons de l'indépendance

Les empereurs perses étant devenus ses « pharaons », l'Égypte ne fut tout d'abord qu'une satrapie de plus de leur vaste empire. Mais les défaites perses en Grèce et le mécontentement des prêtres égyptiens à l'égard des restrictions de leurs privilèges se combinèrent pour inciter les Égyptiens à lutter pour leur indépendance. Ils s'allièrent à l'État grec — Sparte ou Athènes — qui était en conflit avec la Perse : « Les ennemis de la Perse sont nos amis. » Les Grecs avaient déjà appris à connaître l'Égypte, sous le règne des rois saïtes : des mercenaires renforçaient alors les armées égyptiennes (et autres) dans des corps d'élite. Les marchands grecs établissaient des échoppes en Égypte, et Naucratis devint leur centre commercial particulier. Ce fut au cours de la domination perse, vers 450 avant J.-C., qu'Hérodote voyagea en Égypte ; bien d'autres Grecs firent de même à cette époque et plus tard.

Les Égyptiens finirent (entre 400 et 343 avant J.-C.) par rejeter le joug perse (XXVIIIe à XXXe dynastie). Hakor fut le premier souverain puissant, mais les plus grands furent les rois Nectanebo I et II. Outre qu'ils préservèrent leur pays des Perses, ils entreprirent de splendides constructions dans les enceintes des temples d'Égypte, employant sans compter les pierres les plus dures. Ils furent, avec les Saïtes, les plus grands rois bâtisseurs d'Égypte depuis Ramsès II et III, éclipsant de beaucoup les rois libyens. Finalement, Artaxerxes III vainquit Nectanebo II en 343 avant J.-C., mettant fin à l'indépendance de l'Égypte. Une décennie plus tard, Alexandre le Grand fut accueilli comme le libérateur et considéré comme le successeur des pharaons (332-323 avant J.-C.), un millénaire après la belle époque de Séti Ier et de Ramsès II.

La Grèce, Rome et l'éclipse de la civilisation égyptienne

La mort d'Alexandre et de ses héritiers laissa l'Égypte aux mains de son général macédonien, Ptolémée Ier. Il se déclara lui-même roi, premier d'une longue lignée culminant avec la célèbre Cléopâtre, jusqu'à ce que l'Égypte tombe sous la coupe de Rome en 30 avant J.-C., pour devenir une simple province productrice de céréales. Sous l'emprise des Ptolémées et des Romains, les prêtres se virent accorder, pour prix de leur loyauté (et par respect du sentiment national) le droit de construire ou de reconstruire de grands temples dans le style pharaonique, sur les murs desquels les rites immémoriaux sont conduits par les « pharaons » Ptolémée, Claude ou Néron — tous en habits égyptiens. Mais sous l'impact de la civilisation hellénique, de l'empire romain, puis de la nouvelle religion mondiale, le Christianisme, les anciennes traditions perdirent leur attrait puis leur signification — et le « Pharaon » devint un simple « Roi » abstrait ; il n'était plus le souverain réel, terrestre, berger de son peuple. Le souvenir de Ramsès II avait survécu dans les cultes de sa dynastie à Memphis et dans son temple d'Abydos durant la période ptolémaïque, mais il n'était plus, à l'époque romaine, qu'une curiosité sur les murs de temples que l'on montrait aux « touristes » visitant l'Égypte, au même titre que le Ramesseum évoqué par Diodore de Sicile. Avec l'éclipse de la culture païenne, Ramsès II et son époque sombrèrent dans l'oubli, d'autant plus rapidement que l'Islam conquit l'Égypte byzantine et copte en 641 après J.-C. Il fallut attendre les explorations du début du XIXe siècle après J.-C. et le décryptage des hiéroglyphes par Champollion, pour que les monuments et le nom même de Ramsès II retrouvent droit de cité dans le savoir humain. Puis, dans les années 1860, les éternels pilleurs de tombes découvrirent la *cache** des corps royaux au sud de Deir el-Bahari... Et en 1881, enfin, Brugsch et Ahmed Kamal mirent à jour le « valhalla » secret — et Ramsès et ses compagnons revirent ainsi la lumière du jour dans le monde considérablement transformé des XIXe et XXe siècles.

* En français dans le texte. (N.d.T.)

CHAPITRE XII

UN REGARD EN ARRIÈRE

Ramsès II en son temps

Dans l'histoire égyptienne, Ramsès II domine le XIIIe siècle avant J.-C. Dans l'histoire générale du Proche Orient de cette époque — ce qui était alors quasiment synonyme d'histoire mondiale — il fut l'une des figures majeures, avec un règne plus long et plus stable que celui de tous ses contemporains. Les rois du Hatti et d'Assyrie étaient des guerriers et des administrateurs également redoutables (peut-être même étaient-ils de meilleurs généraux), mais les fortunes de leurs royaumes connurent des hauts et des bas. Bref, le règne de soixante-six ans de Ramsès II au XIIIe siècle avant J.-C. en Égypte, serait *mutatis mutandis* analogue à celui de la reine Victoria au XIXe siècle en Grande-Bretagne — un règne qui marqua une époque, connu pour ses grands événements et son style monumental caractéristique (après une période plus élégante), et pour le nom (« Ramesside » ou « Victorien ») qui est attaché de manière indélébile à l'histoire d'une nation dans chacun des cas.

Mais quel rôle plus spécifique Ramsès II joua-t-il dans l'histoire égyptienne ? Sous Thoutmosis III et sous Aménophis III, durant les deux siècles précédents, l'Égypte avait atteint une sorte d'apogée. Elle avait accédé au rang des plus grandes puissances politiques mondiales et produit des réalisations culturelles d'une splendeur inégalée au cours des ères précédentes de son histoire. Bref, elle était devenue l'égale des plus grandes civilisations de son époque et de bien d'autres. Puis vint Akhenaton. Son dédain des affaires étrangères fut à l'origine de la perte de la Syrie et de la défaite de ses alliés mitanniens face aux Hittites, et marqua la fin du rêve impérial égyptien. Son attachement personnel à un seul culte (l'adoration du soleil) et son rejet des principales traditions religieuses nationales se combinant à une incapacité à les remplacer par d'autres également satisfaisantes ébranla la confiance interne de l'Égypte dans ses traditions personnelles considérées comme un mode de vie, et désempara une partie importante de la population. Toutânkhamon et Horemheb rendirent à l'Égypte ses ambitions traditionnelles d'épanouissement extérieur ; Amon-Rê fut à nouveau roi des Dieux, et Osiris, de l'Outre-Tombe. Horemheb restaura l'équilibre du pays, élimina la corruption et les abus qui s'étaient développés plus que d'ordinaire pendant que l'attention d'Akhenaton était distraite par d'autres préoccupations. Ainsi, la plupart des pièces étaient à nouveau en place — mais qu'en fut-il par la suite ?

La réponse à cette question nous est fournie par les héritiers politiques de Horemheb (Ramsès Ier, puis Séti Ier, assisté de Ramsès II). Tous deux étaient révoltés par la perte des possessions et du prestige impériaux et par l'abandon des traditions nationales dû à Akhenaton. Pour eux, il n'était pas un vrai pharaon, mais « ce criminel d'Akhet-Aton ». Leurs guerres, leurs monuments, même leurs noms de rois, tout proclamait leurs résolutions quant à l'avenir de l'Égypte après l'épisode atonien.

Sur un plan négatif, les rois ramessides se contentèrent de détruire les noms et le souvenir des rois d'Aton partout où cela s'avérait possible (restaurant les noms d'Amon et des dieux), mais ne firent rien de plus en ce sens. Sur un plan positif, ils s'efforcèrent de restaurer et même de surpasser les plus grandes gloires de la XVIIIe dynastie tant en matière de paix que de guerre. De par ses titres, Ramsès Ier se posait comme un nouvel Ahmosis Ier, suggérant d'une certaine manière son intention d'inaugurer une « seconde » XVIIIe dynastie. Séti Ier, dès sa première année de règne, entreprit avec une vigueur extrême une campagne contre Canaan et la Syrie, et fut le premier pharaon — depuis Thoutmosis III — et le seul, à reprendre Kadesh (fût-ce pour une brève période). Mais, il lui fallut consentir un compromis en signant un traité de paix avec les Hittites. Les temps avaient changé ; cette autre « grande puissance » ne pouvait être ignorée, et Séti Ier fut assez sage et assez réaliste pour le comprendre et l'accepter. Les monuments qu'il entreprit de construire (la grande salle de Karnak, le temple funéraire de la rive Ouest, son grand temple à Abydos) éclipsèrent, par leur taille imposante, ceux de Thoutmosis III. La qualité de leur décoration (surtout à Abydos) rivalisait avec les plus belles œuvres des dynasties précédentes, même si elle était d'une rigueur moindre (sauf pour les bas-reliefs concernant les guerres). Ramsès II hérita de ces constructions et put les enrichir à loisir.

Le jeune roi s'avéra, en temps de guerre, par trop complaisant et impétueux ; cette attitude le conduisit à la *débâcle** de Kadesh. Il s'entêta par ailleurs, pendant plus de vingt ans, à récupérer les territoires syriens de Thoutmosis (une entreprise à laquelle son père ne s'était pas attaqué). Telles furent les faiblesses, mais aussi la force de Ramsès. Sa verve et son enthousiasme étaient des qualités précieuses, pour autant qu'elles fussent utilisées à bon escient. Mais vingt années de conflits armés se terminant par un traité de paix et une impossibilité de récupérer les territoires convoités, signifiaient vingt années d'efforts vains, de ressources gaspillées, de vies sacrifiées dans un théâtre sanglant, alors que son père avait eu le bon sens de se rendre à l'évidence, d'accepter la réalité et de mettre un terme à ses guerres après seulement quelque six ou sept années. Ramsès II, à l'instar de Séti Ier, ne pouvait tout simplement pas inverser le cours de l'histoire. Mais lorsqu'il s'avéra que la poursuite de la guerre était vaine et que le pouvoir hittite avait également intérêt à accepter la paix, Ramsès II eut la sagesse de mettre un terme aux conflits armés et d'accepter les propositions de paix.

En temps de paix, Ramsès II sut se montrer digne de

* En français dans le texte. (N.d.T.)

son père. En témoignent son propre temple à Abydos, sa tombe autrefois superbe dans la Vallée des Rois, la fameuse statue désormais exposée à Turin, et d'autres œuvres (fragmentaires) visibles au Caire. Mais, l'impatient Ramsès préféra la quantité à la qualité et opta pour la technique plus rapide des reliefs incisés au détriment des bas-reliefs plus laborieux. Il désirait non seulement travailler sur une grande échelle — le Ramesseum, Louxor, Abou Simbel, et les splendeurs hélas disparues de Pi-Ramsès — mais encore dans le plus grand nombre de sites possibles au fil des ans. Une partie considérable de son œuvre (en dépit de sa taille et de sa quantité) s'avère néanmoins respectueuse de la qualité et des critères formels, mais une partie tout aussi considérable est nettement plus pauvre et réalisée en grande hâte, en particulier durant les dernières années de sa vie et dans des régions où la pierre était de mauvaise qualité et où là main-d'œuvre se limitait aux ouvriers locaux (comme en Nubie). Il convient toutefois de reconnaître que les monuments qu'il dédia aux dieux aux quatre coins d'Égypte et de Nubie surpassent non seulement ceux de la XVIIIe dynastie, mais encore ceux de toutes les autres périodes de l'histoire égyptienne. Dans les grands centres, Ptah et Amon célébraient leurs fêtes spectaculaires au milieu d'une splendeur incomparable, inégalée pendant plus d'un millénaire, jusqu'à ce que les Ptolémées bâtissent leurs nouveaux temples. Rares étaient les innombrables cités de moindre importance qui ne possédaient pas un temple, une addition à un temple préexistant, une statuaire ou ne fût-ce que quelques nouvelles inscriptions, évoquant le nom de l'omniprésent Ramsès II.

Mais que dire de l'esprit national et de la royauté? Séti Ier et Ramsès II reconnurent qu'aussi grand que soit Amon, il ne devait pas éclipser cette dernière, poste clé dans ce pays. A partir de là, ils renouèrent avec la tradition d'Aménophis III replaçant Rê et Ptah aux côtés d'Amon, réaffirmant le culte populaire d'Osiris, établissant les principes d'adoration des aspects divinisés de leur royauté personnelle (en particulier Ramsès II), dans des temples nubiens, et sur de grandes statues en Égypte. Ramsès II alla encore plus loin, revendiquant une relation spéciale avec les « dieux de Ramsès », en particulier avec le dieu solaire. De ce fait, il atteignit probablement l'objectif que s'était fixé Akhenaton, consistant à relier les dieux à une monarchie centrale forte, par des moyens plus subtils que ceux utilisés par l'ancien monarque.

La vie nationale égyptienne paraissait aussi être restaurée dans une large mesure. Formés dès leur adolescence à diriger et à évaluer les hommes et leur caractère, Ramsès Ier, Séti Ier et Ramsès II avaient l'art de s'entourer de personnages compétents et dévoués, auxquels ils confiaient des postes importants. Certains d'entre eux, tels Paser, contribuèrent même à la perpétuation des traditions anciennes. Les rois ramessides ne réservaient pas les fonctions supérieures aux membres des familles des métropoles, Thèbes et Memphis (comme ce fut le cas sous la XVIIIe dynastie) ; ils promurent des hommes originaires de centres provinciaux venant des quatre coins de l'Égypte ; des étrangers (Cananéens, Hourrites) bénéficiaient également de promotions. L'Égypte était donc une société plus cosmopolite que jamais ; elle offrait plus de stimuli tout en préservant ses traditions culturelles fondamentales.

La situation se modifia toutefois vers la fin du XIIIe siècle avant J.-C. La lignée de Ramsès II s'était éteinte, et une nouvelle (XXe) dynastie ne connut que des succès passagers tant à l'extérieur qu'à l'intérieur du territoire. L'Égypte sombra ensuite dans un déclin social, économique et politique. Que s'était-il passé ? Il est probable que peu de reproches peuvent être adressés à Ramsès II. Ses fils Khaemwaset et Mérenptah préservèrent certainement un régime relativement efficace durant les dernières années de son règne. Mérenptah lui-même dirigea le pays de manière vigoureuse durant une courte décennie — seuls ses monuments sont marqués par l'empressement, puisqu'il était hors de question qu'il espère connaître un règne long. Les ennuis semblent avoir commencé à sa mort — une succession irrégulière, des intrigues, des officiels moins consciencieux. Sans une main ferme pour tenir la barre, l'intégrité et l'efficacité s'effritèrent ; le chancelier Bay assuma par ailleurs un pouvoir indû dans le royaume. Sous la dynastie suivante (une fois passées les années plus vigoureuses du règne de Ramsès III), la vénalité et la corruption prospérèrent ; l'Égypte connut de mauvaises récoltes pendant plusieurs années, et une lignée de rois inefficaces, incapables de contrôler des représentants trop puissants, dont les familles occupaient désormais les positions clés du royaume. Dans de telles conditions, l'État ramesside déclina et s'effondra rapidement durant le siècle et demi suivant le décès de Ramsès II. Les modifications rapides dans le monde extérieur privèrent également l'Égypte de ses possessions syriennes et contribuèrent à son appauvrissement.

En résumé, Ramsès II concrétisa dans une large mesure le programme que s'étaient fixé son père et son grand-père, à savoir : restaurer la puissance et la gloire de l'Égypte. Mais, à la fin de son règne exceptionnellement long, ce sentiment actif d'une mission à remplir s'était affadi et l'Égypte se contenta de jouir de la prospérité générale de l'époque. Une telle attitude n'aurait rien de critiquable, si les valeurs maîtresses étaient toujours respectées. Mérenptah œuvra en ce sens, réprimant énergiquement les menaces extérieures à la sécurité de l'Égypte. Mais par la suite les idéaux et l'intégrité s'évanouirent, et le déclin ne fut arrêté qu'à la faveur du règne de Ramsès III qui lutta pour préserver l'intégrité physique de l'Égypte. Son idéal, en revanche, se limitait à une ambition : être un nouveau Ramsès II.

RAMSÈS II DANS LA TRADITION POSTÉRIEURE

L'idéal des derniers rois ramessides

Aux yeux de nombreux pharaons ultérieurs, Ramsès II faisait figure de « colosse » puissant de leur histoire. Ramsès III en particulier le prit comme modèle ; il copia ses titres, ses noms de famille, ses guerres et ses monuments, et calqua son règne sur celui de Ramsès II. Ainsi, il nomma ses fils Amenhir-khopshef, Pre-hir-wonmef, Ramsès, Khaemwaset, etc., d'après les noms des fils de

Ramsès II. Il fonda un nouveau district à la résidence du Delta de Pi-Ramsès ; son temple funéraire (Medinet Habou) est une réplique tellement fidèle du Ramesseum, qu'il est possible d'utiliser les ruines de l'un pour compléter mentalement celles de l'autre. Ramsès III fit construire, dans son temple, une chapelle pour le culte de la barque-image de Ramsès II, présenté comme son héros personnel.

La XXe dynastie est entièrement formée de rois qui choisirent de porter le nom de Ramsès (de IV à XI) ; ce nom servait souvent de préfixe au leur propre (Amon-hir-khopshef, Set-hir-khopshef, Khaemwaset, etc.). Ceci fait songer aux empereurs romains qui se devaient tous d'être un César. Même après la chute de l'Empire, le successeur de Smendes, Psusennes Ier, se faisait encore appeler occasionnellement « Ramsès-Psusennes » et appelait son fils « Ramsès-Ankhefenmout ». Ramsès IV avait prié pour que lui soit octroyé un règne de soixante-six ou soixante-sept ans au même titre qu'à Ramsès. Aucun, toutefois, n'eut la personnalité, la volonté, les moyens d'approcher fût-ce de loin son « idéal ».

La renaissance postimpériale

Psusennes Ier ne fut pas le seul parmi les rois de la Dernière Période à « singer » le style impérial de Ramsès II. Outre son successeur Amonemope, nombre de pharaons libyens des XXIIe et XXIIIe dynasties adoptèrent le nom de règne de Usima-rê accolé à divers épithètes ; Shoshonq III en particulier modela ses titres sur ceux de Ramsès II — et son règne de cinquante-deux ans rivalisa presque en longueur avec celui de Ramsès. Durant la période s'étalant du XIe au VIIIe siècle avant J.-C., des prêtrises mineures des cultes de Ramsès II, III et IV furent jalousement préservées par des familles de prêtres thébains — moins par piété que par calcul économique, suppose-t-on. Au XIe siècle, le « bandeau » attaché à un papyrus magique comme « preuve » de son « pédigree » disait :

« Le texte qui fut découvert au cou (de la momie) du roi Usi-ma-rê, Élu-de-Rê (Ramsès II), dans la Nécropole. »

Les cours royales tanite et libyenne comptaient, toutes deux, des princes et des dignitaires qui se paraient du titre prestigieux de « Fils de Ramsès », des siècles après que la lignée Ramesside se fut éteinte. Vers 730 avant J.-C., le style impérial fut abandonné par les rois, mais d'aucuns tentèrent néanmoins de s'aventurer en Asie occidentale tels les rois du Nouvel Empire. Psammetique II célébra sa campagne nubienne avec tout le panache d'un Ramsès triomphant. Son armée laissa en outre des inscriptions sur les jambes du colosse de Ramsès d'Abou-Simbel, qui était déjà enfoui jusqu'aux chevilles dans le sable.

Les traditions égyptiennes ultérieures concernant Ramsès II et le prince Khaemwaset

Un millénaire après Ramsès II, ce souverain et son remarquable fils, le prince Khaemwaset, vivaient toujours dans la tradition religieuse et populaire. Le culte du temple de Ramsès II se déroulait toujours à Abydos, et Mérenptah et lui étaient toujours honorés à Memphis. Les contes populaires attachés aux noms du roi et du prince étaient plus pittoresques. A Thèbes, vers 300 avant J.-C., les prêtres de Khons-qui-gouverne (une forme inférieure du dieu-lune thébain Khons) s'efforcèrent de rehausser la renommée de leur déité en liant son nom à de grands événements vieux d'un millier d'années — le mariage hittite et les guerres syriennes de Ramsès II, envisagés à travers une nuée dorée de traditions, peut-être enrichis de traditions remontant à l'époque d'Aménophis III. Ils élevèrent dans la chapelle de leur dieu une stèle impressionnante, racontant comment le roi Ramsès (II) déferlait chaque année avec ses troupes sur la Syrie, de sorte que le Souverain de Bakhtan finit par lui envoyer en mariage sa fille aînée ; elle devint reine d'Égypte sous le nom de Neferure (visiblement une abréviation de Maât-Hor-Neferu-re). Puis, un jour, un ambassadeur de

Bakhtan vint implorer le roi d'envoyer un médecin égyptien pour soigner la plus jeune fille de son souverain. Le médecin échoua et Khons-qui-gouverne fut envoyé : lui réussit et revint à Thèbes. Les prêtres espéraient ainsi faire bénéficier le petit Khons de la gloire de Ramsès II.

Plus remarquable encore était la renommée du prince érudit Khaemwaset. Prêtre-*sem* et grand prêtre de Ptah, il s'était fait un nom en tant que prêtre, savant, administrateur, protecteur du culte du taureau Apis, ce qui valut à sa renommée de savant et magicien de lui survivre (parallèlement à son système funéraire pour les taureaux Apis) pendant les mille années suivantes, jusqu'au IIe siècle avant J.-C. Sa gloire était également grande à Thèbes, d'où provient au moins un des deux papyrus remarquables datant du Ier siècle avant ou après J.-C., époque à laquelle la tutelle romaine remplaça celle de Ptolémée en Égypte. Ces papyrus contiennent deux contes décrivant « Setne (Khamwas) » — ainsi qu'ils le nomment — le « fils du Pharaon Usi-ma-rê », comme un Maître-magicien désireux de pénétrer les secrets obscurs du savoir antique, et un protecteur du pharaon lors d'un conflit avec un magicien de Nubie.

Dans le premier conte, *Khaemwaset et Na-nefer-ka-Ptah,* Khaemwaset avait pénétré dans une ancienne tombe du désert de Memphis, à la recherche d'un livre magique écrit par le dieu de la sagesse, Thot lui-même. Les fantômes de Na-nefer-ka-Ptah, de sa femme et de son fils gardaient le livre et supplièrent Khaemwaset de ne pas s'en emparer. Ils lui avouèrent qu'il leur avait coûté la vie. Incrédule, Khaemwaset insista pour jouer une partie (d'un jeu ressemblant aux dames ou aux échecs) afin de gagner le livre convoité. Il perdit trois fois de suite, fut secouru par ses propres charmes (apportés par son frère), puis s'empara purement et simplement du livre afin d'en découvrir les secrets. Mais les fantômes offensés lui jetèrent un sort. Une telle disgrâce s'abattait sur Setne-Khaemwaset qu'il finit par consentir à suivre le conseil de son père et par rapporter le livre à ses propriétaires, dans leur tombe ; il fit amende honorable et se chargea de leur assurer des funérailles décentes.

Dans le second conte, *Khaemwaset et son fils Si-Osiri,*

Khaemwaset et son épouse désiraient avoir un fils, et leur souhait fut finalement exaucé. L'enfant s'avéra étonnamment brillant. Il devint le plus grand magicien (la fierté de son père) ; il alla jusqu'à montrer à Khaemwaset les salles du jugement de l'Autre Monde. Puis, lorsque le prince de Nubie envoya son magicien défier l'Égypte, ce fut le « fils prodige » de Khaemwaset, Si-Osiri, qui releva le gant. Il lut sans la décacheter la lettre apportée par le Nubien. La missive évoquait un défi bien plus ancien (sous Thoutmosis III !) qui opposa le Nubien Hor, fils d'une négresse, à l' « expert » du vieux pharaon, Hor, fils de Paneshe. Ainsi le message fut-il révélé — et Si-Osiri annonça que l'envoyé nubien était en réalité Hor, le fils de la négresse qui était revenu d'entre les morts, alors que lui — Si-Osiri — n'était autre que Hor, fils de Paneshe, qui était également revenu d'entre les morts pour délivrer l'Égypte de cette épreuve. Le Nubien fut aussitôt consumé par le feu — et Si-Osiri s'évapora tout simplement ! Khaemwaset fut finalement gratifié d'un véritable fils, pour remplacer le fantôme chimérique Si-Osiri, dont il ne cessa jamais d'honorer la mémoire.

Tels sont, brièvement résumés, les contes consacrés aux prouesses du prince Khaemwaset (les légendes arthuriennes de l'époque) tels qu'ils étaient rapportés au début de l'ère chrétienne, longtemps après que se furent éteints tous les empires de l'antique Orient, et à l'époque où la majeure partie du monde civilisé était gouvernée par Rome à l'aube d'une ère nouvelle.

Ramsès II dans d'autres traditions antiques

Le nom et la gloire de Ramsès II et de ses œuvres se répandirent bien au-delà des frontières de l'Égypte. Dans l'*Ancien Testament,* les livres bibliques de la *Genèse* et de l'*Exode* ont préservé le nom du pharaon dans les termes géographiques tels que « pays de Ramsès » (*Genèse* 47, 11), ou simplement « Ramsès » (*Exode* 1, 11 et 12, 37, ainsi que *Nombres* 33, 3-5, cette cité y est présentée comme une ville-entrepôt d'où partit l'exode hébreu). La grande résidence du Delta de Pi-Ramsès (« Domaine de

Ramsès », *cf.* « le pays de Ramsès des Hébreux ») survécut dans l'antique tradition hébraïque; c'était la ville où les Hébreux réduits en esclavage travaillaient à la veille de leur départ d'Égypte. Ces quelques références bibliques, renforcées par les allusions obscures aux rois Rapsakes et Ramsès, relevées dans les listes des rois gréco-égyptiens de Manéthon, préservées par des chroniqueurs chrétiens tels qu'Eusèbe, furent quasiment le seul fil ténu de la tradition attachée au nom de « Ramsès », durant la période médiévale en Europe, jusqu'aux découvertes faites à l'époque moderne.

L'autre voie de transmission de la gloire attachée au nom de Ramsès II dans l'antiquité et par la suite est liée aux écrits d'antiques voyageurs et historiens grecs et romains, depuis Hérodote (qui visita l'Égypte dominée par les Perses vers 450 avant J.-C.) jusqu'à l'époque romaine. Hérodote parle de Rhampsinite dont on conserve la mémoire des portes à l'extrémité ouest du district de Ptah à Memphis, et de deux statues leur faisant face — sans doute les pylônes de la Salle de l'Ouest de Ramsès II, ainsi que les colosses dont les bases furent mises à jour dans cette région, il y a de nombreuses années. Hérodote rapporte également un conte amusant : Rhampsinite est présenté comme détenteur de grandes richesses, déçu par un habile voleur qui visite l'Autre Monde. Près de quatre siècles plus tard, Diodore de Sicile écrivit longuement sur l'Égypte, se fondant essentiellement sur des écrits d'Hécatée d'Andère et d'autres. Il donne une description d'une précision remarquable — reprise d'Hécatée — de la « tombe d'Osymandyas » — qui n'est autre que le grand Ramesseum de Thèbes-Ouest. « Osymandyas » est simplement une forme de Usi-ma-rê, nom d'intronisation de Ramsès II. La majestueuse statue dans l'avant-cour correspondait, elle, au fameux colosse écroulé de Ramsès II, qui repose toujours là. Il décrit même la bataille de Kadesh contre les Hittites, mais celle-ci est présentée comme étant une guerre contre « Bactria » — une « rationalisation » grecque du nom oublié des Hittites, au même titre que le Bakhtan de la Stèle de Khons-qui-gouverne. Ramsès II est appelé Remphis (au lieu de Rempsis) par Diodore, qui ne reconnaît pas en lui Osymandyas.

Plus tard encore, Pline avait connaissance de l'existence de Séti Ier et de Ramsès II, qu'il nomme « Sesothes » et « Rhamesis » ; Tacite évoque également les campagnes de « Rhamsès ». Ainsi, les guerres et les monuments de Ramsès II laissaient-ils toujours des souvenirs confus dans les traditions classiques. La renommée des grands rois de la XIIe dynastie, Sésostris I à III s'enrichit, de manière erronée, des campagnes syriennes, de l'utilisation des chars, et de nombreux monuments dus à Ramsès II et à ses descendants. Josèphe rapporte un conte transmis par Manéthon (IIIe siècle avant J.-C.) concernant les guerres de Séti et de Ramsès ; il sera repris par les chroniqueurs, l'Africain, Eusèbe et le Syncelle (IIIe, IVe et VIIIe siècles après J.-C.). Au IVe siècle de notre ère, l'abbesse Ethéria, en pèlerinage en Égypte, traversa une vaste région de ruines, toujours nommée « Ramsès », où elle vit une grande pierre sculptée représentant deux personnages colossaux. Nous savons aujourd'hui qu'il s'agissait de Ramsès II et d'une divinité, mais ces statues lui furent présentées comme représentant Moïse et Aaron... quelque dix-sept siècles plus tôt, Ramsès avait chassé avec dédain de ce même endroit le prophète hébreu, qui désormais l'éclipsait au point d'être confondu avec lui.

RAMSÈS II AUJOURD'HUI

La résurrection des civilisations perdues

Pendant de nombreux siècles, les vestiges de l'Égypte antique reposèrent dans le silence des sables. L'Égypte de l'Islam médiéval utilisa les pierres de Pharaon moins pour enseigner l'histoire à ses étudiants que pour construire le Caire. En Europe (mis à part les Croisés), les terres de l'Égypte et de l'Ouest demeurèrent en grande partie un élément de l'Orient lointain, abstrait, irréel, cadre de l'histoire biblique. Et Ramsès II ?... Oublié.

Puis, aux XVIe, XVIIe et XVIIIe siècles de notre ère, des voyageurs européens commencèrent à visiter l'Égypte ; ils en arrivèrent bientôt à s'aventurer au-delà du « Grand Caire » et, remontant le fleuve, redécouvrirent les ruines de Thèbes et de ses temples. A la Renaissance, les auteurs classiques furent remis à l'honneur, ainsi que leurs récits consacrés à l'Égypte ; les papes firent redresser des obélisques égyptiens à Rome ; et la Réforme redonna à la Bible une place prépondérante dans la vie spirituelle, suscitant un regain d'intérêt pour les terres bibliques. Les études des hiéroglyphes égyptiens se multiplièrent, mais les chercheurs ne disposaient d'aucune méthode appropriée et n'enregistrèrent aucun succès.

La situation évolue, en définitive, au début du XIXe siècle à la suite de l'expédition épique de Napoléon en Égypte. Son équipe de savants explora, mesura et releva les plans des monuments avec des moyens inconnus à ce jour. La découverte de la Pierre de Rosette (un décret bilingue de Ptolémée V) permit enfin le décryptage des hiéroglyphes égyptiens — une entreprise commencée par Akerblad et Young et parachevée brillamment par Champollion en 1822. Grâce aux nombreuses publications consacrées aux monuments et aux inscriptions par Champollion, Rosellini et Lepsius, l'histoire et la civilisation de l'Égypte antique — vieille de quelque 3000 ans — émergèrent de l'oubli. Un décryptage parallèle de l'écriture cunéiforme mésopotamienne et des excavations réalisées dans cette région ressuscitèrent également les civilisations antiques de Babylone et d'Assyrie. La Bible et les textes classiques cessaient d'être des chimères isolées perdues dans la nuit des temps ; ils retrouvaient leur place dans le contexte fascinant et richement illustré de civilisations brillantes et millénaires. A l'époque de Napoléon, le mobilier de facture égyptienne fut en vogue en Europe ; les nations continentales se disputaient les vestiges de l'antiquité pharaonique (dont les habitants de l'Égypte du XIXe siècle ne se souciaient ni peu ni prou), pour enrichir leurs musées. L'Égypte moderne retrouva petit à petit la conscience de son passé ; les sites antiques n'étaient plus simplement excavés, mais faisaient désormais (depuis Mariette) l'objet d'une supervision croissante conduite par le Service National d'Antiquité. Depuis Petrie, un plus grand soin scientifique fut apporté à l'excavation même des monuments. Ainsi, grâce à un nombre croissant de scientifiques (œuvrant tant sur le terrain que dans leurs cabinets d'étude), l'égyptologie en arriva modestement à être reconnue comme une discipline importante et respectable du savoir historique et humaniste, couvrant des millénaires de la préhistoire, de l'histoire, des monuments et de l'ensemble de la culture de la civilisation pharaoniques — offrant donc (par sa continuité considérable) un « laboratoire (presque unique) pour l'étude de l'humanité », selon les termes de Breasted.

Ramsès II à ce jour

Quelle place Ramsès II tint-il dans tout cela ? En 1817, le poète Percy Bysse Shelley, héritier de la culture classique et lecteur de Diodore de Sicile, écrivit un célèbre sonnet, intitulé « Ozymandias ».

Shelley ne vit jamais le colosse du Ramesseum qu'il célèbre comme le symbole d'un tyran déchu et à moitié oublié. Cette même année 1817, Belzoni fut le premier homme à pénétrer dans le Grand Temple de Ramsès II à Abou-Simbel depuis onze siècles, quatre ans seulement après la découverte du monument par Burckhardt. Le temple était alors enfoui dans les sables jusqu'au menton, délaissé depuis l'Antiquité. C'est en recevant les dessins des reliefs et des inscriptions de Ramsès II à Abou Simbel que Champollion put affirmer que les anciens hiéroglyphes de l'Égypte (vraiment) pharaonique pouvaient être décryptés de la même manière qui lui avait permis de décrypter en 1822 les noms écrits en hiéroglyphes des Ptolémées et des empereurs romains. Cette confirmation signifiait que les traditions et l'histoire des Égyptiens n'étaient pas définitivement perdues pour l'humanité. Un cartouche de Thoutmosis III, découvert en un autre lieu, vint renforcer l'interprétation des textes de Ramsès II. Et Griffith fit remarquer que « les diverses orthographes du nom de Ramsès furent particulièrement instructives à ce stade » de l'œuvre de Champollion. Il est donc permis d'affirmer que Ramsès II et son temple d'Abou Simbel constituèrent un lien ténu mais vital dans le décryptage moderne des hiéroglyphes égyptiens, à l'époque des premiers balbutiements de l'égyptologie, et donc dans le développement subséquent de notre connaissance moderne de l'Égypte antique.

Grâce à la publication des œuvres importantes de Champollion, de Rosellini, de Lepsius et de Sir J. G. Wilkinson, les grands monuments et les prestigieux triomphes des rois Ramessides (en particulier de Ramsès II) devinrent familiers à un public érudit plus large. Vers les années 1850, 1860, l'Égypte antique cessa d'être une vision vague, pour redevenir une civilisation aux formes et aux caractéristiques facilement reconnaissables, l'une d'entre d'elles étant la figure archétype du Pharaon : bâtisseur de temples énormes aux vastes salles à colonnades, dont les murs sculptés proclamaient les triomphes impériaux en Asie et en Afrique, avec des rangs serrés de prisonniers conduits en Égypte et des trophées dédiés par Pharaon (et représentés à une échelle héroïque) à Amon de Thèbes-la-Victorieuse. Aussi, lorsqu'en 1869 fut célébrée en grande pompe l'ouverture du canal de Suez, sous le haut patronage du khédive Ismaïl, souverain d'Égypte, l'une des attractions devait être la représentation au nouvel Opéra du Caire d'un opéra du célèbre compositeur italien, Verdi. Cet événement fastueux fut retardé jusqu'en 1871. Le « livret » de l'opéra *Aïda* fut fourni par l'égyptologue français Mariette. Son champ d'inspiration fut double. La splendeur triomphante des rois impériaux tels que Ramsès fut célébrée dans la Grande Marche et dans la parade triomphale de Rhadamès avec ses prisonniers nubiens. Mais la rivalité entre les royaumes d'Égypte et d' « Éthiopie » (en fait, la Nubie ou Pays de Koush) date d'une période ultérieure — celle de Psammetique II (590 avant J.-C.), sept siècles après Ramsès II.

La splendeur des grands monuments de Ramsès II et de son épopée lors de la bataille de Kadesh fascinèrent certains des premiers égyptologues, mais pas tous. Ainsi, Rosellini vénérait quasiment Ramsès II, qui par ses conquêtes, avait non seulement « procuré à l'Égypte les biens qui contribuèrent à la qualité de la vie quotidienne et à la sécurité de l'État » mais encore « avait établi une paix universelle dans laquelle il professait même un amour des vaincus ». Bunsen affichait une position inverse (bien que tout aussi partisane), affirmant que Ramsès II était « un despote coléreux, qui profita d'un règne d'une longueur peu commune... pour tourmenter ses propres sujets ainsi que les étrangers... et pour les utiliser comme instruments de sa passion pour les guerres et les monuments ». La vérité se situe certainement entre ces deux extrêmes. Plus tard, la voyageuse et écrivain Miss Amélia B. Edwards porta sur Ramsès II un regard plus aimable mais également plus judicieux :

> « L'intérêt qu'on manifeste pour Ramsès II commence à Memphis et s'enrichit au fur et à mesure que l'on remonte le fleuve... Les autres pharaons frappent moins l'imagination... ombres qui vont et viennent. Mais, avec le deuxième Ramsès, on éprouve un sentiment de communion respectueuse. Il semble qu'on connaisse l'homme — qu'on ressente sa présence — qu'on entende son nom vibrer dans l'air. Ses traits nous sont aussi familiers que ceux de Henri VIII ou de Louis XIV. Ses cartouches nous attendent à chaque tournant. Même pour ceux qui ne savent pas lire les caractères hiéroglyphiques, ces signes célèbres dégagent, par la force de l'association, le nom et le style de Ramsès, " aimé d'Amon ". »

Après avoir évoqué son règne (tel qu'on le connaissait il y a un siècle), elle conclut :

> « Pour le reste, on est autorisé à croire qu'il n'était ni meilleur ni pire que la plupart des despotes orientaux... »

Et qu'en est-il en ce XXe siècle ? Notre connaissance de l'histoire de l'Égypte pharaonique s'étant considérablement enrichie depuis l'époque de Miss Edwards et des Victoriens, la grandeur d'autres époques de ce fastueux empire s'est progressivement affirmée grâce à de nouvelles découvertes et à une meilleure compréhension. Cette évolution, qui connut une apogée spectaculaire avec la découverte de la tombe de Toutânkhamon en 1922, éclaira d'un jour nouveau l'histoire égyptienne. En revanche, les œuvres d'art de l'Égypte ramesside exécutées avec plus d'empressement, la quantité apparemment plus importante de rhétorique (par opposition aux « faits patents ») dans les inscriptions royales, la présentation stéréotypée de Ramsès II super-héros de Kadesh et bâtisseur mégalomane (surtout lorsque le décryptage des archives hittites révéla les faits réels relatifs à la bataille de Kadesh) — tout cela contribua à ravir à l'époque ramesside de l'histoire égyptienne sa place de premier plan, à la dévaluer (et en particulier Ramsès II) et à la révéler comme étant en réalité « le début de la fin » de la civilisation égyptienne. Ramsès II connut, en dehors du cadre de l'égyptologie, une notoriété variable en tant que pharaon de l'oppression et de l'exode hébreu, suivant la date à laquelle ces événements étaient situés. Et son traité avec les Hittites est un document dont la valeur s'accrut ; il offre un exemple supplémentaire important de documents internationaux, et en particulier d'un texte égyptien traduit en un autre langage (le babylonien diplomatique).

La situation en resta là jusqu'à la génération actuelle. Elle se modifia toutefois au cours des dernières décennies, et ce de deux manières. En 1952-1954, le nouveau gouvernement républicain d'Égypte (baptisée alors République Arabe Unie) décida de bâtir un nouveau barrage près d'Assouan pour répondre aux besoins de l'Égypte moderne. Ceci devait entraîner l'immersion complète de la Basse Nubie jusqu'aux frontières nordiques du Soudan — avec la perte de *tous* les anciens sites et monuments à moins que des mesures ne soient prises. Aussi, au cours des années suivantes (et principalement en 1960), l'UNESCO adressa un double recours au monde — demandant une aide internationale pour sauver et répertorier les monuments de Nubie, et en particulier pour préserver les deux grands temples de Ramsès II à Abou-Simbel. Un vaste effort international fut déployé au cours des années ultérieures et jusqu'à l'heure actuelle, culminant dans une reconstruction d'Abou Simbel, en 1968. Les résultats furent remarquables compte tenu du manque de temps et des problèmes impliqués. Les images de Ramsès II, de la reine Nefertari et des temples d'Abou Simbel devinrent des plus populaires sur les timbres postaux d'Égypte et d'ailleurs, dans un nombre sans cesse croissant d'ouvrages illustrés, et dans les divers media (presse, radio et télévision). La gloire de Ramsès II se répandit à travers le monde avec une ampleur dont il n'avait sûrement jamais rêvée. Dans son chef-d'œuvre *les Dix Commandements,* Cécil B. de Mille rendit à Ramsès II le rôle (qui fut probablement le sien) de « pharaon de l'Exode ». Outre les Pyramides (et les inévitables momies !) Ramsès II et Abou Simbel font à nouveau partie de l'image populaire de l'Égypte antique. Et à ce jour, Ramsès II est probablement le seul souverain de l'Antiquité qui a sa propre « bande dessinée » dans les journaux actuels et qui voyagea par avion pour venir savourer les délices de Paris.

Ramsès II aujourd'hui

Voilà pour l'image publique. Que dire de l'autre aspect : notre compréhension et notre appréciation de Ramsès II et de son époque ? Au cours de ces mêmes dernières décennies, l'égyptologie est devenue un sujet d'études plus « intenses », d'analyses plus minutieuses de son matériau brut (les inscriptions et les données archéologiques). Désormais, *aucune* période de la longue histoire de l'Égypte pharaonique ne peut être dédaignée arbitrairement ; chacune doit être soigneusement étudiée et comprise afin d'apporter sa contribution particulière à l'ensemble. A cet égard, l'étude de la période ramesside en général, et de Ramsès II en particulier, a produit des résultats satisfaisants et prometteurs — ce livre n'est qu'une modeste contribution à cet ensemble. Les actions et les attitudes de Ramsès II ne peuvent être qualifiées grossièrement, à la lumière de nos propres valeurs sociales, de prétentieuses ou mégalomanes ; elles doivent être comparées aux normes et aux idéaux de *sa* culture, pas de la nôtre.

Mis à part les éléments nouveaux que de futures études ne manqueront pas de nous révéler sur l'époque de Ramsès II, que pouvons-nous dire aujourd'hui de l'homme lui-même ? Fut-il vraiment le « Ramsès le Grand » que les Victoriens voyaient en lui ?

En tant que pharaon d'Égypte, il ne fait guère de doute que Ramsès, à l'instar de son père, s'efforça consciemment et officiellement de réaliser l'idéal pharaonique de roi juste, défenseur de l'Égypte, intermédiaire entre les dieux et les hommes, berger de son peuple. En tant que « défenseur », il est certain que le jeune Ramsès II se révéla, dans ses guerres, à la fois trop ambitieux, trop orgueilleux et trop obstiné. S'il avait respecté l'accord de son père avec les Hittites et s'il s'était contenté de gouverner les territoires dont il avait hérité, il aurait épargné à son peuple vingt années de conflits vains. L'optimisme excessif de sa jeunesse éclipsa son intelligence (militaire et personnelle !) à Kadesh, alors que sa détermination vint à son secours durant les années suivantes. A Kadesh, il fit montre d'un courage physique et d'une maîtrise considérables, ainsi que d'une rapidité de réflexes face au danger. Sa témérité à Tunip fut plus stupide et orgueilleuse. Enfin, lorsque les Hittites se trouvèrent contraints de lui adresser des propositions de paix, il est tout à l'honneur de Ramsès II de s'être montré suffisamment réaliste pour percevoir l'intérêt de la paix entre les deux grandes puissances, paix qui régna sur la majeure partie du Proche Orient antique pendant près de trois quarts de siècle, prouesse que nous ne sommes même pas capables d'atteindre à l'heure actuelle...

Dans les affaires de son pays, au service des dieux, Ramsès II éclipsa sûrement (selon les normes égyptiennes) tous les autres pharaons en matière de monuments ; la seule critique que nous pourrions lui adresser est d'avoir accordé plus d'importance à la quantité qu'à la qualité artistique. Dans la conduite des affaires courantes, son père, Séti Ier, et lui-même avaient l'art de juger les gens et de confier à des hommes compétents et le plus souvent honnêtes les postes clés de l'administration égyptienne. L'Égypte apparaît, selon plusieurs critères, comme ayant été un pays prospère et relativement heureux durant le long règne de Ramsès II. Si la « grandeur » d'un souverain se mesure par la prospérité, l'équilibre et la satisfaction relatives de son peuple, alors Ramsès fut sans conteste un « grand » pharaon ; et pas seulement en raison de son rôle de guerrier impétueux ou de bâtisseur inépuisable. L'enthousiasme du jeune roi et l'humanité de ses sentiments à l'égard de ses ouvriers apparaît dans les promesses qu'il leur adresse dans sa stèle de l'an 8. Cette attitude tranche avec le cynisme qu'il affiche à l'encontre des esclaves étrangers, qu'il s'agisse des Libyens du Sud enrôlés pour construire le temple de Ouadi-es-Sebua en Nubie, ou des Hébreux œuvrant dans les briqueteries de Pi-Ramsès et de Pithom. S'il ne fut pas le plus grand roi d'Égypte (cette place pouvant être revendiquée par Thoutmosis III et par quelques monarques de l'Ancien Empire et de la XIIe dynastie), Ramsès II n'en occupe pas moins une place de premier plan et il demeure même à l'heure actuelle dans une certaine mesure un pharaon « archétype », symbole de la fière majesté de l'Égypte à travers les âges.

Il convient, pour terminer, de resituer les choses à leur juste place. Il est trop facile pour notre époque « moderne » de juger avec condescendance un ancien roi d'un pays lointain et d'une ère depuis longtemps révolue ; mais que penserait Ramsès II de notre ère atomique, s'il pouvait (grâce à quelque machine digne de Wells) quitter son XIIIe siècle avant J.-C. pour faire une brève incursion dans notre XXe siècle après J.-C. ? Il serait probablement ébahi par notre technologie et notre science, nos nouveaux moyens de contrôler l'espace et la matière ; il serait fasciné par les progrès prodigieux de la médecine, les nouveaux moyens de communication et notre savoir en général. Mais il ne tarderait pas à voir ce que cache cette façade matérielle et, en quête de Maât, il percevrait l'envers de la médaille d'un monde déchiré par les mêmes rivalités humaines et les mêmes travers qu'il connaissait en son temps, mais disposant d'un pouvoir capable de provoquer des holocaustes d'une barbarie inconnue au XIIIe siècle avant J.-C. Il découvrirait la même cupidité vicieuse ; pas celle des escrocs de Thèbes-Ouest qu'il démasqua au cours de l'an 30 de son règne, mais celle des spéculateurs égoïstes et des syndicats avides, qui exploitent leurs contemporains par des moyens inconnus à l'époque de Ramsès. Un monde dans lequel « gauche » et « droite » ne représentent plus des groupes de travail, mais des idéologies grotesques, dont les objectifs fondamentaux se traduisent souvent par une même soif du pouvoir ; où les souverains ne sont plus de bons bergers mais des loups sanguinaires. Enfin, il est probable qu'il découvrirait le respect des valeurs positives : l'amour, la dévotion, le respect des droits, une certaine tolérance mutuelle sur des points non essentiels ; et dans des « temples » d'une forme qui lui serait inconnue, il trouverait le message que Dieu est amour — un amour loyal, et pas seulement lubrique — et non un simple concept impersonnel — une simple Maât.

En un mot, l'Égypte de Ramsès II s'inscrit dans l'immense perspective de l'histoire humaine, sur laquelle notre connaissance est plus riche que jamais, ce qui nous fait bénéficier d'une perspective nous permettant de resituer notre époque dans un cadre plus équilibré, plus libre des exagérations éhontées si souvent en vigueur, qui déforment le jugement humain et obscurcissent les valeurs positives et durables, dont bon nombre sont communes à l'époque et à la culture de Ramsès II et à la nôtre. En dépit des variations et des différences culturelles extérieures souvent grossières, l'humanité demeure une, tant dans l'espace que dans le temps.

Tableau 1

SURVOL DE L'HISTOIRE ÉGYPTIENNE

AVANT J.-C.	**PÉRIODE PROTODYNASTIQUE**
	(Ire et IIe dynasties)
3200-2700	Unification de l'Égypte sous Ménès ; début de la lignée pharaonique ; capitale à Memphis.
	ANCIEN EMPIRE
	(IIIe et VIe dynasties)
2700-2200	Age des Pyramides. Pyramide à degrés de Djeser ; premier ministre Imhotep ; Grande Pyramide de Khéops à Gizeh ; son fils le sage Hardjedef ; déclin sous le long règne de Pépi II.
	PREMIÈRE PÉRIODE INTERMÉDIAIRE
	(De la VIIe à la Xe dynasties)
2200-2040	Succession rapide de rois ne disposant d'aucun pouvoir (VIIe et VIIIe dynasties), IXe et Xe dynasties de Ninsu. Révolte de Thèbes (XIe dynastie).
	MOYEN EMPIRE
	(XIe et XIIe dynasties)
2134-1991	Les rois thébains (XIe dynastie) réunifient l'Égypte (vers 2040) sous Mentouhotep II.
1991-1786	La XIIe dynastie thébaine gouverne de Itjet-Taouy près de Memphis ; conquête de la Nubie ; prospérité ; littérature classique.
	DEUXIÈME PÉRIODE INTERMÉDIAIRE
	(De la XIIIe à la XVIIe dynasties)
1786-1540	La XIIIe dynastie voit le déclin du pouvoir royal (XIVe dynastie un groupe dissident dans le delta). Les « Hyksos » s'emparent du pouvoir (local durant la XVIe dynastie ; général durant la XVe), contraignant les souverains de la XIIIe dynastie à devenir leurs vassaux. La XVIIe dynastie thébaine repousse les Hyksos au nord (vers 1560-1540).
	NOUVEL EMPIRE
	(XVIIIe, XIXe et XXe dynasties)
1550-1295	*XVIIIe dynastie* — Expulsion des Hyksos. Empire égyptien en Syrie et en Nubie ; prééminence d'Amon jusqu'à Akhénaton.
1550-1525	Ahmosis Ier
1525-1504	Aménophis Ier
1504-1492	Thoutmosis Ier
1492-1479	Thoutmosis II
1479-1457	Reine Hatchepsout
1479-1425	Thoutmosis III
1427-1396	Aménophis II
1396-1386	Thoutmosis IV
1386-1349	Aménophis III
1356-1340	Aménophis IV, Akhenaton (peut-être corégent pendant 7 ou 8 ans)
1342-1340	Semenkhkarê (*ditto* pendant 2 ou 3 ans)

1340-1331	Toutânkhamon
1331-1327	Ay
1327-1295	Horemheb
1295-1187	*XIXe dynastie* — Renouveau partiel de l'Empire égyptien — prospérité considérable — travaux architecturaux monumentaux — sujet de ce livre.
1295-1294	Ramsès Ier
1294-1279	Séti Ier
1279-1213	Ramsès II
1213-1204	Mérenptah
1204-1200	Amonmesses
1200-1194	Séti II
1194-1188	Siptah
1188-1187	Reine Tewosret
1187-1069	*XXe dynastie* — Brève amélioration sous Ramsès III, puis déclin.
1187-1185	Setnakht
1185-1154	Ramsès III
1154-1148	Ramsès IV
1148-1069	Ramsès V à XI
	PÉRIODE TARDIVE
	(XXIe à la XXXe dynastie)
	« *Troisième période intermédiaire* » ou « *Période post-impériale* »
1069-945	La XXIe dynastie, dynastie tanite, rois à Tanis, grands prêtres d'Amon dans le Sud.
945-715	Dynasties libyennes — XXIIe dynastie Sheshonq Ier entreprend des raids en Palestine ; faiblesse des successeurs autorisés à la corégence par la XXIIIe dynastie ruine l'unité. Une principauté de l'ouest à Saïs, aussi éphémère que la XXIVe dynastie (ancêtre de la XXVIe dynastie).
Vers 750-656	XXVe dynastie nubienne — Les rois de Napata s'emparent de la région de Thèbes et à partir de 715 de toute l'Égypte ; après le coup assyrien en 663, ils ne conservèrent que le sud de Thèbes.
	— *Renouveau saïte, les Perses et les périodes de l'Indépendance.*
664-525	La XXVIe dynastie saïte restaure l'unité, le pouvoir et la prospérité de l'Égypte. Renouveau des constructions.
525-400	Assimilation de l'Égypte à l'Empire perse (XXVIIe dynastie).
400-332	Velléité d'indépendance des derniers pharaons égyptiens (XXVIIIe à XXXe dynasties) et reconquête perse (341-332).
	ÉPOQUE GRÉCO-ROMAINE
332-323	Alexandre le Grand, « libérateur » de l'Égypte.
323-30	Dynastie des Ptolémées à Alexandrie se terminant avec Cléopâtre.
30	Empire romain, puis période byzantine (Égypte Copte).
Après J.-C.	**ÉGYPTE MÉDIÉVALE ET MODERNE**
641	Conquête islamique de l'Égypte. Périodes arabe et

turque. A partir de 1922 et 1952, accession à l'indépendance d'abord considérable puis totale de l'Égypte moderne.

Remarque : Beaucoup de dates antérieures à l'ère chrétienne sont approximatives. De 3200 à 2100 avant J.-C., la marge d'inexactitude est considérable (un siècle ou plus). Les dates concernant les XIe et XIIe dynasties sont proches de la réalité ainsi que celles données à partir de 664 avant J.-C. jusqu'à l'époque moderne. Les dates concernant le Nouvel Empire, Thoutmosis III et Ramsès II sont pratiquement exactes à onze ans près, avec une augmentation sensible pour toutes les dates comprises entre la mort de Thoutmosis II et celle de Ramsès IV ainsi que pour toutes celles de leurs successeurs. Il est possible que Séti Ier ait régné 19 ou 20 ans et non pas 15 ans comme nous l'avançons dans ce livre. Le règne de Horemheb aurait alors duré moins de trente-trois ans. La durée de la corégence d'Akhenaton est toujours contestée. Les dates de la première moitié de la période tardive (1069-656 avant J.-C.) admettent une marge d'inexactitude de 5 à 10 ans. L'ancienne « grande date » de Ramsès II 1304-1238 avant J.-C. a été infirmée par les nouvelles dates babyloniennes et par celle de 1069 avant J.-C. pour la XXe dynastie par des évidences généalogiques.

TABLEAU 2

LE RÈGNE DE RAMSÈS II

AFFAIRES INTÉRIEURES					AFFAIRES ÉTRANGÈRES				
Avant J.-C.	**Année**	**Événements d'État**	**Nominations civiles**	**Nominations religieuses**	**Syrie**	**Hatti**	**Mésopotamie**	**Année**	**Avant J.-C.**
1279/78	1	Ramsès II monarque absolu. Prince Amen-hir-khopshef, héritier.	Paser ' A ', vizir du Sud. Iouny vice-roi de Nubie.	Nebwenenef, grand prêtre d'Amon. Hori, *ditto* à Thinis.		Mouwatalli, roi des Hittites.	Adad-nirari Ier, roi d'Assyrie.	1	1279/78
1278/77	2	Stèle d'Assouan. Poursuite des travaux du temple d'Akcha.	Nebiot, probablement chef du Trésor.	Mery, toujours G.P. à Abydos. Houy, G.P. à Memphis. Bak, à Héliopolis.				2	1278/77
1277/76	3	Puits pour les chercheurs d'or à Akuyata. Avant-cour de Louxor.	Ourhiya, grand intendant.					3	1277/76
1276/75	4	1re campagne syrienne.			Ramsès II conquiert Amourrou; stèles à Byblos et à Nahr el Kalb.			4	1276/75
1275/74	5	2e campagne syrienne.	Ramose, Scribe de la Tombe Royale.		Bataille de Kadesh. Shapili remplace Benteshina en Amourrou.	Mouwatalli s'empare d'Upi, changements de roi en Amourrou.	Adad-nirara Ier vainc Hanigalbat (allié hittite).	5	1275/74

AFFAIRES INTÉRIEURES					AFFAIRES ÉTRANGÈRES				
Avant J.-C.	Année	Événements d'État	Nominations civiles	Nominations religieuses	Syrie	Hatti	Mésopotamie	Année	Avant J.-C.
1275/69	5/10	Début de la construction des deux temples à Abou Simbel.	Heqanakht, vice-roi de Nubie. Asha-hebsed, émissaire spécial.	Wennufer, fils de Mery, G.P. à Abydos (ans 10 à 15 environ).				5/10	1275/69
1274/73	6/7	Raid libyen?			Ramsès II dans les provinces de Moab et de Canaan ?			6/7	1274/73
1273/72		(3e ?) campagne syrienne. (Palestine est et ouest).							1273/72
1272/71	8/9	(4e ?) campagne syrienne an 8.	An 9, dotation, Deir el-Médineh par Paser et Ramose.		Ramsès II, Galilée, Syrie centrale (Dapour).	Accession de Moursil III (Ourhi-Teshoub).		8/9	1272/71
1270/69	10	(5e ?) campagne syrienne.	Panehsy, chef du Trésor (ans 10 à 15 environ).	Minmose, fils de Hori, G.P. à Thinis ; Amenemope; Héliopolis.	Ramsès II, stèle, N. el Kalb ; à nouveau à Dapour.			10	1270/69
1268/67	12			Wennufer, fils de Amenem-inet, G.P. d'Amon.			Kadashman-Turgu, roi de Babylone.	12	1268/67
1264/63	16	Enterrement du premier taureau Apis du règne à Memphis.	Procès civil, Thèbes-Ouest. Iryno-fret contre Nakhy.	Prince Khaemwaset, Prêtre-Sem à Memphis.	Réabilitation de Benteshina, roi d'Amourrou.	Hattousil III supplante Ourhi-Teshoub.	Alliance entre Hattousil III et Kadashman-Turgu.	16	1264/63
1263/62	17	(L'Exode? à cette époque ou quelque temps plus tard.)	Paser, tourisme à Thèbes-Ouest.				Salmanasar Ier, roi d'Assyrie.	17	1263/62

AFFAIRES INTÉRIEURES					AFFAIRES ÉTRANGÈRES				
Avant J.-C.	**Année**	**Événements d'État**	**Nominations civiles**	**Nominations religieuses**	**Syrie**	**Hatti**	**Mésopotamie**	**Année**	**Avant J.-C.**
1262/61	18	Ourhi-Teshoub se réfugie en Égypte. Crise avec le Hatti.	Procès civil, Memphis. Procès de Mose.		Ramsès II sur le pied de guerre en Syrie ; stèle de Beth Shan.	Hattousil III demande l'extradition d'Égypte de Ourhi-Teshoub.	Salmanasar Ier liquide Hanigalbat (allié hittite).	18	1262/61
1261/60	19/20	Prince Set-hirkhopshef, héritier. Écrasement du soulèvement en Irem (Amara-ouest, scènes vers l'an 21).		Pahemneter, G.P. à Memphis ?		Ennuis avec l'Assyrie.		19/20	1261/60
1259/58	21	Traité hittite.				Traité avec l'Égypte.		21	1259/58
1258/57	22	Décès de la reine-mère Touya.						22	1258/57
1256/55	24	Inauguration des temples d'Abou Simbel ?	Rapport du trésorier Panehsy.			Tensions mineures avec l'Égypte.		24	1256/55
1255/54	25	Décès de la reine Néfertari ? Prince Ramsès héritier ; Istnofret, première épouse royale (associée à Bint-Anath).	Paser 'B' vice-roi de Nubie.		Renouvellement des relations entre l'Égypte et Ougarit (prises de présentation).	Amélioration des relations.		25	1255/54
1254/53	26	Enterrement du taureau Mnevis.	Pramessu, vizir du nord ?	Prince Mery-Atoum, G.P. à Héliopolis.				26	1254/53
1253/52	27		Khay, vizir du sud ; Souty, chef du Trésor.	Paser 'A', G.P. d'Amon.				27	1253/49

AFFAIRES INTÉRIEURES					AFFAIRES ÉTRANGÈRES				
Avant J.-C.	Année	Événements d'État	Nominations civiles	Nominations religieuses	Syrie	Hatti	Mésopotamie	Année	Avant J.-C.
1250/49	30	1er Jubilé. Enterrement du 2e taureau Apis.	Séti, vizir du nord ? Scandale financier à Thèbes-Ouest.			Hattousil III, difficultés avec Kadashman-Enlil II de Babylone.	Kadashman-Enlil II, roi de Babylone.	30	1250/49
1249/48	31	Séisme à Abou-Simbel.							
1247/46	33/34	2e Jubilé. Négociation pour la princesse hittite. Décès de la reine Istnofret ?				Négociations du mariage avec l'Égypte.		33/34	1247/46
1246/45	34	1er mariage hittite (Maât-Hor-Néferure).	Houy, vice-roi de Nubie (Nashuy, tourisme à Saqqarah).			La princesse hittite se rend en Égypte.		34	1246/45
1245/44	35	Bénédiction de Ptah.		Didia, G.P. à Memphis.				35	1245/44
1244/43	36/37	3e Jubilé.	Prince Khaemwaset, fouilles archéologiques à Gizeh et à Saqqarah an 36.			Prince Hishmi-Sharruma (futur Toudkhalia IV).		36/37	1244/43 1243/42
1242/41	38		Sétau, vice-roi de Nubie.	Décès de Paser 'A', Roma l'Ancien tient lieu de G.P. d'Amon.		Visite l'Égypte à cette époque.		38	1242/41
1241/40	39			Bakenkhons, G.P. d'Amon.				39	1241/40

AFFAIRES INTÉRIEURES					AFFAIRES ÉTRANGÈRES				
Avant J.-C.	Année	Événements d'État	Nominations civiles	Nominations religieuses	Syrie	Hatti	Mésopotamie	Année	Avant J.-C.
1240/39	40	4e Jubilé.	Préhotep l'Ancien, vizir du nord ; Qenhirkhopshef, scribe de la Tombe ; cahier des absences de Deir el-Médineh.		Ini-Teshoub Ier, roi de Karkémish.	Hattousil III visite l'Égypte ?		40	1240/39
1238/37	42/43	5e Jubilé. Enterrement du 3e taureau Apis ?		Stèle de Wennufer, Abydos an 42.				42/43	1238/37
1239/34	40/45	Époque du deuxième mariage hittite.				2e princesse hittite en Égypte.		40/45	1239/34
1236/35	44	Raid en Nubie, construction du temple de Ouadi-es-Seboua.	Sétau vice-roi.				Kudur-Enlil, roi de Babylone.	44	1236/35
1235/34	45/46	6e Jubilé.	Thoutmose, vizir du Sud ?	Prince Khaemwaset, G.P. à Memphis.				45/46	1235/34
1234/33	46	Travaux à Karnak-Est (Hatiay fils de Yupa).	Yupa, grand intendant ; Bakenkhons G.P. ; cour de justice thébaine.			Toudkhalia IV, roi du Hatti.	Tukulti-Ninurta Ier, roi d'Assyrie.	46	1234/33
1233/32	47		Hednakht, touriste à Saqqarah.					47	1233/32
vers 1231	48/49	7e Jubilé.						48/49 (?)	vers 1231

AFFAIRES INTÉRIEURES					AFFAIRES ÉTRANGÈRES				
Avant J.-C.	Année	Événements d'État	Nominations civiles	Nominations religieuses	Syrie	Hatti	Mésopotamie	Année	Avant J.-C.
1230/29	50	Prince Khaemwaset héritier.	Neferronpet, vizir du sud. Préhotep le Jeune, vizir du nord. Paytenemhab, chef du Trésor.	Hori, successeur de Wennufer, G.P. à Abydos.	Sausgamuwa, roi d'Amourrou.	Temple taillé dans le roc, Yazili-Kaya.		50	1230/29
vers 1228	51/52	8e Jubilé.	An 52, journal de bord.					51/52	vers 1228
1226/25	54	9e Jubilé.					Shagarakti-Shuriash, roi de Babylone.	54	1226/25
1225/24	55	Enterrement du 4e Taureau Apis ; décès du prince Khaemwaset ; prince Mérenptah, héritier.		Vizir Préhotep le Jeune G.P. à Memphis et à Héliopolis.				55	1225/24
1223/22	57/58	10e Jubilé.	Nudjem, grand intendant du roi.	Années 55/58, travaux de Nakht-Thuty, Haute-Égypte.				57/58	1223/22 1222/21
1220/19	60/61	11e Jubilé.		Onhurmose, G.P. à Thinis, et Neferronpet à Memphis.	Hébreux à Canaan ?			60/61	1220/19
1219/18									1219/18
1219/18	61/62	12e Jubilé.						61/62 (?)	1219/18
1218/17	(?)								1218/17
1217/16	63/64	13e Jubilé.						63/64	1217/16

AFFAIRES INTÉRIEURES					AFFAIRES ÉTRANGÈRES				
Avant J.-C.	**Année**	**Événements d'État**	**Nominations civiles**	**Nominations religieuses**	**Syrie**	**Hatti**	**Mésopotamie**	**Année**	**Avant J.-C.**
1216/15	(?)							(?)	1216/15
1215/14	65/66	Enterrement du 5e Taureau Apis.		Yuyu, G.P. à Abydos.			Arnuwandas III.	65/66	1215/14
1214/13		14e Jubilé (?)		Roma-roy, G.P. d'Amon ; Hori succède à Khaemwaset à Memphis.					1214/13
1213	67/1	Mort de Ramsès II. Accession au trône de Mérenptah.						67/1	1213

Tableau 3

RAMSÈS II
Arbre généalogique simplifié

A. Généalogie

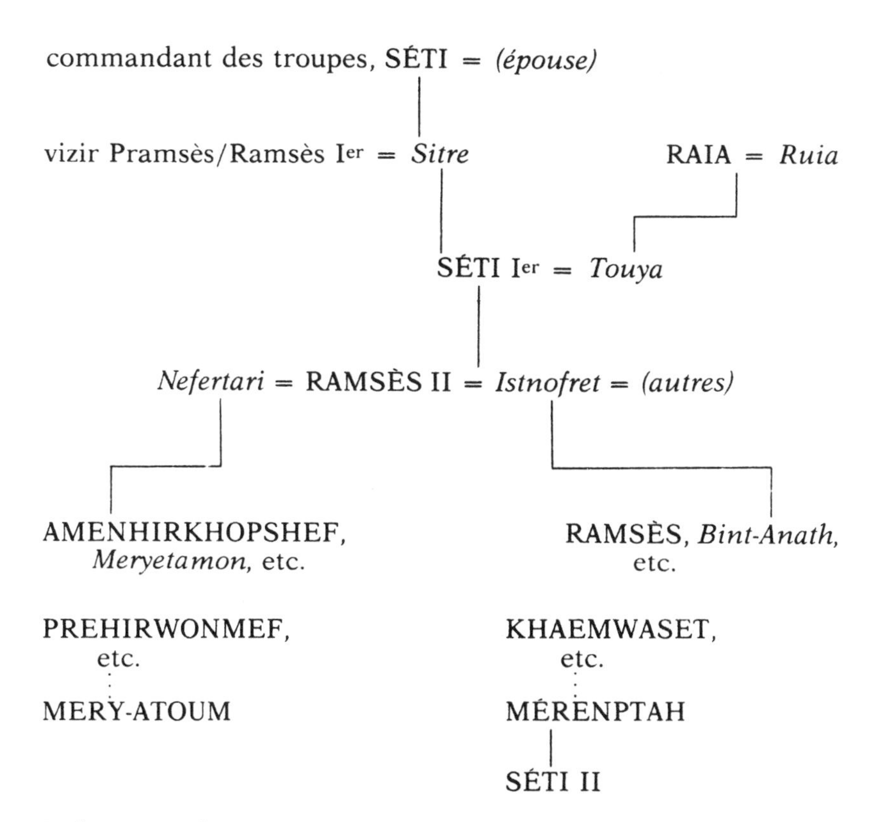

Italiques = femmes

B. Épouses connues de Ramsès II

1. Nefertari
2. Istnofret
3. Bint-Anath, fille d'Istnofret
4. Meryetamon, fille de Néfertari
5. Nebettaouy
6. Hentmire (sœur du roi ?)
7. Maât-hor-Néferure, Première Princesse hittite
8. (Nom inconnu), Deuxième Princesse hittite

ABRÉVIATIONS UTILISÉES DANS LES NOTES

ANET	J.B. Pritchard (éd.), *Ancient Near Eastern Texts relating to the Old Testament,* Princeton, 1950 et éditions ultérieures.
BAR	J.H. Breasted, *Ancient Records of Egypt,* 5 volumes, Chicago, 1906-1907.
BIFAO	Bulletin de l'Institut Français d'Archéologie Orientale.
BiOR	*Bibliotheca Orientalis.*
BMMA	*Bulletin of the Metropolitan Museum of Art,* New York.
CAH	*Cambridge Ancient History,* Cambridge, 2e éd. des volumes I et II, en fascicule depuis 1961 ; 3e éd. (reliée), 1970-1975.
CdE	Chronique d'Égypte.
END	K.A. Kitchen, *The Egyptian Nineteenth Dynasty* (à paraître).
E. tr.	Traduction(s) anglaise(s), de textes antiques égyptiens ou autres.
GLR	H. Gauthier, *Le Livre des Rois d'Égypte,* Tome III, Le Caire, 1914.
hgl	texte ou transcription hiéroglyphique.
Helck	W. Helck, *Zur Verwaltung des mittleren und Neuen Reichs,* Leyde, 1958 *Verwaltung.*
JCS	*Journal of Cuneiform Studies.*
JEA	*Journal of Egyptian Archeology.*
JNES	*Journal of Near Eastern Studies.*
KBo	*Keilschrifftexte aus Boghazkoi,* 27 vol., Berlin ; 1923 et suiv. (Copies d'archives hittites en écriture cunéiforme originale).

KRI	K.A. Kitchen, *Ramesside Inscriptions*, I-VII, Oxford 1968 et suiv.
KUB	*Keilschrifturkunden aus Boghazkoi*, 50 vol., Berlin, 1921 et suiv. (Textes cunéiformes, cf. KBo).
LEM	A.H. Gardiner, *Late-Egyptian Miscellanies*, Bruxelles, 1937 ; hgl.
LEMC	R.A. Caminos, *Late-Egyptian Miscellanies*, Oxford, 1954, E. tr.
MDIK	*Mitteilungen der Deutschen Archäologischen Instituts, Kairo Abteilung.*
ODM	Ostracon Deir el Medina, publié dans OHNL.
OHNL	*Catalogue des Ostraca non littéraires de Deir el Médineh*, Le Caire, 1935-1970, 6 parties par J. Černý, 1 partie par S. Sauneron.
pb	édition de poche.
PM	B. Porter & R.L.B. Moss, *Topographical Bibliography of Ancient Egyptian Hieroglyphic Texts, Reliefs and Paintings*, I-VII, Oxford, 1927-1951.
PM^2	*Idem*, avec E.W. Burney et J. Malek, 2e éd., I-III, 1960 et suiv.
RdE	Revue d'Égyptologie.
repr.	réédité.
Seele	K.C. Seele, *The Coregency of Ramses II with Seti I and the Date of the Great Hypostyle Hall at Karnak*, Chicago, 1940.
StBoT	Studien zu den BogazkoyTexten, Wiesbaden.
tr.	Traduction, traduit en...
Urk. IV	K. Sethe & W. Helck, *Urkunden d. 18. Dynastie (Abt. IV)*, Berlin, 1906-1958.
ZAS	*Zeitschrift zur Ägyptische Sprache und Alterumskunde.*

NOTES

A chaque fois que possible, les ouvrages généraux sont mentionnés en premier lieu. Ensuite sont mentionnés, sous forme abrégée, les sources anciennes et modernes ainsi que la littérature érudite utilisée. Les abréviations sont expliquées à la page précédente. Il convient de rappeler que toute discussion érudite des problèmes a été délibérément exclue de cet ouvrage, étant donné qu'on la trouvera ailleurs (END).

CHAPITRE PREMIER

Contexte géographique. Généralités : contexte physique, J. Ball, *Contribution to the Geography of Egypt,* Le Caire, 1939 (repr. 1952). Géographie et culture ancienne ; H. Kees, *Ancient Egypt. A Cultural Topography,* Londres, 1961. Géographie de l'Égypte antique, y compris les bras du Nil dans l'antiquité, J. Ball, *Egypt in the Classical Geographers,* Le Caire, 1942. Géographie, monuments et arrière-plan, J. Baines, J. Malek, *Atlas of Ancient Egypt,* Oxford, 1980.

Particularités : Sir A.H. Gardiner, *Ancient Egyptian Onomastica,* I-III Oxford, 1947. — Les bras du Nil, vol. II, pp. 153*-158*, 168* et suiv. Est du Delta, cf. chap. 6 Vignes, cf. W. Spielgelberg, ZAS 58 (1923), pp. 25-36 ; W.C. Hayes, JNES 10 (1951), pp. 88-90 ; (cf. M.A. Leahy, *Malkata IV,* Warminster, 1978) ; et en part. H.W. Fairman dans J.D.S. Pendlebury, etc., *The City of Akhenaten,* III, Londres, 1951, pp. 165 et suiv. Maintes vignes alimentaient le Ramesseum, textes hgl ; KRI, II/16 ; pp. 673-696. Sur la Nubie, cf. T. Säve-Söderbergh,

Ägypten und Nubien, Lund, 1941 ; W.B. Emery, *Egypt in Nubia,* Londres, 1965.

Histoire de l'Égypte. Généralités : Sir A.H. Gardiner, *Egypt of the Pharaohs,* Oxford, 1961 (& reprs., y com. pb.) ; G. Steindorff & K.C. Seele, *When Egypt Ruled the East,* Chicago, 2e éd., 1957 (pb., 1963) ; J.A. Wilson, *The Burden of Egypt,* Chicago, 1951 (pb., *The Culture of Ancien Egypt,* 1956). I.E.S. Edwards, C.J. Gadd ; N.G.L. Hammond, E. Sollberger, éds., *The Cambridge Ancient History,* I-II, 3e éd., Cambridge, 1973/1975, reprennent de riches bibliographies. W. Helck, E. Otto, W. Westendorf, éds., *Lexicon der Ägyptologie* ; Iff., Wiesbaden, 1975 et suiv., couvre tous les aspects de l'Égypte antique (articles en allemand, en anglais et en français). Aperçu général, J. Ruffle, *The Egyptians,* Oxford, 1977. Modifications dans l'ancien royaume d'Égypte, N. Kanawati, *The Egyptian Administration in the Old Kingdom,* Warminster, 1978, et *Governmental Reforms in Old Kingdom Egypt,* Warminster, 1980. Expulsion et règne des Hyksos : J. van Seters, *The Hyksos,* New Haven, 1966 ; L. Habachi, *The Second Stela of Kamose,* Glückstadt, 1972 ; C. Vandersleyen, *Les guerres d'Amosis,* Bruxelles 1971.

CHAPITRE II

Fin de la XVIIIe dynastie. Généralités : C. Alfred, *Akhenaten,* Londres, 1968 (& pb) ; C. Desroches-Noblecourt, *Tutankhamen,* Londres, 1963 (& pb) : Howard Carter, *the Tomb of Tutankhamen,* I-III, Londres, 1923/1933, et l'éd. en un vol., 1972 (& pb). Biographies relatives à la période Amarna, cf. E.K. Werner, *Newsletter, American Research Center in Egypt,* Nos 95 (1976), 15-36 ; 97--98 (1976), 29-40 ; 101-102 (1977), 41-65 ; 106 (1978), 41-56 ; 110 (1979), 24-39 ; pour l'identification très douteuse de la reine Néfertiti au roi Semenkhkarê, cf. J. Samson, *Amarna, City of Akhenaten & Nefertiti* (Collection Pétrie), 2e éd., Warminster, 1979. Chapelle funéraire de Horemheb à Saqqarah, avant qu'il ne devienne roi, cf. G.T. Martin, *JEA* 62 (1976), 5 et suiv. ; *JEA* 63 (1977), 13 et suiv. ; *JEA* 64 (1978), 5 et suiv. ; *JEA* 65 (1979), 13 et suiv. *Particularités :* Égypte et Proche-Orient, cette période, K.A. Kitchen, *Suppiluiuma & the Amarna Pharaoh,* Liverpool, 1962 ; W. Helck, *Die Beziehungen Ägyptens zu Vorderasien,* Wiesbaden, 1962 (2e éd., 1971), chap. 15. Horemheb, R. Hari, *Horemheb et la Reine Moutnedjemet,* Genève, 1965 ; E. Hornung, *Das Grab des Haremhab in Tal der Könige,* Berne, 1971, pp. 11-23. Texte supposé de l'an 16, D.B. Redford, *Bulletin,*

American School of Oriental Research, n° 211 (1975), pp. 36 et suiv.) ; l'utilisation et le contenu du cartouche rendent très douteuse l'authenticité du texte, quant aux combats de Horemheb en Syrie.

Carrière de Pi-Ramsès, ses statues de Karnak : Urk. IV, 1958, pp. 2175 et suiv. Sur la famille ramesside, cf. (entre autres) G.A. Gaballa & K.A. Kitchen, CdE 43 (1968), pp. 259 et suiv. ; L. Habachi, RdE 21 (1969), pp. 39-47 ; cf. END. Ramsès Ier, monuments, GLR, pp. 2-9 ; sur le pylone de Horemheb à Karnak, Seele, *Coregency*, pp. 12-22. Séti aux côtés de l'armée pour Ramsès Ier, cité d'après sa dédicace à Abydos, KRI, 1/4, p. 111 : 10-14 (hgl), cf. S. Schott, *Der Denkstein Sethos I für die Kapelle Ramses'I in Abydos*, Göttingen, 1964, p. 79, §§ 6, 7. Stèle de Bouhen, hgl in KRI, I/1, pp. 2-3 ; E. tr., BAR, III §§ 74-79, Statue de Médamud, cf. A.-P. Zivie, BIFAO 72 (1972), pp. 99-114. Tombe (n° 16), de Ramsès, toutes réf. chez PM², 1/2, Oxford, 1964, pp. 534-535.

Séti Ier : Monuments et titres, GLR, pp. 10-33. Guerres, textes hgl dans KRI, I/1, pp. 6-25, listes, I/1 et I/2, pp. 25-37. E. tr. (scènes de Karnak), BAR, III, §§ 80-156 ; ANET, pp. 254-255. Stèle de Beth-Shan, ANET, pp. 253 et suiv., 255. Les stèles de Tell esh Shihab et de Kadesh, refs dans PM, VII, pp. 383, 392 ; hgl, KRI, I/1, pp. 17-25. Stèle de Tyr, hgl, KRI, 1/4, p. 117, cf. M. Chéhab, *Bulletin du Musée de Beyrouth* 22 (1969/1971), p. 32, pl 8 : 3. Karnak, scènes de la Grande Salle, refs dans PM², II, pp. 41 et suiv. ; scènes de guerre, W. Wreszinski, *Atlas zur altägyptischen Kultergeschichte*, II, pls 34-53. Stèle de Silsila an 6, hgl, KRI ; I/2, pp. 59-61. E. tr., BAR, III, §§ 205-208. Bâtiments de Séti I : Grand Temple à Abydos, A.M. Calverley 1/2 M.F. Broome, *The Temple of King Sethos I at Abydos*, I-IV, Londres, 1933 et suiv., en cours ; réf. antérieures, PM, VI, pp. 1-27 ; hgl, dédicaces, KRI, I/5-6, pp. 129-195. Aperçu du temple et de son culte, cf. A.R. David, *A Guide to Religious Ritual at Abydos*, Warminster, 1981. Osireion, PM, VI, pp. 29-31 ; chapelle de Ramsès Ier, *ibid.*, pp. 31-33.

Chapitre III

Couronnement du prince régent, dans le grand texte dédicace d'Abydos ; hgl, KRI, II/6, pp. 327 : 15 — 328 : 6 ; E. tr., BAR, III, § 267. Pour l'emploi des titres royaux complets (y compris cartouche *Usimare*) par le prince Ramsès II durant le règne de Séti Ier, cf. Seele, *Coregency*, p. 23-49 ; les conceptions de J.D.

Schmidt dans *Ramsès II,* Baltimore, 1973, pp. 154 et suiv. sont tronquées par son erreur d'interprétation tant des arguments de Seele que des textes originaux (cf. Kitchen, JEA 61 [1975] 265-270). Les conceptions du début de la carrière du prince Ramsès (ZAS 37 [1899], pp. 130-139; BAR, III, §§ 123-131) sont pure fiction, ainsi qu'il ressort clairement du traitement de Seele; cf. END, et W.J. Murnane, *Ancient Egyptian Coregencies,* Chicago, 1977, pp. 60-61.

Cour de Séti Ier. Tia, Tjia, etc., et la reine Touya, cf. ch. 6. Hori-Min, scène de récompense, Louvre C.213. — S. Gabra, *Les Conseils de Fonctionnaires dans l'Égypte pharaoniques,* Le Caire, 1929, pp. 41 et suiv., pl. II. Pour la remarquable famille de Amen-em-inet (monument de Naples, hgl, Brugsch *Thesaurus,* pp. 951-957), cf. G.A. Reisner, JEA 6 (1920), pp. 45-46, et sa carrière; J. Lipińska, ZAS 96 (1969), pp. 28-30, et dans *Études et Travaux* (Varsovie), III, 1969, pp. 42-49; pour plus de détails, END. Bakenkhons, cf. ch. 8. Pour Asha-Hebsed au Sinaï, textes, hgl, KRI, I/2, pp. 62-63, nos 247-248, 250 (cité ici); E. tr., Gardiner, Peet, Černý, *Inscriptions of Sinai,* II, londres, 1955, pp. 176-177. Sur les étrangers portant des noms « loyalistes », cf. Helck, *Verwaltung,* pp. 272-276. Sur la signification de urh- dans Hurrien, cf. Gelb, Purves, Macrae, *Nuzi Personal Names,* Chicago, 1943, p. 273a. Pour Ourhiya et Yupa, cf. Helck, *Verwaltung,* pp. 376-377, 490-491, nos 28-29, plus Ruffle & Kitchen, dans *Glimpses of Ancient Egypt,* 1979, pp. 55-74, et dans END.

Guerre de Séti Ier en Irem. Textes synoptiques des deux stèles, hgl, KRI, I/4, pp. 102-104; étude de la stèle de Sai, J. Vercoutter, RdE 24 (1972), pp. 201-208; sur la guerre d'Irem et sa géographie, Kitchen in *Agypten und Kusch,* Berlin, 1975, pp. 214-218. Les puits dans le désert de Edfou, etc., sur les chercheurs d'or, les inscriptions du temple de Kanais de l'an 9, hgl, KRI, I/3, pp. 65-70; E. tr., BAR, III; §§ 162-198, cf. Gunn et Gardiner, JEA 4 (1917), pp. 241 et suiv., en particulier 244 et suiv.; et édition, S. Schott, *Kanais, Der Tempel Sethos'I im Wadi Mia,* Gottingen, 1961. Stèles d'Assouan, hgl, KRI, I/3, pp. 73-74, cf. L. Habachi, BIFAO 73 (1973), pp. 1-13.

Paser, chambellan et Vizir du sud. Texte cité pour sa promotion, hgl, KRI, I, 299; autres réfs, PM², I/1, pp. 222-223, pilier B(a). Monuments de Paser, Helck, *Verwaltung,* pp. 311-315, 447-451, no 24, cf. Černý, BiOR 19 (1962), p. 142; les inscriptions de Paser sont inclues dans KRI, I, pp. 285-301; II, p. 341 : 14; III, pp. 1-36. Pour une révision de la date de Nebneteru (Séti Ier, non Ramsès II), cf. END, et Kitchen, *Acts, lst International Congress of Egyptology,* Le Caire, 1976, Berlin, 1979, p. 386.

Abydos, statue en or, hgl, KRI, II/6, p. 328 : 7-8 ; E. tr., BAR, III, § 268. Temple de Ramsès II, Abydos, PM, VI, pp. 33-41. Pour sa date primitive, cf. Seele, *Corengency,* pp. 45-47. Temple de Séti Ier, à Gournah, refs, PM², II, pp. 407-421 ; Seele, *Coregency,* pp. 40-45, sur la datation. Tombe (no 17) de Séti Ier, PM², I/2, pp. 535 et suiv. Principaux ouvriers de Deir el Médinah, Baki et Neferhotep et leurs collègues, cf. J. Černý, *A Community of Workmen at Thebes in the Ramesside Period,* Le Caire, 1973, en part. pp. 285 et suiv., 291 et suiv. Les artisans de Paser, refs, PM², I/1, p. 221 (6). Famille de Dédia, hgl, KRI, I, 327-331, cf. D.A. Lowle, *Oriens Antiquus* 15 (1976), 91 et suiv. Famille de Ramsès, cf. ch. 6.

Guerres mineures. Basse Nubie, temple de Beit el Wali ; PM, VII, pp. 21-27, à quoi ajouter Ricke, Hughes, Wente, *The Beit el-Wali Temple of Ramsesses II,* Chicago, 1967. Vice-roi Iouny sous Séti Ier, refs, Reisner, JEA 6 (1920), 39, et hgl, KRI, I, pp. 303-304. Les pirates Sherden, cf. stèles de Tanis II, 11, 13 et suiv. (KRI, II/6, p. 290 ; Yoyotte, Kemi 10 [1949], pp. 66-69) et Assouan, an 2, 1.8 (hgl, KRI, II/6, p. 345). règne total de Séti Ier, au minimum 15 années (éventuellement 19) cf. M.L. Bierbrier, JEA 58 (1972), p. 303 & n. 5 : et END.

Chapitre IV

Jour du couronnement de Ramsès II, cf. W. Helck, in *Studia Biblica et Orientalia, III : Oriens Antiquus,* Rome, 1959, pp. 118-120 ; R. Krauss, *Das Ende der Amarnazeit,* Hildesheim, 1979 (& rpr), 257-259. Titres et monuments, GLR, pp. 33-113 ; liste annotée des dates, pratique mais pas entièrement fiable, J.D. Schmidt, Ramesses II, Baltimore, 1973. Temple d'Akcha, PM, VII, p. 127 et J. Vercoutter, *Coush* 10 (1962), pp. 109 et suiv., *Coush* 11 (1963), pp. 131 et suiv., et A. Rosenvasser, *Coush* 12 (1964), pp. 96 et suiv. Amara Ouest, le temple de la ville, PM, VII, pp. 157-164, refs, plus information orale due à la courtoisie de H.W. Fairman. Le Ramesseum, PM², II, pp. 431-443 ; temple de Louxor, avant-court, *ibid.,* pp. 302-312.

Actes de Ramsès II, Grande inscription d'Abydos, hgl, KRI, II/6, pp. 325-326, 327, 331, etc. ; E. tr., BAR, III, §§ 261 et suiv., *passim.* Nomination de Nebwenenef, texte, tr., Sethe, ZAS 44 (1901), pp. 30-35, KRI, III, 282-285 ; Tombe 157, PM², I/1, pp. 266-268, en part. 267(8) ; à paraître chez Philadelphia.

Texte de l'an 3, Louxor, hgl, KRI, II/6, pp. 345-347, et Ch. Kuentz, *La Face Sud du Massif Est du Pylone de Ramsès II à*

Louxor, Le Caire, 1971 ; également, D.B. Redford, JEA 37 (1971), pp. 110-119, et M. Abdel-Razik, JEA 60 (1964), pp. 142-145, et in JEA 61 (1975), 125-136. An 3, stèles de Quban et de Akcha consacrées aux puits des carrières d'or de Akuyati, hgl, KRI, II/7, pp. 353-360 ; E. tr., BAR, III, §§ 282-293 ; autres réfs, PM, VII, p. 83.

Guerre en Syrie. Première campagne, an 4, cf. END pour les détails. Stèle moyenne, Nahr el Kalb, PM, VII, 385 ; hgl, KRI, II/1, p. 1. Stèle de Byblos, PM, VII, p. 389 ; hgl, KRI, II/4, p. 224. Stèle de Tyr, Chéhab, *Bulletin du Musée de Beyrouth* 22 (1969/1971), p. 33, pl. 8 : 4 ; KRI, II/7, p. 401 : Irqata, cf. JEA 50 (1964), p. 68, n. 8 ; KRI, II/4, p. 213. Benteshina abandonne la souveraineté hittite, cf. C. Kuhne & H. Otten, *Der Sausgamuwa-Vertrag,* Wiesbaden, 1971, p. 9. Mouwatallis choisit Dattassas comme capitale de préférence à Hattousas, mais il est peu probable qu'il ait totalement délaissé la capitale traditionnelle. Pour le serment de Mouwatallis, KBo IX, 96, cf. H. Klengel, *Geschichte Syriens,* II, Berlin, 1969, p. 213.

Bataille de Kadesh, Deuxième campagne, an 5. Hgl, sources : Éditions des textes des monuments, Ch. Kuentz, *La Bataille de Qadesh,* Le Caire, 1928-1934, et S. Hassan, *Le Poème dit de Penta-our... Qadesh,* Le Caire, 1929 ; édition synoptique totale, tous les textes (& nouveaux fragments), KRI, II/1-3, pp. 2-147. E. tr., BAR, III, §§ 306 et suiv., Erman/Blackman, *Literature of the Ancient Egyptians,* Londres 1927 (& repr.), pp. 261 et suiv., J.A. Wilson, *American Journal of Semitic Language & Literatures* 43 (1927), pp. 266 et suiv., R.O. Faulkner, *Mitteilungen, Deutschen Archäol. Inst.,* Le Caire, 16 (1958), pp. 93 et suiv., et surtout, Sir A.H. Gardiner, *The Kadesh Inscriptions of Ramesses II,* Oxford, 1960. Étude pionnière de la bataille, de grande valeur, J.H. Breasted, *The Battle of Kadesh,* Chicago, 1903 ; cf. également A.H. Burne, JEA 7 (1921), pp. 191-195, et études citées, JEA 50 (1964), p. 68, n. 3 ; A.R. Schulman, *Journal SSEA* 11 (1981), 7-19 avec références ; END. Conséquences de Kadesh. Benteshina détrôné en faveur de Shapili, Kuhne & Otten, *loc. cit.* (cf. Sous an 4, ci-dessus). Les Hittites occupent Upi, cf. E. Edel, *Zeitschrift für Assyriologie* 49 (1950), p. 212. Lettre ; KUB XXIII, 102, de Mouwatallis à Adad-nirari I (parfois attribuée à des rois ultérieurs) ; cf. E. Forrer, *Reallexikon der Assyriologie,* I, p. 262 et suiv., E. Weidner, *Die Inschriften Tukulti Ninurtas I...,* Graz, 1959, p. 67, et M.B. Rowton, JCS 13 (1959), p. 10.

Sur la nature particulière des reliefs et des inscriptions de Kadesh en tant que composition mêlant texte et illustration, cf.

Gardiner, *Kadesh Inscriptions,* pp. 46-54. Pour la signification artistique, G.A. Gaballa, *Narrative in Egyptian Art,* Mainz, 1976.

Abou Simbel, les deux temples, refs, PM ; VII, pp. 95-119 ; temple de Nefertari, C. Desroches-Noblecourt & Ch. Kuentz, *Le Petit Temple d'Abou Simbel,* 2 vol., Le Caire 1968. La stèle de Iouny est dans l'alignement exact de ce dernier temple, ainsi que noté également par *op. cit.,* pp. 119-120. La stèle de Iouny, PM, VII, pp. 117 et suiv. (10) ; KRI, III/3, p. 68. Stèle de Ashahebsed, PM, VII, p. 117 (9) ; KRI, III/7, pp. 203-204.

Campagne moabite, hgl, KRI, II/3, pp. 179-181, cf. Kitchen, JEA 50 (1964), pp. 47-70 ; également, END. An 8, reliefs au Ramesseum ; hgl, KRI, II/3, p. 149. An 10, la stèle de Nahr el Kalb, PM, VII, p. 385 ; hgl, KRI, II/3, p. 149. La bravade de Ramsès lors de son retour à Dapur et Tunip, hgl, KRI, II/3, pp. 174-175 ; cf. Sethe, ZAS 44 (1907), pp. 36 et suiv. On trouve diverses scènes non datées des guerres syriennes de Ramsès II dans les temples de Karnak, etc., textes hgl, KRI, II/3, pp. 152-192 ; II/4, pp. 195 et suiv. Cf. refs in PM², II et VII. En général, cf. W. Helck, *Die Beziehungen Agyptens zu Vorderasien,* 1962 (& 1971), et END.

L'Exode. Sur les étrangers de l'Égypte du Nouvel Empire, cf. Helck, *op. cit.,* et références et exemples, Kitchen, in J.D. Douglas et al., *New Bible Dictionary,* Londres, 1962, pp. 343-344, 844-845, 846. Les meilleures et les principales études de la question Apiru/Habiru demeurent J. Bottero (éd.), *Le Problème des Habiru,* Paris, 1954, et M. Greenberg, *The Hab/piru,* New Haven, 1955. La citation relative aux Apiru transportant des pierres est extraite du Papyrus de Leyde I, 348; verso 6, 6-7 ; hgl, LEM, p. 134 ; E. tr., LEMC, p. 491 ; ils étaient sous Amen-eminet. Sur la date de l'Exode, son contexte général, etc., cf. Kitchen, *Ancient Orient & Old Testament,* Londres, 1966, pp. 57 et suiv., 156 et suiv., il est fait usage de tous les éléments principaux relatifs au Proche-Orient ; cf. également Kitchen, *Bible in its World,* Exeter, 1977, pp. 75-79, 146.

Lybie. Les forts de Ramsès II, PM, VII, pp. 368-369, et L. Habachi in A Papadopoulo (éd.), *Les Grandes Découvertes Archéologiques de 1954,* Le Caire, 1955, pp. 62-65 ; les sites du Delta O., cf. PM, IV, « Stratégie », cf. END. Le nouveau conflit d'Irem, cf. pour Amara Ouest, H.W. Fairman, JEA 34 (1948), p. 8, pl. 6 ; KRI, II/4, pp. 221-222 ; les dates d'Abydos, hgl, KRI, II/3-4, pp. 192-193 ; et Kitchen, *Ägypten und Kusch,* 1977, pp. 220-221.

Règne de Uorhi-Teshoub et accession au trône de Hattousil III. Cf. « Apologia of Hattusil », A. Götze, *Hattusilis*, Leipzig, 1925 (& repr.), Götze, *Neue Bruchstücke zum grossen Text des Hattusilis...*, Leipzig, 1930 (& repr.), et E.H. Sturtevant & G. Bechtel, *A Hittite Chrestomathy*, Philadelphia, 1935, pp. 85 et suiv. Date de l'accession au trône de Hattousil, vers l'an 16 de Ramsès II, cf. M.B. Rowton, JNES 19 (1960), pp. 16-18, et JNES 25 (1966), pp. 244-245. Sur les relations du Hatti et de Babylone, suggérées dans la lettre KBo I, 10, cf. Rowton, JNES 25 (1966), pp. 244-249, avec réfs. Sur Uorhi-Teshoub en Égypte, cf. Helck, JCS 17 (1963), pp. 87-97. Les stèles de Ramsès II à Beth-Shan, hgl in KRI, II/3, pp. 150-151 ; E. tr., J. Černý, *Eretz-Israel* 5 (1958), pp. 75*-82*. Chute de Hanigalbat, cf. D.D. Luckenbill, *Ancient Records of Assyria*, I, Chicago, 1926, pp. 39-40 ; Ebeling, Meissner, Weidner, *Die Inschriften der altassyrischen Könige*, Leipzig, 1926, pp. 116-117 et suiv. ; A.K. Grayson, *Assyrian Royal Inscriptions*, I, Wiesbaden, 1972, p. 82, § 530.

Paix entre l'Égypte et le Hatti. Durée du voyage, un mois, cf. E. Edel, *Geschichte und Altes Testament*, Tübingen, 1953, p. 54 (où il convient de comprendre que le voyage se fit par chars et non par marche). Le traité égypto-hittite, hgl éd., KRI, II/5, pp. 225-232 ; cunéiformes édités, E.F. Weidner, *Politische Dokumente aus Kleinasien*, Leipzig, 1923 (& repr.), pp. 112-123 ; E. tr., S. Langdon & A.H. Gardiner, JEA 6 (1920), pp. 179 et suiv., J.A. Wilson, A. Goethe, in ANET, pp. 199-203 ; Eg. uniquement en E. tr., BAR, III, §§ 367-391 ; Schmidt, *Ramesses II*, 1973, pp. 111 et suiv. Commentaires, cf. Schulman, *Journal SSEA* 8 (1978), 112-130. Sur les sceaux de l'état hittite, cf. C.F.A. Schaeffer, E. Laroche, et al., *Ugaritica* III, Paris, 1956. Sur l'échange de correspondance entre Hattousil III et la reine Pudukhepa, cf. Edel, *Indogermanischen Forchungen* 60 (1949), pp. 72-85. Lettres de félicitations de Néfertari, Touya, Set-hir-khopshef, refs in E. Laroche, *Catalogue des Textes Hittites*, Paris, 1971, p. 23, nos 167-169. Sur Nefertari (KBo 1, 29 et IX, 43), cf. J. Friedrich, *Der Alte Orient* 24 (1925), p. 23 ; également, JCS 14 (1960), p. 115. Lettre de Paser et les autres, cf. E. Edel, *Der Brief des ägyptischen Wesirs Pasijara an den Hethiterkönig Hattusili und Verwandte Keilschriftbriefe*, Göttingen, 1978. Sur la reine Puduhepa, cf. H. Otten, Puduhepa, Mainz, 1975. Trace de la présence égyptienne — vases de Ramsès II — à Ougarit, cf. C. Desroches-Noblecourt in Scheffer *Ugaritica* III, Paris 1956, pp. 164, 167, fig. 121. Tensions : roi de Mira, refs, in Laroche, *Catalogue...*,

p. 23, n° 166. Sur lettre (NBC 3934) de Ramsès II rassurant Hattousil, cf. Goetze, JCS 1 (1947), pp. 241-251. Sur le Hatti et Babylone, Rowton, JNES 19 (1960), p. 17.

Mariage royal. Sur l'échange de correspondance, cf. Edel, *Geschichte und Àltes Testament,* 1953, pp. 52-54 (également *Jahrbuch für Kleinasiatische Forschung* 2 [1953], pp. 262-273), plus Kitchen, END. Sur les reproches de la reine Pudukhepa à Ramsès II suite à sa plainte relative à la dot, cf. KUB XXI, 38, et version de Helck, JCS 17 (1963), pp. 87 et suiv. Sur le voyage de la princesse vers l'Égypte, cf. KBo I, 22 ; B. Meissner, *Zeitschrift der Deutschen Morgenländische Gesellschaft* 72 (1918), p. 62, Edel, *Zeitschrift fûr Assyriologie* 49 (1950), pp. 206-208? stèle (en Égypte) du 1er mariage hittite, version principale, hgl, KRI, II/5, pp. 233-256 ; E. tr., BAR, III, §§ 4156424, et ANET, pp. 256-258 ; Kuentz, ASAE 25 (1925), pp. 181-238. Version réduite pour Mout, hgl, KRI, II/5, pp. 256-257 ; édité, Lefebvre, ASAE 25 (1925), pp. 34-35. Nom de la nouvelle reine, cf. C. Desroches-Noblecourt, *Kemi* 12 (1952), pp. 34-45. Texte de la bénédiction de Ptah, hgl, KRI, II-5, pp. 258-281 ; BAR, III, §§ 394-414, et (sur la version de R. III), Edgerton & Wilson, *Historical Records of Ramsès II,* Chicago, 1936, pp. 119-129.

Visites royales. Prince Hishmi-Sharruma, KUB III, 34 — cf. citation, Edel, *Geschichte und Altes Testament,* 1953, pp. 54655. Yazili-kaya et Toudkhalia IV, cf. H. Otten, *Zeitschrift fûr Assyriologie* 58 (1967), pp. 222-240. Documentation relative à la visite de Hattousil III en Égypte, cf. Edel, *Mitteilungen, Deutschen Orient-Gesellschaft* 92 (1960), pp. 15-20 ; l'épisode du « pied », p. 20. Le rêve et le souhait de Pudukhepa, cf. A.L. Oppenheim, *The Interpretation of Dreams in the Ancient Near East,* Philadelphie, 1956, p. 255, n° 32. Lettre de Hattousil III, en route pour l'Égypte, Edel, *op. cit.,* pp. 16-18. Allusions égyptiennes, LEM, pp. 12-13, LEMC, pp. 37-38 ; KRI, II/5, p. 233 (& JEA 33 [1947], p. 94).

Second mariage hittite. Sur les médecins, cf. réfs in Goetze, JCS A (1947), pp. 241-251, *passim ;* de nouvelles données sur les demandes hittites d'aide médicale pour les dames de la cour ont été présentées par le Pr Edel ; cf. E. Edel, *Ägyptische Ärzte und ägyptische Medizin am hethitischen Königshöf,* Opladen, 1976. Sur la correspondance « tardive » de Ramsès II avec les Hittites, cf. END, et Edel, *op. cit.,* 18-20. Lettre de Kurunta, KUB III, 67 ; cf. JCS 1, p. 248. Autres visites de médecins, cf. Edel, JNES 7 (1948), p. 15. Second mariage hittite, deux stèles, Koptos et Abydos ; hgl, KRI, II/5, pp. 282-284 ; E. tr., Kitchen et

Gaballa, ZAS 96 (1969), pp. 14-17. Échos ultérieurs, cf. sous-ch. 12.

CHAPITRE VI

Famille Royale. Reine-mère Touya: — Monuments (tous datant du règne de Ramsès II), cf. GLR, pp. 29-30, 74-75; hgl, KRI, II/21, pp. 844-847; temple au N. du Ramesseum, cf. réfs, PM², II, p. 442 (« double temple »), KRI, II/15, pp. 664-667; cf. plus tard, L. Habachi, RdE 21 (1969), pp. 27 et suiv.; Edel, *Studien zur Altägyptischen Kultur* 1 (1974), pp. 105 et suiv. Sa tombe et ses funérailles, cf. Desroches-Noblecourt, *Le Courrier du CNRS* 9 (juillet 1973), pp. 36, 38; les parents de Touya, cf. Gaballa et Kitchen, CdE 43 (1968), pp. 261-262; Habachi, RdE (1969), pp. 39-40. La sœur de Ramsès, Tjia, son époux Tia, son père Amen-wah-su, cf. Habachi, *op. cit.*, pp. 41-47, et pl. 3. Hentmire, GLR, pp. 33, 79, réfs. « Naissance Divine du Pharaon », traitée par H. Brunner, *Die Geburt des Gottkönigs,* Wiesbaden, 1964; sur les blocs de Ramsès II, cf. Gaballa, *Orientalia* 36 (1967), pp. 299-304; Habachi, *op. cit.*, pp. 33 et suiv. (hgl, KRI, II/15, pp. 665-667). Chapelle funéraire de Tjia et de Tia, retrouvée à Saqqarah.

Monuments de la reine Nefertari, GLR, pp. 75-77, sa tombe, H. Goedicke et G. Thausing, *Nofretari,* Graz, 1971. Inscriptions citées du temple de Nefertari, Abou Simbel, cf. Kuentz et Desroches-Noblecourt, *Le Petit Temple d'Abou Simbel,* I, Le Caire, 1968, pp. 12-16. Bint-Anath apparaissant en tant que reine à l'intérieur du grand temple d'Abou Simbel, cf. Champollion, *Notices descriptives,* I; p. 68. Le rôle du soleil à Abou Simbel a intrigué visiteurs et scientifiques pendant plus d'un siècle, depuis Mlle Edwards (*A Thousand Miles Up the Nile,* Londres, 1877, pp. 443-444; 1981, pp. 303-304) jusqu'à nos jours; cf. L.-A. Christophe, *Revue du Caire,* nº 255/vol. 47 (1961), pp. 316-332, ou son *Abou-Simbel,* Bruxelles, 1965, pp. 200-203, et J.K. van der Haagen, *UNESCO Courier* 15/nº 10 (oct. 1962), pp. 10-15; cf. G. Gelinsky, *Göttinger Miszellen 9* (1974), pp. 19-24. Rien ne me paraît toutefois indiquer que Abou Simbel fut un temple-jubilé; le texte de Asha-hebsed (chap. 4 ci-dessus) indique qu'il s'agit d'un temps mémorial — liant en l'occurrence les cultes de Ramsès et de Rê, et accessoirement d'Amon. Sur la stèle de Heqanakht, Ramsès, Nefertari et Meryetamon, cf. réfs, PM, VII, p. 118 (17); hgl, KRI, III/3, p. 71.

Monuments de la reine Istnofret, cf. GLR, pp. 77-78 (à l'exception du point 3). Stèle d'Assouan, Lepsius, *Denkmaler aus Aegypten und Aethiopen,* III, pl. 175 h, stèle de Silsila, *ibid.*, pl. 74e, mais la date (ans 30-34 — jubilés annoncés par Khaemwaset) est plus claire sur la photo du Centre de Documentation, utilisée par F. Gomaà, *Chaemwese, Sohn Ramses'II,* Wiesbaden, 1973, p. 129, fig. 29, n° 76. Tombe d'Istnofret, cf. Černý, *Community of Workmen at Thèbes,* p. 82, nn. 3,4. Toutes les reines, hgl, KRI, II/21, pp. 844-857.

Fils et filles de Ramsès II (approximativement quatre-vingt-dix!), essentiellement recensés par GLR, pp. 80-101 (fils), 102-113 (filles, Bint Anath la première). Sur Mery--Atoum, fils aîné du roi par Néfertari, cf. statue de Bruxelles E. 2459 (CdE 17 [1942], p. 75, fig. 3); cf. END pour son interprétation. Sethirkhopshef, cf. H. Ranke, ZAS 58 (1923), pp. 135-137, et J. Yoyotte, BiOR 26 (1969), pp. 14, 15, qui les identifierait tous les deux à Amon-hir-khopshef; mais cf. END. Listes des princes et princesses, hgl, KRI, II/21-23, pp. 858 et suiv.

Prince Khaemwaset, cf. GLR, pp. 84-90, et une monographie, F. Gomaã, *Chaemwese, Sohn Ramses'II und Hoherpriester von Memphis,* Wiesbaden, 1973, avec discussion complète et liste des monuments. Sur le culte et les funérailles d'Apis (outre les œuvres originales de Mariette, cf. PM, III, p. 206 et suiv.), cf. E. Otto, *Beitrâge zur Geschichte der Stierkulte in Aegypten,* Liepzig, 1938 ; pp. 11-34 ; J. Vercoutter, *Textes biographiques du Sérapéum de Memphis,* Paris, 1962 ; Malinine, Posener, Vercoutter, *Catalogue des stèles du Sérapéum de Memphis,* I, Paris, 1968 (2 vols), en part. N°s 5-17. Inscription du temple d'Apis, hgl., KRI, II/22, pp. 878-879 ; nouvelle traduction allemande, maintenant Gomaà, *Chaemwese,* p. 44, cf. 110-111, fig. 10-11. Prince égyptologue, cf. maintenant Gomaà, *op. cit.*, pp. 61-69, et réfs ; il mit à jour une statue de Prince Ka-wab, fils aîné de Kheops (constructeur de la Grande Pyramide), qui provenait des « fouilles » de Khaemwaset à Gizeh, et qu'il codifia en conséquence (!- l'érigeant dans le temple de Memphis) ; hgl., KRI, II/22, pp. 862-873. Graffiti de l'An 36, cf. D. Wildung, *Die Rolle ägyptischer Könige im Bewusstein ihrer Nachwelt,* I, Berlin, 1969, pp. 68 (XVI, 70 h), 71 et suiv. Le prince en tant qu'administrateur et homme de famille : An 52, log, J.J. Janssen, *Two Ancient Egyptian Ships'Logs,* Leyde, 1958, en part. p. 39 ; KRI, II/20 ; pp. 806-815, en part. 811. Scribe Huy, Papyrus de Leyde I, 366 (KRI, II/23, pp. 901-911), et Sunero, Pap. de Leyde, I, 368 — hgl., A.M. Bakir, *Egyptian Epistolography,* Le Caire, 1970, pls 14-15, 16-17 (et KRI, II/22, pp. 894-895), également J.J. Janssen, *Oudheidkundige Mededelingen* (Leyde) 41

(1960), pp. 37-7, 39, 44, 45-46. Famille, cf. H. De Meulenaere, *Annuaire de l'Institut de Philologie et d'Histoire Orientales et Slaves* 20 (1973), pp. 191-196. Jubilés, cf. Ch. 8. Tombe et funéraille de Khaemwaset, cf. S. Wenig, *Forschungen und Berichte* 14 (1972), pp. 39-44 ; et Gomaà, *op. cit.*, pp. 48-54, qui considère que Khaemwaset ne fut placé dans le Sérapéum qu'ultérieurement.

Princesses-Reines. La fille de Bint-Anath, cf. C. Desroches-Noblecourt, *Le Courrier du CNRS,* (juillet 1973), p. 36c ; hgl., KRI, II/23, p. 923. Reine hittite en Égypte, réfs, GLR, pp. 78-79. Harems — à Mi-Wer, cf. Gardiner, JNES 12 (1953), pp. 145-149 ; S. Sauneron & J. Yoyotte, RdE 7 (1950), pp. 67-70 ; hgl., Gardiner, *Ramesside Administrative Documents,* Oxford, 1948, pp. 20-26 (le récit des étoffes, p. 23 ; bijoux, p. 21 ; cf. Gardiner, *Anc. Eg. Onomastica,* II, Oxford, 1947, pp. 222* et suiv.). Nebttawy, sur la tombe, cf. M. Dewachter, *Archéologia* 53 (déc. 1972), pp. 18-24. Princesse Istnofret II, propriétés, cf. J.J. Janssen, *Two Ancient Egyptian Ships'Logs,* pp. 20 et suiv., 43 et suiv. ; lettre à son intention, Pap. de Leyde I, 362, hgl., Bakir, *Eg. Epistolography,* 1970, pls 10-11, et Janssen, *Oudheidkundige Mededelingen* (Leyde) 41 (1960), pp. 35-36, (KRI, II/23, pp. 926-927).

Fils cadets Mery-Atoum, grand-prêtre à Héliopolis, cf. M.I. Moursi, *Die Hohenpriester des Sonnengottes...,* Berlin, 1972, pp. 64-67. Taureau Mnevis, An 26, cf. stèle, M. El-Alfi, JEA 58 (1972), pp. 176-178 ; KRI, II/7, 363. Sur le prince Si-Montou, Ostracon Louvre 2262, W. Spiegelberg, *Recueil de travaux* 16 (1894), p. 64 ; KRI, II/23, p. 907. Prince Maat-Ptah, Pap. de Leyde I, 367, hgl., Bakir, *Eg. Epistolography,* 1970, pls 15-16 (KRI, II/23, pp. 911-912), et Janssen *Oudheidkundige Mededelingen...* (41 (1960), pp. 38-39, 44-45. Sarcophages du Prince Nebweben, publié (avec erreurs d'interprétation) in Brunton & Engelbach, *Gurob,* Londres, 1927, pp. 19-25, pls front. & 32, en par Brunton, ASAE 43 (1943), pp. 135-148, pls. 7-11 ; KRI, II/23, pp. 912-914 ; cf. END. Prince Merenptah, GLR, pp. 94-96 ; KRI, II/23, pp. 902-5 ; carrière, cf. Christophe, ASAE 51 (1951), pp. 335-351.

Trois Cités. Memphis : Vestiges, PM, III, pp. 217-227, plus R. Anthes et al., *Mitrahineh* 1955, 1956, Philadelphie, 1959, 1965 (2 vols) ; M.T. Dimick, *Memphis,* Philadelphia, 1956 (présentation populaire). Temples, Helck, *Materialien zur Wirschaftsgeschichet des Neuen Reiches,* I, Wiesbaden, 1961, pp. 130-144, cf. Petrie, *Memphis I,* 1908, pp. 1 et suiv., et statue de Amenhotep, Gardiner in Petrie, *Memphis* V, 1913, pp. 33-36, pls 79-80. Rôle de Memphis, A. Badawy, *Memphis als zweite Landeshaupt-stadt* *im Neuen Reich,* Le Caire, 1948. Salle Ouest, sa forme, cf. G. Haeny, *Basiliakale Anlagen in der Agyptischen Baukunst des Neue Reiches,* Wiesbaden, 1970, pp. 68-70 ; fonction du jubilé, cf. END. Arsenal, S. Sauneron, BIFAO 54 (1954), pp. 7-12. Vacances à Memphis, Pap. Sallier IV, hgl., LEM, pp. 88-92, E.tr., LEMC, pp. 333-335. Poème lyrique, Pap. Harris, 500, Erman & Blackman, *Literature of the Ancient Egyptians,* Londres, 1927 (& reprs), p. 245. Faulkner, Wente, Simpson, *The Literature of Ancient Egypt,* 1972/1973, pp. 299-300.

Thèbes. Vestiges, PM², I & II. Généralités, C.F. Nims, *Thebes,* Londres, 1965. Poème cité d'après le Pap. de Leyde I, 350, I:13 et suiv. (« Ch.7 »), hgl. J. Zandee, *Oudheidkundige Mededelingen...* 28 (1947), pp. 9-10 & Annexe 1 ; E. tr., Erman & Blackman, *op. cit.,* p. 294.

Pi-Ramsès. Vestiges, cf. PM, IV, Matériau ramesside sous Tanis, Qantir, Khataana. Fouilles, M. Hamza, ASAE 30 (1930), pp. 31-68 ; S. Adam, ASAE 55 (1958), pp. 316-324, et 56 (1959), pp. 207-226. Étude, région et vestiges, L. Habachi, ASAE 52 (1954), pp. 443-562. Géographie, identification, cf. J. van Seters, *The Hyksos,* Yale, 1966, pp. 127 et suiv., E. P. Uphill, JNES 27 (1968), pp. 299-316, et 281 (1969), pp. 15-39, et M. Bietak, *Tell Dab'a II,* Vienne, 1975, Bietak, MDIK 37 (1981), 68-71, et Eggebrecht, *ibid.,* pp. 139-142 ; M. Bietak, *Avaris and Pi-Ramesse,* Londres 1981 ; cf. END. Réfs lit., Gardiner, JEA 5 (1918), pp. 127 et suiv., 179 et suiv., 242 et suiv. Louange de Pi-Ramsès, LEM, pp. 12 et suiv., LEMC, pp. 37 et suiv. Stèle de l'an 8 (Manshiyet es-Sadr), A. Hamada, ASAE 38 (1938), pp. 217-230 ; KRI, II/7, pp. 360-362. Emploi du verre dans la décoration, cf. W.C. Hayes, *Glazed Tiles from a Palace of Ramesses II at Kantir,* New York, 1937 (& repr.) ; H. W. Muller, MDIK 37 (1981), pp. 339-367, pls 92-94. Agencement de la ville, cf. END. Paser, Habachi, *op. cit.,* pp. 479 et suiv., pl. 20. Citations littéraires, LEM, 21 et suiv., 49 et suiv. ; LEMC, 73 et suiv., 198 et suiv.

CHAPITRE VII

Vizir Paser, carrière et monuments, Helck, *Verwaltung,* pp. 311-315, 447-451, nº 24, plus Cerny, Bior 19 (1962), p. 142. Cf. END, en outre la majorité des inscriptions de Paser et d'autres contemporains de Ramsès II sont rassemblées in KRI, vol. III. Lettre du maire Ramôse, Ostracon Berlin P. 11238, texte paru in *Hieratische Papyrus, Königl. Museen zu Berlin,* III, Liepzig,

1911, pl. 32 et KRI, III/6, p. 161 ; aucune trad. moderne à l'exception de celle donnée ici. Requête au vizir, in Tombe 106, R. Anthes, *Mélanges Maspero,* I, Le Caire, 1935, pp. 155-163. Texte 18 dyn. traditionnelle, E. tr., BAR, II, §§ 616-715. Tombe 106, PM², I, 219 et suiv.

Amon-em-inet, cf. ci-dessus, sous ch. 3. Dates, années 12, 27, cf. END. Procès Irynofret contre Nakhy, Gardiner, JEA 21 (1935), pp. 140 et suiv. ; hgl., KRI, II/19-20, pp. 800-02. Un siècle de procès de Mose, cf. Gardiner, « Inscription de Mes », in K. Sethe (éd.), *Untersuchungen...,* IV, Leipzig, 1905 (& repr.), pp. 89-140, republié de manière plus complète par G. A. Gaballa, *The Tomb-Chapel of Mose,* Warminster, 1977, texte, également in KRI, III/14, pp. 424-434. Sur Neshi sous Kamose, cf. Posener, RdE 16 (1964), pp. 213-214. Triomphe de Mose, Anthes, MDIK9 (1940), pl. 17 ; Gaballa, *op. cit.*

Terres et domaines, base économique en Égypte : Sir A.H. Gardiner, *The Wilbour Papyrus,* I-IV, Oxford, 1940-1952 ; W. Helck, *Materialen zur Wirtschaftsgeschichte des Neuen Reiches,* I, Wiesbaden, 1961, pp. 7 et suiv. ; Bernardette Menu, *Le régime juridique des terres et du personnel attaché à la terre dans le Papyrus Wilbour,* Lille, 1970, et in *Revue Historique de Droit français et étranger,* 1971, (nº 4), pp. 555-585.

Trésoriers, cf. Helck, *Verwaltung,* pp. 408-409, 515-517, et END. Rapport de Panehsy, hgl. in Gardiner & Černý, *Hieratic Ostraca,* I, Oxford, 1957, pls 81-82, et KRI, III/5, pp. 138-140 ; tr., Helck, *Materialen zur Wirtschaftgeschichte,* III, pp. 467-468. Rapport de Suty sur les coûts des ouvriers de la tombe, Ostracon Berlin P. 12337, hgl., *Hieratische Papyrus, Museen zu Berlin,* III, pl. 31, et hgl., KRI, III/5, pp. 145-146. Contribuable mécontent, cité d'après le Papyrus Anastasi V, 27:3 et suiv. (hgl., LEM, pp. 71-1 ; E. tr., LEMC, pp. 273 et suiv.). Scandale en l'an 30, chez Gardiner & Černý, *Hieratic Ostraca,* I, pls 74-75, et KRI, II/7, pp. 380-383 ; tr. allemande, S Allam, *Hieratische Ostraka und Papyri aus der Ramessidenzeit,* Tübingen, 1973, pp. 20-24. Papyrus dans des boîtes, Cerný, *Paper & Books in Ancient Egypt,* Londres, 1952, p. 30.

Vicerois, G. Reisner, JEA 6 (1920), pp. 38 et suiv., 74 et suiv. ; END. Le séisme à Abou Simbel, cf. L.-A. Christophe, *Abou-Simbel,* Bruxelles, 1965, pp. 206-209. Vice-roi Houy, ancien envoyé, cf. L. Habachi, *Kush* 9 (1965), p. 220 et fig. 5. Stèle autobiographique (VII) de Sétau, cf. Kitchen, *Orientalia Lovaniensia Periodica* 6 (1975), pp. 295-302 ; hgl., KRI, III/3, pp. 91-94. Stèle IX de l'officier Ramôse, cf. J. Yoyotte, *Bulletin de la Société Française d'Egyptologie* 6 (1951), pp. 9-14 ; hgl., KRI, III/3, p. 95.

Ourhiya et Yupa, cf. sous ch. 3 ci-dessus. Sur la liste des rois de Tjunuroy, cf. Wildung, *Die Rolle ägyptischer Könige,* I, 1969, p. 34 et suiv., pl. I. Famille de Simut, cf. Gardiner, JEA 24 (1938), p. 161 : 9,10. Lettre concernant Iuny, Papyrus du Caire J. 58053, hgl., A.M. Bakir, *Egyptian Epistolography,* 1970, pl. 1 : KRI, I, p. 322. Armée égyptienne, cf. R.O. Faulkner, JEA 39 (1953), pp. 32-47 ; A.R. Schulman, *Egyptian Military Rank, Title & Organisation in the New Kingdon,* Berlin, 1964.

Études et étudiants. Étude détaillée, H. Brunner, *Altägyptische Erziehung,* Wiesbaden, 1957. « Lettre satirique » (Papyrus Anatasi I), cf. ANET, pp. 475-479. Listes des mots ou « onomastique », traité par Sir A. H. Gardiner, *Ancient Egyptian Onomastica,* I-III, Oxford, 1947 (& repr.). Collection de documents pour l'enseignement, cf. (hgl) LEM et (E. tr.) LEMC. Citations (« sois un scribe », etc.), cf. hgl, LEM, pp. 16, 27, 44, 47, 103, 107 et suiv., et E. tr., LEMC, pp. 50, 95 et suiv., 168 et suiv., 182 et suiv., 384 et suiv., 400 et suiv. Étendue des possibilités, cf. Brunner, *Altäg. Erziehung,* pp. 40-42 ; Anhurmose, cf. H. Kees, ZAS 73 (1938), pp. 79-81, et Brunner, *op. cit.,* p. 42.

Scène culturelle. Citations de Hardjedef et Aniy, cf. ANET, pp. 419-420. Information générale sur la vie dans l'Égypte antique, cf. Posener, Sauneron et Yoyotte, *A Dictionary of Egyptian Civilization,* Londres, 1962 ; P. Montet, *Everyday Life in Egypt,* Londres, 1958 ; Montet, Eternal Egypt, Londres, 1964 ; H. & R. Leacroft, *The Buildings of Ancient Egypt,* Leicester, 1963 ; BMMA 31/3 (printemps, 1973), numéro spécial, Nora Scott, *The Daily Life of the Ancient Egyptians.*

Contes et tourisme. Histoires égyptiennes, cf. Simpson, Faulkner et Wente, *The Literature of Ancient Egypt,* 1973-1974, et M. Lichtheim, *Ancient Egyptian Literature,* I-III, California, 1973-1980. Citations des « anciens auteurs », cf. ANET, pp. 432, 476. Galerie de personnages célèbres, peinte in Simpson, Wente, Faulkner, *op. cit.,* fig. 6 à la fin ; hgl., KRI, III/16, pp. 492-494. Tourisme autour des pyramides, etc., cf. Helck, *Zeitschrift d. Deutschen Morgenländische Gesellschaft* 102 (1952), pp. 39-46 ; Wildung, *Die Rolle des Königs,* I, pp. 61 et suiv. (Nashuyu, p. 72 et suiv. ; Hednakht, p. 68) ; KRI III/5, p. 148, et III/14, p. 436. Paser à Thèbes, cf. Herrmann, *Altägyptische Liebesdichtung,* p. 160 & n. Histoires, cf. ci-dessus. Poèmes d'amour, les §§ I à IV sont des traductions récentes des textes restaurés maintenant proposés par G. Posener, *Catalogue des Ostraca Hiératiques Littéraires de Deir el Medinah,* II, Fasc. 3, Le Caire, 1972, pls. 74-79a ; in §§ V-VII, un texte amélioré a été traduit récemment de la même source. (Les versions plus anciennes, jusqu'à celles de 1973-1974 sont dépassées par la présente publication).

Chapitre VIII

Citations initiales, stèle d'Abydos (Gaballa, BIFAO 71 (1972), pp. 135-137), et combinaisons de multiples stèles du Moyen-Empire avec un passage de « *The Shipwrecked Sailor* » (cf. Simpson, Wente, Faulkner, *op. cit.*, p. 55).

Les temples et leurs cérémonies. H. W. Fariman, « *Worship and Festivals in an Egyptian Temple* », *Bulletin, John Rylands Library* 37 (1954), pp. 165-203. Rituel quotidien, basé sur le temple de Séti Ier à Abydos, cf. A.R. David, *A Guide to Religious Ritual at Abydos,* Warminster, 1981. Citations des « servants de l'autel », Ire Lettre de saint Paul aux Corinthiens 9:13. Prêtres, cf. S. Sauneron, *The Priests of Ancient Egypt,* New York & Londres, 1960 ; H. Kees, *Das Priestertum im ägyptischen Staat,* Leyde, 1953/1958. Rôle des dames dans le culte, cf. A.M. Blackman, JEA 9 (1921), pp. 9-30. Domaines, cf. Papyrus Wilbour, etc., cité sous chapitre 7. Pour le grand papyrus Harris (Ramsès III-IV), hgl., W. Erichsen, *Papyrus Harris* I, Bruxelles, 1933 ; note et réfs. pour son interprétation, Gardiner, JEA 27 (1941), p. 72 et suiv.

Les dieux d'Égypte. Sur ceux-ci et sur la religion égyptienne, cf. des œuvres telles que J. Černý, *Ancient Egyptian Religion,* Londres, 1952 ; S. Morenz, *Egyptian Religion,* Londres, 1973 ; H. Bonnet, *Reallexikon der Agyptischen Religionsgeschichte,* Berlin, 1952.

Rites, hymnes, théologie. L'hymne du matin à Mout est cité d'après (hgl.) in Benson et Gourlay, *The Temple of Mut in Asher,* Londres, 1899, p. 314. Celui à Amon provient des papyrus de Chester Beatty, cf. Gardiner, *British Museum Hieratic Papyri,* 3e Série, Londres, 1935, Vol. I, p. 96, Vol. II, pl. 55. Hymnes pour l'ouverture des portes, hgl., Calverley, *Temple of King Sethos I,* Abydos, II, pl. 14, en haut à droite ; E. tr., cf. A.R. David, *Religions Ritual at Abydos,* p. 96, scène 4. Offrandes du festival, nourriture, rite des ancêtres, pour Amon, cf. Gardiner, *op. cit.* I, pp. 92, 94, 95. Hymne à Amon-Rê-Atoum-Horus, cf. *ibid.*, pp. 32-34, autres hymnes similaires, cf. ANET, pp. 365-372. Récits de la création, etc. cf. ouvrages généraux sur religion ég. déjà cités, et J. Yoyotte in *Sources Orientales,* I, Paris, 1959.

Festivals. Listes, S. Schott, *Altagÿptische Festdaten,* Wiesbaden, 1950, jours fériés, cf. Helck, *Journal of Economic & Social*

History of the Orient 7 (1964), pp. 136-166. « Mystères » d'Osiris, cf. H. Schäfer, in Sethe (éd.), *Untersuchungen...*, IV, 1904, pp. 47-86 ; Festival de Sokar, cf. Gaballa et Kitchen, *Orientalia* 38 (1969), pp. 1-76. Drame rituel de Horus à Edfou, cf. H.W. Fairman, *The Triumph of Horus*, Londres, 1974. Chant de la Fête d'Opet, hgl., Urk IV, p. 2038 : 13 et suiv. ; Trad. allemande, Helck, *Urkunden, 18e Dyn., Deutsch*, Berlin, 1961, p. 370. Fête de la Vallée, cf. S. Schott, *Das Schöne Fest vom Wustenhale*, Wiesbaden, 1952, avec citation de Paser, pp. 95-96, No 10 (KRI, III/1, p. 6). Hymne à Amon, cf. *ibid.*, p. 92. Dotation (dans les « calendriers ») pour les fêtes, cf. surtout H.H. Nelson, U. Hölscher, S. Schott, *Work in Western Thebes* 1931-1933, Chicago, 1934 ; le calendrier des fêtes du Ramesseum fut copié à Médinet Habou (hgl., Étude épigraphe, *Medinet Habu III*, Chicago, 1934 ; KRI, V/2-3, 1972, pp. 115-184).

Servants des dieux : grands prêtres remarquables, et autres. Pour Héliopolis, cf. M.I. Moursi, *Die Hohenpriester des Sonnengottes...*, Berlin, 1972, pp. 56-72. Pour succession des grands-prêtres, à Abydos, etc., cf. END. Années d'activités de Wennufer à Abydos, cf. (hgl.) Maciver et Mace, *El Amrah and Abydos*, Londres, 1902, pl. 34 ; sa prière pour Ramsès II, Petrie, *Abydos II*, 1903, p. 45 et suiv., pl. 38 ; hgls, KRI, III pp. 447-460. Sur la famille de Wennufer, cf. G.A. Gaballa in J. Ruffle, G.A. Gaballa, K.A. Kitchen (éds), *Glimpses of Ancient Egypt (Studies... Fairman)*, Warminster, 1979, p. 46. Succession — avec dates) des grands prêtres d'Amon, cf. END. Grand-prêtre Bakenkhons, dès l'an 39, cf. M. L. Bierbrier, JEA 58 (1972), p. 303 (dates importantes de sa carrière) ; statue de Munich, plus récente édition, M. Plantikow-Münster, ZAS 95 (1969), pp. 117-135 ; E. tr., BAR, III §§ 563-568 ; hgls, KRI, III pp. 293-300. Sur Hatiay, cf. refs relatives à Ourhiya et Yupa, ch. 3. Sur Nakht-Thuty, cf. Kitchen, JEA 60 (1974), pp. 168-174 ; hgl., KRI, III, pp. 348-353. Portail de Baky, cf. (hgl.) LEM, p. 10, (E. tr.) LEMC, pp. 28, 29-30 ; Cas de l'an 46, Helck, *Journal of American Research Center in Egypt* 2 (1963), pp. 65-73 ; hgl., KRI, II, pp. 803-806. Sur Simut-Kyky, cf. J.A. Wilson, JNES 29 (1970), pp. 187-192 ; hgl., KRI, III 331-345. Citation de Roma-roy, cf. G. Lefebvre, *Inscription concernant... Roma-roy et Amenhotep*, Paris, 1929, pp. 23-24 ; hgl., KRI, IV/7, p. 209.

Sur la « divinité » des rois, cf. G. Posener, *De la Divinité du Pharaon*, Paris, 1960 ; royauté et rites importants, H. W. Fairman in S.H. Hooke (éd.), *Myth, Ritual & Kingship*, Oxford, 1958, pp. 74-104. Ramsès II, cf. L. Habachi, *Features of the Deification of Ramesses II*, Glückstadt, 1969, et cf. D. Wildung, *Orientalis-*

tische Literaturzeitung 68 (1973), 549-565. Réfs pour les cultes des statues, cf. également M. El-Alfi, JEA 58 (1972), pp. 179-180. La divinité des temples mémoriaux de Thèbes Ouest, cf. H. H. Nelson, JNES 1 (1942), pp. 127 et suiv., en part. 151-155 (sur Ramsès III, mais valable aussi pour Ramsès II). Les chapelles royales en d'autres lieux sont citées dans la liste de Helck, *Materialen zur Wirtschaftsgeschichte des Neuen Reiches,* I, II.

Jubilés. Relation du jubilé aux années de règne sous Aménophis III, cf. C. van Siclen, JNES 32 (1973), pp. 290-300. Jubilés de Ramsès II, cf. L. Habachi, ZAS 97 (1971), pp. 64 et suiv. Haut Nil, Gardiner, & Cerný, *Hieratic Ostraca,* I, pl. 9 (hgl.) ; les sandales abandonnées, ODM 446 in Černý, OHNL, V, pl. 27 (hgl.). Jubilés, tous les textes, KRI, II, pp. 377-398, 428-431. Étude générale, E. Hornung, E. Staelhelin, *Studien zum Sedfest,* Genève, 1974.

Chapitre IX

Citation relative au paysan et aux percepteurs, Papyrus Anastasi V, LEM, p. 64 et suiv., E. tr., LEMC, p. 247. Conte des deux frères, cf. Simpson, Wente, Faulkner, *Literature of Ancient Egypt,* pp. 92-107. Nom des vaches et herbe, W. Guglielmi, *Reden, Rufe und Lieder auf altägyptischen Darstellungen der Landwirtschaft, Viehsucht* (etc.)..., Bonn, 1973, pp. 23, N° 16, 99, n. 303. Grève sauvage du bœuf, *ibid.,* p. 24 ; Baud & Drioton, *Le Tombeau de Paneshy,* pp. 44, 49, fig. 23.

Les ouvriers du pharaon : Deir el Médineh. Simple description, J. Černý, CAH³, II/2, 1975, chapitre 35, § III, pp. 620-626. Récit plus fouillé, J. Černý, *A Community of Workmen at Thebes in the Ramesside Period,* Le Caire, 1973, et *The Valley of the Kings,* Le Caire, 1973. Economie de Deir el Médineh, cf. J.J. Janssen, *Commodity Prices from the Ramessid Period,* Leyde, 1975 ; nouvelle étude générale de la vie à Deir el Médineh, M.L. Bierbrier, *Tomb Builders of Pharaoh,* Londres, 1982*. Fouilles à Deir el Médineh, B. Bruyère, *Rapport sur les Fouilles de Deir el Médineh,* Le Caire, 17 volumes in 19, 1924-1953 ; monuments épars, également PM², I/2. Ostraca, Černý, OHNL, 6 parties, Sauneron, 1 partie, plus Posener, *Catalogue des Ostraca Hiératiques Littéraires...,* 2 vols, Le Caire, 1935-1973 ; Černý, *Ostraca Hiératiques (Musée du Caire),* 2 vols ; Daressy,

* A paraître dans la même collection (N.d.E.).

Ostraca ; Gardiner & Černý, *Hieratic Ostraca,* I, 1957, et de multiples études éparses. Graffiti des ouvriers, W. Speigelebrg, *Agyptische... Graffiti aus der Thebanischen Nekropolis,* 2 vols, Heidelberg, 1921 ; J. Černý, *Graffiti de la Nécropole Thébaine,* Le Caire, 1956 ; J. Černý, A. A. Sadek, et al, *Graffiti de la Montagne Thébaine,* Sections I à IV, Le Caire, 1968 et suiv., en cours. Données hgl. classifiées, KRI, III, pp. 508-844.

Le village, cf. Bruyère, *Rapport... 1934-1935,* III, *Le Village,* Le Caire, 1939 ; « le village » en égyptien, Černý, *Community,* p. 92, n. 1. Son personnel, cf. Černý, *CAH and Comminity, passim.* Graisse des bougies, à ne pas manger, Černý, *Valley of Kings,* p. 46. Utilisation des mèches de lampes dans les tombes, *ibid.* pp. 43 et suiv. ; récit cité, hgl., Černý, *Ostraca Hiératiques,* sous C. 25813, et KRI, III/18, p. 569.

Travail. Lettre de Nebneteru, ODM 119 in OHNL (hgl.) et KRI, III/17, p. 538. Lettre de Khay, cf. Grdseloff, ASAE 40 (1940), p. 534, hgl.? KRI, III/17, p. 542. Lettre de Pabaki sur Ib le fainéant, ODM 328 in OHNL, et KRI, III/17, p. 535. Sur le scribe Ramose, cf. Černý, *Community,* pp. 317 et suiv., « l'homme le plus riche », cité d'après Černý, *Egyptian Stelae in the Bankes Collection,* Oxford, 1958, sous N° 4 ; hgl., KRI, III/20, p. 620. Lien avec le vizir Paser, cf. Černý, *Community,* p. 319, n. 2. Scribe Qen-hir-khopshef, cf. *ibid.,* pp. 329 et suiv. Lettre de Prehotep, ODM 303 in OHNL (hgl. et KRI, III/17, p. 534) ; E. tr., également Černý, *Community,* p. 337. Lettres de Siamun et Anhurkhaw, hgl., Cardiner et al., *Theban Ostraca,* Londres, 1913. Toronto A.11, Lettres I & III ; KRI, III/2, pp. 40-41, 43-44 ; sur les minerais, cf. J.R. Harris, *Lexicographical Studies in Ancient Eg. Minerals,* Berlin, 1961. Réponse de Khay : ODM 114 in OHNL, et KRI, III/2, pp. 45-46. La « fiche de travail » de l'an 40, hgl., Gardiner & Černý, *Hieratic Ostraca,* I, 1957, pls 83-84, et KRI, III/17, pp. 515-525. Querelle ménagère, ODM 314 in OHNL, IV, pl. 21 (hgl.), et KRI, III/7, p. 537. Lettres de Nubhir-maat et Wernuro, ODM 117 et 560 (Černý, OHNL, II, pl. 3 ; Sauneron, OHNL, pl. 7 ; KRI, III/17, p. 539). L'homme ayant perdu sa femme, ODM 439, OHNL, V. Pl. 26.

Récréation, Loi et Religion. Fête de quatre jours, d'après l'Ostracon du Caire 25234, cf. Černý, BIFAO 27 (1927), p. 183 et suiv. ; base de la colonne, *ibid.,* 194 et suiv., et KRI, III/22, p. 682. Don de Pasaro, ODM 127 (hgl., OHNL, II, pl. 8 ; KRI III/18, p. 557 ; Trad. allemande, Allam, *Hieratische Ostraka und Papyri, Ramessidenzeit,* 1973, pp. 97-98). Oracle avec Amenmose, cf. Černý in R.A. Parker, *A Saite Oracle Papyrus,* Providence, 1962, p. 42 ; hgl., KRI, III/13, pp. 395-396. Prière de

Ramose à Mout, Černý, *Egyptian Stelae, Bankes Collection,* 1958, sous No 3 ; KRI, III/20, pp. 619-620. Offrande de Nebre, cf. Gunn, JEA 3 (1916), pp. 83 et suiv. ; hgl., KRI, III/21, pp. 635-655. Neferabu, Gunn, p. 88 et suiv. ; KRI, III/25, pp. 771-772. Bouquets de fleurs artificiels, cf. Bruyère, *Rapport... Fouilles... 1934-1935, Le Village,* 1939, p. 323, fig. 193. Amon, vizir du pauvre, cf. G. Posener, « *Amon Juge du Pauvre* », in *Beiträge zur Agyptis chen Bauforschung und Altertumskunde, Heft 12 (Festschrift für H. Ricke),* Wiesbaden, 1971, pp. 59-63. Funérailles de Harmose, ODM 126 in OHNL, et Kri, III/17, p. 532 ; cf. M.A. Green, *Orientalia 45* (1976), 395-409.

CHAPITRE X

Les dernières années. Les titres « Dieu, Souverain de Héliopolis », sont attestés dans les ans 42, 53, 56 du règne, cf. Yoyotte et Anthes in Anthes (éd.), *Mitrahineh 1956,* Philadelphie, 1965, pp. 66-70. L'épithète « Grande Ame de Rê-Harakhté » pour la résidence du Delta apparaît à partir de l'an 52, sur des ostraca en provenant, cf. Hamza, ASAE 30 (1930), p. 44, et Helck, *Verwaltung,* p. 27.

Mort de Ramsès II. Son règne aurait été de 66 années et 2 mois selon Josephus *(Contra Apionem.* I, 15/16 § 97), citant Manéthon (W.G. Waddell, *Manetho,* Loeb Ed., 1948, pp. 102/103, cf. autres sources, ibid., pp. 108-109, § 16). Deux mois après le 3e Shomu 27 (juin) correspondrait bien au 1er Akhet (Inondation), août, correspondant aux indices relatifs à l'accession au trône de Merenptah, durant la période du 1er Akhet, 18 au 2e Akhet, 13 (cf. Helck, in *Studia Biblica et Orientalia III : Oriens Antiquus,* Rome, 1959, pp. 120-121. Autres références, cf. chap. 4, ci-dessus).

Sur la momification, cf. R. Engelbach (éd.), *Introduction to Egyptian Archaeology,* Le Caire, 1946 (& repr., 1962), section de D.E. Derry. Sur les biens funéraires d'un pharaon tels que Ramsès II, la sépulture somptueuse du jeune Toutânkhamon demeure les seules indications détaillées que nous possédons. Sur les croyances funéraires égyptiennes, cf. les manuels standards, S. Morenz, *Egyptian Religion,* 1973. Textes des pyramides, surtout E. tr., R. O. Faulkner, *The Ancient Egyptian Pyramid Texts,* Oxford, 1969. Textes des sarcophages, R.O. Faulkner, *The Ancient Egyptian Coffin Texts,* I-III, Warminster, 1974-1978. Livre des Morts, E. tr., T.G. Allen, *The Egyptian Book of the Dead,* Chicago, 1906, et R.O. Faulkner, *The Book of the*

Dead, New York, 1972. Trad. française, p. Barguet, *Le Livre des Morts,* Paris, 1967.

Tombe et destinée de Ramsès II. Étude générale des grandes compositions funéraires royales. E. Hornung, *Agyptische Unterweltsbücher,* Zurich, 1972. Am Douat, E. Hornung, *Das Amduat,* I-III, Wiesbaden, 1963-1967. Litanie de Rê (E. tr.) A. Piankoff, *The Litany of Rê,* New York, 1964. Livre de la vache céleste, cf. in Piankoff, *The Shrines of Tut-ankh-amun,* New York, 1955 (pub. 1962). Le Livre des Portes, cf. J. Zandee, « *The Book of Gates* », in *Liber Amicorum (Studies... C.J. Bleeker),* Leyde, 1969, pp. 282-324. Plan de la Tombe 7 (R.II), in PM², I/2. Terminologie dans les tombes royales, cf. Černý, *Valley of the Kings,* pp. 23-24. Tombes dans la Vallée des Rois, cf. J. Romer, *Valley of the Kings,* Londres 1981.

CHAPITRE XI

Fin de la XIXe Dynastie, monuments, cf. GLR, pp. 113-148. Succession après Mérenptah, cf. Gardiner, JEA 44 (1958), pp. 12-22 ; J. Vandier, RdE 23 (1971), pp. 165-191, qui ne prend pas en compte les données de Helck, *Studia Biblica et Orientalia III,* 1959, pp. 121-124, mais ajoute d'autres données estimables ; cf. END. Que le règne d'Amenmesses ait été un bref régime rival dans le Sud durant le règne de Séti II (directement après Mérenptah) a été contesté par R. Krauss, *Studien zur Altägyptischen Kultur* 4 (1976), pp. 161-199, et 5 (1977), pp. 131-174. Guerres libyenne et nubienne, Merenptah, cf. Kitchen, *Agypten und Kusch,* 1977, pp. 221-224. Inscriptions de Mérenptah, KRI, IV, 1968 & suiv. (hgl.) et BAR §§ 569-617 (E. tr.). Textes hgl., Mérenptah à Tewosret, cf. KRI, IV.

XXe dynastie. Setnakht, cf. Papyrus Harris, section historique, E. tr., ANET, p. 260 ; nouvelle stèle, MDIK 28 (1972), pp. 193-200, pl. 49. Cf. R. Drenkhahn, *Die Elephantine-Stele des Sethnacht und ihr historischer Hintergrund,* Wiesbaden, 1980. Données relatives à Ramsès III et à ses successeurs, cf. Černý, CAH³, II/2, 1974, et Faulkner, *ibid.,* chap. 23 et 35 ; famille royale, Kitchen, JEA 68 (1982), 116-125.

Égypte de la dernière période, vers 1100 à 650 avant J.-C. (début de la renaissance saïte), cf. K.A. Kitchen, *The Third Intermediate Period in Egypt* (1100-650 avant J.-C.), Warminster, 1972, qui établit la chronologie fondamentale de toute cette époque, et comprend (Partie IV, pp. 243-408) une étude narrative historique concise mais complète ; cf. également M.L. Bierbrier, *The Late New Kingdom in Egypt,* Warminster, 1975, et (sur l'art) B.V. Bothmer, *Egyptian Sculpture of the Late Period,* Brooklyn, 1973. Les rois saïtes et l'Égypte contre la Perse, cf. F.K. Kienitz, *Die Politische Geschichte ägyptens vom 7 bis zum 4. Jahrhundert vor der Zeitwende,* Berlin, 1953, et histoires classiques, Sir A.H. Gardiner, *Egypt of the Pharaohs,* Oxford, 1962 (& repr.). Sur l'Égypte ptolémaïque, romaine et byzantine, cf. volumes ultérieurs de CAH. Re-découverte des momies royales, une histoire souvent contée ; L. Cottrell, *The Lost Pharaohs,* Londres, 1950 (& repr.), chap. 10, ou J. A. Wilson, *Signs and Wonders upon Pharaoh,* Chicago, 1964, pp. 81-85.

Ramsès en son temps. Sources, cf. chap. 1-11 ci-dessus. Dans la tradition ultérieure. Prière de Ramsès IV, E. tr., BAR, IV, § 471 ; hgl., KRI, VI/I, 1969, p. 19 ; cf. fragment de Karnak, Helck, CdE 38 (1963), pp. 39-40, et KRI, VI/2, p. 42. Ramsès-psusennes, Kitchen *Third Interm. Period,* p. 263, refs. « Annonce » du papyrus magique, cf. W. Erichsen, *Neue Demotische Erzählung,* Mainz, 1956, p. 51. Graffiti ultérieurs sur les colosses, Abou Simbel, cf. Christophe, *Abou-Simbel,* 1965, pp. 67-72. Stèle de Khons le faiseur de plan (Stèle de Bentresh), cf. E. tr. & réfs, ANET, pp. 29-30 ; hgl., KRI, 11/5, 1971, pp. 284-287. Les contes démotiques de Setne-Khaemwaset, F. Ll. Griffith, *Stories of the High Priests of Memphis,* Oxford, 1900, 2 vols.

Tradition biblique, cf. chap. 4 sous l'Exode. Sur les chronographes (utilisant Manethon), cf. W. G. Waddell, *Manetho,* Loeb Ed., 1948. Hérodote traite de l'Égypte dans son Livre II (multiples éditions disponibles). Sur Diodore de Sicile et le Ramesseum avec « Osymandias », cf. C.H. Oldfather, *Diodorus of Sicily,* I, Loeb Ed., 1946, et Anne Burton, *Diodorus Siculus, Book I, A Commentary,* Leyde, 1972 (faible sur le Ramesseum) ; des données intéressantes in Ph. Derchain, in S. Schott (éd.), *Göttinger Vorträge,* Göttingen, 1965, pp. 165-171, et la meilleure étude sur le Ramesseum, W. Helck, in P. Zazzof (éd.), *Opus Nobile (Festschrift... Ulf Jantzen),* Wiesbaden, 1969, pp. 68-76. Cf. l'excellente monographie de K. Sethe, « Sesotris » dans son *Untersuchungen,* II, Leipzig, 1900 (& repr.). Pline et Tacite, cf. Sethe, *op. cit.,* p. 5. L'abbesse Aetheria, citée par E. Naville, *The Shrine of Saft et Henneh & the Land of Goshen,* Londres, 1888, pp. 17, 19.

Ramsès aujourd'hui. Premiers voyageurs, cf. le récit passionnant de L. Greener, *The Discovery of Egypt,* Londres 1966 ; une série complète vient d'être éditée par l'Institut Français d'Archéologie Orientale, Le Caire, Égypte. Sur les échanges entre l'Europe occidentale et sa civilisation (antique et actuelle) et l'Égypte antique, cf. S. Morentz, *Die Begegnung Europas mit*

Agypten, Berlin, 1968, qui contient des généralités utiles et des références supplémentaires sur ce vaste sujet. Sur Champollion, son décryptage, et le rôle des cartouches de Ramsès II, cf. F.L. Griffith, JEA 37 (1951), pp. 42-43 ; Sir A. H. Gardiner, *Egyptian Grammar*[3], 1957, p. 15. Aïda, cf. Morenz, *op. cit.,* pp. 178-179. Les citations traduites de Rosellini et Bunsen sont reprises in Melle A. B. Edwards, *A Thousand Miles Up the Nile,* Londres, 1877 éd., 411-412 & n. ; citation propre, *ibid.,* pp. 385, 413. Appel initial pour sauver Abou Simbel, etc., cf. Christophe, *Abou-Simbel,* 1965, chap. VII. Matériau sur les *Dix Commandements* (dans lequel Ramsès II est interprété par Yul Brynner), cf. H.S. Noerdlinger, *Moses and Egypt,* Los Angeles, 1956. La bande dessinée « Ramsesses », parue initialement dans le *Bournemouth Evening Echo,* puis dans le *Southern Evening Echo,* Southampton ; données, dues à la courtoisie de M. C. J. Bridger. Ramsès II, conservé médicalement à Paris, cf. Z.L. Balout, *Le Courrier du CNRS 28* (avril 1978), pp. 36-42. Étude générale relative à Ramsès II et à son temps (exposition spéciale), cf. Ch. Desroches-Noblecourt, et al. *Ramsès le Grand,* Paris, 1976.

INDEX

Abou Simbel, 96, 118, 123, 138, 141 et suiv., 189 et suiv., 193, 245, 318, 321.
Abydos, 19, 23, 49, 58, 61 et suiv., 71 et suiv., 75, 95, 106, 195, 224, 231, 236 et suiv., 245.
Ahmosis, 26, 27, 40.
Akhenaton, 19, 32 et suiv., 35 et suiv., 39, 49, 79, 163, 222, 243.
Akhet-Aton, 31, 79, 243.
Akmin, 224.
Alep, 79, 84 et suiv., 88, 99, 123.
Alexandrie, 16.
Amara, 20.
Am-Douat, 286 et suiv.
Amenemhat Ier, 25.
Amenemhat III, 26.
Amen-em-inet, 54, 71, 95, 176, 190, 195, 197, 238.
Amen-em-ope, 54, 57, 65, 71.
Amenhir-wonmef, 64, 65, 98, 103, 144 et suiv.
Aménophis Ier, 27, 255, 284.
Aménophis II, 29 et suiv.
Aménophis III, 29 et suiv., 36, 38, 41, 43, 49, 63, 66, 71, 113, 122, 138, 141, 187.
Aménophis IV, 31.
Amon, 16, 21, 25, 29 et suiv., 38 et suiv., 41, 49, 55, 61 et suiv., 71, 75, 88, 96, 138, 142, 160, 163, 170, 176, 184, 194, 221 et suiv., 225, 231 et suiv., 238; 243 et suiv., 299.
Amonmesses, 293.
Amourrou, 29, 32, 37, 46 et suiv., 79 et suiv., 88, 90, 92, 99, 123.
Anath, 225, 246.
Aniba, 17.
Ankhesenamon, 34.
Anubis, 223.
Apis, 147 et suiv., 154, 225, 236.
Apopi, 26, 286, 288.
Asha-Hebsed, 55, 96 et suiv., 158, 194, 245.
Assouan, 18 et suiv., 22, 59 et suiv., 63, 75, 143, 153, 170, 224, 297.
Assouit, 19.
Astarte, 225.
Aton, 31 et suiv., 34, 243.
Atoum, 40.
Avaris, 17 et suiv., 26 et suiv., 36,

60, 67, 69 et suiv., 102 et suiv., 168, 170. (Eaux d'), 17, 171.
Aya (terre d'), 119.

Baal, 18, 160, 224.
Babylone, 28.
Baki, 62.
Bakenkhons, 55, 71, 176, 195, 238, 240.
Baky, *cf.* Bakankhons.
Bastet, 17, 222, 224 et suiv.
Bedehet, 16.
Benteshina, 80, 92.
Bès, 169, 256.
Beth Shân, 45 et suiv., 109.
Bin-Anath, 64, 127, 141, 143 et suiv., 155, 260.
Boubastis, 17, 224, 298 et suiv.
Boyhen, 20, 42.
Bouto, 16, 22.
Byblos, 24, 33, 46, 79, 81, 99.

Caire (Le), 16.
Canaan, 17, 21, 29, 32, 36, 38, 41 et suiv., 44 et suiv., 49, 55, 83, 97 et suiv., 123, 129, 291.
Canope, 16.
Champollion, 317 et suiv.
Chepseskaf, 151.
Coptos, 54, 224, 238.

Damiette, 16.
Dapur, 99 et suiv.
Dedia, 63.
Deir el Baharai, 28, 234, 298.
Deir el-Médineh, 28, 49, 104, 167, 193, 235, 254 et suiv., 282, 285, 294, 296.
Dendérah, 19, 71, 74, 224, 236, 238.
Dibon, 98.
Djeb (pilier), 247.
Djeser, 24, 151.
Dushratta, 32.

Edfou, 19, 224.
Edom, 98.
Euphrate, 27 et suiv.
Eshumen, 18.

Faras, 71.
Fayoum, 18, 22, 65, 127, 152, 155, 224, 280.

Gizeh, 24, 149, 206.
Goshen (Pays de), 17.
Gournah, 244.

Hadad, 18.
Hanigalbat, 93 et suiv., 109, 120.
Hapi, 225.
Hardjedef, 24.
Hatchepsout, 28, 138, 234.
Hathor, 19, 55, 74, 96 et suiv., 138, 141, 160, 162, 222, 224 et suiv., 230, 234, 236, 246, 256, 265, 272.
Hatiay, 194, 238.
Hatti, 35, 47 et suiv., 80 et suiv., 84 et suiv., 92 et suiv., 99 et suiv., 111 et suiv., 116, 119, 122, 125, 126, 221, 292.
Hattousa, 80, 92, 112 et suiv., 127, 131.
Hattousil, 92 et suiv., 100, 107, 111 et suiv., 116 et suiv., 124, 129, 132.
Hattousil III, *cf.* Hattousil.
Heb-sed, *cf.* Jubilé (fête).
Héliopolis, 16 et suiv., 31, 43, 50, 70, 75, 139, 158, 168, 179, 219, 222, 225, 235, 245.
Hentmire, 139.
Hermopolis, 18, 224, 230.
Hérishef, 224, 246.
Heqanakht, 96, 142, 189 et suiv.
Hishmi-Sharruma, *cf.* Toudkhalia IV.
Hittites, 28, 32, 35 et suiv., 39, 46 et suiv., 66, 79, 84, 86, 87, 89, 90, 92 et suiv., 95, 99, 122, 221, 291.
Horemheb, 34 et suiv., 35, 37 et suiv., 102, 153, 163.
Hori, 184, 236.
Hori-Min, 53 et suiv.
Horon, 224.
Horus, 17, 19, 40, 43, 59, 70, 223 et suiv., 230, 241, 287.
Houy, 124, 146 et suiv., 152, 190 et suiv., 197, 236, 264 et suiv.
Hyksos, 26 et suiv., 40, 101, 106.

Imhotep, 24.
Ini-Teshoub Ier, 130.
Iouny, 65, 71, 96 et suiv., 189 et suiv.
Ipouy, 258, 262.
Irem, 20, 56, et suiv., 105, 192.
Irquata, 79, 99.
Isis, 54, 59, 223, 239, 256.
Istnofret, 64, 139, 143, 145, 156.
Itjet-Taowy, 25, 26.
Iunet, 19.

Jubilé (fête du), 247, 248, 280 et suiv.

Kadashman-Enlil II, 117, 119.
Kadashman-Turgu, 108, 117.
Kadesh, 32, 48, 79 et suiv., 83 et suiv., 90 et suiv., 96 et suiv., 99, 104, 123, 144.
Kamès, 26.
Karkémish, 36, 99 et suiv., 109, 130.
Karnak, 19, 28, 30 et suiv., 39, 41, 43 et suiv., 46, 57, 62 et suiv., 70 et suiv., 95, 113, 124, 140, 165, 170, 195, 232 et suiv., 235, 244 et suiv., 267, 299.
Khartoum, 20.
Khaemwaset, 64 et suiv., 128, 143 et suiv., 151 et suiv., 206, 220, 236, 247.
Khawy, 258 et suiv., 265.
Khay, 153, 185, 194, 248, 266 et suiv.
Khéops, 24.
Khéphren, 24.
Khépri, 222.
Khons, 134, 165, 232, 233, 238.
Khoum, 224 et suiv., 239.
Kouban, 20.
Koush, 20, 56, 97, 192, 319.
Kumidi, 46, 92, 98.

Lacs Amers, 17, 103.
Lepsius, 317, 319.
Libye, 47, 49, 99, 295, 298.
Louxor, 19, 30, 70, 72, 75 et suiv., 95, 100, 138, 140, 163, 233, 235.

Maât, 222.
Maât-hor Neferure, 126, 134, 155.
Mariette, 317.
Médinet-Habou, 276, 295, 300.
Megiddo, 109.
Memphis, 16, 18, 21 et suiv., 28, 30 et suiv., 37, 41 et suiv., 50, 60, 70, 77, 126, 139, 146 et suiv., 150, 154, 160 et suiv., 168, 170, 179, 182, 220, 225, 231 et suiv., 235, 245, 248, 297 et suiv.
Ménès, 23.
Mentouhotep II, 25, 28, 234.
Mérenptah, 64, 106, 128, 143, 146, 153, 155, 157, 159 et suiv., 225, 237, 280 et suiv., 290 et suiv.
Meresger, 260 et suiv., 272 et suiv.
Mery-Atoum, 62, 145, 157 et suiv., 194, 236.
Meryetamon, 64, 127, 141, 143, 155, 156.
Min, 54, 224, 265.
Mitanni, 28 et suiv., 32, 36, 47, 95, 111.
Mi-wer, 155, 159, 182, 280.
Mnevis, 158, 225.
Montou, 31, 42, 85 et suiv., 165, 224.
Morts (Livre des), 253, 275, 284.
Moursil II, 35, 116.
Moursil III, *cf.* Ourhi-Teshoub.
Mout, 123, 222, 226, 232 et suiv., 236, 238, 240, 272.
Moutawallis, 48, 80 et suiv., 86 et suiv., 90 et suiv., 99, 107.
« Murs Blancs », 162, 232.

Napata, 21
Narmer, 23.
Neb-amentet, 258.
Neb-amon, 258.
Nebneteru, 61, 71.
Nebnufer, 175, 260, 267.
Nebre, 262, 271, 273.
Nebtaouy, 127, 156.
Nebwenenef, 140, 236, 238, 71, 74.
Nédyt, 232.
Neferhotep l'Ancien, 62, 260.
Neferhotep le Jeune, 260.

Néferronpet, 159, 247, 258, 262, 280.
Nefertari, 64, 74, 96, 116 et suiv., 137 et suiv., 141 et suiv., 245, 260.
Néfertiti, 31 et suiv.
Nefertoum, 163, 223.
Neith, 162, 224.
Neshmet, 231.
Nekhbet, 224.
Nil (delta du), 15, 16, 27, 38, 47, 246, 281, 292, 301 ; (fleuve), 20 et suiv., 57, 62, 163, 230, 234, 236, 246, 249, 251, 252 et suiv., 280, 292 ; (bras du) 16, 171 ; Blanc, bleu et Atbara, 22.
Ninsu, 18, 25, 65, 152, 155, 224, 245.
Nubie, 19 et suiv., 27, 29, 54 et suiv., 58, 66, 75, 96, 105, 126, 141 et suiv., 144, 189, 297.

Onouris, 224, 237.
Onouris-shu, 224, 236.
Opet (fête de), 49, 60, 70, 74, 165, 232, 235, 271.
Oupouaout, 224, 231.
Oronte, 85 et suiv., 99, 123.
Osiris, 19, 49, 58 et suiv., 61, 70, 223, 230 et suiv., 237, 244 et suiv., 283, 285 et suiv.
Ouadi Allaki, 20.
Ouadi Toumilat, 17.
Ouadjat, 224, 246.
Ougarit, 29, 33, 35, 37, 113, 117, 131.
Ounas, 151.
Ourhi-Teshoub, 55, 100 et suiv., 107 et suiv., 111, 118.

Paneshy, 183, 254, 293.
Paser (vice-roi), 189 et suiv.
Paser (vizir), 54, 60, 63, 71, 116, 147, 174 et suiv., 194, 203 et suiv., 208, 234, 264.
Pashed, 258.
Pashedu, 62.
Pay, 62.
Pépi II, 24, 206.
Pétrie, 317 et suiv.
Phénicie, 27 et suiv., 41, 47 et suiv., 79 et suiv., 99.
Piay, 62.
Pi-Ramsès, 70, 80 et suiv., 92, 99, 103, 111, 113, 116, 123 et suiv., 126, 130, 137, 159, 168 et suiv., 179, 246 et suiv., 281, 297.
Pitôm, 103.
Pramès, 37 et suiv.
Pre-hir-wonmef, 64, 86, 144 et suiv.
Prehotep l'Ancien, 237, 280.
Prehotep le Jeune, 236, 280.
Ptath, 30 et suiv., 38, 50, 58, 63, 126 et suiv., 142, 146, 148, 152, 154, 162, 170, 191, 194, 222 et suiv., 230, 235, 243, 245, 249.
Pudukhepa, 108, 116 et suiv., 121 et suiv., 130, 142.
Pyramides (Textes des), 284.

Qaha, 175, 257, 260, 266.

Ramsès, 64, 143 et suiv., 147, 189.
Ramsès Ier, 40 et suiv.
Ramsès III, 185, 225, 276, 295.
Ramesseum, 72, 95, 100, 114, 137, 167, 176, 194, 234 et suiv., 244, 285, 290, 296, 300.
Ramose, 175, 254, 264 et suiv., 272.
Rê, 17, 27, 31, 38, 40 et suiv., 50, 53 et suiv., 58 et suiv., 75, 96, 114, 142, 158, 170 et suiv., 222, 230, 235, 241, 243, 245, 283, 285 et suiv.
Rê-Atoum, 170, 247.
Reines (Vallée des), 19, 118, 138, 141 et suiv., 155, 167, 258, 296.
Rois (Vallée des), 19, 28, 35, 42 et suiv., 62 et suiv., 70, 167, 244, 258, 285 et suiv.
Roma-roy, 240.
Rosette, 16.
Rosette (Pierre de), 317.

Saï (île de), 20, 57.
Saïs, 22, 224, 300 et suiv.

Salmanasar Ier, 108 et suiv., 119.
Saqqarah, 147, 150, 151, 206.
Sarcophages (Textes des), 253, 284.
Sed (fête), *cf.* jubilé.
Sekhmet, 163, 170, 222 et suiv., 236.
Semenkharê, 33, 37.
Serapeum, 147, 150, 154.
Sésostris Ier et II, 26.
Sétau, 104, 176, 190 et suiv., 204, 246.
Seth, 17, 26, 36, 102, 114, 125, 170 et suiv., 222 et suiv., 230 et suiv., 239, 246.
Set-hir-khopshef, 116 et suiv.
Séti, 36, 39, 41.
Séti Ier, 42 et suiv., 46 et suiv., 52 et suiv., 60 et suiv., 70, 79, 105, 137, 169, 222.
Séti II, 293 et suiv.
Shaat, 20, 57.
Shattuara II, 94 et 109.
Sheshonq, 298 et suiv.
Sidon, 46, 99.
Silé, 17, 38, 44 et suiv., 83, 91, 102.
Silsilis, 19, 50.
Simyra, 46, 99.
Sinaï, 17 et suiv., 24, 28, 44.
Siut, 224.
Snéfrou, 24, 151.
Sobek, 50, 224 et suiv.
Sokar, 223, 231 et suiv., 235, 286, 287.
Souppilouliama Ier, 32, 34, 118.
Souppilouliama II, 295.
Souty, 183, 185.
Syrie, 28, 38 et suiv., 46 et suiv., 49, 55, 79 et suiv., 83, 91, 100 et suiv., 108, 111, 122, 131, 291.

Tanis, 297 et suiv.
Tarkhuns, 18.
Tel el-Amarna, 19.
Tell-es-Shibab, 46.
Teshoub, 18.
Thèbes, 19, 21, 25 et suiv., 28 et suiv., 38, 41 et suiv., 49 et suiv., 55 et suiv., 60 et suiv., 69 et suiv., 73, 75, 114, 117, 137, 139, 159, 165 et suiv., 221, 226, 231 et suiv., 244, 282, 299 et suiv.
Thinis, 71, 74, 224, 236 et suiv.
Thot, 19, 76, 224 et suiv., 272, 313.
Thoutmosis Ier, 27, 255, 284.
Thoutmosis II, 28.
Thoutmosis III, 28 et suiv., 36, 43, 47 et suiv., 79, 206.
Thoutmosis IV, 29 et suiv.
Tia, 53, 139.
Tija, 53, 139.
Tjay, 159.
Toudkhalia IV, 127 et suiv., 133, 291.
Touéris, 265.
Toutânkhamon, 19, 33 et suiv., 37, 71.
Touy, 257.
Touya, 53, 116 et suiv., 137 et suiv., 141, 245.
Tunip, 84 et suiv., 99 et suiv., 323.
Tyr, 29, 45 et suiv., 79 et suiv.

Upi, 29, 46, 83, 92 et suiv., 97 et suiv., 119.
Userha-Amon, 233.

Wasashatta, 93, 109.
Wennufer, 237.

Yazilikaya (temple de), 128.
Young, 317.
Yupa, 159, 194.

Lithographié au Canada
sur les presses de
Métropole Litho Inc.

Ouvrages parus aux ÉDITIONS DE L'HOMME

sans * pour l'Amérique du Nord seulement
* pour l'Europe et l'Amérique du Nord
** pour l'Europe seulement

ALIMENTATION — SANTÉ

Allergies, Les, Dr Pierre Delorme
* **Cellulite, La,** Dr Jean-Paul Ostiguy
Conseils de mon médecin de famille, Les, Dr Maurice Lauzon
Contrôler votre poids, Dr Jean-Paul Ostiguy
Diététique dans la vie quotidienne, La, Louise Lambert-Lagacé
Face-lifting par l'exercice, Le, Senta Maria Rungé
* **Guérir ses maux de dos,** Dr Hamilton Hall
* **Maigrir en santé,** Denyse Hunter
* **Maigrir, un nouveau régime de vie,** Edwin Bayrd
Massage, Le, Byron Scott
Médecine esthétique, La, Dr Guylaine Lanctôt
* **Régime pour maigrir,** Marie-Josée Beaudoin
* **Sport-santé et nutrition,** Dr Jean-Paul Ostiguy
* **Vivre jeune,** Myra Waldo

ART CULINAIRE

Agneau, L', Jehane Benoit
Art d'apprêter les restes, L', Suzanne Lapointe
* **Art de la cuisine chinoise, L',** Stella Chan
Art de la table, L', Marguerite du Coffre
Boîte à lunch, La, Louise Lambert-Lagacé
Bonne table, La, Juliette Huot
Brasserie la Mère Clavet vous présente ses recettes, La, Léo Godon
Canapés et amuse-gueule
101 omelettes, Claude Marycette
Cocktails de Jacques Normand, Les, Jacques Normand
Confitures, Les, Misette Godard
* **Congélation des aliments, La,** Suzanne Lapointe
* **Conserves, Les,** Soeur Berthe
* **Cuisine au wok, La,** Charmaine Solomon
Cuisine chinoise, La, Lizette Gervais
Cuisine de Maman Lapointe, La, Suzanne Lapointe
Cuisine de Pol Martin, La, Pol Martin
Cuisine des 4 saisons, La, Hélène Durand-LaRoche
* **Cuisine du monde entier, La,** Jehane Benoit
Cuisine en fête, La, Juliette Lassonde
Cuisine facile aux micro-ondes, Pauline Saint-Amour
* **Cuisine micro-ondes, La,** Jehane Benoit
Desserts diététiques, Claude Poliquin
Du potager à la table, Paul Pouliot, Pol Martin
En cuisinant de 5 à 6, Juliette Huot
* **Faire son pain soi-même,** Janice Murray Gill
* **Fèves, haricots et autres légumineuses,** Tess Mallos
Fondue et barbecue
* **Fondues et flambées de Maman Lapointe,** S. et L. Lapointe
Fruits, Les, John Goode
Gastronomie au Québec, La, Abel Benquet
Grande cuisine au Pernod, La, Suzanne Lapointe
Grillades, Les
* **Guide complet du barman, Le,** Jacques Normand
Hors-d'oeuvre, salades et buffets froids, Louis Dubois

Légumes, Les, John Goode
Liqueurs et philtres d'amour, Hélène Morasse
Ma cuisine maison, Jehane Benoit
Madame reçoit, Hélène Durand-LaRoche
* **Menu de santé,** Louise Lambert-Lagacé
Pâtes à toutes les sauces, Les, Lucette Lapointe
Pâtisserie, La, Maurice-Marie Bellot
Petite et grande cuisine végétarienne, Manon Bédard
Poissons et crustacés
Poissons et fruits de mer, Soeur Berthe
* **Poulet à toutes les sauces, Le,** Monique Thyraud de Vosjoli
Recettes à la bière des grandes cuisines Molson, Les, Marcel L. Beaulieu
Recettes au blender, Juliette Huot
Recettes de gibier, Suzanne Lapointe
Recettes de Juliette, Les, Juliette Huot
Recettes pour aider à maigrir, Dr Jean-Paul Ostiguy
Robot culinaire, Le, Pol Martin
Sauces pour tous les plats, Huguette Gaudette, Suzanne Colas
* **Techniques culinaires, Les,** Soeur Berthe
* **Une cuisine sage,** Louise Lambert-Lagacé
Vins, cocktails et spiritueux, Gilles Cloutier
Y'a du soleil dans votre assiette, Francine Georget

DOCUMENTS — BIOGRAPHIES

Art traditionnel au Québec, L', M. Lessard et H. Marquis
Artisanat québécois, T. I, Cyril Simard
Artisanat québécois, T. II, Cyril Simard
Artisanat québécois, T. III, Cyril Simard
Bien pensants, Les, Pierre Berton
Charlebois, qui es-tu? Benoît L'Herbier
Comité, Le, M. et P. Thyraud de Vosjoli
Daniel Johnson, T. I, Pierre Godin
Daniel Johnson, T. II, Pierre Godin
Deux innocents en Chine Rouge, Jacques Hébert, Pierre E. Trudeau
Duplessis, l'ascension, T. I, Conrad Black
Duplessis, le pouvoir, T. II, Conrad Black
Dynastie des Bronfman, La, Peter C. Newman
Écoles de rang au Québec, Les, Jacques Dorion
* **Ermite, L',** T. Lobsang Rampa
Establishment canadien, L', Peter C. Newman
Fabuleux Onassis, Le, Christian Cafarakis
Filière canadienne, La, Jean-Pierre Charbonneau
Frère André, Le, Micheline Lachance
Insolences du frère Untel, Les, Frère Untel
Invasion du Canada L', T. I, Pierre Berton
Invasion du Canada L', T. II, Pierre Berton
John A. Macdonald, T. I, Donald Creighton
John A. Macdonald, T. II, Donald Creighton
Lamia, P.L. Thyraud de Vosjoli
Magadan, Michel Solomon
Maison traditionnelle au Québec, La, M. Lessard, G. Vilandré
Mammifères de mon pays, Les, St-Denys-Duchesnay-Dumais
Masques et visages du spiritualisme contemporain, Julius Evola
Mastantuono, M. Mastantuono, M. Auger
Mon calvaire roumain, Michel Solomon
Moulins à eau de la vallée du St-Laurent, Les, F. Adam-Villeneuve, C. Felteau
Mozart raconté en 50 chefs-d'oeuvre, Paul Roussel
Nos aviateurs, Jacques Rivard
Nos soldats, George F.G. Stanley
Nouveaux Riches, Les, Peter C. Newman
Objets familiers de nos ancêtres, Les, Vermette, Genêt, Décarie-Audet
Oui, René Lévesque
* **OVNI,** Yurko Bondarchuck
Papillons du Québec, Les, B. Prévost et C. Veilleux
Patronage et patroneux, Alfred Hardy
Petite barbe, j'ai vécu 40 ans dans le Grand Nord, La, André Steinmann
* **Pour entretenir la flamme,** T. Lobsang Rampa
Prague, l'été des tanks, Desgraupes, Dumayet, Stanké
Prince de l'Église, le cardinal Léger, Le, Micheline Lachance

Provencher, le dernier des coureurs de bois, Paul Provencher
Réal Caouette, Marcel Huguet
Révolte contre le monde moderne, Julius Evola
Struma, Le, Michel Solomon
Temps des fêtes au Québec, Le, Raymond Montpetit
Terrorisme québécois, Le, Dr Gustave Morf
* **Treizième chandelle, La,** T. Lobsang Rampa
Troisième voie, La, Me Emile Colas
Trois vies de Pearson, Les, J.-M. Poliquin, J.R. Beal
Trudeau, le paradoxe, Anthony Westell
Vizzini, Sal Vizzini
Vrai visage de Duplessis, Le, Pierre Laporte

ENCYCLOPÉDIES

Encyclopédie de la chasse au Québec, Bernard Leiffet
Encyclopédie de la maison québécoise, M. Lessard, H. Marquis
* **Encyclopédie de la santé de l'enfant, L',** Richard I. Feinbloom
Encyclopédie des antiquités du Québec, M. Lessard, H. Marquis
Encyclopédie des oiseaux du Québec, W. Earl Godfrey
Encyclopédie du jardinier horticulteur, W.H. Perron
Encyclopédie du Québec, vol. I, Louis Landry
Encyclopédie du Québec, vol. II, Louis Landry

ENFANCE ET MATERNITÉ

* **Aider son enfant en maternelle et en 1ère année,** Louise Pedneault-Pontbriand
* **Aider votre enfant à lire et à écrire,** Louise Doyon-Richard
Avoir un enfant après 35 ans, Isabelle Robert
* **Comment avoir des enfants heureux,** Jacob Azerrad
Comment amuser nos enfants, Louis Stanké
* **Comment nourrir son enfant,** Louise Lambert-Lagacé
* **Découvrez votre enfant par ses jeux,** Didier Calvet
Des enfants découvrent l'agriculture, Didier Calvet
* **Développement psychomoteur du bébé, Le,** Didier Calvet
* **Douze premiers mois de mon enfant, Les,** Frank Caplan
Droits des futurs parents, Les, Valmai Howe Elkins
* **En attendant notre enfant,** Yvette Pratte-Marchessault
Enfant unique, L', Ellen Peck
* **Éveillez votre enfant par des contes,** Didier Calvet
* **Exercices et jeux pour enfants,** Trude Sekely
Femme enceinte, La, Dr Robert A. Bradley
Futur père, Yvette Pratte-Marchessault
* **Jouons avec les lettres,** Louise Doyon-Richard
* **Langage de votre enfant, Le,** Claude Langevin
Maman et son nouveau-né, La, Trude Sekely
Merveilleuse histoire de la naissance, Dr Lionel Gendron
Pour bébé, le sein ou le biberon, Yvette Pratte-Marchessault
Pour vous future maman, Trude Sekely
* **Préparez votre enfant à l'école,** Louise Doyon-Richard
* **Psychologie de l'enfant, La,** Françoise Cholette-Pérusse
* **Tout se joue avant la maternelle,** Isuba Mansuka
* **Trois premières années de mon enfant, Les,** Dr Burton L. White
* **Une naissance apprivoisée,** Edith Fournier, Michel Moreau

LANGUE

Améliorez votre français, Jacques Laurin
* **Anglais par la méthode choc, L',** Jean-Louis Morgan

Corrigeons nos anglicismes, Jacques Laurin
* **J'apprends l'anglais,** G. Silicani et J. Grisé-Allard
Notre français et ses pièges, Jacques Laurin
Petit dictionnaire du joual au français, Augustin Turennes
Verbes, Les, Jacques Laurin

LITTÉRATURE

Adieu Québec, André Bruneau
Allocutaire, L', Gilbert Langlois
Arrivants, Les, collaboration
Berger, Les, Marcel Cabay-Marin
Bigaouette, Raymond Lévesque
Carnivores, Les, François Moreau
Carré St-Louis, Jean-Jules Richard
Centre-ville, Jean-Jules Richard
Chez les termites, Madeleine Ouellette-Michalska
Commettants de Caridad, Les, Yves Thériault
Danka, Marcel Godin
Débarque, La, Raymond Plante
Domaine Cassaubon, Le, Gilbert Langlois
Doux mal, Le, Andrée Maillet
D'un mur à l'autre, Paul-André Bibeau
Emprise, L', Gaétan Brulotte
Engrenage, L', Claudine Numainville
En hommage aux araignées, Esther Rochon
Faites de beaux rêves, Jacques Poulin
Fuite immobile, La, Gilles Archambault
J'parle tout seul quand Jean Narrache, Émile Coderre
Jeu des saisons, Le, Madeleine Ouellette-Michalska
Marche des grands cocus, La, Roger Fournier
Monde aime mieux..., Le, Clémence Desrochers
Mourir en automne, Claude DeCotret
N'Tsuk, Yves Thériault
Neuf jours de haine, Jean-Jules Richard
New medea, Monique Bosco
Outaragasipi, L', Claude Jasmin
Petite fleur du Vietnam, La, Clément Gaumont
Pièges, Jean-Jules Richard
Porte silence, Paul-André Bibeau
Requiem pour un père, François Moreau
Si tu savais..., Georges Dor
Tête blanche, Marie-Claire Blais
Trou, Le, Sylvain Chapdeleine
Visages de l'enfance, Les, Dominique Blondeau

LIVRES PRATIQUES — LOISIRS

Améliorons notre bridge, Charles A. Durand
* **Art du dressage de défense et d'attaque, L',** Gilles Chartier
* **Art du pliage du papier, L',** Robert Harbin
* **Baladi, Le,** Micheline d'Astous
* **Ballet-jazz, Le,** Allen Dow et Mike Michaelson
* **Belles danses, Les,** Allen Dow et Mike Michaelson
Bien nourrir son chat, Christian d'Orangeville
Bien nourrir son chien, Christian d'Orangeville
Bonnes idées de maman Lapointe, Les, Lucette Lapointe
* **Bridge, Le,** Vivianne Beaulieu
Budget, Le, en collaboration
Choix de carrières, T. I, Guy Milot
Choix de carrières, T. II, Guy Milot
Choix de carrières, T. III, Guy Milot
Collectionner les timbres, Yves Taschereau
Comment acheter et vendre sa maison, Lucile Brisebois
Comment rédiger son curriculum vitae, Julie Brazeau
Comment tirer le maximum d'une mini-calculatrice, Henry Mullish
Conseils aux inventeurs, Raymond-A. Robic
Construire sa maison en bois rustique, D. Mann et R. Skinulis
Crochet jacquard, Le, Brigitte Thérien
Cuir, Le, L. St-Hilaire, W. Vogt
* **Découvrir son ordinateur personnel,** François Faguy
Dentelle, La, Andrée-Anne de Sève
Dentelle II, La, Andrée-Anne de Sève
Dictionnaire des affaires, Le, Wilfrid Lebel

* **Dictionnaire des mots croisés — noms communs,** Paul Lasnier
* **Dictionnaire des mots croisés — noms propres,** Piquette-Lasnier-Gauthier
Dictionnaire économique et financier, Eugène Lafond
* **Dictionnaire raisonné des mots croisés,** Jacqueline Charron
Emploi idéal en 4 minutes, L', Geoffrey Lalonde
Étiquette du mariage, L', Marcelle Fortin-Jacques
Faire son testament soi-même, Me G. Poirier et M. Nadeau Lescault
Fins de partie aux dames, H. Tranquille et G. Lefebvre
Fléché, Le, F. Bourret, L. Lavigne
Frivolité, La, Alexandra Pineault-Vaillancourt
Gagster, Claude Landré
Guide complet de la couture, Le, Lise Chartier
* **Guide complet des cheveux, Le,** Phillip Kingsley
Guide du chauffage au bois, Le, Gordon Flagler
* **Guitare, La,** Peter Collins
Hypnotisme, L', Jean Manolesco
* **J'apprends à dessiner,** Joanna Nash
Jeu de la carte et ses techniques, Le, Charles A. Durand
Jeux de cartes, Les, George F. Hervey
* **Jeux de dés, Les,** Skip Frey
Jeux d'hier et d'aujourd'hui, S. Lavoie et Y. Morin
* **Jeux de société,** Louis Stanké
* **Jouets, Les,** Nicole Bolduc
* **Lignes de la main, Les,** Louis Stanké
Loi et vos droits, La, Me Paul-Émile Marchand
Magie et tours de passe-passe, Ian Adair
Magie par la science, La, Walter B. Gibson
* **Manuel de pilotage**
Marionnettes, Les, Roger Régnier
Mécanique de mon auto, La, Time Life Books
* **Mon chat, le soigner, le guérir,** Christian d'Orangeville
Nature et l'artisanat, La, Soeur Pauline Roy
* **Noeuds, Les,** George Russel Shaw
Nouveau guide du propriétaire et du locataire, Le, Mes M. Bolduc, M. Lavigne, J. Giroux
* **Ouverture aux échecs, L',** Camille Coudari
Papier mâché, Le, Roger Régnier
P'tite ferme, les animaux, La, Jean-Claude Trait
Petit manuel de la femme au travail, Lise Cardinal
Poids et mesures, calcul rapide, Louis Stanké
Races de chats, chats de race, Christian d'Orangeville
Races de chiens, chiens de race, Christian d'Orangeville
Roulez sans vous faire rouler, T. I, Philippe Edmonston
Roulez sans vous faire rouler, T. II, le guide des voitures d'occasion, Philippe Edmonston
Savoir-vivre d'aujourd'hui, Le, Marcelle Fortin-Jacques
Savoir-vivre, Nicole Germain
Scrabble, Le, Daniel Gallez
Secrétaire bilingue, Le/la, Wilfrid Lebel
Secrétaire efficace, La, Marian G. Simpsons
Tapisserie, La, T.M. Perrier, N.B. Langlois
* **Taxidermie, La,** Jean Labrie
Tenir maison, Françoise Gaudet-Smet
Terre cuite, Robert Fortier
Tissage, Le, G. Galarneau, J. Grisé-Allard
Tout sur le macramé, Virginia I. Harvey
Trouvailles de Clémence, Les, Clémence Desrochers
2001 trucs ménagers, Lucille Godin
Vive la compagnie, Pierre Daigneault
Vitrail, Le, Claude Bettinger
Voir clair aux dames, H. Tranquille, G. Lefebvre
* **Voir clair aux échecs,** Henri Tranquille
* **Votre avenir par les cartes,** Louis Stanké
Votre discothèque, Paul Roussel

PHOTOGRAPHIE

* **8/super 8/16,** André Lafrance
* **Apprendre la photo de sport,** Denis Brodeur
* **Apprenez la photographie avec Antoine Desilets**
* **Chasse photographique, La,** Louis-Philippe Coiteux
* **Découvrez le monde merveilleux de la photographie,** Antoine Desilets
* **Je développe mes photos,** Antoine Desilets

* **Guide des accessoires et appareils photos, Le,** Antoine Desilets, Paul Taillefer
* **Je prends des photos,** Antoine Desilets
* **Photo à la portée de tous, La,** Antoine Desilets
* **Photo de A à Z, La,** Desilets, Coiteux, Gariépy
* **Photo Reportage,** Alain Renaud
* **Technique de la photo, La,** Antoine Desilets

PLANTES ET JARDINAGE

Arbres, haies et arbustes, Paul Pouliot
Automne, le jardinage aux quatre saisons, Paul Pouliot
* **Décoration intérieure par les plantes, La,** M. du Coffre, T. Debeur
Été, le jardinage aux quatre saisons, Paul Pouliot
Guide complet du jardinage, Le, Charles L. Wilson
Hiver, le jardinage aux quatre saisons, Paul Pouliot
Jardins d'intérieur et serres domestiques, Micheline Lachance
Jardin potager, la p'tite ferme, Le, Jean-Claude Trait
Je décore avec des fleurs, Mimi Bassili
Plantes d'intérieur, Les, Paul Pouliot
Printemps, le jardinage aux quatre saisons, Paul Pouliot
Techniques du jardinage, Les, Paul Pouliot
* **Terrariums, Les,** Ken Kayatta et Steven Schmidt
Votre pelouse, Paul Pouliot

PSYCHOLOGIE

Âge démasqué, L', Hubert de Ravinel
* **Aider mon patron à m'aider,** Eugène Houde
* **Amour, de l'exigence à la préférence, L',** Lucien Auger
Caractères et tempéraments, Claude-Gérard Sarrazin
* **Coeur à l'ouvrage, Le,** Gérald Lefebvre
* **Comment animer un groupe,** collaboration
* **Comment déborder d'énergie,** Jean-Paul Simard
* **Comment vaincre la gêne et la timidité,** René-Salvator Catta
* **Communication dans le couple, La,** Luc Granger
* **Communication et épanouissement personnel,** Lucien Auger
Complexes et psychanalyse, Pierre Valinieff
* **Contact,** Léonard et Nathalie Zunin
* **Courage de vivre, Le,** Dr Ari Kiev
Dynamique des groupes, J.M. Aubry, Y. Saint-Arnaud
* **Émotivité et efficacité au travail,** Eugène Houde
* **Être soi-même,** Dorothy Corkille Briggs
* **Facteur chance, Le,** Max Gunther
* **Fantasmes créateurs, Les,** J.L. Singer, E. Switzer
Frères — Soeurs, la rivalité fraternelle, Dr J.F. McDermott, Jr
* **Hypnose, bluff ou réalité?,** Alain Marillac
* **Interprétez vos rêves,** Louis Stanké
* **J'aime,** Yves Saint-Arnaud
* **Mise en forme psychologique, La,** Richard Corriere et Joseph Hart
* **Parle moi... j'ai des choses à te dire,** Jacques Salomé
Penser heureux, Lucien Auger
* **Personne humaine, La,** Yves Saint-Arnaud
* **Première impression, La,** Chris. L. Kleinke
* **Psychologie de l'amour romantique, La,** Dr Nathaniel Branden
* **S'affirmer et communiquer,** J.-M. Boisvert, M. Beaudry
* **S'aider soi-même,** Lucien Auger
* **S'aider soi-même davantage,** Lucien Auger
* **S'aimer pour la vie,** Dr Zev Wanderer et Erika Fabian
* **Savoir organiser, savoir décider,** Gérald Lefebvre
* **Savoir relaxer pour combattre le stress,** Dr Edmund Jacobson
* **Se changer,** Michael J. Mahoney
* **Se comprendre soi-même,** collaboration
* **Se concentrer pour être heureux,** Jean-Paul Simard

* **Se connaître soi-même,** Gérard Artaud
* **Se contrôler par le biofeedback,** Paultre Ligondé
* **Se créer par la gestalt,** Joseph Zinker

Se guérir de la sottise, Lucien Auger
S'entraider, Jacques Limoges
Séparation du couple, La, Dr Robert S. Weiss

* **Trouver la paix en soi et avec les autres,** Dr Theodor Rubin
* **Vaincre ses peurs,** Lucien Auger
* **Vivre avec sa tête ou avec son coeur,** Lucien Auger

Volonté, l'attention, la mémoire, La, Robert Tocquet
Votre personnalité, caractère..., Yves Benoit Morin

* **Vouloir c'est pouvoir,** Raymond Hull

Yoga, corps et pensée, Bruno Leclercq
Yoga des sphères, Le, Bruno Leclercq

SEXOLOGIE

* **Avortement et contraception,** Dr Henry Morgentaler
* **Bien vivre sa ménopause,** Dr Lionel Gendron
* **Comment séduire les femmes,** E. Weber, M. Cochran
* **Comment séduire les hommes,** Nicole Ariana

Fais voir! W. McBride et Dr H.F.-Hardt

* **Femme enceinte et la sexualité, La,** Elizabeth Bing, Libby Colman

Femme et le sexe, La, Dr Lionel Gendron

* **Guide gynécologique de la femme moderne, Le,** Dr Sheldon H. Sherry

Helga, Eric F. Bender
Homme et l'art érotique, L', Dr Lionel Gendron
Maladies transmises sexuellement, Les, Dr Lionel Gendron
Qu'est-ce qu'un homme? Dr Lionel Gendron
Quel est votre quotient psycho-sexuel? Dr Lionel Gendron

* **Sexe au féminin, Le,** Carmen Kerr

Sexualité, La, Dr Lionel Gendron

* **Sexualité du jeune adolescent, La,** Dr Lionel Gendron

Sexualité dynamique, La, Dr Paul Lefort

* **Ta première expérience sexuelle,** Dr Lionel Gendron et A.-M. Ratelle
* **Yoga sexe,** S. Piuze et Dr L. Gendron

SPORTS

ABC du hockey, L', Howie Meeker

* **Aïkido — au-delà de l'agressivité,** M. N.D. Villadorata et P. Grisard

Apprenez à patiner, Gaston Marcotte

* **Armes de chasse, Les,** Charles Petit-Martinon
* **Badminton, Le,** Jean Corbeil

Ballon sur glace, Le, Jean Corbeil
Bicyclette, La, Jean Corbeil

* **Canoé-kayak, Le,** Wolf Ruck
* **Carte et boussole,** Björn Kjellström

100 trucs de billard, Pierre Morin
Chasse et gibier du Québec, Greg Guardo, Raymond Bergeron
Chasseurs sachez chasser, Lucien B. Lapierre

* **Comment se sortir du trou au golf,** L. Brien et J. Barrette
* **Comment vivre dans la nature,** Bill Riviere
* **Conditionnement physique, Le,** Chevalier-Laferrière-Bergeron
* **Corrigez vos défauts au golf,** Yves Bergeron

Corrigez vos défauts au jogging, Yves Bergeron
Danse aérobique, La, Barbie Allen

* **En forme après 50 ans,** Trude Sekely
* **En superforme par la méthode de la NASA,** Dr Pierre Gravel

Entraînement par les poids et haltères, Frank Ryan
Équitation en plein air, L', Jean-Louis Chaumel
Exercices pour rester jeune, Trude Sekely

* **Exercices pour toi et moi,** Joanne Dussault-Corbeil

Femme et le karaté samouraï, La, Roger Lesourd
Guide du judo (technique debout), Le, Louis Arpin

* **Guide du self-defense, Le,** Louis Arpin
* **Guide de survie de l'armée américaine, Le**

Guide du trappeur, Paul Provencher
Initiation à la plongée sous-marine, René Goblot

* **J'apprends à nager,** Régent LaCoursière
* **Jogging, Le,** Richard Chevalier
Jouez gagnant au golf, Luc Brien, Jacques Barrette
* **Jouons ensemble,** P. Provost, M.J. Villeneuve
* **Karaté, Le,** André Gilbert
* **Karaté Sankukai, Le,** Yoshinao Nanbu
Larry Robinson, le jeu défensif au hockey, Larry Robinson
Lutte olympique, La, Marcel Sauvé, Ronald Ricci
* **Marathon pour tous, Le,** P. Anctil, D. Bégin, P. Montuoro
Marche, La, Jean-François Pronovost
Maurice Richard, l'idole d'un peuple, Jean-Marie Pellerin
* **Médecine sportive, La,** M. Hoffman et Dr G. Mirkin
Mon coup de patin, le secret du hockey, John Wild
* **Musculation pour tous, La,** Serge Laferrière
Nadia, Denis Brodeur et Benoît Aubin
Natation de compétition, La, Régent LaCoursière
Navigation de plaisance au Québec, La, R. Desjardins et A. Ledoux
Mes observations sur les insectes, Paul Provencher
Mes observations sur les mammifères, Paul Provencher
Mes observations sur les oiseaux, Paul Provencher
Mes observations sur les poissons, Paul Provencher
Passes au hockey, Les, Chapleau-Frigon-Marcotte
Parachutisme, Le, Claude Bédard
Pêche à la mouche, La, Serge Marleau
Pêche au Québec, La, Michel Chamberland
Pistes de ski de fond au Québec, Les, C. Veilleux et B. Prévost
Planche à voile, La, P. Maillefer
* **Pour mieux jouer, 5 minutes de réchauffement,** Yves Bergeron
* **Programme XBX de l'aviation royale du Canada**
Puissance au centre, Jean Béliveau, Hugh Hood
Racquetball, Le, Jean Corbeil
Racquetball plus, Jean Corbeil
** **Randonnée pédestre, La,** Jean-François Pronovost
Raquette, La, William Osgood et Leslie Hurley
Règles du golf, Les, Yves Bergeron
Rivières et lacs canotables du Québec, F.Q.C.C.
* **S'améliorer au tennis,** Richard Chevalier
Secrets du baseball, Les, C. Raymond et J. Doucet
Ski nautique, Le, G. Athans Jr et A. Ward
* **Ski de randonnée, Le,** J. Corbeil, P. Anctil, D. Bégin
Soccer, Le, George Schwartz
* **Squash, Le,** Jean Corbeil
Squash, Le, Jim Rowland
Stratégie au hockey, La, John Meagher
Surhommes du sport, Les, Maurice Desjardins
Techniques du billard, Pierre Morin
* **Techniques du golf,** Luc Brien, Jacques Barrette
Techniques du hockey en U.R.S.S., André Ruel et Guy Dyotte
* **Techniques du tennis,** Ellwanger
* **Tennis, Le,** Denis Roch
Terry Fox, le marathon de l'espoir, J. Brown et G. Harvey
Tous les secrets de la chasse, Michel Chamberland
Troisième retrait, Le, C. Raymond, M. Gaudette
Vivre en forêt, Paul Provencher
Vivre en plein air, camping-caravaning, Pierre Gingras
Voie du guerrier, La, Massimo N. di Villadorata
Voile, La, Nick Kebedgy

Imprimé au Canada/Printed in Canada